D0784189

LA REFONDATION
DU MONDE

Jean-Claude Guillebaud

LA REFONDATION
DU MONDE

Éditions du Seuil

TEXTE INTÉGRAL

ISBN 2-02-41947-5
(ISBN 2-02-036134-5, 1re publication)

© Éditions du Seuil, septembre 1999

« J'aimerais aider mes semblables à se faire à l'idée d'un mouvement *ouvert* de la réflexion. Ce mouvement n'a rien à dissimuler, rien à craindre. Il est vrai que les résultats de la pensée sont bizarrement liés à des épreuves de rivalité. Nul ne peut disjoindre entièrement ce qu'il pense de l'autorité réelle qu'en aura l'expression. Et l'autorité s'acquiert au cours de jeux dont les règles traditionnelles, un peu arbitraires, engagent celui qui s'exprime à donner de sa pensée l'idée d'une opération sans défaut et définitive. C'est une comédie bien excusable, mais elle isole la pensée dans des parades d'oiseaux qui n'ont plus rien à voir avec une démarche réelle, forcément douloureuse et ouverte, toujours en quête d'aide et jamais d'admiration. »

Georges Bataille.

Vous avez dit « refondation » ?

> « L'humanité est talonnée par la nécessité de
> se fonder pour vivre. »
>
> Pierre Legendre.

Dans le *Livre des psaumes* de la Bible, le psaume premier évoque cette « société des railleurs », au milieu de laquelle le juste ne devrait jamais s'asseoir : celle de la dérision et des moqueries, collusion que le psaume désigne aussi par l'expression « l'assemblée des méchants[1] ». Les deux périphrases me semblent consonner parfaitement avec l'air du temps. Elles définissent assez bien cette modernité cancanière et finaude, qui se croit revenue de tout et s'esclaffe à l'idée de refondation. Il est vrai que chacun de nous, à sa façon, est membre à part entière de la société des railleurs. La dérision, avec sa pluie acide, nous est un recours habituel – ou une stratégie. Quant aux rires spontanés, ils valent conjuration et participent peut-être de cet art de l'esquive, de la dérobade, qui est devenu notre seconde nature. Quoi que nous proclamions, nous avons intériorisé ces prudences de vieillards. Nous, citoyens modernes, répugnons désor-

---

1. J'emprunte cette image à Shmuel Trigano, *Un exil sans retour ? Lettres à un Juif égaré*, Stock, 1996.

mais aux interrogations trop directes. Sur les questions essentielles, nous préférons les débats de procédures, fussent-ils byzantins ; nous privilégions d'instinct les questions de méthodes plutôt que les urgences de fond. Pour ces dernières, et assez extraordinairement, nous faisons comme si les choses *allaient de soi* ou, au pire, pouvaient toujours être renvoyées à plus tard. Il existe, en d'autres termes, une désinvolture de bon ton, un déni ontologique qui pèsent sur chacun de nous comme une injonction. On ne se risque plus beaucoup, par les temps qui courent, à aborder de front ce qui touche à l'essentiel. Pour un peu, on en ferait une affaire de politesse...

C'est à cette prudence que je voudrais – témérairement, mais à mes risques – contrevenir. C'est aux questions fondatrices que j'aimerais m'intéresser, et sans trop de détour. Mais qu'est-ce à dire ? Dans ce qu'on nous répète aujourd'hui sur tous les tons, dans ce qui sourd du discours quotidien ou se devine derrière ce que l'économiste Jean-Paul Fitoussi appelle « l'idéologie du monde[2] », quelque chose sonne dramatiquement faux. Dans ces célébrations et ces performances quantifiées, dans ces complaisances pour le relativisme, dans cette fétichisation de l'individu désaffilié, une sonorité indéfinissable nous alarme comme un tocsin. Est-ce ainsi, vraiment, que le futur s'annonce ? Faut-il nous résigner à la fin des pensées totalisantes, au règne versatile de la « démocratie d'opinion », aux pesanteurs du tout-marché ou de la technoscience, à la raideur du droit substituée aux croyances collectives, à l'évanouissement définitif des utopies et de l'espérance ? Derrière ce bric-à-brac, nous pressentons des formes nouvelles de domination, des inégalités faisant retour, un principe d'humanité

---

2. *Le Monde*, 8 juillet 1998.

qui fait naufrage. Mais ces menaces nous trouvent, cette fois, désarmés. Nous ne savons plus comment y faire face. Nous avons du mal à seulement les analyser. Le sol se dérobe. Rarement, il nous a semblé plus urgent de retrouver un peu de terre ferme.

Refondation, en effet…

Mais il faut être clair sur ses intentions. On ne se méfie jamais assez des malentendus éventuels. C'est d'abord eux qu'il s'agit de localiser pour mieux passer au large, comme un marin répertorie les récifs avant l'appareillage. Concernant le projet qui justifie ce livre j'en discerne au moins cinq.

Faut-il parler de « morale » ?

Le premier malentendu concerne évidemment ce qu'il est convenu d'appeler la morale, les valeurs, autant d'expressions solennelles qui habitent – *ad nauseum* – l'esprit du temps. Il serait nécessaire, nous répète-t-on sans cesse, de retrouver une morale ou le sens des choses. Périodiquement, entre deux exercices de dérision, nous sommes conviés à ce fade exercice de retenue ou de modération vertueuse qui permettrait d'éviter la débâcle. Je n'aime pas cette antienne et tout ce qu'elle trahit de nostalgie inavouée et de contrition vague. Tout nous invite à nous méfier du mot même de « morale » ou de celui qui se veut plus anodin d'« éthique ». Tous deux transportent avec eux je ne sais quelle intention disciplinaire. Comme s'il s'agissait, en cette affaire, de mieux écouter un commandement venu d'en haut et auquel il nous faudrait réapprendre à obéir. Non, ce n'est pas comme cela que nous sentons les choses. Parler de « morale » aux hommes et aux femmes de cette fin de siècle, c'est se condamner à ne jamais être compris ; c'est même perpétuer le désarroi que l'on prétend combattre. Et c'est aussi se tromper sur le sens des mots. Refonder, ce n'est pas *décréter* ; tenter de redéfinir ce qu'Émile Durkheim appelait les « représentations collectives », ce n'est pas – surtout pas ! – moraliser.

Et pour une raison bien simple. Nul ne fera jamais revivre ce qui a été désenchanté. Sauf le tyran, peut-être. Ou le commissaire politique. Nul n'imposera du dehors, aux individus émancipés d'une société libre, une manière spécifique d'être ensemble – sauf fugitivement et par la contrainte. Toute démarche *moralisatrice* est un contresens dans les termes. Même quand elle en reste au stade commode de la déclamation. C'est peut-être Cioran qui a le mieux exprimé, jadis, cette vanité de la prédication. « Il est vulgaire, écrivait-il en 1949, de claironner des dogmes au milieu des âges exténués [3]. »

De la même façon, le débat récurrent sur les valeurs ou la « quête de sens » me paraît assez vain, du moins tel qu'il est conduit d'ordinaire. Il suggère l'idée d'un choix de pur confort, qui serait offert à notre fantaisie ménagère. Comme si se présentait à nous l'étendue d'un *possible* – d'une « offre » éthique – dans lequel il suffirait d'opérer une sélection, à l'instar d'un pousseur de Caddie composant ses menus dans les rayons d'un supermarché. Voyons un peu : quelles valeurs adopterons-nous demain ? Ou encore : à quelle sauce choisirons-nous d'accommoder nos vies ? Au-delà du comique de la formulation, nous sentons bien qu'il y a, dans cette métaphore, une bonne dose d'imposture, inconsciente ou pas. En réalité, ni la morale, ni les valeurs ne sauraient être des ingrédients ajoutés au reste, des ornements qui

---

3. Cioran, *Précis de décomposition*, Gallimard, 1949.

viendraient améliorer – ou enjoliver – notre façon de vivre ensemble. Il est enfantin de raisonner comme si l'on pouvait songer au superflu après avoir assuré le nécessaire ; ajouter du « sens » à la façon d'un gourmet avisé qui ajoute du sel ou du poivre à son plat pour en relever la saveur.

Or c'est souvent ainsi que l'on procède aujourd'hui. Invoquer les valeurs perdues ou les morales en faillite est devenu la routine consolatrice d'une modernité qui ne sait plus où elle en est mais se rassure à peu de frais. Sauf qu'en désignant ainsi ces horizons rédempteurs, ces « morales pour demain », ces vertus ou ces transcendances enviables, elle le fait comme une agence de voyages proposant des destinations tarifées. Encore un effort et ce « plus » nous sera donné par surcroît. Assurons-nous d'abord un taux de croissance, une bonne santé de la Bourse, une pratique compétitive de l'Internet et nous pourrons, ensuite, nous occuper du « sens ». Encore un peu plus de marchandises à disposition et nous prendrons à bras-le-corps ces affaires d'humanisme, de joliesses civilisées… Sans plus attendre, certains ont d'ailleurs des solutions toutes prêtes et tiennent boutique sur le marché des « valeurs », offrant à la bonne fortune du libre-échange quelques manuels garantissant au chaland de pouvoir remettre du sens dans sa vie… Ce commerce est innocent, parfois même sympathique, mais qu'on nous garde des moralisateurs de cette sorte ! Qu'on nous préserve des cuisiniers de l'ontologie, mirlitons intempestifs qui vont partout claironnant leurs dogmes et leurs recettes !

C'est à une démarche infiniment plus vitale – et risquée – que nous invite le mot de « refondation » que j'emprunte ici à Pierre Legendre. En juriste et en psychanalyste, Legendre s'intéresse d'abord aux questions de filiation et de transmission. « Le principe généalogique, en définitive, veut dire simplement ceci, écrit-il : sans discours fondateur, pas de vie humaine [4]. » Sans affiliation à une histoire, sans transmission d'une conscience et d'un langage hérités, pas d'humanisation imaginable. Ce qui vaut pour la généalogie d'un homme et son apprentissage vaut évidemment pour la collectivité. Ce n'est pas d'un « ajout » de sens ou de morale, toujours différable, toujours négociable, que nous avons besoin, c'est de ce minimum fondateur dont la modernité – nous le savons bien – porte obscurément le deuil. La question en jeu n'est donc pas affaire d'urbanité, de civilité sociale ou politique. Elle est à la source même de ce qui nous tient réunis ; elle fonde littéralement notre capacité de vivre assemblés et de nous perpétuer, d'une génération à l'autre, en obéissant à ce que Platon appelait déjà le « projet d'immortalité ». « L'important, écrivait le chancelier de France Michel de l'Hospital à son souverain, au sujet des guerres confessionnelles, n'est pas de savoir quelle est la vraie religion mais de savoir comment les hommes peuvent vivre ensemble. »

La question n'est point morale au sens normatif du terme mais, pourrait-on dire, au sens anthropologique. C'est ce que Cornelius Castoriadis voulait signifier lorsqu'il évoquait ces types humains dont hérita l'époque moderne (il disait parfois « le capitalisme ») mais qu'elle n'aurait pu – et ne pourrait plus – créer elle-même : « Des juges incorruptibles, des fonctionnaires intègres et wébériens, des éducateurs qui se consacrent à leur vocation, des ouvriers qui ont un minimum de conscience professionnelle. Ces types [...] créés dans des périodes historiques antérieures, par référence à

---

4. Pierre Legendre, *L'Inestimable Objet de la transmission. Études sur le principe généalogique en Occident. Leçons IV*, Fayard, 1985.

des valeurs alors consacrées et incontestables[5]. » En d'autres termes, la difficulté n'est pas tant, comme le croit naïvement le moraliste, de multiplier les éducateurs ni de les aider à *mettre au pas* une sauvagerie proliférante. La vraie question est celle que posait Marx jadis : « Qui éduquera les éducateurs[6] ? » C'est-à-dire où donc notre société puisera-t-elle ce corpus infiniment ramifié de convictions communes, principes partagés, certitudes admises, projets définis, fidélités héritées qui lui fournit sa cohésion, voire sa raison d'être, tout en lui permettant d'inscrire chacun de ses membres dans une généalogie humanisante ? Sur quelles fondations poserons-nous finalement l'édifice de nos codes, de nos règles, de nos lois ou de nos disciplines que mine sans cesse une irrémédiable incomplétude, ce « vide » moral et spirituel qu'annonçait jadis Max Weber ?

Reprenant presque terme à terme les remarques de l'agnostique athénien qu'était Castoriadis, le théologien (dissident) Maurice Bellet formule à sa manière la question qui est l'objet même de ce livre. « Nos sociétés, demande-t-il, ne tiennent-elles pas debout grâce à des "valeurs" (civisme, conscience professionnelle minimale, respect des interdits fondateurs, etc.) qui ne survivent elles-mêmes qu'en mobilisant je ne sais quel "sacré" résiduel ou dégradé ? Nous ne serions plus entés que sur des "lambeaux" d'humanité perdue, nos vies collectives ne reposeraient plus que sur des "reliquats" spirituels, des gisements en voie d'épuisement et que, en tout cas, rien ne renouvelle plus[7]. »

---

5. Cornelius Castoriadis, *La Montée de l'insignifiance*, Seuil, 1996.

6. Karl Marx, « Troisième thèse sur Feuerbach », in *L'Idéologie allemande*, Éd. sociales, 1968.

7. Maurice Bellet, *La Seconde Humanité. De l'impasse majeure de ce que nous appelons l'économie*, Desclée de Brouwer, 1994.

Nous voilà décidément loin de la morale et de ses nouveaux thérapeutes…

Comment échapper à la nostalgie ?

Le second malentendu tient à ce que j'appellerais la futilité de toute *déploration*. Quiconque s'affronte à ces questions fondatrices, quiconque ne se satisfait ni de l'injustice ni du nihilisme ambiants se voit immanquablement sollicité par la nostalgie. Et durablement tourmenté par elle. Ah, comme les choses étaient belles jadis ! Dieu que la société était harmonieuse lorsqu'un même credo la soudait ! « Une foi, une loi, un roi… » Autant de sanglots estimables mais bien superflus… Je montrerai comment même ceux qui refusent pour de bonnes raisons le désordre installé se trouvent piégés aujourd'hui par le regret de ce qui n'est plus. La plupart des critiques de la modernité tombent en réalité dans ce panneau et donnent l'impression d'être *principalement habitées par la mélancolie*. Derrière les artifices du langage et les rhétoriques « progressistes », nous percevons presque toujours un discours de déploration et un projet plus ou moins avoué de restauration. Ils n'ont pas grand sens.

Pourquoi ? Parce que la pensée ne saurait s'affranchir de ce qui est, *pour de bon*, advenu. On ne rebrousse pas certains chemins. Or des ruptures se sont produites qui, sur bien des terrains, ont changé la donne. Est-il conscient de son ridicule, le prophète nostalgique qui, inébranlable, raisonne comme si ni la contraception, ni l'informatique, ni les biotechnologies, ni le feu nucléaire, ni la chirurgie vasculaire, ni l'industrie spatiale – pour ne citer que ces quelques « détails » – n'avaient transformé notre rapport au monde et changé nos vies ? Tenter de nous guérir du désarroi contemporain en ressuscitant ce qui est mort est une entreprise sans avenir. Prétendre ordonner la cité en reconstruisant, à l'identique, des institutions ruinées est une illusion. Comme on le sait, celle-ci peut trouver une clientèle et occuper un espace dans le débat public, mais elle ne mène pas très loin. Ou alors, au pire. Pour le reste, sauf à satisfaire un ego qui prend la pose, à quoi peut-il servir de n'être que le grognon de la modernité, le procureur du présent, la Cassandre du futur jamais lassée de prophétiser l'apocalypse ?

Les projets restaurateurs n'ont jamais durablement abouti dans l'histoire occidentale. Et cela depuis l'origine. Que l'on songe à celui, fameux mais avorté, du IVe siècle de notre ère. En 362, l'empereur Julien (dit « l'Apostat »), ayant rompu avec le christianisme dans un contexte d'effondrement crépusculaire de l'ancien ordre païen, tenta de restaurer autoritairement celui-ci en luttant avec détermination contre la subversion chrétienne, interprétée alors comme un ferment d'anarchie. A ses yeux, les chrétiens « qui se vantaient d'être des novateurs » précipitaient l'Empire dans la décadence et faisaient le jeu des barbares assiégeant le *limes* romain. Usant du pamphlet (*Contre les Galiléens*) et du décret impérial, Julien s'employa à ressusciter les vieux cultes, les sacrifices et les « vertus » antiques. En vain. L'expérience ne dura guère plus de deux années. Le temps était passé et le « désenchantement » accompli. Ultérieurement, les tentatives du même ordre furent nombreuses…

Aujourd'hui, c'est peu de dire que les désenchantements sont plus radicaux encore. En vérité, nous sommes d'ores et déjà passés par mille révolutions invisibles qui ouvrent toutes sur l'inimaginable. Depuis deux ou trois décennies, le cours des choses est même allé bien plus vite que la pensée. En cette fin de siècle, nous sommes les contemporains anxieux d'une réalité qui demeure, au sens strict du terme, *impensée*. Cette immense rupture historique, par son ampleur, n'est comparable à rien de connu, pas même aux grands basculements qu'introduisirent, jadis, l'imprimerie, la machine à vapeur ou la révolution copernicienne. La nostalgie – fût-elle émouvante et respectable – est mauvaise conseillère.

Comprise ici au stade assez trivial de la politique quotidienne et du bavardage politicien, la même remarque peut être faite à d'autres niveaux. La pensée critique me paraît souvent colonisée, elle aussi, par ce tropisme de la déploration. Je ne prendrai qu'un exemple : l'étrange regain d'intérêt pour la réflexion du grand constitutionnaliste et philosophe du droit allemand Carl Schmitt (1888-1985), abondamment retraduit, réédité, rediscuté durant ces dix dernières années en Europe. Certes, on aurait bien tort de sous-estimer l'œuvre de Carl Schmitt, à cause de son ralliement au nazisme, comparable à celui de Martin Heidegger. Le philosophe Jacob Taubes, mort en 1987, exprime d'ailleurs magnifiquement, au sujet de Schmitt, le dilemme devant lequel nous place toute grande œuvre ayant débouché, comme la sienne, sur une vénéneuse compromission : « Bien que juif pratiquant, écrit-il, je voudrais témoigner de mon respect pour Carl Schmitt, un esprit qui était certes âgé mais encore vif au soir de sa vie ; je fais en effet partie de ceux qu'il désignait comme "ennemis"[8]. »

Or toute l'œuvre de Schmitt, apôtre de la volonté et du « décisionnisme », est habitée par cette idée de l'imminence du chaos et par la volonté acharnée d'y résister bec et ongles. Un chaos que seul un État relégitimé par

---

8. Jacob Taubes, *La Théologie politique de Paul. Schmitt, Benjamin, Nietzsche et Freud*, Seuil, 1999.

une filiation théologique et capable, comme le disait Rousseau, d'« imiter les décrets immuables de la divinité [9] » serait en mesure de retarder. Elle est nostalgique, au sens le plus fort du terme. Schmitt, effrayé par les faiblesses – évidentes – de la démocratie libérale, s'est voulu le grand *retardateur*, obstiné à prévenir la catastrophe, quitte à restaurer une forme théologique de l'État ruinée par le « désenchantement du monde [10] » wébérien. Qu'il soit aujourd'hui redécouvert à la hâte, à la fois par l'extrême droite, par certains théoriciens de l'État et même par une fraction de la gauche radicale, me semble significatif. En fait, justement affolée par la résignation capitularde de la sous-culture ambiante, une bonne part de la réflexion contemporaine se retrouve tentée par la nostalgie et compromise par elle.

En définitive, toute remise en question de la modernité court le risque de renouer confusément avec l'une ou l'autre des grandes traditions contre-révolutionnaires : celle de Louis de Bonald, de Joseph de Maistre ou de Donoso Cortès ; celle aussi du romantisme allemand ou du comtisme français qui inspira Maurras. Ce voisinage n'est pas toujours conscient ni repéré, mais il rend ladite critique vulnérable, pour ne pas dire inopérante. Bien des réflexions sur l'insignifiance contemporaine (jusques et y compris celles de Castoriadis, d'Ellul ou des théoriciens de l'école de Francfort…) se voient dévalorisées aujourd'hui, passées quelquefois par pertes

---

9. C'est une phrase de Rousseau que Schmitt cite lui-même, et significativement. Voir Carl Schmitt, *Théologie politique* (1922) ; trad. fr. Jean-Louis Schlegel, Gallimard, 1988.

10. L'expression « désenchantement du monde » *(Entzauberung)*, reprise par Max Weber, puis par Marcel Gauchet qui en a fait le titre de son maître-livre, est en réalité de Friedrich von Schiller (1759-1805). A l'origine, elle désignait la disparition des superstitions et des « magies » en tant que techniques de salut.

et profits, à cause de cette filiation réelle ou supposée mais évidemment disqualifiante avec la tradition contre-révolutionnaire. Le piège fonctionne au bout du compte comme une machine à légitimer l'idéologie dominante. Ainsi, contre cette dernière, la nostalgie ratiocinante n'en finit pas de se casser les ongles en réjouissant la « société des railleurs »…

Pire encore. Sous l'effet mimétique de la rivalité, se trouvent interminablement affrontées deux réflexions aussi infirmes l'une que l'autre. L'une procède de l'adhésion puérile (ou stratégique) aux vulgates du moment, l'autre récuse en bloc la réalité contemporaine ; l'une annonce la félicité postmoderne de l'individu-consommateur, l'autre prédit la fin du monde désenchanté. Et les deux n'en finissent pas de faire couple ou « balançoire ». Le philosophe canadien Charles Taylor, professeur à l'université Macgill de Montréal, souligne à quel point est improductive cette gémellité rivale. « Je ne suis pas satisfait, pour ma part, des théories qui ont maintenant cours [au sujet de la modernité]. Quelques-unes sont optimistes, considèrent que nous avons réussi à nous élever à des niveaux supérieurs ; d'autres nous présentent une image de décadence, de perte, d'oubli. Ni les premières ni les secondes ne me semblent justes ; elles passent massivement sous silence, les unes et les autres, des aspects importants de notre situation [11]. »

Dire un non définitif à tout discours de déploration revient donc à déjouer, par avance, ces sortes de piège. Et puis, pourquoi dissimuler que le pur plaisir d'être, une certaine disposition de l'âme ont leur part dans ce *refus du refus* ? Il me paraît nécessaire d'inventer

11. Charles Taylor, *Les Sources du moi. La formation de l'identité moderne*, Seuil, 1998.

des démarches critiques sensiblement plus allègres et même, pourquoi pas, plus gaies. En tout cas, c'est « en avant » qu'il nous faut réfléchir, dans une adhésion lucide aux temps qui viennent, mais sans soumission préalable ni renoncement. C'est sans jérémiades intempestives qu'il faut tâcher d'identifier les barbaries annoncées. Et c'est avec plus d'intrépidité que nous devons réapprendre à les combattre. Il s'agit de réclamer le « bénéfice d'inventaire » et le droit imprescriptible à la *subversion*. « Il faut apprendre à discerner les chances non réalisées qui sommeillent dans les replis du présent, écrit André Gorz. Il faut vouloir s'emparer de ces chances, s'emparer de ce qui change. Il faut oser rompre avec cette société qui meurt et qui ne renaîtra plus. Il faut oser l'Exode [12]. »

Dans cette perspective, le terme « refondation » me semble adéquat. Il dit exactement ce qu'il veut dire. Refonder n'est pas restaurer, la différence n'est pas mince. Comme l'écrivent certains essayistes américains de l'école dite communautarienne, pas question de rapatrier la moindre tradition sans la réinventer.

Le droit n'est-il pas suffisant ?

C'est encore à Charles Taylor que j'emprunterai la définition du troisième malentendu. Il procède d'un silence consenti, d'une abstention volontaire et même timorée. A quoi bon nous interroger sur ce qui fonde nos convictions, puisqu'il y a désormais accord à ce sujet ? Pourquoi refaire une archéologie critique des valeurs modernes, du moment qu'elles sont devenues

---

12. André Gorz, *Misère du présent. Richesse du possible*, Galilée, 1997.

non seulement universelles, mais sanctionnées – en théorie – par le droit ? Pour certains, la référence aux grandes chartes et déclarations devrait largement suffire à fonder notre résistance aux nouveaux barbares. Et de citer les Déclarations américaine et française des droits de l'homme et la Déclaration universelle de 1948, qui articulent dorénavant une morale mondiale que seuls osent encore récuser les tyrannies exotiques ou les obscurantismes résiduels.

« Ces chartes, écrit Paul Valadier, ne sont que la traduction juridique *du* principe moral essentiel ou de la *loi* morale en tant que telle, admirablement explicitée par Kant : la dignité de tout homme est à respecter absolument, ou encore aucun homme ne peut jamais seulement être traité comme un moyen, mais toujours comme une fin. Avec ce principe, nous rencontrons la référence morale que nous cherchions et qui n'est pas imposée arbitrairement à nos sociétés, mais dont elles reconnaissent elles-mêmes la valeur exigeante et à laquelle elles déclarent vouloir se soumettre [13]. »

Pour les tenants de cet optimisme, la démarche refondatrice serait devenue sans objet. Sur le plan ontologique, l'Histoire serait bel et bien achevée, du moins celle des idées. Nous serions même sortis de l'âge métaphysique. Le problème ne serait plus *que* juridique et géopolitique. La tâche encore devant nous serait ardue, certes, mais infiniment simplifiée. Comment faire prévaloir sur l'ensemble de la planète ces « droits de l'homme » ainsi formulés ? Comment bâtir, pas à pas, les institutions internationales – y compris judiciaires et pénales – capables de donner vie à cette morale universellement admise ? Tel serait notre tra-

---

13. Paul Valadier, *Inévitable Morale*, Esprit-Seuil, 1990.

vail. En revanche, s'interroger sur la source, l'histoire, le fondement et la solidité de ces droits ne serait pas seulement inutile mais inopportun. Toute réflexion qui remettrait en évidence les « sources » occidentales de la modernité serait attentatoire au pluralisme moderne. Elle participerait au bout du compte d'un « occidentalo-centrisme » de mauvais aloi. Tel est le discours majoritaire.

Ces bonnes intentions pluralistes alimentent et justifient un certain silence de la philosophie et des sciences humaines que Charles Taylor n'a sûrement pas tort de trouver « malsain ». « La tentation est forte chez nos contemporains, écrit-il, d'escamoter l'ontologie morale, en partie parce que le caractère pluraliste de la société moderne fait qu'il est plus facile de s'en dispenser [14]. » En fait, ce « droit-de-l'hommisme » pur et simple, ce juridisme international résigné à faire l'impasse sur toute idée de refondation ou d'archéologie – c'est-à-dire sur la mémoire – me paraît un bien maigre viatique. Et très imprudents ceux qui s'en contentent. D'abord parce que l'existence des chartes en question ne traduit guère qu'un consensus de « papier », pour ne pas dire de façade, que les puissances occidentales sont parfois les premières à renier ou à trahir, et cela *démocratiquement*. En vérité, l'antagonisme planétaire entre différentes conceptions du Bien demeure plus ardent et plus irréductible qu'on ne le croit. C'est même la violence renouvelée de cet antagonisme – aussi bien à l'intérieur de nos sociétés qu'au-dehors – qui nous renvoie mécaniquement vers les questions fondatrices. Aucun vrai débat ne peut être conduit, aucun combat ne peut être mené au sujet de la « morale universelle » si nous faisons,

---

14. Charles Taylor, *Les Sources du moi, op. cit.*

par l'effet d'une sorte de politesse, l'économie d'un ressourcement. A quoi croyons-nous, au juste ? Quelle fut la genèse de ces convictions ? En sont-elles vraiment ? Pourquoi et comment sont-elles, aujourd'hui, gravement menacées ? Personne n'osera prétendre que ces questions n'ont plus lieu d'être…

Et puis, comment oublier que le droit n'est jamais qu'une mise en forme de principes, croyances, représentations qui seuls lui fournissent sa légitimité ? Y compris lorsqu'il s'agit de réinventer ce qu'on appelait jadis le droit naturel. Le droit, en d'autres termes, est à la fois déterminant et infirme. Qui l'a fait peut toujours le défaire. En outre, l'Histoire nous a montré de quelle manière le droit, réduit à lui-même, pouvait servir consécutivement plusieurs maîtres. Il y eut bel et bien un « droit » nazi ou stalinien, parfaitement cohérent avec ses propres fondements. Tout conspire aujourd'hui à nous alerter : les droits de l'homme, la démocratie, la règle écrite, valeurs éminentes de la modernité et des Lumières, sont en réalité fragilisés, suspendus au-dessus du vide, *de facto* désarmés devant le retour d'une certaine dureté inégalitaire et la remise en cause subreptice de l'héritage universaliste.

Mais là n'est sans doute pas le plus important. Le juridisme optimiste pèche aussi par étourderie. Il semble oublier une logique mille fois vérifiée et qui tient en peu de mots : quiconque s'en remet au droit et à lui seul pour asseoir la cohésion d'une société s'expose à la prolifération de celui-ci. C'est un fait que nos sociétés déboussolées ont tendance, comme on le verra, à combler le vide qui les habite par un recours de plus en plus tatillon et obsessionnel au droit positif. Notamment au droit pénal, qu'une pente naturelle introduit au cœur même de ce qu'on appelait jadis l'espace privé. Les juristes sont les premiers à s'inquiéter de ce qu'ils appellent la « pénalisation de la société [15] », cette inclination répressive qui, dans une course en avant irrésistible et désespérée, cherche à pallier l'absence de repères par l'édiction de règles, toujours plus précises, plus insidieuses.

Le droit romain, que Maurice Merleau-Ponty appelait joliment la « prose du monde [16] » et dont nous sommes les héritiers directs, incarnait assurément une forme d'universalité. Mais, d'un bout à l'autre de l'Empire, il se fondait malgré tout sur une cosmogonie, une interprétation du monde, voire un culte qui lui donnaient son assise. Le droit, à lui seul, ne saurait fonder une civilisation, pas plus que le juge ne peut devenir, à son corps défendant, le prêtre thaumaturge de la modernité, chargé de définir à notre place la différence entre le Bien et le Mal, cette frontière indécise qu'il s'épuise à tenter de délimiter jusqu'en ses plus infimes détours.

Chaque jour qui passe nous fournit d'ailleurs la preuve, *a contrario*, de cette relative impuissance. C'est à elle que nous pensons quand des juges avouent l'inanité de la règle face à des contrevenants qu'on n'a jamais accoutumés à la notion, même élémentaire, de l'interdit. Oui, en effet, qui éduquera les éducateurs ? Demain, dans une société réellement atomisée et complètement « plurielle », les parents devront-ils se contenter de transmettre à leurs enfants une connaissance approximative du Code pénal ?

---

15. Antoine Garapon et Denis Salas, *La République pénalisée*, Hachette, 1996. J'ai longuement traité cette question dans *La Tyrannie du plaisir*, Seuil, 1998.

16. Maurice Merleau-Ponty, *La Prose du monde*, Gallimard, 1968.

Est-il encore possible de penser la totalité ?

Le quatrième malentendu – il faudrait plutôt parler de défi – tient à notre propre impuissance devant la complexité sans cesse plus intimidante de la connaissance humaine. « Le réel est énorme, s'exclamait naguère Edgar Morin, hors normes par rapport à notre intelligence[17]. » Qui pourrait nier cette « énormité » ? Qui ne conviendrait de notre vertigineuse ignorance ? Il y a bien longtemps, en vérité, que le projet encyclopédique – celui qui définissait l'honnête homme des Lumières – est hors de notre portée. Aujourd'hui, le projet ferait même sourire un élève du secondaire, orienté et spécialisé dès la sortie de l'enfance. Chaque année, chaque mois, chaque semaine qui passent voient se ramifier un peu plus, jusqu'à une arborescence infinie, les connaissances et les disciplines.

Nous sommes entrés dans le temps du savoir éclaté et labyrinthique. Nous ne pouvons plus prétendre à autre chose qu'à des compétences partielles, locales, circonscrites. Nous avançons à tâtons vers un horizon d'appartenances multiples, d'identités plurielles, de raison modeste, de logiques fractales et de réseaux complexes. Que ce soit dans les « sciences dures » ou dans les « sciences molles », chacune des disciplines traditionnelles a d'ores et déjà éclaté en mille territoires autonomes, bien trop occupés par la complexité de leurs champs respectifs pour songer à communiquer avec le dehors. Ou même latéralement... En dépit de ces appels convenus à la « transdisciplinarité » qui font le bonheur des colloques, il n'y a plus désormais qu'un savoir

---

17. Edgar Morin, *Science avec conscience*, Fayard, 1982.

parcellisé et clos sur soi-même. Le respect scrupuleux de cette fragmentation est même devenu un gage de sérieux pour tout chercheur digne de ce nom. C'est avec quelque raison que le corporatisme universitaire est devenu ombrageux sur ce point, même si cette vigilance prend quelquefois un tour comique : « Vu votre spécialité, vous n'êtes pas compétent sur cette question précise, etc. » Il y a évidemment – aussi – des enjeux de pouvoir dans ces affaires...

Ainsi voit-on des économistes occupés leur vie durant par un infime segment de l'économétrie ; des médecins capables de réparer tel organe mais incapables d'envisager le malade dans son embarrassante globalité ; des sociologues incollables sur la question syndicale en Saône-et-Loire ; des historiens férus de la guerre des farines au XVIIIᵉ siècle ; des physiciens connaissant fort bien la question des quarks ou des protons ; des informaticiens redoutables mais confinés dans une « niche » particulière, etc. Bref, nous nous accoutumons peu à peu à cette figure archétypale de la scène publique : le prix Nobel médiatisé, tout à la fois très savant et inculte...

Voilà quinze ans déjà, Marcel Gauchet soulignait la fatalité de cet éparpillement de la connaissance, gage de son approfondissement. « Le discrédit jeté sur les tentatives d'orientation globale au nom du petit, du pluriel ou des marges, écrivait-il, est allé de pair avec la démultiplication des spécialités et l'éclatement bureaucratique du savoir [18]. » Cette parcellisation, aussi indiscutable que nécessaire, porte cependant en elle une forme de « barbarie » ou de déshumanisation progressive qu'il est difficile d'accepter. Peut-on se résoudre à cette étrange et perverse symétrie qui prévaut désor-

---

18. Marcel Gauchet, *Le Désenchantement du monde*, Gallimard, 1985.

mais dans l'arène publique : d'un côté la claironnante et superficielle généralisation médiatique, de l'autre la compétence fragmentaire des disciplines ; d'un côté le bavardage encyclopédique de la « pensée du flux », de l'autre la roide mais inaccessible érudition savante. Nous serions voués soit à la bêtise discoureuse, soit à la connaissance microscopique. Entre les deux, il n'y aurait plus grand-chose de praticable. Mais n'est-ce pas précisément dans cet entre-deux que nous vivons et que « fonctionne », au jour le jour, ce qu'on appelait naguère une civilisation ?

Prudence nécessaire, configuration légitime, cette parcellisation des connaissances produit donc des effets en chaîne qui ne sont pas toujours heureux. Elle conforte le discours du « vide », celui qui récuse – mais pour des raisons de fond – toute démarche globalisante. Faisant cela, elle légitime cette réincarnation contemporaine du nihilisme ; ce renoncement inavoué à la pensée elle-même et à l'engagement citoyen qu'elle rend possible ; ce désengagement désinvolte – pour ne pas dire cette désertion – qui prend volontiers son parti des formes nouvelles de la domination ou de l'iniquité. Le même refrain est partout murmuré. Comment pourrais-je agir ou même penser puisque le savoir véritable est hors d'atteinte ? Et comment prendrais-je parti puisque je ne sais rien ?

Mais il arrive aussi que cette nouvelle inaccessibilité du « global » serve d'alibi à la simple inculture, notamment celle des élites agissantes, des décideurs publics ou privés, des responsables en général. Évoquer cette relative ignorance des élites est évidemment une démarche irrespectueuse. Elle transgresse un interdit, pointe un scandale, menace cette confiance minimale qui fonde la démocratie représentative. Elle peut, à la limite, justifier les dérives populistes, le « tous ignorants » se substituant au « tous pourris ». Il n'empêche que la question, dorénavant, se pose. Et cela, même si le personnel politique européen demeure d'un bon niveau, comparé à celui du reste du monde. Ancien directeur de la revue *Esprit*, Paul Thibaud évoquait la question en ces termes : « On peut se demander si l'isolement des élites n'est pas facteur chez elles d'incuriosité et d'inculture. Les enquêtes du ministère de la Culture montrent qu'entre l'instruction supérieure et la lecture de livres le rapport s'est gravement distendu ces dernières décennies. La couche qui gère, celle aussi qui pense correctement, n'est-ce pas de plus en plus celle des instruits illisants [19] ? »

Veillons donc à ce que la nouvelle complexité du savoir ne serve pas d'alibi à la sottise dominatrice. Et comprenons que ce défi mérite d'être relevé, avec prudence mais opiniâtreté. Plus que jamais s'impose le besoin de perspective, de remise en cohérence, de réflexion « panoramique », à défaut de pouvoir être encyclopédique. « Ici, comme toujours, écrit Maurice Bellet, le seul vrai malheur serait la prétention. Mais tout est permis, si l'on demeure dans cette humilité : de tracer le chemin qu'on peut, avec la part de clarté qu'on a, pour se tenir à hauteur d'homme, prêt à entendre toute parole qui nous mènera plus loin [20]. »

En bravant cet interdit, en m'aventurant sur des territoires pour lesquels je n'ai ni sauf-conduit ni légitimité universitaire, je n'espère point poser au savant ni à l'érudit mirobolant. Qu'il me suffise de jouer le rôle de *messager* entre ceux qui savent. Sans doute est-il devenu irréalisable ce vieux rêve qui mobilisait jadis un Condorcet, un Diderot ou un D'Alembert : réunir dans sa main

---

19. Paul Thibaud, « Voyage dans la maladie française », *Le Débat*, n° 101, septembre-octobre 1998.

20. Maurice Bellet, *La Seconde Humanité, op. cit.*

l'essentiel de l'intelligibilité du monde, rassembler les morceaux de ce miroir brisé dans lequel nous cherchons sans répit le reflet de notre humanité. Il n'empêche ! Tenter de renouer, même imparfaitement ou incomplètement, les fils d'un dialogue entre les savoirs ne me semble pas une entreprise totalement vaine. Edgar Morin, en 1982, justifiait assez bien ce refus de l'enfermement parcellisé et du système : « C'est dans le dialogue avec l'incroyable et l'indicible, dans le jeu entre le clair et l'obscur qu'il y a pensée : la pensée – comme la vie – ne peut vivre qu'à la température de sa propre destruction. Elle meurt dès qu'elle s'enferme dans le système qu'elle construit, dans l'idée non biodégradable [21]... »

A ceux qui prendraient trop facilement leur parti du nouvel isolement des savoirs, à ceux qui s'accommodent de cet émiettement élitiste des connaissances, rappelons jusqu'où pouvait aller, voici deux siècles, l'idéalisme d'un Hegel. Dans un texte daté de 1796 et inspiré par Schelling et Hölderlin [22], Hegel soutenait que le devoir du savant consistait non seulement à communiquer son savoir *mais à le rendre attrayant et même poétique*, puisque seule la poésie, ajoutait-il, pouvait être l'éducatrice de l'Humanité. Ainsi la tâche du penseur consistait-elle à rendre les idées esthétiques, c'est-à-dire mythologiques, afin qu'elles pussent être comprises par le peuple. Ce qui est donc souhaitable, ajoutait Hegel, c'est une « mythologie de la raison », de sorte que « les gens éclairés et ceux qui ne le sont pas finissent par se donner la main ».

Aujourd'hui, nous n'en demanderons pas tant...

---

21. Edgar Morin, *Science avec conscience, op. cit.*
22. Il s'agit du texte intitulé *Le Plus Ancien Programme systématique de l'idéalisme allemand*, cité par Françoise Dastur, *Hölderlin. Tragédie et modernité*, Encre marine, 1992.

Comment récuser la dispute ?

Le dernier malentendu, toujours à craindre, procède de notre inclination spontanée pour la dispute, la guerre des concepts et le désaccord jalousement entretenu dès qu'il est question des origines. Le passé n'en finit pas, comme on le sait, d'être l'enjeu d'une bataille en appropriation. Sa réinterprétation et son rapatriement sporadique dans l'actualité rallument les querelles tonitruantes dont cette fin de siècle nous a donné maints exemples. De l'anniversaire de Clovis à celui de la Grande Guerre, en passant par le neuvième centenaire de la Première Croisade (1096), la passion du Christ, les guerres de Vendée ou la Révolution : on a vu de quelle manière s'enflammaient les esprits dès que le passé « fondateur » se voyait convoqué à la barre du présent.

Il en va évidemment de même – et plus encore – quand on cherche à évoquer la naissance de la modernité occidentale. Voilà bien un testament dont l'interprétation divise encore les héritiers. Dans ce qui nous a constitués et qui fonde aujourd'hui notre vision du monde, quelle est donc la part respective de la pensée grecque, du judaïsme et du christianisme ? Poser la question, c'est réveiller quelques disputes d'identité (ou de bornages) dont je voudrais me tenir à l'écart. Je comprends bien leur enjeu qui est, presque toujours, de légitimer une appartenance. Ou un préjugé. Aux yeux de certains, il ne serait pas indifférent d'escamoter certaines filiations, d'effacer une trace, de minorer le rôle fondateur d'une tradition. On en connaît qui s'exaspèrent de cette part juive que tout Occidental porte en lui. L'agnosticisme contemporain, pour sa part, répugne à identifier ce qu'il y a encore d'irrémédiablement chrétien dans notre vision du monde. D'autres encore – on le sait trop

31

bien – préfèrent en appeler aux racines nordiques ou indo-européennes, quitte à récuser cet universalisme de la raison qui nous vient des Grecs. Bref, sous chacune de ces pierres grouillent quantité de petites guerres. Des guerres redevenues d'autant plus « chaudes » que la quête éperdue d'une identité est devenue l'urgence du moment, fruit amer de la déréliction.

Je refuse, pour ma part, cette démarche querelleuse. Elle procède d'un dualisme archaïque ; elle témoigne d'une crispation assez risible, au fond. En réalité, c'est dans une magnifique *confluence* que s'enracine notre modernité. Nous sommes les héritiers de ce que Maurice Bellet appelle une « extraordinaire imbrication », faite d'influences croisées, d'interactions subtiles, d'émergences repérables. Mais nous avons surtout en propre d'être les *héritiers critiques* (et non point dévots) de notre propre histoire. Le philosophe Éric Weil exprime bien ce rapport particulier que nous entretenons avec ce triple legs qui nous fonde. Bâtie au carrefour de la sagesse grecque, du prophétisme biblique et de l'utopie évangélique, « l'Europe, écrit-il, est une tradition qui ne se satisfait jamais de sa tradition ». Elle est donc, en d'autres termes, un questionnement jamais interrompu [23].

On ne saurait mieux dire : préférer le questionnement au pugilat.

---

23. Éric Weil, *Philosophie morale*, Vrin, 1992.

UN ADIEU AU SIÈCLE

« Il faut du temps pour qu'un continent blessé
se remette d'un siècle comme celui-là ! »

Brian Beedham [1].

1. *International Herald Tribune*, 29 février 1996 ; cité par Anton Brender, *La France face à la mondialisation*, La Découverte, 1996.

Chapitre 1

Inventaire après naufrage

« Comment avons-nous pu vider la mer ?
Qui nous a donné l'éponge pour effacer tout
l'horizon ? »

Nietzsche.

« Affolés de massacres et abasourdis d'invention »,
comme l'écrivait Jürgen Habermas, nous serons donc
sortis de ce siècle en comptant les morts. Par millions,
par dizaines, par centaines de millions... Ceux des
Éparges ou de la Kolyma ; ceux de Ravensbrück, Guer-
nica ou Katyn ; les anonymes suppliciés d'Hiroshima,
Phnom Penh, Madagascar, Shanghai, Izieu et de tant
d'autres lieux, revenus ces dernières années, les uns
après les autres, réveiller notre mémoire. Nuit et
brouillard, crimes contre l'humanité, barbaries innombrables et « civilisées »... De commémorations en
Livres noirs, de repentances en procès d'assise, tout
au long des années 90, nous avons obstinément tenté
de répertorier les crimes, les mensonges et les folies
d'un siècle que le poète Ossip Mandelstam qualifiait
de « despote ». Y en eut-il beaucoup d'aussi sanglants
et d'aussi déraisonnables ? Éprouva-t-on si souvent dans
l'Histoire un tel sentiment de gâchis, une nausée aussi

forte, un si « honteux secret[1] », pour parler comme Vladimir Jankélévitch ?

Aucune réflexion sur le désarroi contemporain, nul examen du nihilisme qui assaille l'époque n'auraient le moindre sens si ce n'était *d'abord* pris en compte cet effrayant bilan. C'est habités par une stupeur historique sans équivalent, mus par un scepticisme inguérissable – pour ne pas dire une immense « gueule de bois » métaphysique – que nous avons entrepris de congédier ce siècle-là. Et plus douloureusement que nous l'imaginions. Dates anniversaires ou actualité judiciaire aidant, les années 90 ont pris l'allure d'une interminable psychanalyse collective qui fut par elle-même révélatrice. Quoi que nous fassions, nous n'en avons jamais fini de tirer les leçons de ce proche passé. Nous n'en finissons pas, nous, Occidentaux, de reparcourir ces décombres, d'identifier et de nommer ces désastres qu'on dirait emboîtés l'un dans l'autre, se générant l'un l'autre par l'effet d'une *logique* devenue repérable. Comme si le recul pris nous révélait enfin la totalité du parcours ; comme si la distance nous permettait de mieux reconstituer les étapes successives d'un grand naufrage. Et d'en prendre la vraie mesure.

Non, ce n'est pas par hasard, ni même sous l'effet du seul tropisme commémoratif – ou du souci de justice –, que nous aurons consacré tant d'efforts à cette étrange convocation de la mémoire du siècle, au moment où celui-ci s'achevait. C'est par nécessité, pour obéir à une urgence légitime : pas d'avenir imaginable sans apurement de ce passé-là.

Car les morts en eux-mêmes, fussent-ils des centaines de millions, ne furent pas les seules victimes du

---

1. Vladimir Jankélévitch, *L'Imprescriptible, pardonner ? Dans l'honneur et la dignité*, Seuil, coll. « Points Essais », 1996.

XXᵉ siècle. Loin s'en faut. Au-delà de la chair et du sang, des *idées majeures* ont été englouties elles aussi dont nous portons encore le deuil. D'un épisode à l'autre, d'un massacre à l'autre, d'une folie à l'autre, ont été progressivement « désactivés » – pour employer une terminologie venue de l'informatique – des principes, convictions ou espérances qui organisaient notre façon d'habiter l'Histoire depuis les Lumières, voire depuis plus longtemps encore. Leur disparition ou, pire, leur *compromission* avec le mal, a creusé une série de vides, désigné des promesses d'échec, révélé des impasses, nous vouant au bout du compte à une sorte d'exténuation morale et au désengagement soupçonneux. Quand ce n'est pas à ce nihilisme commode qui, à tout prendre, choisit de se réfugier dans l'amnésie.

A chacune des tragédies guerrières ou idéologiques (de droite ou de gauche) a correspondu en réalité une étape déterminée du désenchantement. Chaque séquence de cette histoire a été suivie par un reflux particulier de la confiance, une rétractation désabusée de l'optimisme historique, un affaissement de nos représentations de l'avenir. Sans en avoir conscience, aveuglés par le présent, nous avons cheminé d'un effondrement mental à l'autre. Héritiers du désastre, nous sommes aujourd'hui les orphelins de ce que Hans Jonas appelle le « principe espérance [2] ». Toute entreprise de refondation, toute réflexion sur le siècle qui vient exigent préalablement une conscience un peu plus nette de celui qui s'achève. Notre désarroi final « ressemble fort à celui de l'amant qui, sa romance passionnée s'achevant, croit avoir découvert la "vérité" sur son aimée : il prend conscience qu'elle n'est pas telle qu'il se l'était

---

2. Et qu'il oppose au « principe responsabilité ». Voir Hans Jonas, *Le Principe responsabilité*, Flammarion-Champs, 1998.

imaginée et se dit trompé par l'amour comme s'il avait ingurgité un philtre magique et était passé par une longue période d'hypnose [3] ».

Essayons, d'abord, de comprendre cette hypnose. Et gardons-nous des chiffres ronds. Ils sont menteurs. Le XXᵉ siècle, dans sa réalité historique, n'aura guère duré plus de soixante-quinze ans. Inauguré par un coup de revolver, il aura fini sur un coup de pioche. Le coup de revolver fut tiré le 28 avril 1914, à Sarajevo, par l'étudiant serbe Prinzip, âgé de dix-neuf ans, assassin de François-Ferdinand, archiduc héritier d'Autriche-Hongrie. Il déclencha, comme on le sait, la Première Guerre mondiale, où fut englouti l'ancien monde. Le coup de pioche, quant à lui, fut porté le 8 novembre 1989 sur le béton « tagué » du mur de Berlin, dont la destruction symbolisa l'implosion du projet communiste. Soixante-quinze années... Tout s'est passé ensuite comme si l'achèvement prématuré de ce « siècle pour rien » nous avait permis de mieux comprendre son déroulé ; comme si nous pouvions reconstituer aujourd'hui, avec une lucidité nouvelle, les tours et détours d'un long fourvoiement.

Ainsi s'explique sans doute cette amère relecture à laquelle nous nous sommes livrés ces dix dernières années. Ce n'était point les événements en eux-mêmes qui nous importaient mais les certitudes, croyances partagées, valeurs fondatrices qu'ils avaient mêlées à leurs fracas et brûlées de leurs flammes.

---

3. Miguel Benasayag et Dardo Scavino, *Pour une nouvelle radicalité, pouvoir et puissance en politique*, La Découverte, 1997. Les auteurs évoquent ainsi la « prodigieuse tromperie » des passions révolutionnaires.

14-18 : la matrice infernale

C'est évidemment à la Grande Guerre qu'il faut réserver la première place. Cette apocalypse dont seuls quelques contemporains lucides surent comprendre qu'elle annonçait la « mise au tombeau » de l'Europe, comme le nota le jeune philosophe Gershom Sholem dans son journal intime, à la date du 1er août 1916[4]. Cette sombre prophétie rejoignait celle exprimée, deux ans plus tôt, par le pape Benoît XV qui, dès 1914, subodorait un « suicide de l'Europe » au-delà de cette même guerre. Ne fut-elle pas la matrice infernale dont tout le reste émergea, le désastre originel dont tous les autres ne furent que des *répliques* au sens sismologique du terme ? Entre les allègres départs pour le front du mois d'août 1914 et les hideuses comptabilités de novembre 1918, quelque chose sera bel et bien advenu dont nous mesurons mieux aujourd'hui la gravité. Entre le bellicisme quasi joyeux de la mobilisation pour la « der des der » – ou la « guerre du droit » – et cet enlisement imprévu dans le massacre, cette « surprise technique », disait Raymond Aron, un seuil mystérieux aura été franchi et une vison du monde détruite à jamais. La « surprise technique » – c'est-à-dire, par exemple, la mitrailleuse Hotchkiss et l'efficacité imprévue de l'artillerie lourde allemande – aura fait de cet assaut en masse, qui participait encore du XIXe siècle, une inimaginable mais très moderne tuerie.

Matrice infernale ? De toutes les conséquences de 14-18, on connaît les plus évidentes, qu'il suffit d'énumérer. La guerre disqualifia la grandiloquence nationa-

---

4. Cité par Christian Delacampagne, *Histoire de la philosophie au XXe siècle*, Seuil, 1995.

liste et la propagande patriotique, celle du « bourrage de crâne [5] ». Elle décima les forces et les classes actives de plusieurs nations, dont la France. Débouchant sur l'humiliant traité de Versailles, elle conduira à comprimer imprudemment, en Allemagne, un ressort et un ressentiment dont surgira l'hitlérisme quinze ans plus tard. Chez nous, désillusionnant les ouvriers et les paysans socialistes, dont l'internationalisme s'était senti trahi par « l'union sacrée » nationaliste, elle favorisa la scission du congrès de Tours, en décembre 1920, et le ralliement d'une partie de la gauche française au bolchevisme. Le capitalisme et les « marchands de canons » n'avaient-ils pas été les grands ordonnateurs du désastre ? La « société bourgeoise » n'avait-elle pas les mains tachées de sang ? Évoquons enfin ce pacifisme résolu, cette molle démission des clercs, cet « esprit de Munich » avant la lettre, sans lequel ni le franquisme ni le nazisme n'auraient connu le même destin. Plus généralement, la guerre sonna la fin de l'Europe-puissance et le démantèlement prochain de ses empires coloniaux.

Mais l'effet de souffle du cataclysme fut sans doute plus durable encore sur le terrain de la pensée, celui qui nous occupe ici. Au-delà des doutes nouveaux jetés sur la démocratie, c'est la raison historique, la valorisation hégélienne de l'Histoire et la confiance dans l'idée de progrès qui se trouvèrent ébranlées par l'hécatombe. « En affirmant la prééminence de l'humanité en marche sur les hommes de chair et de sang, l'idée de progrès avait rapatrié dans l'Histoire et dans l'ici-bas humain le grand partage métaphysique de l'être entre une moindre réalité et une réalité véritable. Et soudain, est survenu

---

5. Encore que la responsabilité de la Grande Guerre soit principalement imputable non point à des nations mais à des empires : le Reich wilhelmnien, l'Autriche-Hongrie, la Russie tsariste.

l'événement qui a mis cette division en pratique et qui l'a donnée cruellement à voir. […] L'idée de raison historique s'achève sur les lieux de l'hécatombe[6]. » L'individualisme universaliste et optimiste du xixe siècle se voit ainsi avalé par la guerre : l'Avenir meilleur, la Science, la République – autant de mots à majuscule qui sortiront démonétisés de la grande boucherie qui a vu s'affronter les nationalismes.

Plus significatif encore : l'humiliation puante et fangeuse du champ de bataille, les pilonnages d'acier ramenant l'individu tremblant, recroquevillé dans sa crasse et ses sanies, au statut d'animal de boucherie, ont disqualifié le holisme lui-même, la priorité donnée au « nous » sur le « je » ; priorité qui seule avait rendu possible cette boulimique *consommation* d'hommes par le Minotaure des batailles. L'homme de chair et de rêves, soudain, ne fut plus rien... Six cent mille jeunes gens inutilement sacrifiés en Artois, dans les Vosges et en Champagne pour les seules offensives de 1915 ! Voilà qui brisait un lien essentiel. Plus jamais ne seront perçus de la même façon les appels à l'oubli de soi-même ou à la solidarité, les invitations au sacrifice ou à l'honneur national. L'indéfectible camaraderie des tranchées ne sera que le symétrique magnifique – mais rebelle, pour ne pas dire anarchiste – au « nous » funèbre des états-majors. Après coup, on pourra bien couvrir la France de monuments, honorer un demi-siècle durant les anciens combattants et célébrer pieusement la Victoire ; on pourra même se griser aussitôt de fêtes durant les « années folles », plus rien ne sera comme avant entre la France et chacun des Français.

Après 14-18, un soupçon tenace, une certaine idée du

6. Alain Finkielkraut, *L'Humanité perdue. Essai sur le xxe siècle*, Seuil, 1996.

non-sens n'en finira plus de croître et bourgeonner, fouissant dans les tréfonds de l'inconscient collectif, affouillant et minant en profondeur les postulats de la raison démocratique. Ou de la raison tout court. Mille exemples pourraient être donnés de ce vacillement. La naissance, dès février 1916, du mouvement Dada, fondé au cabaret Voltaire de Zurich, en fut un et connut la postérité que l'on sait. Initié par un groupe d'artistes parmi lesquels les Roumains Marcel Janco et Tristan Tzara, le Français Hans Arp et l'Allemand Hugo Ball, le dadaïsme naissant proclame son refus de toute culture et récuse l'idée même de système établi. Essaimant bientôt en Allemagne, à New York ou à Paris (Marcel Duchamp, Francis Picabia, Man Ray, etc.), le mouvement dispose dès 1916 d'une revue : *Die Freie Strasse*. Ses animateurs dénoncent le patriotisme aveugle et le bellicisme, exaltent la liberté individuelle et affirment qu'ils souhaitent la destruction du vieux monde. Sans doute serait-il injuste de réduire le mouvement Dada à un symptôme. Il n'empêche qu'il en fut un, et parmi les plus précoces. Le surréalisme, le soupçon pataphysicien ou la prophétie célinienne de la « putréfaction finale » en seront les lointains surgeons. Parmi d'autres…

D'autres ébranlements et d'autres écroulements consécutifs à la Grande Guerre, partout en Europe, procédèrent peu ou prou du même soupçon. Jacob Taubes décrit par exemple de quelle façon, en Allemagne, l'armature morale et théologique du protestantisme fut jetée à bas. « C'est un sujet intéressant, écrit-il, que de voir comment la théologie allemande a réagi à l'expérience de la Première Guerre mondiale. Les grands professeurs qui étaient considérés comme de véritables dieux à l'époque, Martin Rade et Adolf von Harnack, ont cessé d'exercer leur influence, tout cela s'est écroulé comme un château de cartes (je pense à une lettre non signée de

Rade à Karl Barth). On voyait qu'ils n'étaient rien d'autre que des fonctionnaires prussiens. La synthèse du protestantisme culturel a donc été pulvérisée dans les tranchées [7]. » Cette ruine théologique, soit dit en passant, ne fut pas pour rien dans l'aveuglement ultérieur d'une partie des Églises évangéliques allemandes, confrontées au nazisme dans les années 30.

Au sortir de la Grande Guerre, l'Europe tout entière se trouva précipitée dans un doute politique radical dont il n'est pas sûr qu'elle soit jamais sortie. Les années 20 et 30, souvenons-nous, furent marquées par une critique en règle des valeurs bourgeoises, académiques ; déréliction d'autant plus profonde qu'elle avait commencé avant même la Grande Guerre. Déréliction sur laquelle prospéreront ensuite les deux grands totalitarismes. Songeons aussi à toutes ces « péripéties des grands et même mégalomaniaques mouvements d'inversion et de refondation de toutes les valeurs, qui ont agité l'Europe pensante depuis Nietzsche jusqu'à Jünger et Heidegger ; on a oublié l'exaltation des valeurs guerrières, cette "mort aux valeurs" de l'esprit, et l'appel à la guerre mondiale qui a précédé et favorisé son déclenchement [8] ».

Mais on aurait bien tort d'imaginer que seule l'Europe fut touchée par ce vacillement de la raison. L'effondrement du « mythe » démocratique, par exemple, a donné lieu à quantité de publications et réflexions, y compris chez les philosophes politiques américains. La démolition volontaire de l'idéal démocratique portera ses fruits jusqu'à la fin des années 30, pour trouver « une sorte d'aboutissement et d'apogée en 1942, dans *Capitalisme, socialisme et démocratie* de Joseph Schumpeter. [...] A

_____

7. Jacob Taubes, *La Théologie politique de Paul, op. cit.*
8. François Guéry, in *Quelles valeurs pour demain ?*, colloque du Mans d'octobre 1997, Le Monde-Seuil, 1998.

la veille de la Seconde Guerre mondiale, aux États-Unis, l'opposition entre les modèles brycien (James Bryce) et lippmannien (Walter Lippmann) est au cœur des débats qui agitent la science politique américaine. En témoigne cet aveu en forme de repentir formulé par le politiste Francis G. Wilson, en 1939 : "Depuis presque une génération, nous avons été engagés activement dans la destruction du 'mythe' démocratique [9]." »

Ainsi, mêlés à la boue froide des anciens champs de bataille, éparpillés dans les vastitudes lunaires de l'Argonne, de Verdun ou de la Marne, gisaient les débris invisibles d'anciennes espérances. Oui, matrice infernale ! Et de cette matrice, le pire était encore à venir.

Les ruses de la raison léniniste

L'aventure communiste elle-même est à ranger parmi les ruptures générées par la Grande Guerre dont elle se prétendit la rédemption messianique, l'inversion intrépide : front contre front, classe contre classe, internationalisme prolétarien contre social-chauvinisme, avenir radieux contre rapacité mangeuse d'hommes. Alain Finkielkraut a montré comment, disqualifiée par les tueries, la sacralisation hégélienne de l'Histoire s'est vue en fait réactivée et remise en marche par la Révolution de 1917. « L'Histoire ne s'est écroulée en 1914 que pour donner en 1917 à l'historicisme un pouvoir de séduction, d'illusion et de dévastation jamais atteint. L'image de l'enfantement douloureux du Bien a recouvert le sentiment du désastre [10]. » C'est d'abord en se réappropriant la thé-

---

9. Loïc Blondiaux, *La Fabrique de l'opinion. Une histoire sociale des sondages*, Seuil, 1998.

10. Alain Finkielkraut, *L'Humanité perdue*, *op. cit.*

matique hégélienne de la « ruse de la raison » que triomphera le léninisme. La ruse de la raison, c'est la justification du mal et du crime au nom des fins dernières ; c'est la certitude d'une marche irrésistible de l'Histoire dont la violence sera, s'il le faut, l'accoucheuse magnifique ; c'est la confiscation agnostique du « salut » judéo-chrétien transformé en « sens de l'Histoire ». Pour Hegel, tout concourt à la marche irrésistible de l'Histoire, et c'est même là sa « ruse » ; tout participe à son avancée, y compris le mal dont sort mécaniquement un bien. Ce siècle qui commence va mettre en pratique ce que le précédent avait inventé. « C'est au XIXe siècle, note François Furet, que l'Histoire remplace Dieu dans la toute-puissance sur le destin des hommes, mais c'est au XXe siècle que se font voir les folies politiques nées de cette substitution [11]. »

L'aventure communiste veut aussi restituer au « nous » déshonoré par la guerre « bourgeoise » une nouvelle dignité. Il entend offrir à la dimension collective une virginité intacte et combative. Tout au long du XXe siècle, le communisme sera *aussi* une réaction holiste opposée comme un rempart à l'individualisme corrosif venu du XVIIIe. Cet individualisme libéral dont on avait tant craint, dès le début du XIXe siècle, qu'il ne dissolve la société en minant le sens civique de chacun et en atomisant le corps de la nation. Le léninisme, au sens strict, n'est d'ailleurs pas la seule incarnation de ce « nous » ressuscité. Le socialisme jaurésien poursuit, par d'autres chemins, un objectif comparable. Bientôt, espérait-on, le « privé » céderait la place au « public ». « Dans la tradition qui va de Saint-Simon à Durkheim, le socialisme moderne apparaît surtout comme un effort

---

11. François Furet, *Le Passé d'une illusion. Essai sur l'idée communiste au XXe siècle*, Robert Laffont/Calmann-Lévy, 1995.

pour restaurer l'unité de la société, après le traumatisme provoqué par la naissance de l'économie moderne et par la diffusion des principes individualistes [12]. »

Nouvelle sacralisation de l'Histoire et prévalence du « nous » sur le « je » : telles sont bien les deux idées-forces que le léninisme revitalise et *embarque* dans l'entreprise, c'est-à-dire vers un nouveau désastre, plus sanglant encore. Mais il est une autre valeur sur laquelle fait fond le communisme et qu'il va dramatiquement disqualifier : l'égalité réelle, l'aspiration à la justice sociale continûment flouée par l'égalité « formelle » du légalisme bourgeois et dont l'accomplissement effectif ne peut passer, dit-on, que par la lutte des classes. Tel sera même le moteur principal de ce totalitarisme-là ; telle sera la justification des purges, terreurs et liquidations dont il deviendra le planificateur imperturbable. François Furet a décrit comment l'aspiration égalitaire va progressivement s'exacerber en instrumentalisant cette haine rageuse du bourgeois, du riche, du parvenu, héritée de la culture ouvrière du XIXe (et justifiée par les férocités inégalitaires de la révolution industrielle !). Avec Lénine, le riche n'est plus seulement le protagoniste d'une âpre compétition sociale, il devient l'ennemi à abattre. Au sens propre du terme. L'ennemi de classe sera jugé d'une *essence* à ce point différente que « classe » vaudra bientôt « race » dans le combat purificateur. La liquidation méthodique des koulaks russes ou des moujiks d'Ukraine, les massacres de la révolution culturelle chinoise, les « purifications » massives du Kampuchéa rouge procéderont de cette aspiration égalitaire devenue exterminatrice. De cette façon, quoique affichant des objectifs différents, les deux totalitarismes

---

12. Philippe Raynaud, *Max Weber et les Dilemmes de la raison moderne*, PUF, 1987 (Quadrige, 1996).

se rejoindront dans l'ampleur et le *principe* du meurtre. Le nazisme tue le juif ou le tzigane. Le léninisme tue le riche ou le bourgeois.

Ce dévoiement meurtrier du désir de justice sera plus lourd de conséquences qu'on ne l'imagine. Après l'effondrement du communisme en 1989, on ne comprendra pas tout de suite que le naufrage a entraîné dans ses remous une part vivante du souci égalitaire lui-même. Ou du moins qu'il la marque dorénavant d'un signe infamant. Voilà que l'égalitarisme sera plus que jamais soupçonnable, tenu en lisière et stigmatisé comme possiblement pourvoyeur de servitude. *La Route de la servitude* : c'est d'ailleurs ainsi que le grand économiste libéral Friedrich August von Hayek intitulera son pamphlet contre l'économie dirigée et l'obsession redistributrice. Un pamphlet datant de la fin des années 40 que l'on redécouvrira opportunément dans les années 80. Dans le nouvel antagonisme entre la droite et la gauche socialiste, cette dernière aura désormais la « charge de la preuve » en matière d'égalité. C'est elle qui, très injustement, se retrouvera en position défensive. Le goulag sera quasiment compté à son débit. Bien que n'ayant point pactisé avec le soviétisme, elle devra assumer la *compromission* symbolique du principe égalitaire. Tout l'équilibre du débat politique en Europe s'en trouvera bouleversé – et pour longtemps –, mais sans qu'on en prenne immédiatement conscience.

Il est vrai qu'aujourd'hui encore la chute du communisme – cette « énigme » historique, écrivait Furet – est encore loin d'avoir été convenablement pensée. Peu de temps avant sa mort, Cornelius Castoriadis n'avait pas tort de fustiger, sur ce point, l'irresponsabilité paresseuse de la classe politique française, notamment à gauche, qui ne s'était pas véritablement attelée à penser « cet événement énorme ».

Hitler : crime et volonté

L'autre totalitarisme ne se souciait pas, quant à lui, de l'égalité ! Du gouffre sans fond ouvert par Hitler dans la conscience occidentale, on croit avoir tout dit. Et tout lu. Ce n'est pas vrai. Des décennies passeront encore avant que nous soyons tout à fait revenus de cette stupeur-là. Des années s'écouleront avant que ne soit dissipée cette honte. De même qu'il faudra du temps avant que soit totalement élucidée la connivence objective des deux totalitarismes, le rouge et le brun, traversant et incendiant le siècle appuyés l'un sur l'autre, se combattant en se légitimant l'un l'autre, rivaux majeurs mais secrètement – et partiellement – semblables.

Avec Hitler et la Shoah, c'est d'abord le concept de modernité qui est non plus seulement compromis mais pulvérisé. Modernité et culture. Dans la vieille Europe raffinée et savante, dans le continent des Lumières et de la raison raisonnable, dans la patrie de Goethe, de Beethoven et de Kant, une antique barbarie peut donc faire retour ! Et non seulement faire retour mais, à la différence du léninisme, se revendiquer comme telle ! « Eh bien, oui, proclame Hitler, nous sommes des barbares et nous voulons être des barbares. C'est un titre d'honneur. Nous sommes ceux qui rajeuniront le monde. Le monde actuel est près de sa fin. Notre tâche est de le saccager. [...] Je travaille au marteau et arrache tout ce qui est faible. Dans mes Burgs de l'ordre, nous ferons croître une jeunesse devant laquelle le monde tremblera. Une jeunesse violente, impérieuse, intrépide, cruelle. [...] C'est ainsi que je purgerai la race de ses milliers d'années de domestication et d'obéissance. C'est ainsi que je la ramènerai à l'innocence et à la noblesse de la nature ; c'est ainsi que je pourrai construire un monde neuf[13]. »

Ce sont bien des « barbares », dressés face au veule attentisme des démocraties humanistes, qui se lancent dans cette tellurique et sanguinaire cavalcade hitlérienne. Ils entendent ramener le monde à l'ingénuité impitoyable de ses origines, effacer deux millénaires de judéo-christianisme, instaurer la domination d'une race et d'un peuple en planifiant l'extermination d'Israël et le massacre de quelques autres nations. Extraordinaire émergence d'une boule de haine et de puissance, irruption incroyable d'une antique sauvagerie, au cœur du continent de la mémoire ; comme une effervescence paléolithique répandant le feu et le meurtre, de la Norvège aux déserts tripolitains.

Cette résurrection de la « bête » sur le lieu même de la civilisation, cette confiscation du progrès scientifique, des techniques modernes, de la raison spéculative et de la force mécanique par une tyrannie *au service de l'instinct* vont ruiner pour longtemps notre confiance dans l'Histoire. Ainsi ce qu'on pensait irréversible ne l'était point ! Ainsi une civilisation, sans le savoir, pouvait-elle porter en elle sa propre négation ! Ainsi, affleurant sous la mince surface de notre civilité, un monstrueux archaïsme du mal était-il capable de somnoler, des siècles durant, attendant son heure ! (Ce qu'exprimera Bertolt Brecht en dénonçant le « ventre fécond ».) Ainsi est-elle décidément bien mince la pellicule de pensée qui recouvre, après vingt siècles, l'animalité primitive !

C'est bien un trou béant, une *faille*, qu'ouvre la folie nazie dans la conscience européenne. Et le cataclysme

13. Hermann Rauschning, *Hitler m'a dit*, Hachette-Pluriel, 1996.

est d'autant plus effrayant qu'il prend comme par surprise une Europe trop incrédule ou trop exténuée. Il paraît si fou et si sommaire! En Allemagne même, les juifs, dont la modernité a fait des citoyens modèles et souvent des anciens combattants, auront du mal à évaluer cette haine qui récuse follement l'Histoire et se propose de débusquer à nouveau le juif derrière le citoyen. Le projet semble à ce point absurde que les philosophes eux-mêmes mettront du temps à s'en alarmer. « Les philosophes allemands d'origine juive, en particulier, constituent durant le premier tiers du XXe siècle une "famille" intellectuelle complexe, dotée d'un exceptionnel rayonnement. Son intégration semble si réussie que la plupart de ses membres sont persuadés d'être à l'abri de tout danger grave en Allemagne, leur patrie depuis des siècles – une patrie que nombre d'entre eux ont servie, durant la Première Guerre mondiale, avec un dévouement exemplaire [14]? »

Quant aux écroulements ontologiques provoqués par le télescopage de la modernité avec cet astre noir de l'hitlérisme, ils n'en finiront pas de se faire entendre, de rouler, de résonner, de gronder jusqu'à nous comme le fracas d'une longue et lente déflagration souterraine. Auschwitz, Birkenau, Dachau, Buchenwald, Treblinka, Kulmhof-Chelmno, Belzec, Sobibor, Majdanek, Mauthausen… De ce point de vue, la Seconde Guerre mondiale ne durera pas cinq ans mais cinquante, et plus. Passée l'effervescence inattentive de l'après-guerre, l'immense questionnement surgi des camps et de la conscience juive reviendra, décennie après décennie, et reviendra encore nous arracher à l'oubli. Ni l'Europe en général ni la France en particulier ne solderont ce

---

14. Christian Delacampagne, *Histoire de la philosophie au XXe siècle*, Seuil, 1995.

compte de sitôt. Songeons à ces compromissions encore mises au jour un demi-siècle après, à ces lâchetés tardivement découvertes, à ces rapines difficilement avouées, à ces connivences et à ces archives exhumées : le mal absolu du nazisme est comme une infection dont la malignité véritable ne se révèle qu'avec le temps.

Par-delà tout ce qui fut dit et écrit sur ce monstrueux hoquet de l'histoire européenne, une évidence apparaît aujourd'hui : la principale valeur déshonorée – et disqualifiée – par l'hitlérisme aura été la *volonté agissante*, le volontarisme historique. C'est bien la pulsion sans limites ni entraves d'aucune sorte (et surtout pas morales !) qu'exaltera la propagande nazie. « Notre révolution, jure le Führer, n'a rien à voir avec les vertus bourgeoises. Nous sommes l'explosion de la force de la nation. Pourquoi pas de la force de ses reins ? » Un des films tournés dans cette perspective par la cinéaste Léni Rifenstahl portera pour titre *Le Triomphe de la volonté*. Et Hitler martèlera encore : « Seul l'homme plongé dans l'action prend conscience qu'il est l'essence de l'Univers. [...] L'homme se méprend sur le rôle de sa raison. Elle n'est pas le siège d'une dignité particulière, mais tout simplement un moyen parmi d'autres dans la lutte pour la vie. L'homme est sur terre pour agir. C'est seulement quand il agit qu'il remplit sa destination naturelle [15]. »

La volonté monstrueuse exaltée par le nazisme se prétend affranchie, cette fois, des fatalités et déterminismes de l'Histoire. Elle veut brandir au milieu du monde – comme les torches et les feux du cérémonial de Nuremberg – la libre disposition du temps, de l'espace, des hommes et du destin. Elle est l'action promé-

---

15. Hermann Rauschning, *Hitler m'a dit*, *op. cit.*

théenne à l'état pur, l'activisme divinisé, capable de remodeler le monde à sa guise et d'engloutir, s'il le faut, un peuple entier dans le brouillard du crime. Ivre d'elle-même et sûre de sa puissance, elle se croit en mesure de tout choisir, y compris de récuser l'Histoire et d'en arrêter l'écoulement. L'horizon que désigne le Führer à ses troupes n'est pas dans un au-delà mais dans un en deçà de l'Occident. C'est la forêt germanique originelle, celle d'avant le judéo-christianisme, que célèbre la lourde symbolique nazie. C'est vers les origines pré-européennes, supposées régénératrices, que se tourne ce vitalisme meurtrier qui détourne à son profit la protestation nietzschéenne.

En fétichisant ainsi le volontarisme de la « race supérieure », en ouvrant devant elle tous les possibles, fussent-ils cataclysmiques, Hitler prend exactement Hegel à rebours. Si tant est que l'Histoire ait un sens, alors celui-ci devient réversible. Une « forte et virile volonté » peut permettre d'en remonter le cours. Hitler entreprendra, effectivement, de rebrousser tous les chemins d'une Histoire qu'il abhorre et défie. La portée d'une inversion aussi radicale de la logique hégélienne n'a pas échappé à certains contemporains du nazisme. Songeons, notamment, à cette phrase extraordinaire de Carl Schmitt. Le 30 janvier 1933, jour d'accession du caporal autrichien au poste de chancelier, il écrit dans son journal : « Aujourd'hui, on peut dire que Hegel est mort [16]. »

Après Hitler, nul ne pourra plus parler comme avant du volontarisme ou du projet prométhéen. Tous deux auront été éclaboussés par l'horreur des crématoires.

---

16. Rapporté par Pierre Ayçoberry, *La Question nazie. Les interprétations du national-socialisme*, Seuil, 1979.

Guerres coloniales et « conscience malheureuse »

La défaite de l'Allemagne en 1945 et la victoire du droit sur la barbarie redonnèrent force à l'espérance historique. Mais pour peu de temps. Il y eut, c'est incontestable, après la Seconde Guerre mondiale, un rebond de l'optimisme politique en Europe occidentale. Les exigences proclamées du nouveau contrat social, la vigueur de la reconstruction et les promesses sans précédents – et tenues – des « trente glorieuses » en portent encore témoignage. Et puis, Michel Winock a bien montré comment, durant ces années-là, la thématique de l'engagement sartrien ramena l'intellectuel et la pensée sur la scène de l'Histoire [17]. Ce rebond et cette refondation sur les décombres de la guerre gagnée furent cependant de courte durée. Si une tyrannie nazie était vaincue, l'autre était toujours là. Elle puisait même dans sa participation décisive à la victoire une force de séduction renouvelée. Stalingrad et l'Armée rouge avaient héroïquement relégitimé, face à Hitler, l'entreprise communiste. Sur le terrain des idées, l'entrée des démocraties en « guerre froide » favorisa donc une espèce de reconduction fatidique des aveuglements, des compromissions et des errements de l'esprit moderne.

Une bonne partie de l'intelligence occidentale se fourvoya ainsi – et pour un quart de siècle – dans un compagnonnage ou une durable bienveillance, dont il n'est pas dans mon propos de retracer ici l'histoire. Ni les déconvenues. Sachons seulement que, toutes contritions faites, ce ralliement ou cette complaisance seront rétrospectivement perçus comme une nouvelle *défaite*

---

17. Voir Michel Winock, *Le Siècle des intellectuels*, Seuil, 1998.

de la pensée. Une défaite s'ajoutant à beaucoup d'autres, mais qui pèsera d'un poids particulier dans le désenchantement final. Emmanuel Levinas a magnifiquement décrit ce deuil douloureux mais rageur du communisme, qui fut, selon lui, au cœur des événements de Mai 68. « L'année 68 a incarné la joie du désespoir ; une dernière accolade à la justice humaine, au bonheur et à la perfection après l'apparition de la vérité que l'idéal communiste avait dégénéré en bureaucratie totalitaire. En 1968, il ne restait que des groupes dispersés et des zones d'individus rebelles qui cherchaient encore des formes de salut surréalistes, ayant perdu confiance dans un mouvement collectif de l'humanité, ne se sentant plus convaincus que le marxisme pouvait survivre comme messager prophétique de l'Histoire [18]. »

Ce n'est pas tout. Victorieuses de la guerre du droit et vibrantes prêtresses de la liberté, les démocraties occidentales vont se trouver elles-mêmes compromises avec la violence et le cynisme, infidèles aux valeurs qu'elles proclamaient, rétrogradées *ipso facto* au rang des persécuteurs. Il y eut d'abord Hiroshima et Nagasaki, bien sûr, dont la honte tenace obscurcira la conscience d'après guerre. Ainsi donc, cet usage prodigieux de la science contemporaine au service de la mort, ce « bond qualitatif » dans l'accomplissement du massacre, ce flirt calculé avec l'apocalypse nucléaire auront été le fait non point de la tyrannie, mais de la démocratie civilisée. Cette dernière, renvoyée de façon humiliante aux principes qu'elle affiche à la face du monde, s'en trouvera durablement soupçonnée et soupçonnable. Le nuage mortel d'Hiroshima brouillera quelque peu les frontières du Bien...

18. Emmanuel Levinas, « De la phénoménologie à l'éthique », entretien avec Richard Kearney (1981), *Esprit*, juillet 1997.

Dès après la défaite de l'hitlérisme, il y eut également (et surtout) la pesante ambiguïté des guerres coloniales ou impériales. De l'Indochine à l'Algérie, de l'Afrique portugaise au Vietnam américain, de l'Empire des Indes au glacis latino-américain, partout la démocratie occidentale – devenue effectivement « impérialiste » – tenta d'opposer la puissance de ses armes et de sa technologie à ceux-là mêmes qui retournaient contre elle les valeurs de justice et de liberté dont elle se prétendait porteuse. Dans cette affaire, les héritiers légitimes de l'histoire occidentale n'étaient plus véritablement en Occident mais debout face à lui, partout où luttaient les « peuples opprimés ». Les trois longues décennies allant de 1945 à 1975 furent habitées par cette décisive *contradiction*. Les intellectuels, les jeunesses d'Europe et d'Amérique, les démocrates de partout vivront dans la colère et la confusion ce reniement fondamental. Là prendra sa source une tenace *mauvaise conscience*, un remords obsédant dont le gauchisme, le tiers-mondisme ou la désespérance terroriste d'Allemagne et d'Italie des années 60 et 70 furent les fruits amers.

La « donne » économique d'alors contribue, elle aussi, à renforcer ce sentiment d'iniquité et d'hypocrisie. L'après-guerre, en effet, voit naître deux concepts nouveaux, qui résument la nouvelle injustice planétaire : le sous-développement et le tiers-monde. Ces deux formules promises à un succès durable expriment une vérité qui tient en peu de mots. Tandis que l'hémisphère Nord, celui de l'Europe et de l'Amérique, s'envole vers une prospérité sans précédent (quatre cents pour cent d'enrichissement en trente ans !), l'hémisphère Sud s'enfonce dans la régression et la faim. C'est l'autre versant de la contradiction. Ce n'est pas le moins troublant.

Sur le terrain des idées, toute l'après-guerre, entendue

au sens large, sera donc surdéterminée – du moins à gauche – par ce vague dégoût de soi saisissant les démocraties occidentales. Les engagements politiques de ces années-là mais aussi une bonne part de la culture et de la sensibilité dominantes procéderont de ce rejet désabusé des prétentions universalistes qui célébraient la liberté et l'égalité. Des prétentions que l'Europe et l'Amérique foulent au pied sur le terrain tout en affirmant les incarner. Un tourment essentiel, une nouvelle *conscience malheureuse* selon Hegel habiteront ainsi les esprits. Un refus de soi-même, un dégoût suicidaire dont la fameuse préface de Jean-Paul Sartre aux *Damnés de la terre* de Frantz Fanon restera comme l'exemple emblématique. Aux yeux d'une partie des citoyens d'Europe ou d'Amérique, ce « camp de la liberté » qui a vaincu Hitler est devenu à son tour moralement inhabitable. La culture occidentale, pense-t-on alors, n'a plus de légitimité spécifique à faire valoir en matière de droit, de justice et de liberté. Cette modernité-là ne saurait donc se prévaloir d'une quelconque préséance historique.

Militant emblématique du tiers-monde, Frantz Fanon n'est pas le seul à renvoyer brutalement – et abusivement – l'humanisme occidental à ses mensonges et à ses manigances. L'écrivain et député antillais Aimé Césaire, chantre de la négritude, est plus violent encore. « Il vaudrait la peine, écrit-il dans les années 50, d'étudier cliniquement, dans le détail, les démarches d'Hitler et de l'hitlérisme et de révéler au très distingué, très humaniste, très chrétien bourgeois du XXe siècle qu'il porte en lui un Hitler qui s'ignore, qu'Hitler l'habite, qu'Hitler est son démon [19]. » L'excès du propos et sa

19. Aimé Césaire, *Discours sur le colonialisme*, Présence africaine, 1955.

violence sont en eux-mêmes révélateurs d'une époque. La pensée occidentale doute d'elle-même comme jamais ; elle doute de son passé et de sa vocation universaliste.

Les dérives et les errements d'alors s'expliqueront de cette façon. Je pense notamment au différentialisme militant, ce « lévi-straussisme » dégradé des années 70, qui, récusant l'universalité des valeurs, se porta lyriquement au-devant des autres cultures du monde, créditant ces dernières de mille vertus. De la Chine au Proche-Orient, de l'indianité sud-américaine aux tribalismes d'Afrique noire, la survalorisation de l'autre – qui conduit à excuser ses crimes – fut à l'exacte mesure du désenchantement de soi. Les Chinois, dira-t-on, n'ont pas la même conception de la liberté que nous… Comme par l'effet d'un subterfuge de l'Histoire, cette exaltation de la différence, ce refus de l'universel, cette valorisation des particularismes, qui faisaient historiquement partie de la vieille culture contre-révolutionnaire, se verront annexés par l'extrême gauche. Et cela, jusqu'à la fin des années 70.

Il fallut du temps, du sang et d'effroyables « dérives » exotiques pour que se réveillent les consciences. Les holocaustes cambodgiens ou chinois, la pathétique débâcle des *boat-people* vietnamiens ou l'horreur des massacres subsahariens, tout cela concourut à disqualifier peu à peu les postulats différentialistes, renvoyant les Occidentaux vers un certain universalisme, plus ou moins réinventé. L'émergence du « droit-de-l'hommisme », à travers certaines organisations comme Amnesty International (dans les années 60) ou Médecins sans frontières (dans les années 70 et 80), exprima ce rapatriement – circonspect et partiel – de l'universel dans l'imaginaire occidental. Dans le même temps, d'ailleurs, la pensée de la différence, dans sa version radicale, regagnait son camp d'origine : l'extrême droite [20].

Le triomphe du soupçon

Le mot « partiel » me paraît assez juste, en effet, pour désigner cet universalisme affaibli, ce « faute de mieux », à la fois généreux et court qu'incarneront dorénavant le militantisme humanitaire et la mobilisation en faveur des droits de l'homme. Au bout de ce siècle, l'optimisme historique et la *Weltanschauung* (vision du monde) de la modernité occidentale se retrouvent comme en lambeaux. De fait, mille ressorts paraissent brisés dans les tréfonds de la conscience contemporaine, mille sources d'énergie épuisées, mille ambitions éteintes. Tout se passe comme si la pensée elle-même, après tant de compromissions et de fausses routes, se voyait à son tour justiciable du soupçon. Une singulière méfiance l'entoure désormais. Des mises en garde lui sont adressées – au nom du refus des réflexions « totalisantes » –, des comptes lui sont réclamés qui la retiennent de « sortir de chez elle ». Cette rétractation subreptice de l'intelligence flirtant souvent avec le relativisme intégral est tout sauf anodine. Alain Finkielkraut n'avait pas tort de se demander, dès 1982, si le négationnisme n'avait pas prospéré sur cette dangereuse « mise en examen » de la pensée.

Une étrange admonestation monte en effet de cette fin de siècle qui dénonce, par anticipation, toute adhésion

---

20. Un détail parmi tant d'autres symbolise ce retour à droite du différentialisme : la publication, en 1980, d'un numéro spécial de la revue *Éléments*, organe de la nouvelle droite, intitulé « Pour un nouveau tiers-mondisme ».

un peu trop déterminée à l'universel. Une ombrageuse méfiance s'exprime désormais à l'égard de toute vérité, toute certitude, toute pensée générale. Injonction nous est faite, à la limite, de ne plus agir avec *trop* de décision, de ne plus céder au moindre monolithisme de la conviction. On presse chacun de « ne plus croire » véritablement, sous peine d'alimenter un totalitarisme dont l'individu, tôt ou tard, ferait les frais. Ou alors, on s'emploie à ramener toute conviction au rang d'une manie sans conséquence, d'une « préférence » plutôt pittoresque et n'engageant à rien. « La liberté de conscience n'est pas refusée, note Maurice Bellet, elle est écrasée. Car elle est rendue *insignifiante* : ayez "les idées" que vous voulez, croyez en Dieu ou pas, en Jésus ou en Mahomet, ou en rien, soyez socialiste ou libéral, cela n'a finalement aucune importance [21]. »

* *
*

Certes, on aurait tort d'historiciser à l'excès cette crise de la pensée. Il serait naïf de l'imputer aux seuls délires « rationnels » et tragédies qui ont ensanglanté le siècle. D'autres facteurs jouent, dont le moindre n'est pas – comme on l'a vu – la complexification du réel et de la connaissance, ou encore l'influence de l'épistémologie moderne. La distance prise avec l'unicité totalisante de la raison, l'avènement du pluralisme culturel, la nécessité d'organiser pacifiquement ce que Max Weber appelait le « polythéisme des valeurs » ou la « guerre des dieux [22] », tout cela trouve d'ailleurs son

---

21. Maurice Bellet, *La Seconde Humanité, op. cit.*
22. « L'idée de "guerre des dieux", écrit Philippe Raynaud à propos de Weber, évoque à la fois une question de droit (est-il possible

origine très en amont dans le siècle. On peut même dire que la question ainsi posée l'est en réalité depuis les Lumières. Dès la fin du XVIIIe siècle, en effet, « les bourgeois révolutionnaires français ont fait une expérience inédite. Ils ont affronté pour la première fois dans toute son ampleur le dilemme du libéralisme moderne : la vie politique et sociale ne comporte plus aucune croyance commune au corps des citoyens, puisque chacun d'entre eux reste maître de ce qui n'est plus que ses "opinions". Nulle révolution, avant la française, ne s'est trouvée en face de ce défi spirituel collectif, appelé à devenir le sort commun des sociétés modernes [23] ».

Quant au fameux *triple soupçon* ayant contribué à dynamiter le sujet souverain et sa conscience individuelle – tels que les concevaient les Lumières –, il se rattache évidemment au siècle précédent et non au XXe. Tout cela est évident. Il n'empêche qu'une part essentielle de cette défaite terminale de la pensée est bien le prolongement – même inavoué – de ce siècle « despote » dont on vient de retracer le désastreux parcours. Par-delà les modes intellectuelles éphémères, les parades et les écoles, une chose est sûre : ce nihilisme-là est *aussi* l'héritier désemparé d'une histoire, c'est-à-dire un phénomène daté. Songeant à lui, on est parfois tenté d'évoquer cet état dit « post-traumatique » qu'on observe chez les survivants d'une catastrophe, état préoccupant mais qu'il s'agira, un jour ou l'autre, de *dépasser*. Dans l'ordre

---

de choisir rationnellement entre des systèmes de valeurs concurrents ?) et une question sociologique (celle de la portée des confits de "valeurs" qui divisent l'humanité). » Voir Philippe Raynaud, *Max Weber et les Dilemmes de la raison moderne*, op. cit.

23. François Furet, préface au recueil d'Alphonse Dupront, *Qu'est-ce que les Lumières ?*, Gallimard, 1996.

de la pensée, on l'a vu, les catastrophes traumatisantes n'ont pas manqué… C'est donc seulement en réinscrivant cette crise dans l'histoire contemporaine qu'on peut en saisir la signification. Peut-être s'agit-il aussi de la convier elle-même, comme le fait Charles Taylor, à une certaine autocritique.

La pensée au tombeau ?

Le simple fait de passer en revue, de façon outrageusement cavalière, les formes les plus construites de cette rétractation volontaire de la pensée permet, au moins, de la réinscrire dans son époque. Et d'en relativiser la portée.

C'est dans les années 70 que s'est imposé le concept de « pensée faible » ou d'« ontologie réduite ». Proposée par le philosophe italien Gianni Vattimo, cette ontologie réduite entend renoncer aux théories globales qui prétendent déchiffrer la nature intrinsèque des choses et se croient capables de démêler la complexité du réel[24]. Elle se veut résolument critique à l'égard de tous les « grands récits » du passé et des engagements aventureux qu'ils fondaient. Cette pensée « qui accepte sa propre faiblesse sait qu'elle est essentiellement langage, jeux de métaphores, production de récits qui se substituent les uns aux autres en essayant de mieux dire ce que sont des situations ou des conjonctures. Elle ne peut être

---

24. Voir Gianni Vattimo, *La Fin de la modernité : nihilisme et herméneutique dans la culture postmoderne*, Seuil, 1987. Notons que dans *Espérer croire*, Seuil, 1998, Vattimo semble prendre quelques distances avec l'« ontologie faible » et déclare faire retour, d'une certaine façon, au christianisme sous l'influence, notamment, de René Girard.

Les nouveaux cyniques au pouvoir

« Depuis longtemps, les positions clés de la société appartiennent au cynisme diffus, dans les comités directeurs, les parlements, les conseils d'administration, les directions d'entreprise, les comités de lecture, les cabinets de médecins, les facultés, les études de notaires et les rédactions. Une certaine amertume, élégante, accompagne son action. Car les cyniques ne sont pas stupides, et ils voient parfaitement de temps en temps le Néant vers lequel tout conduit. Leur appareil psychique est assez souple pour intégrer le doute permanent sur leur propre activité comme facteur de survie. Ils savent ce qu'ils font, mais ils le font parce que les contraintes imposées par les faits et les instincts de conservation parlent à court terme la même langue pour leur dire qu'il faut que cela soit fait.

Le cynisme est la *fausse conscience éclairée*. C'est la conscience malheureuse modernisée, sur laquelle l'*Aufklärung* a agi à la fois avec succès et en pure perte. Cette conscience a appris sa leçon d'*Aufklärung*, mais ne l'a pas mise en pratique et, sans doute, n'a pu la mettre en pratique. Aisée et misérable tout à la fois, elle ne se sent plus concernée par aucune critique de l'idéologie ; sa fausseté est déjà armée de ressorts réflexifs. »

Peter Sloterdjik, *Critique de la raison cynique*,
Christian Bourgois, 1983.

discours de la nécessité ou de la vérité, car elle travaille au fond dans la contingence. [Pour elle] il n'y a pas de discours ou de récits qui soient plus vrais que d'autres en fonction de vertus qui leur seraient propres. [...] Il ne peut y avoir de positions universalisables à bon escient, c'est-à-dire sans que se manifeste un danger totalitaire qui tende à faire violence à la diversité des situations ainsi qu'à la contingence des relations sociales comme relations de langage [25] ».

A côté de Gianni Vattimo, un des représentants les plus en vue de ce courant – très influents aux États-Unis – est Richard Rorty, théoricien de ce qu'on pourrait appeler une philosophie postmétaphysique [26]. Pour lui, le « nihilisme positif » de la démocratie est préférable à tous les discours qui prétendent « organiser le monde ». Cette démocratie, précisément parce qu'elle est sans message, est en mesure d'organiser la cohabitation pacifique de tous les messages ; elle est fondamentalement pluraliste et constitue par là même le meilleur rempart contre le totalitarisme. Pour Rorty et ses adeptes, l'individu moderne doit s'accoutumer à vivre dans des sociétés où ne prévaut aucun « point de vue surplombant ». « La démocratie libérale, quels que soient ses travers et ses faiblesses, est supérieure à la philosophie et, en fait, à tout discours philosophique, forcément limité et daté. La pragmatique de la démocratie est en quelque sorte supérieure à toute pratique théorique, quelle que soit sa virtuosité ou sa subtilité [27]. »

Il existe une parenté évidente entre ce courant relativiste et la tradition héritée de Foucault qui, dès la fin des années 60, annonçait la fin de l'intellectuel à l'ancienne mode. Pour Foucault, les intellectuels doivent renoncer à faire ce qu'ils font depuis le XVIIIe siècle, à

---

25. Jean-Marie Vincent, *Max Weber ou la démocratie inachevée*, Éd. du Félin, 1998.
26. Parmi les huit titres de Richard Rorty disponibles en français, voir notamment *Objectivisme, relativisme et vérité*, PUF, 1994.
27. Jean-Marie Vincent, *Max Weber ou la démocratie inachevée*, *op. cit.*

savoir « unir dans un même message l'héritage du sage grec, du prophète juif et du législateur romain ». A ce clerc omniscient et universaliste, mais irrémédiablement compromis avec les trahisons, compromissions et tyrannies du siècle, à ce « grand écrivain » engagé, Foucault opposait la figure plus modeste de l'« intellectuel spécifique ». « La figure dans laquelle se concentrent les fonctions et les prestiges de ce nouvel intellectuel, assurait-il, ce n'est plus l'"écrivain génial", c'est le "savant absolu", non plus celui qui seul porte les valeurs de tous, s'oppose au souverain ou aux gouvernants injustes, et fait entendre son cri jusque dans l'immortalité ; c'est celui qui détient, avec quelques autres, soit au service de l'État, soit contre lui, des puissances qui peuvent favoriser ou tuer définitivement la vie [28]. » L'avènement de l'« intellectuel spécifique » était inséparable de cette fameuse mort du sujet (le sujet, « cette invention récente » !), que Foucault subodorait d'autre part, l'imputant aux assauts conjoints de l'anthropologie, de la linguistique et de la psychanalyse.

La dénonciation du clerc de jadis, qui prétendait parler « en tant que maître de vérité et de justice », sera reprise et radicalisée par les tenants de ce qu'on appellera la *postmodernité*. Jean-François Lyotard en est, à côté de Deleuze et de Baudrillard, le principal représentant. Dans un texte devenu célèbre et publié en 1983, *Le Tombeau de l'intellectuel*, il ne s'embarrasse pas de nuances. « L'intellectuel, écrit-il, n'existe plus, du moins au sens d'un esprit s'identifiant à un sujet doté d'une valeur universelle, décrivant, analysant de ce

28. Michel Foucault, « La crise dans nos têtes », entretien in *L'Arche*, n° 70, 1977 ; cité par Joël Roman, *Chronique des idées contemporaines. Itinéraire guidé à travers trois cents textes choisis*, Bréal, 1995.

point de vue une situation ou une condition et prescrivant ce qui doit être fait pour que sa réalisation progresse. »

Sur le fond, l'analyse est plus dévastatrice qu'on ne l'imagine de prime abord. Pour l'antihumanisme de Lyotard, la pensée des Lumières elle-même est à écarter car, écrit-il, elle est « tombée en désuétude ». Et, avec elle, le concept d'universalité. A ses yeux, cependant, il ne s'agit pas d'une catastrophe, tout au contraire. « Le déclin, peut-être la ruine de l'idée universelle, ajoute-t-il, peut affranchir la pensée et la vie des obsessions totalisantes. » La critique s'inscrit dans la postérité de Nietzsche, en ce qu'elle récuse le recours à la raison elle-même. Il s'agit de prendre acte d'une sorte d'inaccessibilité nouvelle de la vérité, qui se trouve désormais minée par ce « simulacre » auquel nous vouent la technologie, la prévalence des médias, etc. On dirait qu'a été littéralement aboli notre rapport à la réalité du monde, rapport que nul « récit de légitimation » n'est plus capable de structurer. Après cet éclatement du sens et de la vérité, une société ne peut plus être unifiée. Elle n'est rien d'autre qu'une collection d'individus dissemblables et autonomes [29].

« En simplifiant à l'extrême, écrit encore Lyotard, on tient pour "postmoderne" l'incrédulité à l'égard des métarécits. Celle-ci est sans doute un effet du progrès des sciences ; mais ce progrès à son tour la suppose. A la désuétude du dispositif métanarratif de légitimation correspond notamment la crise de la philosophie métaphysique, et celle de l'institution universitaire qui dépendait d'elle. La fonction narrative perd ses fonctions,

---

29. Je m'appuie ici sur les analyses de Joël Roman, in *Chronique des idées contemporaines*, *op. cit.*

le grand héros, les grands périls, les grands périples et le grand but [30]. »

Dans sa version abusivement simplifiée ou schématisée, la vulgate postmoderne aura connu dans les années 80 et 90 un extraordinaire succès médiatique. Il est vrai qu'elle s'inscrivait dans l'air du temps. Elle permettait de théoriser l'individualisme à la fois hédoniste et désenchanté, ludique et anxieux, libertaire et tourmenté qui restera le signe distinctif de ces deux décennies. Elle était parfaitement congruente avec ce qu'on appellera bientôt la démocratie de marché. Les analyses d'un Gilles Lipovetsky (« c'est désormais le vide qui nous régit, un vide pourtant sans tragique ni apocalypse ») participeront de cette sensibilité [31]. Ou de cette mode.

Ajoutons qu'une bonne partie de la sociologie sera influencée par cette renonciation « postmoderne » à la totalité. Certains sociologues prendront acte de la disparition « libératrice » de la société et s'efforceront, derrière Alain Touraine, de mettre en évidence la nouvelle réorganisation et l'autonomie prometteuse du « mouvement social ». Il est temps, écrira maintes fois Touraine, « de dégager le sens non seulement d'idées nouvelles mais de pratiques de tous ordres, individuelles et collectives, qui manifestent les enjeux, les acteurs et les conflits d'un monde nouveau [32] ». Ce courant sociologique s'en remet à la souveraineté d'un individu rebelle, dissident, qui récuse les injonctions de l'État ou du collectif quel qu'il soit. Il interprète l'effacement définitif du holisme comme un triomphe de la liberté,

30. Jean-François Lyotard, *La Condition postmoderne*, Minuit, 1979.
31. Gilles Lipovetsky, *L'Ère du vide*, Gallimard, 1983.
32. Alain Touraine, *Critique de la modernité*, Fayard, 1992.

comme une sorte d'épiphanie inouïe de l'individu, enfin arraché aux contraintes disciplinaires de l'intégration. Acceptant, au bout du compte, un certain relativisme culturel, il s'intéresse assez peu aux contenus et aux valeurs.

C'est bien là tout le problème…

La fin des « postmodernes » ?

Le succès journalistique et mondain de cette vulgate « postmoderne » en a fait, pour un temps, la composante principale du discours dominant, l'autre versant du néo-libéralisme. Ce succès a relégué dans une relative discrétion les critiques de fond qui lui furent adressées tout au long de ces deux ou trois décennies. Ainsi ce débat-là, pourtant essentiel, n'a-t-il guère dépassé le cadre des revues savantes ou des cénacles spécialisés. Ces critiques de la pensée « postmoderne » furent pourtant aussi nombreuses que précoces. Voilà qu'elles resurgissent aujourd'hui avec une vigueur significative. Globalement, on a reproché dès le début aux « postmodernes » et à leurs émules leur *dérobade* devant la nouvelle complexité sociale, mais aussi leur silence devant les injustices, les dominations ou les inégalités d'aujourd'hui. Aux clercs de jadis que Julien Benda, en 1927, accusait de trahison, ceux-ci préféraient le confort de l'abstention, la dérobade bien élevée et l'inespoir érigé en dandysme. Aux États-Unis, la charge vint, notamment, de l'école dite « communautarienne », regroupée autour de la revue *Telos* : Michael J. Sandel, Alasdaire Mac-Intyre, Michael Walzer, etc.

En France, les critiques furent principalement le fait de la gauche ou de l'extrême gauche. Rappelons, pour mémoire, que des philosophes comme Jacques Rancière se moquaient déjà, en 1974, des chantres de la mort du sujet. « Regardez autour de vous, écrivait-il : sur ce point, l'Université française de 1973 est aussi pacifiée que la société soviétique de 1936. Point de lieu où l'on ne proclame la mort de l'homme et la liquidation du sujet : au nom de Marx ou de Freud, de Nietzsche ou de Heidegger, de "procès sans sujet" ou de la "déconstruction de la métaphysique", grands et petits mandarins vont partout, traquant "le sujet" et l'expulsant de la science avec autant d'ardeur qu'en mettait tante Betsy, dans *David Copperfield*, à chasser les ânes de son gazon[33]. »

Le procès en désertion intenté aujourd'hui aux intellectuels ne date pas d'hier. Pas plus que le reproche adressé au postmodernisme de servir ingénument d'alibi aux conservatismes et à toutes les formes nouvelles d'exploitation. Jürgen Habermas allait plus loin encore, en assimilant cette postmodernité plus ou moins esthétisante au néoconservatisme, voyant même en elle une forme de régression intellectuelle. Dans une conférence datée de 1980, il accusait les postmodernes de « confondre l'inachèvement de la modernité avec sa faillite ». Face aux « déconstructeurs », il prenait, envers et contre tout, la défense de la raison émancipatrice et des Lumières[34].

Mais les critiques les plus fortes – et les moins entendues, à l'époque, hélas – vinrent sans doute de Cornelius Castoriadis. Pour ce dernier, la cause mérite à peine qu'on s'y attarde. « Nous sommes, écrivait-il, devant une collection de demi-vérités perverties en stratagèmes d'évasion. […] Se concoctant agréablement avec les

---

33. Jacques Rancière, *La Leçon d'Althusser*, Gallimard, 1974.
34. Conférence évoquée par Antoine Compagnon, *Les Cinq Paradoxes de la modernité*, Seuil, 1990.

bavardages à la mode sur le "pluralisme" et le "respect de la différence", il aboutit à la glorification de l'éclectisme, le recouvrement de la stérilité, la généralisation du principe "n'importe quoi va" [35]. »

Aujourd'hui, l'étoile de la postmodernité brille d'un éclat un peu moins vif, à mesure que renaît, dix ans après la fin du communisme, un vrai débat d'idées. Quant aux critiques qui lui sont adressées, elles retrouvent une certaine verve. Celle d'un Dominique Lecourt, par exemple, qui s'en prend à ce « nihilisme joyeux qui danse sur les ruines des grandes contributions conceptuelles de la modernité » et ironise sur cette « petite musique anarchiste-chic pour *jet-set* [36] ! » des postmodernes. Sur un autre registre, un essayiste comme Alain Caillé accuse la sociologie contemporaine de s'être dépolitisée en se liant servilement à l'État, aux institutions ou en intégrant les cabinets ministériels. A ses yeux, elle est gravement défaillante depuis qu'elle a renoncé à s'occuper des mécanismes du pouvoir, des nouvelles normes sociales ou de l'économisme outrancier d'une société devenue dramatiquement unidimensionnelle. Ce n'est plus leur trahison qu'il reproche explicitement aux clercs d'aujourd'hui, mais leur *démission* [37].

Ainsi, tout un pan du nihilisme contemporain commence enfin à apparaître pour ce qu'il était *aussi* : un symptôme fin de siècle...

---

35. Cornelius Castoriadis, *Le Monde morcelé. Les carrefours du labyrinthe, III*, Seuil, 1990.

36. Dominique Lecourt, *Les Piètres Penseurs*, Flammarion, 1999.

37. Alain Caillé, *La Démission des clercs, la crise des sciences sociales et l'oubli du politique*, La Découverte, 1994.

Chapitre 2

La nouvelle ruse de l'Histoire

> « Il est connu que la ruse de la raison hégélienne doit beaucoup à la main invisible d'Adam Smith. »
>
> Jean-Pierre Dupuy, *Le Sacrifice et l'Envie*, Calmann-Lévy, 1992.

Une fois congédiés ce siècle et ses folies, une fois conjurés le fade désespoir et les défaites mentales qu'il a produits, nous pourrions refermer aujourd'hui la parenthèse. Après l'effondrement du communisme en 1989, le temps serait venu, nous dit-on, de reprendre le fil d'une Histoire interrompue : celle des Lumières et de la liberté. On entend parfois tinter dans le tumulte ambiant le grelot de ce bel optimisme. Ceux qui l'agitent nous assurent que les catastrophes, les tyrannies et les crimes du XXe siècle n'auront constitué, au bout du compte, qu'un à-coup meurtrier dans cette marche irrésistible vers la liberté et la paix qu'annonçaient les philosophes du XVIIIe.

Seule, ajoutent-ils, l'intensité de notre désarroi nous empêche encore d'apercevoir cette nouvelle Renaissance, désormais à notre portée. Une Renaissance qui substituera définitivement le « doux commerce » de Montesquieu à la barbarie des passions ; qui préférera l'adminis-

70

tration des choses à l'embrigadement des hommes ; qui vaincra la rareté et s'en remettra au pacifique parrainage de la raison et de la science ; celle enfin qui fera de l'individu émancipé le seul ayant droit légitime de l'Histoire. Plus d'affiliations archaïques ni d'appartenances disciplinaires, plus d'intolérances ni de dogmes, plus de barricadements apeurés ni de frontières absurdes, ajoutent-ils : une « société ouverte », un État neutre gérant jour après jour la diversité sociale et renvoyant les croyances comme les passions à l'intimité du privé. Pour le reste, seule la souveraineté débonnaire d'un droit laïc – et bientôt mondial – arbitrera les conflits d'intérêt et départagera le permis et l'interdit[1].

Tel est l'optimisme qui affleure parfois dans le discours contemporain. Il ne manque pas de cohérence. A bien des égards, cet optimisme est respectable et vaut parfois mieux que le catastrophisme poseur. On en trouve la trace dans le grand projet libéral américain, qui vise à l'extension planétaire – *enlargement* – de la « démocratie de marché », extension dont Antony Lake, conseiller à la sécurité du président Clinton, se faisait dès 1993 l'ardent propagandiste. « Tout au long de la guerre froide, déclarait-il, les démocraties de marché étaient globalement menacées, et nous avons *contenu* cette menace. Désormais, nous devons *étendre* le champ de ces démocraties de marché. »

Pour les tenants de cet optimisme libéral, nous en aurions terminé, du moins sur le plan des idées, avec les passions meurtrières, les identités exclusives et les tentations obscurantistes. En annonçant la « fin de l'Histoire » dès 1989, l'ancien conseiller américain Francis Fukuyama ne disait pas autre chose. Sur le moment, il

---

1. Cette thèse est notamment défendue en France par Jean Baechler, *La Grande Parenthèse*, Calmann-Lévy, 1993.

fut très mal compris. L'Histoire n'était certes pas « finie », au sens événementiel du terme : il y aurait encore – et pour longtemps – des séismes et des violences, et même de terribles. Mais l'Histoire était *achevée* pour ce qui est du sens, du projet, de l'eschatologie. Sur le plan théorique, la démocratie, la société ouverte et le marché avaient triomphé de leurs ennemis. Le reste était affaire de patience. Et de chance.

Cette « fin de l'Histoire », au demeurant, cela faisait près de deux siècles qu'elle était annoncée, et notamment par Hegel lui-même. « Je vis l'empereur, cette âme du monde, traverser à cheval les rues de la ville », avait-il écrit le 13 octobre 1806, à Iéna, au passage de Napoléon et de la Grande Armée [2]. A ses yeux, la bataille d'Iéna, dont il pouvait entendre les grondements depuis son bureau, marquait le triomphe des idéaux universalistes de la Révolution, dont la France était la messagère. Certes, le triomphe *effectif* n'irait pas de soi mais, philosophiquement, « les jeux étaient faits ». Évoquant la Révolution française, Hegel parlera encore d'un « superbe lever de soleil » qui nous rapproche du « stade ultime de l'histoire du monde ». Dix-sept années auparavant, Emmanuel Kant n'avait pas réagi différemment à l'annonce des mêmes événements. On raconte même que le vieux philosophe, enseignant de géographie-cosmologie à Königsberg (Kaliningrad), dans l'ancienne Prusse-Orientale, n'avait jamais quitté ses pénates. Or, un fameux matin, il sortit résolument de chez lui et traversa le pont sur le fleuve Prégolia pour aller au-devant de la malle-poste apportant les nouvelles de Paris. On avait pris la Bastille ! Fin de l'Histoire…

Plusieurs fois, par la suite, l'idée sera reprise et la

2. Lettre à Niethammer, in *Correspondance*, t. 1, trad. J. Carrère, Gallimard, 1962.

même « fin » subodorée. Au XIXe siècle, au moment de la révolution industrielle, les économistes libéraux qui s'en faisaient les avocats enthousiastes avaient tendance à interpréter cette apothéose du capitalisme comme la fin des « temps gothiques », pour reprendre les mots de Sieyès. Marx le leur reprochera d'ailleurs explicitement. Pour eux, écrira-t-il dans les *Manuscrits de 1844*, « il y a eu de l'Histoire, mais il n'y en a plus ».

Durant les années 30, au cours d'un séminaire sur la phénoménologie de l'esprit, le philosophe Alexandre Kojève fera longuement référence à cette – déjà – vieille idée. « La fin du temps humain ou de l'Histoire, c'est-à-dire l'anéantissement définitif de l'Homme proprement dit ou de l'individu libre et historique, signifie tout simplement la cessation de l'Action au sens fort du terme. Ce qui veut dire, pratiquement, la disparition des guerres et des révolutions sanglantes. Et encore la disparition de la philosophie. […] Mais tout le reste peut se maintenir indéfiniment : l'art, l'amour, le jeu, etc. Bref, tout ce qui rend l'homme heureux [3]. » Maurice Blanchot formulera à son tour la même hypothèse en 1969, assurant que l'homme « universel » de la modernité était devenu le « maître de toutes les catégories du savoir [qui] peut tout et a réponse à tout [4] ».

Aujourd'hui, pourtant, cette interprétation de l'après-communisme comme fin de l'Histoire, bien moins neuve qu'on ne l'a cru, n'est plus vraiment de mise. Elle est même régulièrement moquée. On est revenu de Fuku-yama et de quelques autres. Disons qu'on n'ose plus. La

---

3. Alexandre Kojève, *Introduction à la lecture de Hegel*, 1947, repris *in* Joël Roman, *Chronique des idées contemporaines, op. cit.* (à noter qu'en 1960, dans une note autocritique, Kojève corrigera en partie ce que pouvait avoir de simplificateur cette position).
4. Maurice Blanchot, *L'Entretien infini*, Gallimard, 1969.

« fin de l'Histoire », en somme, s'achève ! Non pas seulement parce que de nouveaux antagonismes radicaux ressuscitent un peu partout sur la planète, mais parce que, à l'expérience, la « société ouverte » chère à Karl Popper [5] n'est pas tout à fait celle qu'escomptaient les tenants des Lumières. D'explosives contradictions la travaillent, un vertige l'habite, une frayeur singulière l'accompagne. Plus trivialement, on a du mal à se convaincre que l'expansion boulimique du mercantilisme dans une société vide, la prévalence des lois du marché, l'apothéose du quantitatif, bref, que tout cela représente une forme parachevée de civilisation. En d'autres termes, on ne parvient pas à assimiler l'avènement du marché mondial et l'atomisation sociale qui lui correspond à je ne sais quel accomplissement des Lumières.

Or ces insuffisances qui la minent et ses iniquités qui la durcissent, notre modernité a du mal à les combattre et, plus encore, à les identifier. Sans doute faut-il résister, mais à quoi ? Et comment ? Sans doute faut-il se mobiliser, mais où est le front ?

Une affaire d'abeilles

Cette insidieuse désespérance ne procède pas de quelques *imperfections* qu'un peu de politique social-démocrate suffirait à corriger. Elle est le produit d'une contradiction centrale, dont les débats habituels sur le libéralisme rendent mal compte. On redécouvre aujourd'hui que cette « société ouverte », ou cette « démocratie de marché » aujourd'hui conquérante, était fondée

---

5. Mort le 17 septembre 1994, le philosophe d'origine allemande Karl Raimund Popper est notamment l'auteur d'un livre devenu un classique : *La Société ouverte et ses ennemis*, Seuil, 1979, 2 vol.

elle aussi – et assez extraordinairement – sur une ruse hégélienne de la raison. Pour Hegel, rappelons-le, la ruse de la raison historique (celle qui permit de légitimer le totalitarisme), c'était l'enrôlement d'un mal au service d'un progrès, c'est-à-dire une avancée de l'Histoire. Qu'il s'agisse de la violence, de la rivalité des nations ou de l'appétit de puissance, tout conspirait secrètement à la victoire finale du *logos*, c'est-à-dire de la raison en marche. Si les hommes ne comprenaient pas l'Histoire qu'ils vivaient, ils n'en étaient pas moins emportés, et magnifiquement, par son flux.

Un mal au service d'un bien ? N'est-ce pas, justement, le principe organisateur qui fonde le marché ? Hégélien sur ce point, le marché croit dur comme fer à une ruse de la raison économique capable de transformer l'intérêt égoïste de chacun en bien pour tous. Il entend asseoir la prospérité de tous sur l'intérêt bien compris de chaque individu. C'est là, nous dit-on, l'alchimie fascinante du libéralisme, une alchimie assez puissante pour convertir le plomb en or et la cupidité en altruisme. Toute une pensée est née, jadis, de ce paradoxe et tout nous y ramène aujourd'hui. Un philosophe anglais d'origine hollandaise, Bernard Mandeville, en fut l'inventeur génial au tout début du XVIIIe siècle.

C'est en 1705 que Mandeville publie un texte qui deviendra fameux : *La Fable des abeilles*, portant en sous-titre *Vices privés, bénéfice public*. A l'origine, il s'agissait d'un poème satirique intitulé *L'Essaim grondeur, ou les Fourbes devenus honnêtes*. Bernard Mandeville, libre-penseur et ardent rationaliste, observe que, dans la ruche, l'affairement égoïste de chaque insecte produit mécaniquement un résultat bénéfique : l'existence même et la survie de l'essaim grâce à la fabrication du miel. C'est parce que chaque abeille vaque à sa propre envie que la communauté prospère. Ainsi en est-il, assure-t-il, des activités humaines. On ne saurait fonder la réussite de celles-ci sur le désintéressement, qui n'est pas fiable, l'altruisme trop versatile ou la contrainte, qui est intolérable. En revanche, il n'est point de moteur plus puissant que ces égoïsmes individuels enchevêtrés mais providentiellement conjugués, par la dialectique de l'offre et de la demande, pour le bénéfice du plus grand nombre. « Les défauts des hommes dans la société dépravée, souligne Mandeville, peuvent être utilisés à l'avantage de la société civile, et l'on peut leur faire tenir la place des vertus morales. Les vices privés font le bien public. »

En 1776, l'Écossais Adam Kircady Smith, le vrai père du libéralisme, reprendra cette idée dans sa célèbre *Enquête sur la nature et les Causes de la Richesse des nations*. « Ce n'est pas de la bienveillance du boucher, du brasseur, du boulanger que nous attendons notre dîner, écrira-t-il, mais du souci de leur intérêt propre. » Ainsi sera formulée la métaphore de la « main invisible », cette capacité auto-organisatrice du libre marché, à laquelle se référeront tous les théoriciens libéraux, de David Hume à John Locke, Benjamin Constant ou Milton Friedman. La main invisible du marché deviendra le « dieu caché » régulant la société pour le plus grand profit de ses membres.

Si elle a fait la preuve d'une efficacité sans pareille pour la production de richesse et la fixation des prix, la « main invisible », *dès lors qu'elle est livrée à elle-même*, bute sur une contradiction majeure. Celle-ci : en voulant mettre l'égoïsme de chacun au service de tous, elle en vient à légitimer celui-ci. Mieux encore, elle fait de cet égoïsme une « vertu » économique et, au bout du compte, une vertu tout court. En d'autres termes, elle se choisit comme moteur un tropisme – l'intérêt individuel – qui contrevient aux vertus minimales dont toute société a besoin, malgré tout, pour fonder sa cohésion. Ainsi la démocratie de marché place-t-elle exactement *en son centre* cela même qui menace sa survie. Elle érige un « mal » en principe organisateur et fait *ipso facto* l'éloge d'un égoïsme qu'il lui faudra, tout à la fois, combattre. Ou du moins contenir. Cet égoïsme foncier de l'acteur économique, elle le juge fort imprudemment plus efficace et surtout moins barbare que n'importe quelle autre motivation. De cette imprudence originelle, de nombreux discours contemporains portent encore la trace. « Le cynisme, écrit Jean-François Revel, est plus tolérant que le fanatisme, et l'intérêt plus accommodant que la croyance. » Dans le même ordre d'idées, l'écrivain péruvien Mario Vargas Llosa, ancien marxiste devenu l'avocat fervent du libertinage et de l'ultralibéralisme, ne manque jamais l'occasion de faire l'éloge de l'égoïsme, fût-il le plus forcené [6].

Telle est bien l'ambiguïté sur laquelle achoppe aujourd'hui une modernité qui, après la déconfiture des autres modèles, tend à faire du marché non point *une* composante de l'organisation sociale, mais la *seule*. Comment, dès lors, ne pas voir ce qui crève les yeux : le malaise qui accompagne cette fin de siècle se nourrit du pressentiment qu'une absurdité, quelque part, est à l'œuvre ? A-t-on jamais connu, dans l'Histoire, une civilisation dont le « vice » (selon les propres termes de Mandeville) serait le fondement principal ? Telle est la question. Dans une démocratie de marché intégrale, le « vice » de la cupidité devra être tout à la fois célébré pour son efficacité productive et combattu pour sa dangerosité sociale. Programme schizophrénique. Mélange instable

---

6. Voir notamment son roman : *Les Cahiers de don Rigoberto*, Gallimard, 1998.

de cynisme et de moralisme qui aboutira, tôt ou tard, à discréditer le langage lui-même. Comment les mots garderaient-ils un sens s'ils doivent exprimer tout à la fois une chose et son contraire ?

Les économistes et chercheurs américains sont parfois les premiers à dénoncer cette incohérence éthique dont les ultimes conséquences frisent la déraison. « Dans la morale capitaliste poussée à la limite, écrit l'un d'eux, le crime est une activité économique comme une autre, avec seulement un prix élevé à payer (la prison) si on se fait prendre. Obéir à la loi n'est pas une obligation sociale. Il n'est rien qu'on ne "doive" pas faire. Il n'y a que des transactions sur un marché [7]. »

Mais c'est sur le long terme que cette absurdité se manifeste avec le plus de netteté. D'ordinaire, en effet, le degré de civilisation d'une société se concrétise par une hiérarchisation spécifique des valeurs, un étalonnage particulier des qualités ou des types humains que ladite société entend promouvoir et reproduire *via* l'éducation. Le savant éclairé l'emportera sur la brute belliqueuse, le magistrat intègre sera préféré au truand, le créateur sera honoré plutôt que le trafiquant, etc. C'est à partir de cette hiérarchisation que s'ordonne l'ordre social et – surtout – que s'exerce la fonction éducative. Or l'hégémonie du marché aboutit à une réévaluation implicite – mais dévastatrice – des vertus et vices qui valent d'être socialement reconnus. Pour le marché, le crétin entreprenant et le *tycoon* gagneur sont des « modèles » positifs. Le poète rêveur ou le magistrat vertueux, en revanche, ne sont que des perdants pittoresques qu'il ne convient pas d'imiter. L'échafaudage

---

7. Lester Thurow, *Les Fractures du capitalisme*, Village mondial, 1997 (titre original : *The Future of Capitalism*, William Morrow & Cie, New York, 1996).

des représentations collectives s'en trouve chamboulé et ce qu'on pourrait appeler la *signalisation symbolique* est comme effacée du paysage. D'où l'émergence d'un relativisme intégral et, au sens strict, d'une *insignifiance*, que décrivent assez bien les lignes suivantes :

« Dans une communauté régie seulement par la loi de l'offre et de la demande, protégée cependant de toute violence ouverte, les gens qui deviennent riches sont d'une manière générale besogneux, résolus, fiers, avides, rapides, méthodiques, sensés, sans imagination, insensibles et ignorants. Et ceux qui restent pauvres sont les idiots parfaits, les grands sages, les oisifs, les insouciants, les humbles, les méditatifs, les lents, les imaginatifs, les sensibles, les bien informés, les imprévoyants, les méchants et les impulsifs, les voleurs maladroits et les voleurs avérés, sans oublier les personnes justes, charitables et pieuses [8]. »

Pour son dynamisme même, la société de marché doit se fonder sur ce qui était jadis considéré comme des antivaleurs, des « vices », pour ne pas dire des péchés. Ainsi en est-il de l'*envie*, qui, bien plus que le « besoin », devient le véritable moteur de la consommation [9]. Privé de cette frénétique envie consumériste, la modernité marchande vacille dans ses fondements, s'affole, mobilise en grande hâte ses publicitaires et ses ruses symboliques. L'injonction qui est faite aujourd'hui au citoyen est sans ambiguïté : consomme ! Le message implicite consiste à anoblir la boulimie et la

---

8. John Ruskin, *Unto this Last*, University of Nebraska Press, 1967 ; cité par Benjamin R. Barber, *Démocratie forte*, Desclée de Brouwer, 1997.

9. Voir, notamment, l'excellent livre de Jean-Pierre Dupuy, *Le Sacrifice et l'Envie. Le libéralisme aux prises avec la justice sociale*, Calmann-Lévy, 1992.

jouissance. En consommant, en jouissant des objets, voire en gaspillant au maximum, je fournis du travail et je sauve l'économie. Quant au publicitaire, chargé de ranimer par ses stratagèmes la flamme de l'envie, il est le nouveau prédicateur de la modernité. Formidable séisme !

Tous les bavardages sur le « sens », la morale universelle ou l'éthique des affaires auxquels l'époque s'est accoutumée ne pèsent donc que le poids du vent face à cette contradiction paisiblement amorale. Comment une société pourrait-elle valoriser d'un seul mouvement le moteur de l'« intérêt » individuel et l'obligation de « désintéressement » qui incombe à l'homme public comme au citoyen ?

Quand le mort saisit le vif

On objectera que cela fait bientôt trois siècles que Mandeville a théorisé l'égoïsme productif des abeilles et plus de deux siècles qu'Adam Smith a identifié la « main invisible ». Depuis lors, ajoutera-t-on, le marché nous a procuré plus de bienfaits qu'il n'a généré de barbarie. C'est un fait. D'une façon générale, il a même été constitutif du progrès occidental, alors que les sociétés qui récusaient sa logique se condamnaient à la stagnation et à la tyrannie. Tout cela est indiscutable, comme est avérée l'efficacité sans égal de l'économie de marché. De ce point de vue, les prétendus « débats » sur les avantages comparés de l'économie de marché et de l'économie administrée sont devenus risibles. Débat-on encore sur le point de savoir si la terre est ronde ? Mais s'en tenir à cette remarque, en faire l'argument terminal de toute discussion serait oublier l'essentiel qui tient en peu de mots. A aucun moment, jusqu'à aujourd'hui, le marché n'avait régné *sans partage* sur une société donnée. C'est cette hégémonie qui fait problème, non pas le marché lui-même, comme technique économique.

« Jamais, écrit André Gorz, le capitalisme n'avait réussi à s'émanciper complètement de la politique [10]. » La pure économie libérale n'a existé nulle part. De tout temps, le marché a dû composer avec des logiques contraires, des croyances maintenues, des résistances collectives, un « sacré » fédérateur ou des modèles rivaux. C'est dans cette compétition-là, et grâce à elle, qu'il a appris à s'amender, à se civiliser, à durer. C'est en conjuguant sa logique propre avec celle – sensiblement différente [11] – de la démocratie qu'il s'est perpétué et a pu vaincre ses rivaux. Notre progrès est le produit direct de cette *confrontation*, et non point d'une causalité unique. Autrement dit, les adversaires du marché ont été, depuis l'origine, ses alliés paradoxaux… On ne devrait pas oublier que c'est sous la pression de leurs adversaires que bien des dirigeants conservateurs ont pris des mesures sociales qui, en le civilisant, ont permis la survie du capitalisme. « En Allemagne, c'est un aristocrate conservateur, Bismarck, qui a créé dans les années 1880 les pensions de retraites et l'assurance-maladie. Winston Churchill, fils d'un duc britannique, a créé en 1911 le premier grand système public d'assurance-chômage. Et c'est un grand bourgeois, Franklin Roosevelt, qui a mis sur pied l'État-providence aux

---

10. André Gorz, *Misère du présent. Richesse du possible*, Galilée, 1997.

11. Comme le montre l'économiste Jean-Paul Fitoussi, cette différence essentielle est assez simple à formuler. Pour le marché, un franc égale une voix ; pour la démocratie, un homme (ou une femme) égale une voix. Ce qui, à l'évidence, n'est pas la même chose…

États-Unis et sauvé le capitalisme de son effondrement[12]. »

En outre, lorsqu'on raisonne sur Adam Smith ou les grands théoriciens libéraux, on oublie que leurs réflexions s'appuyaient sur une représentation de la société perçue à l'époque comme un ensemble encore largement unifié par des convictions communes et des valeurs partagées – notamment religieuses. Autrement dit, il existait au XVIIIᵉ siècle un *fonds commun* de croyances et de « vertus » capable de tempérer le nihilisme objectivement destructeur du marché. Le « vice » de l'intérêt privé était coiffé, si l'on peut dire, par la charpente symbolique d'une même conception du monde. La société était « une », et cette unité, les théoriciens de la contre-révolution ne se consoleront jamais de l'avoir perdue. (Et il serait vain de vouloir la reconstruire.) Adam Smith, comme on le sait, fut d'ailleurs l'auteur en 1759 – dix-sept ans avant de concevoir sa « main invisible » – d'une *Théorie des sentiments moraux*, que nos contemporains jugeraient abusivement moralisatrice. Quant à l'Anglais John Locke (1632-1704), grand théoricien du libéralisme politique, avocat de la raison et de la tolérance, il n'en recommandait pas moins d'exclure les athées de la complète citoyenneté, « au motif que, ne pouvant se fonder sur une croyance ferme, ils n'étaient pas capables de loyauté[13] ».

Tout a changé depuis Mandeville ou Adam Smith. Nos sociétés plurielles, multiculturelles, autonomes sont caractérisées par une anomie de la croyance, une atomisation, un polythéisme moral qui accroissent de façon exponentielle l'effet dissolvant du marché. (Sauf l'Amérique, peut-être, où la culture biblique et le

---

12. Lester Thurow, *Les Fractures du capitalisme*, *op. cit.*
13. René Rémond, *Religion et Société en Europe*, Seuil, 1998.

« patriotisme constitutionnel », pour reprendre la célèbre formule de Habermas, continuent d'être des références unificatrices.) Il est vrai que les défenseurs les plus radicaux de la société de marché vont jusqu'à récuser l'idée même de morale ou de croyances collectives. Ils justifient cette hostilité en recourant à une utopie, voire à une fiction assez rudimentaire pour faire sourire le premier psychanalyste ou anthropologue venu : celle d'un individu absolument autonome dans ses désirs, particule tombée de nulle part et capable de s'auto-engendrer en choisissant, en toute liberté privée, sa propre conception du Bien et du Mal [14].

Et puis, politiquement, nous voilà depuis 1989 dans un cas de figure totalement nouveau. Pour la première fois, en effet, le marché est sans vrai rival ni concurrent. Devenue hégémonique par défaut, privée d'ennemi et d'alternative, la rationalité marchande se trouve entraînée par ses propres pesanteurs. De pragmatique, elle tend à se faire dogmatique, quitte à compromettre sa propre efficacité. Les hasards de l'Histoire placent en effet le libéralisme dans une situation de monopole, ce qui contrevient à ses propres valeurs, fondées, comme on le sait, sur l'idée de compétition. Dès lors, se demande à bon droit Lester Thurow, « comment un système qui croit à la nécessité de la concurrence pour rendre les entreprises efficaces pourrait-il lui-même s'adapter au changement et conserver son efficacité, s'il n'a plus de concurrent ? ».

Voilà une dizaine d'années, en tout cas, que s'accentue cette rigidification d'un credo libéral, désormais ivre de soi-même. Insensiblement, elle lui confère le caractère d'une « croyance », d'un dogme, voire d'une

---

14. Voir plus loin, chap. 7.

religion laïque. En dépit des apparences et malgré les protestations de ses défenseurs, le marché acquiert les caractéristiques d'un culte idolâtre. Avec tous les attributs correspondants : intolérance et fatuité, superstition, prosélytisme, rhétorique sermonneuse, etc. Cela faisait d'ailleurs un certain temps que des économistes redoutaient – ou dénonçaient par anticipation – une telle dérive. Y compris parmi les libéraux. Au milieu des années 80, John Kenneth Galbraith, par exemple, s'en prenait au dogmatisme des théoriciens de la « révolution conservatrice » américaine, dont la « foi possède une qualité théologique telle qu'elle les dispense de fournir la moindre preuve empirique [15] ». Un autre économiste américain, Paul A. Samuelson, ironisait sur ces « zélateurs religieux » d'un nouveau genre, dont « la religion est le marché [16] ». Toutes ces tendances se sont évidemment aggravées après la chute du communisme. La désignation du marché comme religion devient un pont-aux-ânes du débat politique.

Il y a plus insolite encore. Ayant vaincu sans coup férir le communisme et son « matérialisme scientifique », le libéralisme ainsi dogmatisé *en devient l'héritier zélé* et, d'une certaine façon, le continuateur. Le mort a saisi le vif. Comme jadis Athènes l'avait fait avec Rome, le vaincu a « conquis son sauvage vainqueur ». Telle est la nouvelle ruse de l'Histoire.

Dans le passé, on avait déjà noté entre le capitalisme et son adversaire communiste des parentés troublantes. La définition du citoyen moderne, remarquait dès 1946 Georges Bernanos, est fondée « sur une certaine conception de l'homme, commune aux économistes anglais du

---

15. John Kenneth Galbraith, *L'Économie en perspective : une histoire critique*, Seuil, 1987.

16. Paul A. Samuelson, *L'Économique*, Armand Colin, 1983.

XVIIIe comme à Marx ou à Lénine [17] ». Et beaucoup d'autres (dont Jacques Ellul) avaient signalé ce cousinage inavoué entre les deux systèmes rivaux. Aujourd'hui, cependant, la dogmatisation contre nature du libéralisme renforce cette parenté, jusqu'à la rendre saisissante. A l'instar du marxisme, le libéralisme récuse, par exemple, la prééminence du politique sur l'économique. Tous deux réduisent la politique à un épiphénomène ou à un « populisme », pour ne pas dire à rien du tout. Ainsi apparaît en pleine lumière une connivence antidémocratique que la rude rivalité d'hier avait fait perdre de vue. « L'utopie économique libérale du XVIIIe siècle et l'utopie socialiste du XIXe siècle, écrit aujourd'hui Pierre Rosanvallon, participent paradoxalement d'une même représentation de la société fondée sur un idéal d'abolition de la politique [18]. » C'est aussi ce que disait Léo Strauss lorsqu'il écrivait : « Le mouvement auquel l'esprit moderne doit sa plus grande efficacité, le libéralisme, est précisément caractérisé par la négation du politique [19]. »

Après 1989, le vieux soupçon marxiste visant la « démocratie bourgeoise » *a donc été reconduit pas la vulgate libérale*. « Alors que l'on prenait distance par rapport à des manières de penser trop "économistes" issues du marxisme et évacuant le rôle du politique, note justement Olivier Mongin, le discours économique des libéraux a paradoxalement redonné crédit à l'idée fausse que le politique n'est qu'une malheureuse superstructure [20]. »

17. Georges Bernanos, *La France contre les robots*, réédit. Livre de poche, 1999, préface de Jacques Julliard.

18. Pierre Rosanvallon, « Culture politique libérale et réformisme », *Esprit*, mars-avril 1999.

19. Léo Strauss, *Le Testament de Spinoza*, Cerf, 1991.

20. Olivier Mongin, *L'Après 1989. Les nouveaux langages du politique*, Hachette Littératures, 1998.

La grande transformation libérale

« La véritable critique que l'on peut faire à la société de marché n'est pas qu'elle était fondée sur l'économique – en un sens, toute société quelle qu'elle soit doit être fondée sur lui –, mais que son économie était fondée sur l'intérêt personnel. Une telle organisation de la vie économique est complètement non naturelle, ce qui est à comprendre dans le sens strictement empirique d'exceptionnelle. […] Séparer le travail des autres activités de la vie et le soumettre aux lois du marché, c'était anéantir toutes les formes organiques de l'existence et les remplacer par un type d'organisation différent, atomisé et individuel. Ce plan de destruction a été fort bien servi par l'application du principe de la liberté de contrat. Il revenait à dire en pratique que les organisations non contractuelles, fondées sur la parenté, le voisinage, le métier, la religion, devaient être liquidées puisqu'elles exigeaient l'allégeance de l'individu et limitaient ainsi sa liberté. Présenter ce principe comme un principe de non-ingérence, ainsi que les tenants de l'économie libérale avaient coutume de le faire, c'est exprimer purement et simplement un préjugé enraciné en faveur d'un type déterminé d'ingérence, à savoir celle qui détruit les relations non contractuelles entre individus et les empêche de se reformer spontanément. »

Karl Polanyi, *La Grande Transformation*,
Gallimard, 1983.

Ancien élève d'Althusser, Jacques Rancière dénonçait sur un mode beaucoup plus sarcastique ce « passage de relais » entre marxistes et libéraux, qui s'effectue sur le terrain – si l'on peut dire – du cynisme politique. « Au marxisme caduc, le libéralisme supposé régnant reprend le thème de la nécessité objective, identifiée aux contraintes et aux caprices du marché mondial. Que les gouvernements soient les simples agents d'affaires du capitalisme international, cette thèse scandaleuse de Marx est aujourd'hui l'évidence sur laquelle "libéraux" et "socialistes" s'accordent [21]. »

Qu'on ne s'y trompe pas. Ces dernières remarques ne sont pas l'expression de je ne sais quelle nostalgie althussérienne. De l'autre côté de l'Atlantique, un Benjamin R. Barber, un des plus éminents spécialistes américains de sciences politiques, partage la même anxiété et s'alarme de voir le « totalitarisme des marchés débridés » tenter aujourd'hui de « subordonner la politique, la société et la culture » aux exigences d'une économie prise « pour le référent absolu » [22].

Toutes ces notations procèdent simplement du bon sens. Elles me semblent cependant devenues insuffisantes. En réalité, la « ruse de l'histoire » qui substitue sans coup férir l'utopie libérale à l'utopie communiste – c'est-à-dire un économisme à un autre – va beaucoup plus loin encore. C'est le concept même de *révolution* qui se réincarne dans le néolibéralisme. Même si l'idée, ainsi formulée, est surprenante, elle paraît peu contestable. Si les mots ont un sens, le néolibéralisme constitue aujourd'hui un processus d'essence révolutionnaire. Autrement dit, il a dérobé à la gauche la substance même de sa rhétorique et capté à son bénéfice l'essentiel de la vieille symbolique progressiste. Avec une intrépidité toute neuve, il se présente dorénavant comme le seul véritable artisan du changement et s'emploie du même

---

21. Jacques Rancière, *La Mésentente*, Galilée, 1995.
22. Benjamin R. Barber, *Démocratie forte*, *op. cit.*

coup à désigner ses adversaires comme des conservateurs archaïsants. Et cela quand bien même il n'est pas de dérive plus archaïsante que celle d'un ultralibéralisme tenté de faire insensiblement retour au capitalisme sauvage des origines…

D'une révolution à l'autre

Cette substitution, on serait tenté de dire cette réincarnation idéologique, explique le caractère proprement irréel des débats contemporains. Toutes les cartes politiques sont redistribuées dans l'arène démocratique, les références changées, les clivages brouillés. Et ce flou autorise les malentendus les plus dérisoires. Piteuse misère de la politique, quand elle se retrouve en retard d'une pensée… Les néolibéraux ont repris à leur compte, par exemple, l'utopie internationaliste (rebaptisée mondialisation ou globalisation) qui était si chère au mouvement ouvrier. « Le néolibéralisme veut détruire les nations, non pas qu'il soit animé d'un projet allant dans ce sens, mais simplement parce que sa logique érode tendanciellement le cadre national comme cadre de formation des compromis sociaux [23]. » Aujourd'hui, la grande prédication sur l'ouverture des frontières, le lyrisme prophétique du *mondial* opposé au *local*, la fulmination éloquente contre le repli sur soi, tout cela a changé de camp. Quant à la référence hégélienne au « sens de l'Histoire », dont la modernité pensait s'être débarrassée, voilà qu'elle ressuscite, une fois encore, sous un nouveau déguisement.

---

23. Zaki Laïdi, « Les imaginaires de la mondialisation », *Esprit*, octobre 1998. (Les réflexions ci-dessus doivent beaucoup à ce remarquable article.)

C'est dorénavant le néolibéralisme qui s'affiche comme un généreux projet universaliste, luttant contre toutes les formes de nostalgie identitaire ou nationale, résistant vaillamment aux chauvinismes. Il pourrait sans difficulté reprendre à son compte les fameux réquisitoires de Lénine contre le « crétinisme villageois ». Le voici paré, comme son ancien adversaire, des attributs du progrès planétaire et de la modernité en marche. Une marche à laquelle, explique-t-il, il serait vain de résister. A ceux qui redoutent de nouvelles formes de barbarie, de domination ou d'injustice, le discours dominant ne va-t-il pas répétant que nous n'avons « pas le choix », qu'il n'existe « pas d'autres politiques possibles », et qu'il s'agit là d'un flux puissant, irrésistible mais salvateur ? On ajoutera, bien sûr, qu'au bout de cette longue marche sera trouvée la *récompense* qui justifie tous les sacrifices – et les rééquilibrages budgétaires – d'aujourd'hui. On n'ose point évoquer « l'avenir radieux », mais la promesse est la même. Le « sens de l'Histoire » a bel et bien changé de camp. Cette transhumance, notons-le, s'est opérée à l'insu de Hegel…

Mais ce n'est pas tout. Le néolibéralisme a également repris à son actif *l'utopie d'une société sans classe*. Il affirme sans relâche aujourd'hui que la lutte des classes est désormais obsolète ; qu'elle se trouve désamorcée par l'émergence d'une vaste classe moyenne, prospère et dépolitisée, qui rejetterait sur ses marges deux composantes minoritaires : les exclus et les très riches. Deux « problèmes » marginaux qu'il s'agira de régler au coup par coup et sur lesquels les économistes dissertent en techniciens. A leurs yeux, l'extension indéfinie de la classe moyenne rendra même à peu près sans objet la référence traditionnelle au concept d'égalité. Un concept qui serait d'ailleurs « dépassé » ou complexifié à l'extrême. Ce discours comporte un avantage indéniable : il revient à légitimer *de facto* les inégalités qui font retour dans la plupart des sociétés industrielles.

Ce néolibéralisme révolutionnaire est aussi devenu le plus ardent pourfendeur des traditions, morales anciennes, cultures spécifiques ou valeurs « bourgeoises », qui, à ses yeux, font écran entre l'individu émancipé et le libre marché. En instituant ce dernier comme l'instance régulatrice par excellence, il programme la « destruction créatrice [24] » de toutes ces structures intermédiaires, ingénument présentées comme des vieilleries résiduelles. Y compris, par exemple, la famille, dont la défense faisait jadis partie du catéchisme de la droite bourgeoise. Ce n'est plus aussi simple aujourd'hui, même si ce changement de pied du libéralisme à l'égard de la « valeur famille » n'a pas encore été véritablement compris par une gauche européenne prisonnière de ses anciennes phobies individualistes et antifamiliales.

Que la famille ne soit plus, consubstantiellement, une valeur « de droite » a d'ores et déjà été perçu par certains militants socialistes, clairement marqués à gauche mais sans doute plus clairvoyants que leurs camarades. « Comme la gauche ancienne, notait en 1998 un député travailliste britannique, le capitalisme moderne fait peu de cas de la famille. Ce qui a été le noyau unitaire de l'accumulation du capital, ainsi que l'unité reproductrice pour les travailleurs et consommateurs nécessaires au capitalisme pendant plus de trois siècles, est maintenant devenu une gêne, si ce n'est même un obstacle. [...] La famille, anciennement appréhendée comme l'ennemi du progrès socialiste, fait maintenant

_____

24. Ce concept de « destruction créatrice », qui serait propre au capitalisme, a été inventé par Joseph Alois Schumpeter, en 1942, dans son livre *Capitalisme, socialisme et démocratie*.

obstacle au capitalisme global de techno-consommation et à son projet final [25]. »

Plus généralement, la simple idée de *normes*, qu'elles soient sociales, culturelles, morales, coutumières ou associatives, est jugée négativement par le néolibéralisme révolutionnaire. Dans tous les domaines – y compris celui de l'éthique ou de la citoyenneté –, les vrais libéraux se veulent « dérégulateurs » à tout crin. Le marché, il est vrai, réclame une absolue fluidité de la demande, une souplesse maximale dans l'expression des préférences marchandes, un renouvellement ininterrompu des modes et des désirs, même les plus inconsistants, auxquels une « offre » concurrentielle et convenablement promue saura répondre en temps réel. Il lui faut donc travailler à l'élimination de ce qui fige, de ce qui stabilise et, à la limite, de ce qui rassure. En cela, le marché est en parfaite symbiose avec l'univers médiatique, gouverné lui aussi par la curiosité versatile, la boulimie de nouveautés, le nomadisme mental et le *manque*. Le marché a besoin d'instabilité et d'insatisfaction. André Gorz, parlant de cette logique frénétique, n'a pas tort de faire observer que, pour ce dernier, « toute forme de rigidité est devenue une entrave à éliminer [26] ». Mais c'est le théologien Maurice Bellet qui exprime le mieux cet impératif de « déstabilisation productive » inhérent au marché, lorsqu'il propose, avec un mélange d'amusement et d'effroi, cette formule magnifique : « La paix de l'âme est interdite : elle casserait le moteur de l'expansion [27]. »

Quoi qu'il en soit, on est encore loin d'avoir convenablement analysé ce tour de passe-passe conceptuel,

25. Denis Mac Shane, in *Quelles valeurs pour demain ?*, *op. cit.*
26. André Gorz, *Misère du présent. Richesse du possible*, *op. cit.*
27. Maurice Bellet, *La Seconde Humanité*, *op. cit.*

cette permutation symbolique qui fait du néolibéralisme la dernière idéologie objectivement révolutionnaire de cette fin de siècle. Bien des convergences idéologiques apparemment insolites prendraient pourtant leur vrai sens à la lumière de cette évidence. Ainsi en est-il des singulières retrouvailles entre une partie de l'ancienne extrême gauche européenne et une frange de la droite ; retrouvailles sur des positions dites « libérales-libertariennes ». Le « cas » Daniel Cohn-Bendit – ancien soixante-huitard devenu écologiste, mais vigoureusement applaudi par la droite ultralibérale d'Alain Madelin – en fut un exemple anecdotique mais significatif durant le premier semestre 1999. Rien que de très logique…

Cette convergence, désormais repérable, entre l'anarchisme libertaire des années 60 et un néolibéralisme classé à droite n'est pas propre aux sociétés européennes. Plusieurs chercheurs américains ont décelé le même paradoxe dans l'histoire contemporaine des États-Unis. Ainsi Paul Berman a-t-il soutenu dès 1996 que, contrairement aux apparences, les revendications antibourgeoises des années 60 – le mouvement des campus, etc. – et le reaganisme des années 80 ont été engendrés, en réalité, *par le même tropisme individualiste*. Il ajoute que les deux épisodes furent non point des balancements politiques de sens contraire, mais les deux séquences d'une même rupture historique [28].

Dans un article remarqué, un universitaire de Cambridge (Massachusetts), Mark Lilla, a repris et développé brillamment la même idée : « Quiconque fréquente de jeunes Américains le sait, ceux-ci ne trouvent aucune difficulté à concilier les deux aspects de leur vie

---

28. Paul Berman, *A Tale of Two Utopias*, Norton, 1996.

quotidienne. Ils ne voient pas de contradiction à occuper des petits boulots sur le marché mondial déchaîné – le rêve reaganien, le cauchemar de la gauche – et à passer leurs week-ends immergés dans un univers culturel et moral façonné par les *sixties*. [...] Sur le plan psychologique au moins, la prévision de contradiction culturelle [entre les deux attitudes] n'a pas été confirmée [29]. »

C'est donc avec en tête toutes ces ruses, ces faux-semblants, ces ambivalences qu'il faut analyser la réapparition inopinée, tout au bout du XXe siècle, d'une logique révolutionnaire – et, par certains côtés, *totalitaire*. Elle concourt à créer l'impression troublante que ce « siècle inutile » se boucle décidément sur lui-même et que nous faisons doucement retour vers la case départ.

Une logique totalitaire ?

Totalitaire ? Le mot n'est-il pas excessif ? Inutilement polémique ? Absurde ? *Il l'est, évidemment, si l'on se place sur le plan de la liberté.* Quelle que soit la dérive pénale des démocraties modernes, des États-Unis surtout [30], il est certain que ce totalitarisme-là n'est pas attentatoire à la liberté individuelle. Il se flatte même d'en être le plus vigilant défenseur, ce qui n'est pas contestable. La démocratie de marché ne prévoit pas, sauf exception, de s'ériger en État policier. Ce n'est sûrement pas un « détail » qu'on pourrait négliger. Sur

---

29. Mark Lilla, « La double révolution libérale : Sixties et Reaganomics », *Esprit*, octobre 1998.

30. Rappelons qu'il y avait en 1998 près de 1 800 000 personnes dans les pénitenciers américains, six fois plus que dans les années 60 ! (Voir, plus loin, chap. 8).

ce point au moins, certaines dénonciations venues de l'extrême gauche ou exprimées outre-Atlantique par la théologie de la libération semblent plus outrées qu'opératoires. En revanche, il est d'autres tentations ou inclinations de la société de marché qui participent bel et bien d'une logique totalitaire. Elles reproduisent même trait pour trait certains aveuglements de l'« illusion communiste », pour reprendre l'expression de François Furet.

Il y a d'abord ce qu'on pourrait appeler le cannibalisme ontologique du marché. C'est-à-dire cette tendance à rabattre toute la complexité de l'existence humaine et de la vie en société sur le quantitatif ou le mesurable, à promouvoir un *homo œconomicus* tragiquement unidimensionnel, à faire de la loi de l'offre et de la demande un concept aussi tyrannique que pouvait l'être la lutte des classes ou la dictature du prolétariat dans la société communiste. Le financier Georges Soros, bon connaisseur s'il en est, ne s'embarrasse pas de nuances lorsqu'il proclame à ce propos : « L'intégrisme des marchés menace aujourd'hui davantage la démocratie que n'importe quel totalitarisme [31]. »

En évoquant ces choses, je n'entends pas reprendre ici l'aimable discours de fin de banquet sur l'argent roi, la désolante vénalité de l'époque ou la nécessité de trouver une « troisième voie » entre Sodome et Gomorrhe. Je fais référence à une *colonisation mentale* infiniment plus profonde, plus grave, plus essentielle. La logique du marché, insensiblement, investit la totalité du paysage symbolique, s'insinue jusqu'à des espaces, coins et recoins que l'on pouvait croire hors de sa portée. Certaines de ces conquêtes pourraient nous

---

31. *Libération*, 7 octobre 1998.

faire sourire. Elles paraissent extravagantes, et les économistes qui s'en font les prophètes nous font penser aux savants jdanoviens [32] de Staline qui prétendaient soumettre la science à l'idéologie. Donnons quelques exemples, choisis entre mille.

Citons d'abord, à titre de spécimen, les élucubrations très respectables d'un prix Nobel d'économie, Gary Becker, proposant d'appliquer la belle mécanique du marché à la gestion de l'amour et du mariage. Dès lors qu'une personne se marie, explique-t-il, quand « l'utilité attendue du mariage est supérieure à celle de l'état de célibataire ou à celle qu'on retirerait d'une recherche supplémentaire pour un compagnon plus approprié […] puisque les hommes et les femmes sont en compétition lorsqu'ils cherchent un compagnon, on peut supposer qu'il existe un *marché* du mariage [33] ». Pour Becker et ses semblables, l'analyse fondée sur l'évaluation en termes de coût et d'avantage peut s'étendre sans difficulté à tous les secteurs de l'activité humaine. Elle devient une grammaire universelle capable d'investir toutes les autres formes de pensée.

C'est ainsi que la philanthropie et la démarche humanitaire, pour prendre un second exemple, sont gérées aujourd'hui comme un marché mettant en relation des « nécessiteux » et des donateurs potentiels devenant des « consommateurs ayant un besoin de don à assouvir [34] ». Ainsi, la marchandisation-médiatisation de la charité n'est-elle plus seulement l'occasion d'une désa-

---

32. Andrei Alexandrovitch Jdanov (1896-1948). Membre du Politbureau en 1939, il se fit l'ardent défenseur de l'orthodoxie stalinienne, jusque dans la « pensée » scientifique.

33. Cité par Michel Beaud, *Le Basculement du monde*, La Découverte, 1997.

34. Expression utilisée par un journaliste québécois, Jean Pichette, *Le Devoir*, 23 octobre 1996.

gréable dérive que Bernard Kouchner baptisait jadis *charity business*. Elle correspond à l'extension plus radicale d'un mode de pensée totalitaire. Intervenant dans un congrès, un spécialiste de la question résumait ainsi cette évolution, en ajoutant qu'elle lui semblait affolante : « En utilisant une entreprise commerciale uniquement comme moyen (pour les mailings, etc.), le monde de la philanthropie finit par intégrer le modèle de l'économie néoclassique avec des consommateurs et des producteurs à la recherche de l'équilibre entre l'offre et la demande. [...] Et comme dans tout marché, certains produits ne seront pas achetés, ne correspondront pas à la demande et, toujours dans la logique de ce modèle, tant pis pour eux, ils n'avaient qu'à avoir une misère vendable, une maladie à la mode [35]. »

Troisième exemple, plus impressionnant encore : la colonisation du langage lui-même par ce que le philosophe Dominique Janicaud appelle le « techno-discours », mélange appauvri de scientisme inculte et de références marchandes. Cette mise à la toise du vocabulaire par le marché – et par la simplification médiatique – contribue à ruiner peu à peu ce que Maurice Merleau-Ponty appelait le « miracle de l'expressivité ». Nous nous habituons peu à peu à ce succédané de langage, ce volapük discoureur que le grand marché substitue progressivement à la parole véritable. Une parole que Janicaud décrit joliment lorsqu'il évoque « une langue enracinée dans l'abîme obscur et mouvant des corps, soulevée par des dictions singulières et des attentes indicibles, une langue complice du silence, gardienne des secrets, une langue par quoi les rites les plus chers

---

35. Jacques T. Gotbout, « Consommateurs de dons et producteurs de causes : la philanthropie et le marché », in *La Résistible Emprise de la rationalité instrumentale*, Éd. Eska, 1998.

accompagnent un groupe de la naissance à la mort[36] ».

On pourrait aligner à l'infini les exemples comparables. Leur prolifération participe du même phénomène : la contamination progressive des rapports sociaux par la rationalité instrumentale et, en dernière analyse, par le marché. Une contamination dont le propre est d'être sans limite. Cette prévalence du « mécanisme marchand » s'accompagne d'un recul correspondant de l'État, du politique, de la culture classique elle-même. Elle s'installe de façon plus subtile mais plus efficace. « Avec le marché, on change de logique pour ainsi dire sans s'en rendre compte[37]. » Pour reprendre la terminologie de Karl Polanyi, l'économie n'est plus « encastrée » comme jadis dans les relations sociales ; ce sont ces dernières qui se trouvent dorénavant « encastrées » dans la logique marchande. La société devient une simple auxiliaire du marché. Il n'est pas abusif, à ce titre, d'y voir la marque d'un processus *totalitaire*, au sens littéral du terme.

Certes, ce totalitarisme-là est bien doux. Il est surtout plus généreux et prodigue qu'aucun autre système dans l'Histoire. C'est un peu ce que faisait remarquer Schumpeter vers la fin de sa vie. Le système capitaliste, disait-il, est certes cruel, injuste et destructeur, mais il fournit la marchandise. Cessez donc de vous plaindre, puisque c'est cette marchandise que vous voulez ! Ce raisonnement, présenté de façon à peine moins sommaire, est encore couramment utilisé pour disqualifier les critiques adressées au libéralisme. L'argument est à la fois facile et irrecevable. Les inconvénients du

---

36. Dominique Janicaud, *La Puissance du rationnel*, Gallimard, 1985.

37. Jacques T. Gotbout, *La Résistible Emprise de la rationalité instrumentale*, *op. cit.*

capitalisme, tels que pouvait les décrire Schumpeter (mort en 1950), n'avaient pas grand-chose de commun avec cet irrésistible envahissement de la vie par une logique marchande, devenue aussi impérieuse qu'une idéologie autoritaire. Et cela, même si son pouvoir de persuasion passe par d'autres canaux.

Ce caractère unidimensionnel de la logique marchande repose enfin sur une sorte d'imposture fondamentale. On feint de récuser tout dogme, toute croyance collective, tout embrigadement de l'esprit, au profit d'une liberté de conscience individuelle et d'un « polythéisme des valeurs » libérateur. La modernité fait même de ce pluralisme désenchanté son principe fondateur. Notre liberté viendrait du renvoi des croyances à la seule sphère privée. En réalité, la tyrannie de la rationalité marchande est à l'opposé de cette prétendue liberté. Elle impose *de facto* une valeur unique, collective, impériale, virtuellement destructrice de toutes les autres. Derrière la façade des discours polythéistes ou antimétaphysiques triomphe un monothéisme, voire un fondamentalisme de fer. Là se révèle l'insuffisance fondamentale des analyses de Max Weber, par ailleurs si éclairantes. En étudiant l'irrésistible dissolution des valeurs, leur émiettement polythéiste dans un monde désenchanté, Weber avait largement sous-estimé la puissance intacte de l'une d'entre elles : la marchandise. C'est pourquoi, souligne l'un des interprètes de la pensée wébérienne, les analyses de ce dernier « restent à mi-chemin dans la mesure où elles ne montrent pas que la pluralité des valeurs est largement contrebattue par la domination de la valeur des valeurs, la valeur marchande, et la forme valeur des activités humaines [38] ».

_____

38. Jean-Marie Vincent, *Max Weber ou la démocratie inachevée*, *op. cit.*

Reste que cette ruse de l'Histoire, elle non plus, n'a pas encore été véritablement pensée, au-delà de certaines analyses prémonitoires mais datées. Qu'il s'agisse de celles de Max Horkheimer et Theodor W. Adorno, formulées dès 1944[39], ou encore des travaux, déjà cités ici, de Claude Lefort, Cornelius Castoriadis, Herbert Marcuse et quelques autres. Je veux dire qu'un stupéfiant décalage subsiste, malgré tout, entre l'ampleur du phénomène et l'insuffisance de sa critique. Marcel Gauchet n'a certainement pas tort de souligner cet inquiétant « retard » de la réflexion. « C'est à une véritable intériorisation du modèle du marché que nous sommes en train d'assister – un événement aux conséquences anthropologiques incalculables, *que l'on commence à peine à entrevoir*[40]. »

Une nouvelle arrogance

Ce retard, à bien y réfléchir, n'est peut-être pas si surprenant. Parmi les emprunts faits par le libéralisme à son ancien adversaire communiste, il en est un qu'on aurait tort de sous-estimer : la certitude d'avoir raison. Comme les marxistes d'avant-hier, les défenseurs du marché sont convaincus d'incarner non point une opinion mais un *savoir*. Ils s'expriment au nom de la « réalité économique », des lois objectives de la croissance et pensent appartenir au « cercle de la raison ». Sans le savoir, ils procèdent comme ceux qui invoquaient jadis le « matérialisme scientifique » pour faire taire la dissi-

---

39. Max Horkheimer et Theodor W. Adorno, *La Dialectique de la raison*, 1944 ; trad. fr., Gallimard, 1974.

40. Marcel Gauchet, *La Religion dans la démocratie. Parcours de la laïcité*, Gallimard, 1998. (C'est moi qui souligne.)

dence. Et, comme les premiers, les seconds accusent volontiers leurs contradicteurs d'ignorance ou de déraison. Sur ce terrain procédural, celui du discours, de la posture, de l'argumentation, la filiation est troublante. Ces nouveaux scientistes de l'économie n'auraient pas besoin de changer beaucoup de mots à leurs discours pour se réapproprier les fameuses formules tant reprochées à Jean-Paul Sartre. Ils pourraient affirmer – et, de fait, ils le font – que « le marché est l'horizon indépassable de l'Histoire » et que « tout antilibéral est un chien »[41]. Cette certitude d'être dans le vrai les conduit enfin à trouver des accents moralisateurs pour réprimander leurs opposants. N'est-il pas immoral de persister dans l'erreur ? N'est-il pas inconvenant de sortir du « cercle » des gens raisonnables ?

Ce retour inattendu d'une théorie déguisée en vérité scientifique explique cette étrange impression de *déjà vu* que donne le discours dominant, celui des commentateurs, des économistes, des médias. Souvenons-nous de ce qu'était l'opinion majoritaire à l'Université et parmi les cercles intellectuels de gauche dans les années 50 à 70. Et rappelons-nous avec quel implacable dédain étaient alors discréditées les opinions dissidentes. (Albert Camus ne fut pas le dernier à en faire les frais.) Face au contradicteur naïf – on disait alors « bourgeois » –, il se trouvait toujours mille et un experts en marxologie pour invoquer les tables de la loi, les exégèses reconnues, les acquis de l'empiriocriticisme ou je ne sais quel commentaire de Lénine. Le pouvoir d'intimidation était sans appel. Les contradicteurs renvoyés à leur incompétence n'avaient plus

---

41. Les formules de Sartre, on s'en souvient, étaient : « Le marxisme est l'horizon indépassable de l'Histoire » et « tout anticommuniste est un chien ».

qu'à raser les murs. Ce qu'ils faisaient d'ailleurs… Sans compter les innombrables et vétilleux experts en kremlinologie qui, sans être jamais dérangés sur leur terrain, continuaient de tenir l'interminable chronique des réussites et progrès éclatants du « socialisme réel ».

Ton pour ton, la nouvelle *doxa* libérale procède à peu près de la même façon. Elle exerce le même pouvoir d'intimidation. Son triomphe lui vaut, comme hier, le ralliement empressé des prudents, des calculateurs et des paresseux. D'autres épousent la cause en toute bonne foi, convaincus qu'ils sont – comme l'étaient les « compagnons de route » de jadis – que ce n'est point là affaire d'opinion mais vérité objective. Comme nul ne l'ignore, les économistes, quant à eux, ont pris goût à ces rappels sourcilleux des textes fondateurs ou à ces discussions byzantines sur la postérité de Keynes, de Hayek ou de List. Penchés sur les grands auteurs et sur les « tableaux de bord » de l'économie mondiale, ils sont devenus nos nouveaux kremlinologues, ceux pour lesquels Wall Street remplace le Kremlin. Ce ralliement général à ce qui est présenté comme allant de soi a gagné, comme par l'effet d'un irrésistible mimétisme, les milieux qui auraient dû conserver un sens critique méthodique. « Un libéralisme sans rivages règne en quelque sorte par défaut, insatisfaction et désenchantement, dans les milieux académiques et officiels[42]. » Ce panurgisme s'est évidemment internationalisé et se conforte de sa propre expansion. Ainsi existe-t-il une « pensée FMI », une « pensée Unesco », une « pensée Bruxelles », qui ne sont pas exemptes de conformisme.

Comme ceux d'hier, tous ces dévots de la vulgate dominante demeurent insensibles aux démentis du réel,

---

42. Michel Aglietta, « Nouveau régime de croissance et progrès social », *Esprit*, novembre 1998.

aux défaillances avérées de l'analyse, aux calamiteuses erreurs de prévisions. Encore un trait qu'ils partagent avec ceux de jadis, qui demeuraient inébranlables dans leur foi, quels que fussent les échecs du « socialisme réel ». Le mensonge a changé de répertoire [43], mais l'esprit de sérieux et la conscience du savoir règnent à nouveau sans partage ! Il paraît de moins en moins répandu, cet humour roboratif qui permettait au moins à un Galbraith d'ironiser sur les économistes, ces *Diafoirus*, à qui il reprochait tout à la fois leur prétention et leur prudence. « L'économie, écrivait-il au milieu des années 80, prétend être une science parce qu'elle a besoin d'éviter qu'on l'accuse des insuffisances et des injustices du système qui inquiétaient la grande tradition classique. Et même aujourd'hui, cette prétention sert à justifier et à sauvegarder la vie tranquille et exempte de polémique que souhaitent mener les économistes professionnels [44]. »

Resterait à s'interroger sur l'incroyable docilité d'une bonne part des intellectuels, ralliés eux aussi et sans coup férir à ce monothéisme du marché et renonçant à exercer à son endroit leur fonction critique. Faut-il mettre en cause leur ignorance de l'économie et des affaires monétaires ? Faut-il incriminer une sourde mauvaise conscience, reliquat des errements marxistes du passé ? Succombent-ils, comme hier, à ce qui leur paraît incarner le neuf, l'avenir, le mouvement ? Le simple effet de clan ou de cour a-t-il joué un rôle peu glorieux dans cette reddition ? Un économiste de gauche, Michel Beaud, évoque quant à lui le traditionnel pou-

---

43. C'est l'expression qu'employait Georges Bernanos, de retour en France à la Libération.

44. John Kenneth Galbraith, *L'Économie en perspective : une leçon critique*, Seuil, 1987.

voir de séduction qu'exerce la force sur la pensée, lorsqu'il observe que « nombre d'intellectuels sont fascinés par la puissance du système [45] ».

Tout cela est affaire de personne, évidemment. Au bout du compte, cette défaillance du sens critique nous renvoie aux réflexions de François Furet sur l'énigme historique qu'aura constituée, tout au long du XXe siècle, le ralliement de la presque totalité des intellectuels occidentaux à l'un ou l'autre des deux totalitarismes. Pourquoi en irait-il différemment avec le troisième ?

La dépossession démocratique

La désolante vanité du débat politique est d'abord la conséquence de ce brouillage généralisé des repères. Les libéraux, soucieux de dérégulation et de privatisation, prêchent aujourd'hui la réforme, la modernisation, l'adaptation résolue à toutes les formes de modernité. La gauche, de son côté, confusément inquiète des périls à venir et des « nouvelles inégalités [46] » qui se préparent, a tendance à vouloir « protéger les acquis », c'est-à-dire à tenter de sauver ce qui avait contribué, depuis un siècle, à civiliser le capitalisme. En d'autres termes, la droite veut réformer et la gauche conserver ; le libéralisme est « révolutionnaire », et la gauche, par la force des choses, conservatrice. Ce tête-à-queue symbolique provoque quotidiennement des télescopages langagiers dont on pourrait sourire s'ils n'étaient pas le signe d'une profonde déréliction démocratique. Le fossé s'élargit sans cesse entre les mots et les choses,

---

45. Michel Beaud, *Le Basculement du monde*, *op. cit.*
46. Jean-Paul Fitoussi et Pierre Rosanvallon, *Le Nouvel Age des inégalités*, Seuil, 1996.

entre la rhétorique politique et la réalité sociale. Sans parler des entrecroisements entre droite et gauche qui éparpillent finalement chaque camp en tribus querelleuses et ramifiées à l'infini.

D'une façon générale, le jeu politique n'en finit pas d'hésiter aujourd'hui entre trois scénarios aussi calamiteux les uns que les autres : le tout ou rien, la nostalgie, la « troisième voie ».

– Le premier reproduit le piège traditionnellement tendu à la démocratie par tout processus révolutionnaire. Face aux bouleversements en cours, devant l'ouragan de la mondialisation, il n'y aurait plus de place que pour le « oui » ou le « non ». Chaque citoyen, au-delà de quelques nuances subalternes, se voit sommé de choisir entre une pieuse adhésion à la « grande transformation » en cours et un refus cambré, interprété comme un rejet de la modernité elle-même. Comme toute révolution, celle du libéralisme impose une radicalisation des positions par le biais du même chantage implicite : une barricade n'a que deux côtés. On ne peut être que devant ou derrière. Tout le débat politique, depuis une quinzaine d'années, est affecté par ce dualisme idéologique qui ne laisse guère de place à la raison. Le vocabulaire lui-même porte trace de cet appauvrissement. Adhérer ou refuser, être « branché » ou « ringard », célébrer le marché ou céder au populisme cocardier, etc. Ce manichéisme comminatoire, comme toujours dans l'Histoire, est assez intimidant pour désarmer l'esprit critique et favoriser un ralliement majoritaire – au moins formel – au processus en cours. Ainsi l'éventail politique se voit-il progressivement replié autour d'un consensus vague et fade mais qui permet d'évacuer sur les marges – à l'extrême droite et à l'extrême gauche – les oppositions véritables. A l'intérieur de ce « cercle de la raison » ainsi borné, le débat ne portera donc plus, sauf exception, que sur des problèmes de gestion. La démocratie, quant à elle, s'en trouvera désactivée en douceur...

– Le deuxième scénario fait intervenir la nostalgie, sous une forme ou sous une autre. Lui aussi est assez caractéristique des périodes révolutionnaires qui finissent toujours par voir s'affronter – ou se succéder – la rupture et la restauration. Aujourd'hui, les opposants les plus résolus au totalitarisme du marché ont du mal à ne pas céder au tropisme de la *restauration*. Il peut prendre des formes diverses.

Effrayés à juste titre par la liberté planétaire nouvellement acquise par le capitalisme financier prédateur, ce génie sorti de la bouteille, certains n'acceptent pas, par exemple, de faire leur deuil de la nation et de la République. Ils ont souvent de très bonnes raisons à cela. Jusqu'à ce jour, en effet, c'est à l'intérieur du cadre national – et de lui seul – qu'on a pu domestiquer la puissance du marché et organiser une régulation qui lui fît contrepoids. En s'évadant de la nation, en détruisant celle-ci, et dans l'attente vague d'une quelconque régulation supranationale ou européenne (qui tardera à venir, n'en doutons pas), le marché s'offre le luxe d'échapper à tout contrôle. Comme l'écrit André Gorz, « émancipé des États et des sociétés [...], détaché du monde de la vie et des réalités sensibles, le capital substitue aux critères du jugement humain l'impératif catégorique de son propre accroissement et soustrait son pouvoir aux pouvoirs humains [47] ». La conscience aiguë – et justifiée – qu'il y a là un péril conduit les « patriotes » à se méfier des abandons de souveraineté prématurés et à prôner un retour à la République. Hélas !

_____

47. André Gorz, *Misère du présent. Richesse du possible*, *op. cit.*

C'est le mot *retour* qui pose problème. C'est lui qui les menace d'enfermement, fait la partie belle à leurs adversaires et stérilise, en définitive, la réflexion.

Le même raisonnement pourrait être tenu au sujet de la lutte des classes. En décrétant qu'elle est obsolète, en ironisant même à son sujet, les thuriféraires du marché prêtent leur concours à un escamotage dont nous savons bien qu'il est – aussi – idéologique. Il permet de passer par pertes et profits la souffrance sociale aggravée, les inégalités creusées, les injustices innombrables auxquelles la modernité libérale ne prête plus désormais qu'une attention distraite. Autrement dit, l'évacuation du concept même de lutte des classes est une aubaine pour les nouveaux cyniques. Elle les soulage d'un souci. Elle explique qu'ait pu se « banaliser[48] », depuis quelques années, l'injustice elle-même et qu'aient été peu à peu sapées les résistances qu'on lui opposait. On peut donc comprendre l'indignation de la nouvelle gauche, dite radicale, qui n'accepte décidément pas ce tour de passe-passe et s'emploie à restaurer une pratique militante fondée sur la lutte des classes. La démarche est aussi respectable que généreuse mais, là aussi, c'est l'idée de *restauration* qui fait difficulté. Pourquoi ? Parce que, dans l'architecture de la société, dans les modes nouveaux d'organisation du travail, dans les représentations collectives ou les actions syndicales, des bouleversements ont eu lieu qui rendent à peu près inopérantes les analyses traditionnelles du type classe contre classe. Cette nostalgie exprime une vérité mais prend figure de piège, pour le plus grand profit de ceux-là mêmes que l'on entend combattre.

---

48. J'emprunte cette idée à l'excellent livre de Christophe Dejours, *Souffrance en France. La banalisation de l'injustice sociale*, Seuil, 1998.

Le néolibéralisme déterritorialisé, boursier, nomade et désormais sans base sociale (« un pouvoir sans société », écrit André Gorz) est un adversaire autrement difficile à combattre, bien plus insaisissable que le bon vieil « ennemi de classe », bourgeois et exploiteur, de jadis.

– Le troisième scénario, enfin, participe d'une tradition historique bien connue : celle de la « troisième voie ». Au cœur des tourmentes et des guerres civiles, il s'est toujours trouvé des partisans de la synthèse. On a toujours connu des politiciens ou des intellectuels de bonne volonté, soucieux de tracer une piste médiane, de trouver un compromis raisonnable entre camps affrontés. Leurs démarches ont toujours suscité le respect, mais elles ont rarement abouti à un résultat tangible. Aujourd'hui, une bonne partie de la gauche européenne – notamment anglo-saxonne – se réfère à ce qu'Anthony Giddens, un de ses théoriciens britanniques, appelle lui-même la « troisième voie[49] ». Prenant acte de la mondialisation, de ses promesses et de ses dangers, les partisans de cette option proposent de refonder la social-démocratie sur des bases nouvelles. Leur analyse a le mérite du pragmatisme et du réalisme. On est frappé, néanmoins, par la fragilité de ses fondements éthiques et l'insuffisance de ses critiques du néolibéralisme. Au pouvoir redoutablement subversif du marché globalisé de cette fin de siècle, les partisans de cette « troisième voie » opposent poliment des concepts flous et – trop souvent encore – des vœux pieux. C'est le côté *light* de cette pensée. Il est vrai que, dans l'Histoire, presque toutes les « troisièmes voies »,

---

49. Anthony Giddens, *The Third Way. The Renewal of Social Democracy*, Polity, 1998 ; trad. fr. : *La Troisième Voie*, Seuil, 1999. Giddens est également l'auteur de *Beyond Left and Right. The Future of Radical Politics*, Polity, 1994.

rassurantes dans leur formulation, ont surtout servi de fourrier à la victoire du plus puissant.

*   *
*

Toute la question est donc de savoir si l'on accepte que la politique, c'est-à-dire la démocratie, soit oui ou non « en voie de disparition [50] », et avec elle l'idée de bien commun, de temps long, de projet civilisateur et d'égalité entre les hommes. Si l'on refuse cette perspective, comment pourrait-on faire l'économie d'une refondation ?

---

50. C'est la question que posait explicitement Jean-Marie Gue-henno, professeur de science politique à Paris, dans son livre *La Fin de la démocratie*, Flammarion, 1993.

DEUXIÈME PARTIE

LE TESTAMENT OCCIDENTAL

Les six fondements ébranlés

Tout classement est arbitraire. Tout découpage du réel trace des frontières dans le vif, sépare abusivement ce qui est mêlé et, par la force des choses, simplifie ce qui mériterait d'être nuancé. Ainsi en est-il des six valeurs fondatrices dont je voudrais souligner ici l'importance et rappeler l'extraordinaire généalogie. Toutes les six, en réalité, sont réunies par une infinité de liens, de causalités réciproques, d'interdépendances complexes. Elles nous constituent au plus profond, nous, hommes de la modernité, tout en s'emboîtant l'une dans l'autre d'une façon qui n'est pas toujours facilement repérable. On triche donc un peu en les délimitant et en les comptant. Pourquoi six ? Pourquoi pas dix ou quinze ? L'objection est légitime. Ce décompte, simplificateur, est affaire de méthode. Ce qui est simple est faux, disait Valéry, mais ce qui est compliqué est inutilisable. Quels qu'en soient les risques, il faut bien essayer, parfois, d'y voir un peu plus clair…

Au moins la question est-elle simple à formuler. Sur quels piliers essentiels, sur quelles certitudes intériorisées de longue date s'appuie notre vision du monde ? De quelle archéologie morale l'homme occidental est-il, sans en être toujours conscient, le produit ? Pourquoi croyons-nous spontanément à ceci et non point à cela ?

évolueurs

L'égalité, le progrès, l'universel, la liberté, le démocratie, la raison… Quelle est la nature du lien qui nous rattache à ces convictions ? Saturés d'Histoire, accoutumés à l'omniprésence naturelle de ces valeurs, nous avons du mal à comprendre que chacune d'elles fut le résultat d'une longue maturation historique. C'est cette Histoire que doit interroger quiconque entend résister aux désagrégations en cours. Aucune de ces valeurs ne tombe en effet du ciel. Aucune n'est le fruit du hasard. Aucune, surtout, ne va de soi, ce qui signifie qu'*elles pourraient ne pas être*. Ou, pire encore, ne *plus* être. Tout est là. C'est par défaut que se définit le mieux la barbarie imaginable.

Examiner un héritage, je le répète, ce n'est pas ouvrir un contentieux. Il nous importe peu, au fond, de savoir si nous sommes « plus » quelque chose ou « moins » telle autre, et si nous devons davantage à Aristote, Paul de Tarse, Platon, Moïse Maïmonide, Augustin, Averroès (Ibn Ruchd) ou René Descartes[1]. C'est à *ceux-là* que le temps long nous relie. Pour les Occidentaux que nous sommes, c'est le triple héritage grec, juif et chrétien qu'il s'agit de questionner, sans oublier l'apport de l'islam qui, pendant plusieurs siècles, non seulement contribua à rapatrier la raison grecque dans l'Europe médiévale, mais enrichit cette dernière de sa propre science mathématique. Que nous le voulions ou non, nous sommes ainsi – fondamentalement – grecs, juifs

---

1. Je pense à la – courtoise – querelle ayant significativement opposé Marcel Gauchet à Paul Valadier, le second reprochant paradoxalement au premier de faire la part trop belle au christianisme dans la formation de l'esprit moderne, au détriment de la pensée grecque, dont la présence fécondante a joué, selon lui, un rôle important. « Le christianisme, ajoute-t-il, avait besoin de son autre, et d'un autre qui le conteste, pour révéler les virtualités qu'il portait en lui. » (Paul Valadier, *L'Église en procès*, Calmann-Lévy, 1987.)

et chrétiens, et cela *tout ensemble*. « Rien ne resserre la pensée comme ce genre de procès. Il nous faudrait laisser aller en liberté ce qui surgit en nous, maintenant, quand cette mémoire s'ouvre, déliée de toute peur et de toute rage [2]. »

Dois-je ajouter que le dépassement de ces origines à partir des Lumières ne justifie aucune arrogance, aucun dédain, aucune amnésie à l'égard de ces fondements essentiels, dont on verra qu'ils sont, pour une grande part, religieux ?

Quant à l'importance de ces six valeurs, elle est d'autant plus facile à apprécier que chacune d'entre elles est désormais menacée. Je voudrais donc tenter de mettre en vis-à-vis, chaque fois, l'importance fondatrice *et* la menace, la richesse d'une généalogie *et* la gravité d'une éventuelle rupture. Elles s'éclairent l'une par l'autre. La menace justifie le retour à la généalogie. A l'inverse, une généalogie, même esquissée, aide à mieux comprendre de quoi serait payée la rupture ou la ruine. Il n'est meilleure alliée du barbare que l'amnésie. Ou le refus de se souvenir. Daniel Sibony a raison d'écrire : « L'origine de la haine, c'est la haine des origines. » Il faut parfois se tourner – résolument – vers les origines. Quelles sont donc les nôtres ?

Le prophétisme juif nous a légué une représentation du *temps* qui fonde l'idée de progrès.

Du christianisme nous viennent tout à la fois le concept d'*individu* et l'aspiration à l'*égalité*.

La Grèce a inventé la *raison*.

L'hellénisme des premiers siècles et Paul de Tarse ont fixé une certaine figure de l'*universel*.

Le message judéo-chrétien, enfin, recueilli et laïcisé

---

2. Maurice Bellet, *La Seconde Humanité, op. cit.*

par les Lumières, a débouché sur une conception de la *justice* qui met à distance le sacrifice et, avec lui, la vengeance.

Sur chacun de ces héritages rôde, en effet, un péril.

Je ne crois pas qu'il soit imaginaire.

Chapitre 3

Le futur évanoui

> « Aujourd'hui nous avons vu disparaître l'horizon, qui apparaissait derrière le communisme, d'une espérance, d'une promesse de délivrance. Le temps promettait quelque chose. Avec la disparition du communisme, le trouble atteint des catégories très profondes de la conscience européenne. »
>
> Emmanuel Levinas[1].

Pour évoquer le premier péril, il faut partir du plus simple. Les lieux communs qui habitent une époque ne sont jamais aussi creux qu'on l'imagine. Léon Bloy n'avait pas tort d'en faire l'exégèse. Sous leur redondance un peu niaise, palpite souvent une inquiétude. Ils participent d'un pressentiment maladroit, peut-être, mais qu'il faut savoir prendre au mot. Écoutons donc ce refrain que, jour après jour, l'époque psalmodie depuis quelques années. On répète qu'il n'y a décidément « plus de projet » ni de « grande ambition » ; notre modernité, assure-t-on, manque de « grand dessein » ; nos sociétés sont « en panne d'idéal ». Cette antienne prend souvent l'allure d'une récrimination croisée. Aux

---

1. *Le Monde*, 2 juin 1992 ; cité par Jean-Claude Eslin, *Dieu et le Pouvoir. Théologie et politique en Occident*, Seuil, 1999.

politiques englués dans la gestion quotidienne, l'opinion reproche leur manque de souffle et de vision. Aux citoyens, les décideurs réclament sans relâche – au sujet de l'Europe ou de la citoyenneté, par exemple – un surcroît d'enthousiasme, un meilleur allant, plus d'intrépidité ou de mobilisation démocratique. Chacun, au fond, impute à l'autre la responsabilité de ce qui fait défaut pour tous. Le plus souvent, on s'en tient là. Chacun soupire. Triste époque…

On aurait tort de trop ironiser sur ces lamentations convenues et ces considérations courtes. Chacun d'entre nous, au fond, pressent que quelque chose s'est déréglé – et dangereusement – *dans notre rapport au temps*, à la durée, à l'avenir. Certes, le siècle qui s'achève nous a guéris d'une sacralisation de l'Histoire, mère avérée des crimes et des idéologies. Nous ne voulons plus nous soumettre aux rigueurs d'un quelconque projet prométhéen préparant des lendemains qui chantent, et qu'une police politique viendrait, tôt ou tard, nous remettre en mémoire à coups de trique. Nous nous méfions des grandes aventures politiques et des utopies « totales ». Nous avons quelques raisons pour cela. Il n'empêche ! L'extraordinaire aphasie de l'époque sur ses propres desseins ne nous dit rien qui vaille. Une interrogation fondamentale nous hante que nous n'osons pas toujours exprimer. Vers quel projet nous embarquent au juste ce néototalitarisme de la société marchande et cette prolifération technicienne ? De quelle insuffisance s'accommode l'espérance appauvrie, pour ne pas dire misérable, du néolibéralisme ambiant ? Faut-il chercher ne serait-ce qu'un substitut de projet historique dans ces envahissantes supputations chiffrées ?

« Tous les jours, les commentateurs débattent avec beaucoup de componction pour savoir si le taux de croissance du PIB sera cette année de 2,3 ou de 2,5 %, comme si notre destin en dépendait. C'est un tabou. Si bien qu'on n'a plus besoin de justifier la croissance par les bienfaits qu'elle est censée apporter aux individus ou à la collectivité. Ou du moins ces bienfaits semblent aller de soi [2]. » Il suffit de s'extraire une seconde du tintamarre quotidien pour comprendre l'inanité du « suspense » arithmétique, ramenant le devenir de l'humanité à ces récitations de décimales sur la croissance, les taux d'intérêt, la capacité de mémoire des microprocesseurs ou le séquençage du génome humain. Il occupe pourtant les esprits, les politiques et le reste. Notre salut tiendrait donc à l'un de ces chiffres après la virgule. A 2,7 de croissance du PNB nous serions sauvés ; à 2,3 un grand malheur serait annoncé. Chacun de nous, même s'il fait mine d'y souscrire dans sa vie quotidienne, comprend l'imbécillité de ce prurit quantitatif.

Au mieux sert-il à masquer – et encore, bien mal – une vérité qui s'impose de manière confuse : l'évanouissement progressif de l'avenir ; l'écroulement silencieux de nos représentations du lendemain.

L'avenir n'est plus ce qu'il était

De cet évanouissement, tout et tous nous parlent aujourd'hui à mots couverts. Les experts interprètent par exemple la financiarisation de l'économie comme un triomphe du court terme, du spéculatif, du frénétique boursier au lieu et place du projet industriel qui motivait les bâtisseurs de jadis. Les choix monétaires (équilibre des comptes, taux d'intérêts élevés, stabilité,

2. Guy Roustang, « Logique tentaculaire du marché et individualisme négatif », in *La Résistible Emprise de la rationalité instrumentale*, *op. cit.*

etc.) correspondent à un dynamisme au jour le jour qui postule – pas toujours, mais souvent – une dépréciation de l'avenir plus lointain. Du moins en termes de volonté agissante, de civilisation ou d'espérance.

Le temps des marchés financiers, qui impose dorénavant son rythme à la vie économique tout entière, est une caricature de cet impérialisme du court terme – et de l'amnésie qui l'accompagne. « Cette déformation pathologique des structures de la temporalité qui s'exprime par l'écrasement indistinct de tous les horizons sur le présent immédiat n'est évidemment possible qu'au prix d'une très forte capacité d'amnésie. L'inquiétude pour les cinq ans à venir qui met en transe tous les marchés est oubliée dans la demi-journée, ce qui est bien naturel si l'on veut pouvoir se donner sans retenue à l'angoisse à sept ans qui suit la précédente. Ainsi, au sens premier du terme, le marché est inconséquent. A la longue durée qui, en principe, devrait constituer l'horizon pertinent de l'action politique [...], le marché oppose les verdicts d'un temps mis en pièces[3]. » Il est vrai que les marchés, par définition, répugnent à toute idée d'incertitude. La politique en est un. Le volontarisme démocratique, fondé sur la libre – et donc incertaine – délibération est une horreur conceptuelle pour les marchés. Elle est un *risque* qu'il s'agit de réduire ou d'éliminer.

Cette « idéologie du monde » – celle du marché – est une logique *en soi* qui favorise mécaniquement la rente, la conservation, l'immédiateté du bénéfice. Si l'on s'inquiète encore pour le lendemain, ce n'est plus tout à fait du même qu'il s'agit, c'est celui des futurs retraités auxquels on sacrifie le cas échéant les forces vives

---

3. Frédéric Lordon, *Les Quadratures de la politique économique. Les infortunes de la vertu*, Albin Michel, 1997.

d'aujourd'hui, renvoyées au chômage de masse (en Europe) et à la précarité des *working poors* [4] aux États-Unis. Dans les entreprises, la valorisation la plus rapide possible du capital – le fameux « retour sur investissement » – relègue au second plan les soucis de cohésion collective, de projet commun, d'*affectio societatis*, de détour productif, bref de tout ce qui tempérait jadis l'impatience de l'argent.

Même un grand patron libéral comme Jean Peyrelevade s'alarme d'une évolution qu'il juge néanmoins irrésistible. « La sphère productive et les actifs qu'elle emploie, écrit-il, sont gouvernés par les représentants des inactifs d'aujourd'hui et de demain. On peut ainsi se demander si le monde économique n'est pas déjà dirigé, et dans leur intérêt, par les retraités, l'organisation de la production par ceux qui en sont déjà sortis ou ont vocation à en sortir [5]. » Le souci de l'avenir, à coup sûr, n'a plus la même signification lorsqu'il est le fait de retraités en puissance. Aux États-Unis, ces derniers adoptent déjà des comportements économiques – en matière d'épargne, notamment – qui témoignent d'une indifférence polie à l'égard des générations suivantes. « A la suite du vieillissement de la population, la valorisation du temps s'effrite. Nous avons davantage de vieux, ceux-ci épargnent moins et consomment beaucoup plus que ne le faisaient leurs parents au même âge. La baisse du taux d'épargne signifie que les vieux se désintéressent en partie de la génération suivante [6]. »

---

4. L'expression désigne tous ceux qui, tout en ayant un emploi stable, demeurent en dessous du seuil de pauvreté. Leur nombre n'a cessé de grandir depuis la fin des années 70.

5. Jean Peyrelevade, « Le *Corporate Governance* ou les fondements incertains d'un nouveau pouvoir », *Notes de la Fondation Saint-Simon*, juin 1998.

6. Lester Thurow, *Les Fractures du capitalisme*, *op. cit.*

Au demeurant, avec la crise, le chômage et le retour des inégalités, cette projection générationnelle dans l'avenir qui, voilà vingt ans, tirait nos sociétés vers l'avant s'est trouvée statistiquement pervertie. Un jeune adulte entrant aujourd'hui sur le marché du travail a plus de probabilités de vivre *moins bien* que ses parents[7]. Où trouverait-il des motifs d'enthousiasme ? Comme le souligne un essayiste américain, qui en fait le titre d'un de ses livres, nous sommes entrés, du moins les classes moyennes, dans « l'ère de l'espérance en baisse[8] ». Mais c'est un changement décisif. Une sorte de champ magnétique semble bizarrement inversé dans l'enchaî-nement des générations, comme si un étrange *retour-nement* avait eu lieu voici une trentaine d'années. La quasi-certitude, longtemps cajolée, selon laquelle aujourd'hui est mieux qu'hier et demain mieux qu'au-jourd'hui n'a plus de raison d'être. Dans le meilleur des cas, elle s'affaiblit et s'efface. Ainsi se disloquent peu à peu des logiques sociales et culturelles dont on mesure *a posteriori* l'importance.

Citons, à titre d'illustration, ce principe de mobilité sociale (ascendante) qui permit jadis la construction d'une vraie culture populaire : le grand-père agricul-teur, le père instituteur, le fils médecin. C'est ce que Paul Ricœur appelle les « identités narratives ». « Cette allégorie inscrivait le progrès social dans une durée, dans une accumulation de mieux-être d'une génération à l'autre. L'individu ne se pensait *que* dans la filiation, il s'efforçait d'augmenter l'héritage reçu de ses ancêtres,

---

7. Un excellent essai en apporte la preuve : Louis Chauvel, *Le Destin des générations. Structures sociales et cohortes en France au xxᵉ siècle*, PUF, 1999.

8. Paul Krugman, *The Age of Diminishing Expectations*, Cam-bridge (Mass.), MIT Press, 1990.

dans une société où le changement technique était encore relativement lent[9]. » S'affaiblissant à partir de la fin des années 60 (avec une chute accélérée dans les années 80), cette confiance en l'avenir tendait les énergies tout en assurant la cohésion d'une communauté, *solidaire sur la durée*. Elle n'est plus de mise. Non seulement l'avenir ne sourit plus, mais il est devenu indéchiffrable. Sa représentation se brouille comme s'efface une image.

Or, cette capacité de se projeter vers l'avant permettait à chacun d'inscrire l'espérance de progrès sur la distance de plusieurs générations. Cette dynamique temporelle était, par nature, pacificatrice. Les générations se succédaient plus qu'elles ne s'affrontaient. En disparaissant, cet optimisme naturel a renvoyé toutes les classes d'âge vers l'impitoyable compétition du jour le jour. A l'enchaînement des générations succède la guerre entre jeunes et vieux. La solidarité cède le pas à la dispute. « La sécularisation de l'existence, écrit judicieusement Alain Ehrenberg, a rétréci notre expérience du temps. L'égalité aujourd'hui n'a de sens que dans le temps court d'une vie humaine[10]. » L'effacement de l'avenir correspond à un durcissement du présent. L'instant, avec son étroitesse, devient le lieu du conflit, un conflit d'autant plus âpre que l'arène est close.

Aux États-Unis, cette rupture de la solidarité entre générations est régulièrement évoquée par les économistes. Deux dispositions du contrat social implicitement conclu après la Seconde Guerre mondiale sont en train de voler en éclats : celle qui voulait que les

---

9. Hugues Lagrange, « La pacification des mœurs et ses limites », *Esprit*, décembre 1998.
10. Alain Ehrenberg, *Le Culte de la performance*, Calmann-Lévy, 1991.

parents assument la charge des enfants et celle qui, en retour, engageait la société (le contribuable) à assurer l'entretien des parents. « Les vieux, chaque fois qu'ils en ont l'occasion, votent systématiquement contre les taxes locales destinées à l'éducation. Ils s'installent dans des communautés-ghettos de retraités, où les jeunes ne sont pas admis, et qui n'ont pas de charges scolaires. [...] De plus en plus de parents négligent leurs enfants, et le contribuable va bientôt renier sa promesse de s'occuper des vieux [11]. » L'irrésistible évolution du régime des retraites vers un système de *capitalisation*, au lieu et place du système de *répartition* prend acte de cette rupture de solidarité entre générations, tout en l'aggravant.

On commence donc à comprendre aujourd'hui qu'en renonçant à cette solidarité on enraye une mécanique sociale dont l'utilité allait bien au-delà du simple partage des revenus ou du pouvoir d'achat. En 1900, déjà, Freud s'interrogeait sur le devenir possible d'une société qui interromprait ce « passage de relais » naturel entre père et fils, qui est, pour une société, « le seul moyen d'atteindre l'immortalité ». Platon lui-même faisait de ce « projet d'immortalité » le moteur essentiel de toute société humaine.

Mais l'économie n'est pas le seul terrain où se manifeste cette disparition du futur comme *projet*. Le temps médiatique, celui qui gouverne la démocratie dite d'opinion – et impose ses logiques au politique lui-même –, est l'archétype parfait de cette tyrannie de l'instant. « Le temps mondial, écrit Paul Virilio, est le présent unique qui remplace le passé et le futur, qui sont liés à une vitesse limite qui est celle de la lumière. Nous avons mis en œuvre une constante cosmologique – trois

---

11. Lester Thurow, *Les Fractures du capitalisme*, *op. cit.*

cent mille kilomètres par seconde – qui représente le temps d'une histoire sans histoire et le temps d'une planète sans planète, d'une Terre réduite à l'instantanéité et à l'ubiquité, et d'un temps réduit au présent [12]. »

En matière de droit, les juristes les plus attentifs s'alarment de l'apparition d'un « temps virtuel », flexible, réversible et assujetti à l'instabilité du présent, un temps virtuel qui, à leurs yeux, s'oppose de plus en plus au « temps historique » qui était le nôtre. Or il est clair que « le temps de l'économie n'est pas celui des droits de l'homme. Car il est une caractéristique du temps virtuel qui paraît résolument incompatible avec les droits de l'homme, c'est le caractère réversible de la norme. C'est elle qui fait la précarité de l'employé face à la flexibilité de l'entreprise, au risque d'enfermer les dirigeants dans un choix impossible entre la précarité qui tue la confiance et l'absence de risque qui l'étouffe. Mais cette réversibilité est la négation même de l'idée de développement continu des droits de l'homme [13] ».

On pourrait de la même façon citer le temps technologique que l'informatisation du monde raccourcit chaque jour un peu plus et qui devient *hors contrôle*. Une bonne part des décisions, computations, transmissions, explorations ou échanges se fait dorénavant à l'intérieur d'un temps cybernétique si court qu'il n'est plus maîtrisable par l'intelligence humaine. La nanoseconde du « délai de réponse » se rit de nos insuffisances cérébrales. Par tous les bouts, le temps long est congédié. Le futur nous échappe. Il file entre nos doigts. Il nous quitte comme un songe ancien, nous laissant prisonniers d'un présent comminatoire. Y compris pour le

---

12. Paul Virilio, *Cybermonde. La politique du pire*, Textuel, 1996.
13. Mireille Delmas-Marty, *Trois Défis pour un droit mondial*, Seuil, 1998.

meilleur : c'est sans délai qu'il faut acheter, consommer, triompher, jouir ! Cette injonction nous cingle du matin au soir. Elle est notre tourment inavouable. Nous ne sommes plus portés par une représentation du futur mais *emportés* par une impatience obligatoire.

Voilà que se trouvent vérifiées, et bien au-delà, les inquiétudes qui étaient déjà celles d'un Max Weber ou d'un Walter Benjamin. « Les hommes se partagent de façon schizophrénique entre un activisme débridé au service de la valeur et le culte qu'ils rendent à la marchandise de mille façons. Ils vivent dans un véritable état de scission qui les empêche de penser ce qu'ils font, de faire l'expérience de la temporalité en se posant des questions sur le passé et le futur [14]. »

Le temps de l'Histoire est déconstruit. L'avenir devient une vieille idée...

Le temps va-t-il encore quelque part ?

Cette panne du futur entraîne des conséquences en cascade. Paradoxalement, les économistes libéraux sont les premiers à s'alarmer de la plus immédiate : celle qui menace le système lui-même. Le dynamisme historique du capitalisme, en effet, était sous-tendu par une certaine idée du long terme qui, seule, justifiait l'investissement et rendait acceptables la coûteuse édification d'infrastructures publiques comme la non moins coûteuse dépense éducative. Ces dépenses « non rentables » (à court terme) étaient généralement dévolues au secteur public. Garant de l'avenir, celui-ci organisait et même créait d'une génération sur l'autre les conditions

14. Jean-Marie Vincent, *Max Weber ou la démocratie inachevée*, *op. cit.*

de la réussite du capitalisme. La dictature du court terme, l'exigence de rentabilité instantanée et la privatisation généralisée compromettent cet équilibre. « En un sens très profond, on peut dire aussi que les valeurs du système capitaliste sont en conflit avec le capitalisme lui-même. Son succès repose sur l'investissement, pourtant sa théologie ne prêche que la consommation[15]. »

Évoquant l'exemple américain, Lester Thurow montre que l'investissement public dans les infrastructures a diminué de moitié en vingt-cinq ans. Quant au stock de capital public, il est passé de 55 à 40 % du PIB entre 1986 et 1996. Ce défaut d'investissement est d'autant plus funeste que les nouvelles technologies – et *a fortiori* celles de l'intelligence artificielle – exigent d'énormes investissements communautaires à très long terme. Or les laboratoires privés – sauf lorsqu'ils sont en situation de monopole – ne s'intéressent guère qu'aux projets rentabilisables sur moins de sept ans. « Le problème est simple : le capitalisme a désespérément besoin de quelque chose dont sa propre logique interne ne voit pas la nécessité[16]. »

Les choses ne sont pas si différentes pour la France, même si c'est en léger différé. « Pour infléchir à temps les évolutions de son économie et tenir le cap du progrès social, note l'économiste Anton Brender, la France a besoin d'avoir en permanence une image de l'avenir qu'elle se prépare avec les investissements qu'elle fait… ou qu'elle ne fait pas, les décisions qu'elle prend… ou qu'elle ne prend pas[17]. » Et Brender de déplorer la désuétude du commissariat au Plan dont, aujourd'hui,

---

15. Lester Thurow, *Les Fractures du capitalisme*, *op. cit.*

16. *Ibid.*

17. Anton Brender, *La France face à la mondialisation*, La Découverte, 1996.

le « nom même fait sourire ». Un sourire qui en dit long...

Le plus significatif, malgré tout, est la façon dont les sociétés occidentales affrontent cette occurrence nouvelle dont tout le reste découle : leur irrésistible vieillissement. La plupart des choix économiques, financiers, politiques sont aujourd'hui surdéterminés par ce défi du vieillissement, cette inversion du rapport entre inactifs et actifs, cette prévalence des valeurs rentières et du « pouvoir gris ». Autant de choses qui ne sont évidemment pas sans rapport avec l'évanouissement du futur. Elles rendent idéologiquement explosifs les débats sur la démographie, que l'on tente parfois de ramener à l'affrontement sommaire entre une extrême droite nataliste et une gauche malthusienne [18]. En réalité, les choses ne sont pas aussi simples. La dépréciation du futur et l'effondrement de la natalité dans tous les pays développés *sont à la fois cause et conséquence*. Même si d'autres facteurs – comme l'individualisme ou le niveau de vie – jouent un rôle, il reste qu'une société qui n'est plus capable de se projeter dans l'avenir perd du même coup son dynamisme démographique. A l'inverse, une société vieillissante aura bien du mal à valoriser le long terme. La logique est circulaire. Le piège se referme.

Sans entrer dans ces aigres querelles de démographes, il faut savoir qu'historiquement les périodes de créativité et d'invention ont correspondu, en général, à des phases d'essor démographique. Fernand Braudel a retracé quelques-uns de ces flux et reflux, participant

---

18. Je pense notamment au livre polémique d'Hervé Le Bras, *Le Démon des origines : démographie et extrême droite*, Éd. de l'Aube, 1998, qui entend dénoncer la « manipulation » statistique et idéologique de la démographie officielle française.

de ce qu'il appelle la « puissance biologique par excellence qui pousse l'homme, comme tous les êtres vivants, à se reproduire[19] ». Alphonse Dupront, pour sa part, a montré de façon saisissante la concomitance entre l'optimisme fondateur des Lumières et le dynamisme démographique de la même période. « La France de la seconde moitié du XVIIIᵉ siècle, écrit-il dans un livre consacré aux Lumières, vit une poussée biologique et consciente de la multiplication des hommes. [...] Nous sommes en pleine poussée vitale, et depuis si longtemps attendue qu'elle doit psychiquement s'amplifier comme une exubérance ou une jouvence. Il y a, dans ce "plus être" vital, une lyrique et une énergétique de la vie, une euphorie de puissance aussi[20]. » Le marquis de Mirabeau – père du Mirabeau de la Révolution – s'extasiait lui-même, en 1756, de cet optimisme retrouvé, un optimisme d'autant plus significatif que le souvenir des terribles ravages de la peste noire de Marseille (1709) était encore dans toutes les mémoires. Le titre de son livre, devenu fameux, parlait à lui seul : *L'Ami des hommes, ou traité de la population*.

Les mille liens qui existent entre une représentation positive du futur, la foi dans le progrès humain, la vitalité démographique d'une société et son inventivité sont indiscutables. Comme le sont, *a contrario*, les effets « systémiques » d'un affaiblissement de cet optimisme. On n'évoquera que pour mémoire le « syndrome commémoratif » dont nous sommes quotidiennement affectés. Et avec quelle force ! Nous avions rarement vécu tournés à ce point vers le passé, l'anniversaire, le bicentenaire ou le tricentenaire, la célébration rétrospective,

---

19. Fernand Braudel, *La Dynamique du capitalisme*, Champs-Flammarion, 1988.
20. Alphonse Dupront, *Qu'est-ce que les Lumières ?*, *op. cit.*

le règlement de comptes posthume. Autant de réflexes collectifs qui trahissent une incapacité à préférer l'avenir au passé, le projet au souvenir. En deuil de l'avenir, nous courons sans cesse nous réfugier dans la familiarité consolatrice du passé. « La nature sociale a horreur du vide, observe Marcel Gauchet. Enlevez la foi dans l'avenir, qu'est-ce qui peut servir de repère organisateur de la vie collective ? Le passé fait tout naturellement retour [21]. »

En dernière analyse, le paradoxe de la rationalité marchande et technologique – celle que Max Weber appelait la *Zweckrationalität* – est donc tout entier résumé par cette étrangeté : une profusion de « progrès » ponctuels, notamment techniques ou scientifiques, qui coïncide avec un deuil du Progrès proprement dit. Cette rationalité « ne cesse de se fixer des fins, alors qu'elle manque radicalement de fin suprême (puisqu'elle ne reconnaît plus aucune "valeur", hors de la science et la technique). Comment l'homme occidental est-il ainsi contraint à vouloir l'absence de sens par excès de sens ? Là gît bien l'*incalculable* : cette énigme d'une rationalité devenue fin en soi et prise au piège de sa propre puissance [22] ».

Nous pressentons, avec raison, que ce douloureux « micmac » dans notre rapport au futur met en péril, au plus profond de nous, quelque chose d'essentiel. Une immense période historique – et avec elle une civilisation – serait-elle menacée d'anéantissement ? Ou d'épuisement ? Emmanuel Levinas avait sobrement évoqué cette grande espérance fondatrice dont nous risquons d'être les orphelins désemparés. « Nous

---

21. Marcel Gauchet, « Qu'est-ce que l'intégrisme ? », *L'Histoire*, n° 224, septembre 1998.
22. Dominique Janicaud, *La Puissance du rationnel, op. cit.*

étions accoutumés à l'idée que le temps va quelque part. »

Accoutumés ? Quelque part ? Et depuis quand ?

Souviens-toi du futur !

Au milieu des années 50, le philosophe et psychiatre allemand Karl Jaspers (1883-1969) s'interrogeait sur l'origine et le rythme de l'histoire [23] des idées. Représentant de ce qu'on a appelé l'existentialisme chrétien, il tentait de recenser les grandes ruptures historiques dans la marche de l'humanité. Il définissait ainsi une extraordinaire « période axiale » – autour du VIIe siècle avant J.-C. – durant laquelle apparaissent les grandes traditions religieuses et philosophiques : Confucius (551) et Lao-tseu (570) en Chine, Bouddha (566) en Inde, Zarathoustra (vers 650) en Perse, Homère (vers 800), Pythagore (580) et Platon (428) en Grèce, etc. Pour Jaspers, les *catégories fondamentales* qui, aujourd'hui encore, nous permettent de penser naissent à ce moment-là.

Or c'est durant cette « période axiale » que surgissent en Palestine les grands prophètes du judaïsme : Jérémie, Isaïe, Jonas, Ézéchiel, Daniel, etc. Jérémie, un des plus fameux, est né vers 650 avant J.-C., alors que le judaïsme proprement dit commencera après la destruction du premier temple de Jérusalem par Nabuchodonosor, en 587. Certes, ce judaïsme des origines porte indiscutablement la trace d'influences religieuses antérieures, pharaoniques et iraniennes surtout. Notamment

---

23. Karl Jaspers, *Origine et Sens de l'Histoire*, 1949 ; trad. fr., Plon, 1954. Je m'appuie ici sur l'analyse qu'en fait Michel Beaud, *Le Basculement du monde, op. cit.*

sur les questions de la résurrection ou d'angélologie [24]. Mais il n'en représente pas moins un « saut », une cassure essentielle dans l'interprétation du réel.

Le message inouï dont sont porteurs les prophètes juifs est en contradiction radicale, au moins sur un point, avec la vision du monde proposée jusqu'alors par les sagesses polythéistes ou « païennes ». Cette rupture a trait à la *perception du temps*. Le temps des prophètes n'est plus courbe ni cyclique. Il n'est plus gouverné par l'éternel retour mais par l'attente et l'espérance. Il récuse tout aussi bien le « destin » grec que le « cycle » du bouddhisme. Cette prévalence du futur dans la perception juive du monde sera – aussi – l'une des conséquences de la destruction du temple. Voués à l'exil et à la dispersion, les juifs organisent la centralité de leur foi, non plus autour du temple mais de la Torah. La question primordiale deviendra celle de l'avenir : comment rester juif ailleurs que sur un « territoire » ? « La religion antique des Hébreux attachée à sa terre et à son temple, organisée autour d'un culte sacrificiel confié à une caste de prêtres – une religion assez proche, somme toute, de celles des autres peuples de la région –, cède la place au judaïsme, c'est-à-dire à une religion déterritorialisée et décentralisée, matérialisée par un Livre et dont les seuls ancrages sont désormais la mémoire et l'espérance [25]. »

Le Talmud, dans le traité *Shabbat* (156 a), exprimera cette révolution messianique en une seule phrase : « Il n'y a pas de destin pour Israël. » Autrement dit, l'homme

---

24. Sur cette question précise, on consultera avec profit Marcel Simon et André Benoit, *Le Judaïsme et le Christianisme antique. D'Antiochus Épiphane à Constantin*, PUF, 1994 (1re éd. : 1968).

25. Régine Azria, « Être juif sans le Temple », *Le Monde de la Bible*, septembre-octobre 1998.

n'est plus, comme dans la sagesse orientale ou la tragédie grecque, le prisonnier d'une fatalité à laquelle il devra se conformer. Il est en attente, en chemin, en migration vers l'autre versant du monde et *vers le futur*. En cela, le judaïsme est la première religion qui « attend avec une intensité radicale le changement du monde ». Shmuel Trigano, à qui j'emprunte ces derniers mots, a raison d'ajouter : « L'espérance est sans aucun doute le trésor le plus précieux qu'Israël a apporté à l'humanité [26]. »

Ce n'est pas tout. La puissance, en termes d'espérance, de la démarche prophétique vient de ce qu'elle s'enracine dans la perpétuation du souvenir. La mémoire et l'espérance sont ainsi consubstantiellement liées. La démarche prophétique construit le « temps droit », qui deviendra, plus tard, celui du judéo-christianisme. C'est encore Shmuel Trigano qu'il faut citer ici. « La continuité éveillée (ou presque) d'une très ancienne filiation, qui plonge ses racines dans un passé immémorial, archaïque, rappelle à l'humanité l'"origine", témoigne du *reshit* ("début") de la Création. Ce souvenir renouvelle en elle son sens de "l'orientation". Si elle apprend d'où elle vient, elle peut en effet découvrir où elle va, se détacher de la gangue du cycle du temps où, autrement, elle pourrait sombrer. Ainsi, paradoxalement, par sa filiation si longue, le peuple juif allume dans l'Histoire une flamme d'espérance qui embrase le futur et soulève le présent vers son dépassement [27]. »

Le quatrième commandement hébraïque est porteur d'un mot – *zakhor* – qui rappelle, d'une autre façon, la place centrale de l'espérance dans le judaïsme. Mises à part certaines querelles de traduction, il signifierait non

---

26. Shmuel Trigano, *Un exil sans retour ?*, *op. cit.*
27. *Ibid.*

pas seulement « souviens-toi », mais « souviens-toi de ton futur » ou « souviens-toi du futur ». Formule admirable que Marc-Alain Ouaknin décrit comme une « injonction à vivre messianiquement, à être tendu vers le futur », avant d'ajouter : « Tu choisiras la vie, telle est l'injonction de la *Torah* (dans le *Deutéronome*, chap. 30). Le *chabbat*, c'est le désir et la possibilité de se construire vers le futur, d'entrer dans une dynamique pour créer le sens de mon existence à venir [28]. »

Dans certains commentaires rabbiniques, on voudra voir dans le Tétragramme lui-même (YWVH), une combinaison des lettres qui composent le verbe « être » à la troisième personne du singulier : il a été, il est, il sera. D'où la formulation de l'espérance proposée par Dieu à Moïse et aux Hébreux : « Je serai qui je serai. » Formulation qui renvoie à « une modalité spécifique de l'expérience humaine du temps », pour reprendre l'explication de Stéphane Mosès. « A l'échelle de leur histoire collective, la mémoire – c'est-à-dire l'actualisation du passé – se confondrait ainsi avec l'espérance, c'est-à-dire l'anticipation de l'avenir [29]. »

Comprise ainsi, l'espérance n'est pas seulement attente. Elle est aussi volonté de changer un monde qu'elle considère comme *inachevé*. Elle est « constructiviste », comme diraient nos économistes contemporains. A ses yeux, le monde n'est pas à accepter tel qu'il est parce qu'il est injuste, imparfait, « méchant ». Il est à parachever, c'est-à-dire à changer. Là est bien la *subversion* initiale – pour reprendre une expression du protestant Jacques Ellul [30] –

---

28. Marc-Alain Ouaknin, *Les Dix Commandements*, Seuil, 1999.

29. Stéphane Mosès, *L'Éros et la Loi. Lectures bibliques*, Seuil, 1999.

30. Je songe à ce petit livre magnifique : Jacques Ellul, *La Subversion du christianisme*, Seuil, 1984.

dont tout le reste (égalité, émancipation, liberté, etc.) procédera. Cet appel messianique à refuser le « destin » s'oppose non seulement à la sagesse grecque mais, par exemple, au détachement bouddhiste qu'indiffère notre idée de salut ou de progrès. « Il n'y a pas de désespoir dans le bouddhisme, il y a le non-espoir. Vous êtes dans le présent et vous évitez de vous projeter dans l'avenir. Le non-espoir, c'est le vide *shunyata*. Le vide n'est pas désespérant ; au contraire, il est liberté. Le non-espoir est une libération parce que vous n'avez plus à vous soucier d'espérer quelque chose. Vous l'avez déjà [31]. »

Saint Paul et « l'homme nouveau »

Dans un texte relativement récent, Jürgen Habermas, reprenant et commentant la typologie classique de Max Weber, s'est intéressé, d'un point de vue agnostique, à cette spécificité « volontariste » du judéo-christianisme. Il s'est surtout interrogé sur son rôle dans la genèse de la modernité. Pour Weber, le judaïsme, puis le christianisme, qui favorisent une attitude de « maîtrise du monde », ont un « potentiel de rationalisation » beaucoup plus important que la voie indienne ou celle du détachement bouddhiste. Il propose donc, sous forme de tableau, une typologie des grandes traditions culturelles de l'humanité, en les classant selon plusieurs oppositions binaires : voie active ou passive, rejet ou affirmation du monde, maîtrise du monde ou fuite hors de celui-ci. Il en ressort, à l'évidence, que le judéo-christianisme cumule le refus du monde, la préférence pour la voie active et la volonté de maîtrise du réel.

---

31. Jacques Brosse, « L'aventure intérieure », in *L'Occident en quête de sens*, Maisonneuve & Larose, 1996.

En d'autres termes, les idées modernes de transformation du monde, le « temps droit » et le concept de progrès, trouvent principalement leur origine dans les religions du salut [32].

La philosophie grecque, sur ce point, est éloignée du judaïsme, comme du christianisme, avec lesquels cependant elle a beaucoup échangé. Elle est d'abord sagesse et contemplation (inactive). Cette sagesse consiste à accepter le réel, à habiter le monde avec mesure et sérénité. Je ne peux agir, dira Épictète dans son fameux *Manuel*, que sur « ce qui dépend de moi [33] ». Là doit donc se borner mon souci. L'idée d'un temps droit, d'une flèche temporelle orientée vers un salut ou un progrès et justifiant un « labourage » du monde pour le rendre meilleur lui est étrangère. Aristote, par exemple, « croit à l'éternité du monde et, par conséquent, à l'Éternel Retour, écrit Paul Veyne. Il ne se le représente pas comme brassage de "donnes" toujours différentes en une sorte de poker cosmique, où le retour inévitable des mêmes agrégats, loin d'avoir une raison, confirmerait que tout n'est que combinatoire au hasard (et non pas schéma causal) ; il le considère, de façon plus réconfortante, comme remontée cyclique des mêmes réalités, que la vérité des choses fait retrouver. [...] Nous autres les modernes, nous ne croyons plus au cycle, mais à l'évolution [34] ».

Sur cette question du temps droit, le christianisme

32. Voir Habermas, *Théorie de l'action communicationnelle*, Francfort, 1981. J'emprunte cette analyse – ici simplifiée à l'extrême – à Philippe Raynaud, *Max Weber et les Dilemmes de la raison moderne*, *op. cit.*

33. Voir Épictète, *Ce qui dépend de nous*, nouv. trad. de Myrto Gondicas, Arléa, 1988.

34. Paul Veyne, *Les Grecs ont-ils cru à leurs mythes ?*, Seuil, 1983 ; coll. « Points Essais », 1992.

sera l'héritier immédiat et le continuateur du prophétisme juif. Il donnera à ce dernier une portée universelle
et le répandra sur la planète entière. Puis l'islam prendra le relais. « C'est à la source d'un tel message que le
christianisme et l'islam ont puisé l'énergie spirituelle
de cheminements qui ont bouleversé le monde et ont
donné à cette espérance un champ d'action exceptionnel [35]. » Paul de Tarse, le juif pharisien converti sur le
chemin de Damas, le citoyen romain pétri d'hellénisme, sera le premier à reformuler dans le langage
évangélique cette espérance eschatologique qui passe
pour déraisonnable aux yeux des Grecs. Prenant ces
derniers au mot, il opposera la « folie » de la croix,
qui est la vraie sagesse, à la vaine sagesse des gentils
(Cor. 1,23). Dans les Épîtres de Paul, en effet, « le point
d'appui est hors de ce monde. Le point d'appui est
en avant ! Nous *commençons* l'au-delà de l'ordre des
choses, tel que toute sagesse nous le confirme nécessaire. Les Grecs, sur l'agora d'Athènes, se mettent à
rire quand Paul leur annonce l'incroyable. Nouvel
Adam, nouvelle humanité possible [36] ! ».

Il faut se déprendre de nos schémas mentaux d'aujourd'hui pour bien comprendre ce que peut signifier,
pour ces païens que Paul entreprend d'évangéliser en
Asie Mineure, l'annonce incroyable d'un « nouvel
Adam ». C'est une radicalisation stupéfiante de la définition même de la philosophie qui était traditionnellement donnée par la culture antique : une « science de
la transformation du moi ». Cette fois, il ne s'agit plus
de transformation mais de *rupture* et de renaissance.
L'homme acquiert la possibilité d'une seconde naissance par le baptême, « ce que certains païens graves et

35. Shmuel Trigano, *Un exil sans retour ?*, op. cit.
36. Maurice Bellet, *La Seconde Humanité*, op. cit.

austères, choqués, jugeaient délirant et irresponsable [37] ».
Là est le cœur de la subversion évangélique, elle-même
enracinée dans la prophétie juive.

L'expression « homme nouveau », que les révolutionnaires marxistes réinventeront – et disqualifieront –
dix-neuf siècles plus tard (la « table rase » de *L'Internationale*, le *hombre nuevo* du castrisme, etc.), est utilisée
pour la première fois (on serait tenté de dire « inventée ») par saint Paul dans l'Épître aux Colossiens (3,3),
qui énonce, en même temps, le principe d'égalité [38].
« Vous vous êtes dépouillés du vieil homme avec ses
agissements et vous avez revêtu l'homme nouveau,
celui qui s'achemine vers la vraie connaissance en se
renouvelant à l'image de son Créateur. Là, il n'est plus
question de Grec ou de Juif, de circoncision ou d'incir-
concision, de Barbare, de Scythe, d'esclave, d'homme
libre ; il n'y a que le Christ, qui est tout et en tout. »
Cette idée de renaissance de l'homme par le baptême et
par la grâce fera dire à Emmanuel Kant que la conversion chrétienne, c'est *l'irruption de l'éternité dans le
temps* [39]. On ne saurait mieux exprimer la transmutation du temps cyclique des païens par le prophétisme
biblique, son aimantation décisive vers le pôle du salut,
c'est-à-dire son déploiement rectiligne vers un futur
désigné par l'espérance. « Le présent de l'avenir, c'est
l'attente », dira saint Augustin dans ses *Confessions*.

Tout au long des premiers siècles, avec des balbutie-
ments, redites, hérésies innombrables, persécutions,
querelles doctrinales et conciles incessants, la même

---

37. Peter Brown, *L'Essor du christianisme occidental*, Seuil,
1997.
38. Voir chap. 4.
39. Emmanuel Kant, *La Religion dans les limites de la simple raison*, Vrin, 1992.

subversion cheminera et cheminera encore. A la fuite hors du monde des pères du désert s'oppose le christianisme actif et engagé qui refuse les violences, les guerres et les inégalités de l'Empire romain. Pour saint Augustin, au Ve siècle, c'est le principe même de la *création*, c'est-à-dire de la séparation entre Dieu et le monde – le « moins » que représente la création –, qui rend imaginable la transformation du monde. Dieu n'est plus dans le monde d'en bas mais au-delà. Le « reste », c'est-à-dire le royaume d'ici bas, le « monde selon la chair », il devient possible de le refuser et – surtout – de le changer pour le rendre meilleur. C'est l'imperfection du monde, la distance qui s'est établie entre lui et Dieu, qui rendent légitime la volonté de le transformer[40]. A l'imperfection du réel répond l'idée originelle de *perfectibilité*. Une idée qui deviendra au XVIIIe siècle, comme on le sait, un thème essentiel des Lumières…

Quant à l'hypothèse d'une deuxième naissance spirituelle, mentionnons pour l'anecdote que certains croient en retrouver la trace jusque dans l'expérience psychanalytique contemporaine. C'est le cas de Marie Balmary, qui écrit : « Une des choses étonnantes de notre culture, c'est qu'au moment où les spécialistes scientifiques de l'âme se sont mis à écouter les symptômes et non plus à les faire taire ils ont découvert le sujet emmuré qui frappait de l'intérieur du Moi et se sont retrouvés sur le chemin de cette naissance spirituelle à laquelle ils ne croyaient pas[41]. »

---

40. Pour saint Thomas d'Aquin et la tradition thomiste, au contraire, prévaudra l'idée de « nature ». A la fois réconciliation avec le réel et soumission implicite à une norme naturelle qu'il s'agit de ne point transgresser.

41. Marie Balmary, « La psychanalyse est-elle une expérience spirituelle ? », in *L'Occident en quête de sens, op. cit.* Voir aussi Marie Balmary, *La Divine Origine*, Livre de poche, 1998.

Le paradoxe des Lumières

Bien sûr, il serait abusif de faire de la philosophie de l'Histoire et du concept moderne de progrès les conséquences directes de l'espérance évangélique. Tout au long des siècles, des emboîtements successifs et des arborescences complexes, des retours à l'Antiquité païenne alternant avec des regains de dogmatisme clérical (toute l'histoire occidentale !) brouilleront quelque peu cette filiation. Il n'empêche que le lointain enracinement judéo-chrétien est une évidence. « La philosophie de l'Histoire est toujours chrétienne, écrivait le philosophe François Châtelet. Dans sa perspective moderne, elle date du Ve siècle. A dire le vrai, le premier livre de la philosophie de l'Histoire, c'est *La Cité de Dieu* de saint Augustin [42]. »

De nombreux auteurs insistent aujourd'hui, plus particulièrement, sur l'importance du récit de *L'Exode* en tant qu'inspirateur des mouvements de réforme ou de libération. Et cela alors même que certains acteurs de ces mouvements prétendent rejeter toute dimension théologique. *L'Exode*, c'est l'arrachement volontaire à l'injustice, le départ, l'espérance en action, la libération. Le critique canadien Northrop Frye, aujourd'hui disparu, montre à travers d'innombrables exemples la permanence des références bibliques dans la plupart des entreprises de libération qui ont jalonné l'histoire occidentale. Y compris dans celles qui dénonçaient le cléricalisme dominateur ou la compromission des Églises avec la puissance temporelle, tout en s'inscrivant dans la fidélité à l'Évangile. Les partisans de

---

42. François Châtelet, *Une histoire de la raison. Entretiens avec Émile Noël*, Seuil, coll. « Points Sciences », 1992.

l'actuelle théologie de la libération, force agissante en Amérique latine, en sont les lointains continuateurs.

Dans ce long cheminement de l'esprit messianique à travers les siècles, certaines reformulations, notamment médiévales, auront un rôle longtemps sous-estimé. Charles Taylor, après Henri de Lubac [43], souligne par exemple l'importance de Joachim de Flore dans la perpétuation de ce qu'on appellera le millénarisme. Mystique italien du XIIe siècle, ancien cistercien et fondateur du monastère de Corazzo, *Gioacchino da Fiore* fut l'auteur de textes dont l'influence s'étendra sur plusieurs siècles, par exemple la *Concorde des deux Testaments* et le *Commentaire de l'Apocalypse*. Flore prédisait qu'un nouvel âge viendrait, l'âge du Paraclet, succédant aux deux premiers : l'âge du père de l'Ancien Testament et l'âge du fils. A ses yeux, ce « nouvel âge » correspondrait à un stade supérieur de la vie humaine et au triomphe de la spiritualité.

Effervescente durant tout le Moyen Age européen, périodiquement réactivée par différentes sectes et révoltes paysannes, cette « subversion » resurgira sans cesse. « Les espérances millénaristes ont aussi joué un rôle dans la Réforme – lors de la révolte de Münster au cours des années 1530, par exemple. Elles sont revenues au premier plan chez certains acteurs de la Guerre civile anglaise. Les partisans de la Cinquième Monarchie se définissaient selon une autre prophétie biblique, tirée du Livre de Daniel : le règne de Dieu succédera à celui des empires du monde [44]. »

Ce millénarisme fera l'objet d'élaborations ou de

---

43. Charles Taylor, *Les Sources du moi, op. cit.* ; Henri de Lubac, *La Postérité spirituelle de Joachim de Flore. De Joachim de Flore à Shelling*, Le Sycomore, 1987.
44. Charles Taylor, *Les Sources du moi, op. cit.*

reformulations philosophiques, surtout en Allemagne. On en trouve trace chez Schiller ou Hölderlin et, bien entendu, chez Hegel (qui, dans sa jeunesse, au séminaire de Tübingen, se préparait à devenir pasteur !). Pour ce dernier, cependant, le triomphe de l'Histoire ne passe plus par une rupture ou un affrontement dualiste entre le bien et le mal, ni même par une renaissance. Il nous conduit simplement vers un âge nouveau et supérieur. « Hegel incorpore tout le scénario traditionnel du millénarisme occidental, mais sous une forme transposée, philosophique. L'histoire du monde comporte trois périodes, la crise d'un conflit exacerbé au seuil du nouvel âge (qui est maintenant, par bonheur, derrière nous, sous la forme de la Révolution et des guerres qui en ont résulté) et la nouvelle révolution supérieure [45]. »

Il est vrai que Hegel n'est pas véritablement athée. Il a consacré ses premiers livres au christianisme et son souci de rationalité est encore très imprégné de mysticisme. Dans ses deux premiers textes, *L'Esprit du christianisme et son destin* et *La Positivité de la religion chrétienne*, il assure ne pas vouloir se contenter d'une critique négative de la religion chrétienne. Il entendait, disait-il, « en dégager l'élément vital ». Il est même convaincu de la justesse des intuitions évangéliques. « Non seulement la rationalité du Dieu chrétien ne fait aucun doute pour Hegel : elle est, au sens propre, la chair et le sang du Système [46]. » Marx lui-même le concédera en assurant qu'il faut extraire le « noyau rationnel » de la pensée de Hegel, pour le mettre au service d'une transformation des réalités sociales et économiques.

Reste qu'il faut évoquer, même succinctement, l'un

45. *Ibid.*
46. Dominique Janicaud, *La Puissance du rationnel, op. cit.*

des plus embarrassants paradoxes de cette histoire : celui qui a trait précisément aux Lumières. Il est généralement admis que cette prodigieuse épiphanie du XVIIIe, qui fonde la modernité, passe par un rejet vigoureux du christianisme. Ce qu'on répudie, à ce moment-là, c'est l'hétéronomie ancestrale qui fait de l'homme le sujet captif de dogmes ou croyances venant d'en haut. Les principes de liberté et d'autonomie posés par les philosophes des Lumières – principes qui nous gouvernent encore – congédient les temps chrétiens. Concrètement, d'ailleurs, l'Église, ses prêtres et ses prélats sont désignés depuis deux siècles comme l'ennemi à abattre – ou à persécuter. « Écrasons l'infâme ! », clame Voltaire.

Le catholicisme, quant à lui, campera plus d'un siècle dans un rejet épouvanté de ces « idées modernes ». Jusqu'au ralliement de Léon XIII (1878-1903) à la République, il les jugera incompatibles avec la foi chrétienne. Le *Syllabus* de Pie IX (1864) ou le concile *Vatican I* (1869-1870) seront encore des machines de guerre dirigées contre le « modernisme ». Dans ces conditions, peut-on faire de l'idée moderne de progrès la simple traduction laïcisée du salut biblique ? N'y a-t-il pas quelque audace, incongruité ou sottise à faire des Lumières la continuation, voire l'accomplissement, du messianisme judéo-chrétien ? Je ne le crois pas.

Du salut au progrès

D'abord parce que cela reviendrait à confondre le catholicisme institué avec le message évangélique, et l'anticléricalisme révolutionnaire avec le rejet du christianisme lui-même. Ensuite, ce serait oublier que le débat sur ce point – qui dure encore – a commencé au lendemain même de la Révolution, alors que les philosophes, anticléricaux en effet, se considéraient volontiers comme déistes ou carrément chrétiens comme Turgot, Fénelon, Newton ou Malebranche. Il est vrai que les hommes de la Révolution partagent encore la conviction qu'une nation ne peut se passer d'une religion commune « qui soit le ciment de son unité ». Jean-Jacques Rousseau estime que « jamais État ne fut fondé que la religion ne lui servît de base ». D'où le souci des révolutionnaires d'en refonder une, celle de l'Être suprême, ou mieux encore de faire débuter la fête de la Fédération, anniversaire de la prise de la Bastille, par... une messe, célébrée par un député de l'Assemblée constituante assisté de trois cents prêtres. Même après 1795 et la rupture totale avec le catholicisme, y compris celui de l'Église constitutionnelle, les révolutionnaires « demeurent aussi convaincus qu'aux premiers jours de la Révolution qu'un État a besoin d'une religion et qu'il ne sort pas de sa compétence en faisant profession de foi : Robespierre instaure une fête de l'Être suprême au cours de laquelle il met le feu à une statue de l'athéisme réputé incivique [47] ».

On voit que les choses ne sont pas aussi simples que l'a prétendu cette « histoire sainte » (et laïcarde) de la Révolution, qui eut son heure de gloire et que dénoncèrent – entre autres – François Furet et Pierre Chaunu. Quant au fameux article X de la Déclaration des droits de l'homme et du citoyen, qui est à l'origine de la laïcité républicaine, il proclame non point le rejet de la religion mais la liberté religieuse : « Nul ne peut être inquiété pour ses opinions, même religieuses. » La laïcité elle-même, et c'est le sommet du paradoxe, a pu

---

47. J'emprunte ces remarques à René Rémond, *Religion et Société en Europe*, Seuil, 1998.

être présentée comme une fille – non reconnue ! – de la proclamation évangélique des premiers siècles. « Le christianisme portait en germe la liberté de conscience : de fait, en refusant par fidélité à leur foi de sacrifier au culte impérial, les premiers chrétiens n'en ont-ils pas été les premiers martyrs, les premiers témoins ? Certains esprits en tout cas n'hésitent pas à dire que l'idée de laïcité est une idée chrétienne [...] même si les Églises ont mis tant de siècles à en reconnaître l'inspiration [48]. »

En réalité, la thèse présentant les idéaux civiques et égalitaires de la Révolution comme la réalisation des valeurs judéo-chrétiennes a beaucoup circulé entre 1789 et aujourd'hui. Cette thèse, écrit Pierre Manent (qui la juge partiellement convaincante), « avait le mérite de réconcilier les "sages" des deux partis dans une même affection, différemment colorée, pour la "liberté nouvelle", ceux qui pensaient que l'heure de la majorité humaine avait sonné et ceux qui restaient attachés à l'ancienne religion : les premiers voyaient dans le christianisme la première expression, cachée sous les voiles de la grâce ou entravée par les langes de l'aliénation, de la liberté et de l'égalité humaines, les seconds célébraient dans la liberté moderne la dernière conquête de l'Évangile [49] ».

Notons d'ailleurs que, Condorcet mis à part, l'invocation du *progrès*, compris dans son acception laïque et moderne, fut surtout formulée par des chrétiens comme l'abbé de Saint-Pierre ou Turgot, prieur de la Sorbonne. Le détail n'est pas anodin. En Angleterre, celui qui s'en fera le plus ardent théoricien, le philosophe Joseph

---

48. *Ibid.*
49. Pierre Manent, *Histoire intellectuelle du libéralisme*, Calmann-Lévy, 1987.

Priestley, la rattache explicitement à la Providence divine. Certes, cette interprétation du salut est plus proche de l'hérésie pélagienne [50] que du christianisme orthodoxe, mais cette hérésie elle-même « n'exprime-t-elle pas une tentation permanente inscrite au cœur du christianisme [51] ? ».

Faut-il ajouter que, si le militantisme laïque en faveur du progrès a pris en France des allures antireligieuses, ce ne fut le cas ni en Angleterre ni aux États-Unis. Là-bas, la théorie dite de l'exceptionnalisme associait naturellement les idées bibliques à celles des Lumières. La première croisade anti-esclavagiste, par exemple, fut en partie initiée par le mouvement du renouveau chrétien de William Wilberforce et la secte de Clapham, qui s'efforçaient de ranimer le dynamisme « progressiste » du christianisme évangélique.

Pour un théoricien du multiculturalisme comme Charles Taylor, à qui j'emprunte ces quelques exemples, la cause paraît entendue. Non seulement la filiation judéo-chrétienne des Lumières est avérée, mais les valeurs modernes en sont encore plus ou moins tributaires. « L'humanisme laïque, écrit-il, a aussi des racines dans la foi judéo-chrétienne ; il résulte de la mutation d'une forme de cette foi. On pourrait se demander si cela traduit plus qu'une question d'origine historique, si cela ne reflète pas aussi une dépendance qui perdure. [...] Je crois, pour le dire sans détour, que c'est le cas [52]. »

---

50. Moine d'origine britannique du IVe siècle, Pélage prétendait que la grâce divine n'était pas nécessaire au salut de l'homme. Il fut à l'origine d'une hérésie durable – le pélagisme – que combattit saint Augustin et qui fut condamnée par plusieurs conciles, dont celui d'Éphèse en 431.

51. Alain Pons, préface à Condorcet, *Esquisse d'un tableau historique des progrès de l'esprit humain*, GF-Flammarion, 1988.

52. Charles Taylor, *Les Sources du moi, op. cit.*

Écrivant cela, Taylor s'inscrit – comme Marcel Gauchet en France – dans la postérité de Max Weber, qui insistait sur l'enracinement religieux de la modernité et sur les « potentialités rationalisatrices des religions de la transcendance ». Il serait cependant malhonnête de passer sous silence que quelques auteurs, de sensibilité plus laïque, insistent au contraire sur le fait que la modernité n'a pu s'épanouir que du fait d'un *affaiblissement* – et non d'une radicalisation – de la religion chrétienne. C'est le cas, par exemple, de H. R. Trevor Roper [53], qui met plutôt en avant le rôle joué par l'humanisme érasmien. Cette querelle récurrente me semble néanmoins d'un intérêt limité. Elle vise surtout les rythmes et les procédures de cette transmutation des valeurs religieuses en valeurs laïques. Dans tous les cas, la filiation historique est indiscutable. L'interprétation de la révélation biblique comme processus paradoxal de sortie du religieux (ce qui est la thèse centrale de Gauchet) rejoint d'ailleurs les analyses de Franz Rosenzweig caractérisant le monothéisme comme une antireligion : « La révélation, écrivait-il, n'a qu'une fonction, c'est de restituer le monde à sa réalité non religieuse [54]. »

Une idée devenue folle ?

Et le marxisme alors ? Prenons deux phrases de Marx, parmi les plus célèbres. Dans la *XIe Thèse sur Feuer-*

---

53. H. R. Trevor Roper, *De la Réforme et des Lumières*, Gallimard, 1972 ; cité par Philippe Raynaud, *Max Weber et les Dilemmes de la raison moderne*, *op. cit.*

54. J'emprunte cette citation à Stéphane Mosès, *L'Éros et la Loi. Lectures bibliques*, *op. cit.*

bach[55], il écrit : « Les philosophes n'ont fait jusqu'ici qu'interpréter le monde de différentes manières. Ce qui importe, c'est de le changer. » Dans l'avant-propos de sa thèse de doctorat sur *La Différence de la philosophie de la nature chez Démocrite et Épicure*, en 1841 (il a vingt-trois ans), il affirme : « Prométhée[56] est le premier saint, le premier martyr du calendrier spirituel. » Tout n'est-il pas dit ? La volonté de changer le monde est proclamée en même temps qu'est célébrée l'ambition prométhéenne de vaincre la prétendue fatalité qui enferme l'homme dans un « destin » décidé par les dieux. La révolte que Marx allume au XIXe siècle dans le monde ressemble à s'y méprendre au produit d'une eschatologie judéo-chrétienne, mais laïcisé et perverti.

Ainsi se perpétue et s'exacerbe le paradoxe.

L'idéologie qui s'élabore à ce moment-là, et qui enfantera bientôt l'un des deux grands totalitarismes du siècle, revendique dès l'origine son athéisme résolu. Elle dénonce avec une rage combative l'oppression des prêtres et voit dans la religion l'« opium du peuple ». Le matérialisme dialectique proclame sa volonté d'en finir avec ces « fables » et veut libérer l'homme des superstitions. C'est bien ce qu'il entreprendra, en effet. Dans la Russie léniniste, le christianisme sera immédiatement tenu en lisière et persécuté. On s'efforcera, par tous les moyens, de l'éradiquer. En 1930, Kalinine, président de l'URSS, lance le fameux « quinquennat sans

---

55. In *L'Idéologie allemande*, Éd. sociales, 1968.
56. Fils de Japet, ce titan de la mythologie grecque avait dérobé aux dieux le feu sacré pour en faire don aux hommes. Zeus condamna Prométhée à rester enchaîné sur le Caucase, où un aigle lui rongeait le foie. Le Prométhée enchaîné devint – notamment aux yeux des romantiques anglais et allemands – le symbole de l'orgueil humain et des entreprises de remodelage du monde.

Dieu ». Ce projet annoncé en grandes pompes se donne cinq ans pour *en finir avec Dieu*, cette illusion archaïque que le socialisme scientifique juge obsolète. Le quinquennat parachève donc la destruction des églises et des couvents, la déportation des popes, et déchaîne une nouvelle vague de propagande antireligieuse. Par la suite, tout au long de son histoire et partout où il triomphe, le communisme s'emploiera à combattre la religion en général et le christianisme en particulier. Y compris par le meurtre et la persécution.

Or, chose extraordinaire, paradoxe insensé : pour ce qui concerne la *promesse*, l'essentiel du message communiste est beaucoup plus proche du judéo-christianisme que de n'importe quelle autre tradition de pensée. On pourrait même dire qu'il en est l'excroissance monstrueuse, la duplication génétique. Sa rhétorique elle-même emprunte ses formulations au prophétisme biblique : l'avenir radieux, les lendemains qui chantent, etc. Dès le début des années 30, un observateur particulièrement attentif de la Révolution soviétique ne s'y trompera pas : Adolf Hitler. Tout en rendant un hommage ambigu au marxisme dont il dit avoir « beaucoup appris », et à qui il concède « des vues correctes et justes », Hitler lui reprochera *son cousinage avec le christianisme et sa coloration « judéo-talmudique ».* A ses yeux, en effet, christianisme et judaïsme se valent. « Laissez de côté les subtilités, clame-t-il. Qu'il s'agisse de l'Ancien Testament ou du Nouveau, ou des seules paroles du Christ, comme le voudrait Houston Stewart Chamberlain, tout cela n'est qu'un seul et même bluff judaïque [57] ».

Judéo-talmudique ? Biblique ? Cette filiation, *via*

57. Hermann Rauschning, *Hitler m'a dit, op. cit.*

Hegel, est une évidence, au moins pour ce qui concerne la volonté du marxisme de se projeter dans le futur et de travailler à un monde meilleur. En 1959, l'historien François Fejtö évoquait cette substitution en ces termes : « Dans un monde chrétien où les valeurs chrétiennes paraissent englouties dans une réalité plutôt sordide, Marx (après les utopistes) fonde un nouvel espoir [58]. »

Il faut pointer ici un malentendu. Quand ses adversaires assimilent le marxisme à une religion laïque, ils mettent en général l'accent sur les formes quasi liturgiques que revêtait son pouvoir : puissance du dogme, répression vétilleuse des déviations doctrinales, apparat des cérémonies, dévotion pour les « prêtres-commissaires », les héros prolétariens et les martyrs, etc. Ces comparaisons sont légitimes mais anecdotiques. Elles manquent l'essentiel. Le marxisme procède du christianisme non pas dans ses formes mais sur le fond. Au demeurant, lorsqu'on cite la fameuse expression de Marx qualifiant la religion d'« opium du peuple », on oublie généralement de citer les deux phrases qui précèdent et qui l'éclairent d'un jour sensiblement différent. « La misère religieuse est tout à la fois l'expression de la misère réelle et la protestation contre la misère réelle. La religion est le soupir de la créature accablée, l'âme d'un monde sans cœur, de même qu'elle est l'esprit d'un état des choses où il n'est point d'esprit. Elle est l'opium du peuple [59]. »

Dans les années 80, avant l'effondrement du communisme, François Châtelet précisait, en philosophe, la

58. François Fejtö, « Réflexions d'un révisionniste », *Arguments*, n° 14, 1959 ; cité par Joël Roman, *Chronique des idées contemporaines, op. cit.*

59. Karl Marx, *Contribution à la critique de la philosophie du droit de Hegel* (1844).

nature de cette filiation entre christianisme et marxisme. A ses yeux, la philosophie hégélienne de l'Histoire était explicitement chrétienne. « L'État mondial, selon Hegel, écrivait-il, l'État de la transparence absolue où chacun pourra être libre ou non, s'il le souhaite, est très exactement la fin des temps selon l'Apocalypse de saint Jean. C'est la même chose. » Marx, constructeur d'une science de l'Histoire *contre* la philosophie de l'Histoire, avait tenté de rompre avec cette tradition augustinienne et chrétienne mais n'y était pas parvenu, et le marxisme incarné moins encore. « Le marxisme actuel, ajoutait Châtelet, qui continue de nous promettre des lendemains qui chantent, travaille encore avec ces catégories qui ne sont que de la philosophie de l'histoire chrétienne laïcisée, tout simplement [60]. »

Georges Bernanos, pour sa part, voyait dans le marxisme – qu'il combattait – une « idée chrétienne devenue folle ». Cette folie – hérétique – consistait à *confondre le principe de l'espérance avec celui de la nécessité*, et surtout de mettre le crime à son service. Avec le recul, il n'est pas absurde d'assimiler le marxisme à l'une ou l'autre des innombrables hérésies qui ont jalonné l'histoire du judéo-christianisme. A condition de se souvenir que certaines d'entre elles ont été à la fois puissantes et agissantes pendant plusieurs siècles. Je pense notamment à la *gnose* en ses mille et une variantes (valentiniens, basilidiens, pérates, orphites, caïnites, etc.) ou ses prolongements médiévaux, qu'il s'agisse des bogomiles bulgares ou des albigeois méridionaux. Les gnostiques, eux aussi, étaient convaincus non plus seulement d'avoir la foi mais, comme les marxistes, de posséder la *connaissance*. Je

---

60. François Châtelet, *Une histoire de la raison, op. cit.*

pense tout autant aux manichéens intransigeants des premiers siècles, contre lesquels batailla saint Augustin qui, dans sa jeunesse, avait subi leur influence. A cette époque, il est vrai, on recensait plusieurs dizaines de ces hérésies. En 377, Épiphane, évêque de Salamine, et auteur d'un traité, *Panarion, ou Boîte à remède contre toutes les maladies* – entendons les hérésies –, en comptait un peu plus de quatre-vingts !

S'il fut une hérésie judéo-chrétienne parmi d'autres, le marxisme n'aura duré, en définitive, qu'un peu moins d'un siècle, ce qui est fort peu, beaucoup moins, par exemple, que le manichéisme d'origine perse. Pour les contemporains que nous sommes, ce « petit » siècle hérétique, plein de crimes, de mensonges et de camps de concentration, aura suffi, il est vrai, à disqualifier une espérance.

Le retour du destin

Ces rappels historiques – forcément sommaires – nous aident à comprendre ce qu'il advient aujourd'hui de notre rapport au temps et à l'Histoire. En dernière analyse, le changement est donc bien plus profond que nous ne l'imaginions. La modernité désenchantée ne s'est pas contentée de congédier, comme on l'a vu plus haut, les promesses de l'avenir pour exalter celles du présent. Elle n'a pas seulement perdu sa représentation valorisée du futur. Elle renonce peu à peu à agir volontairement sur la marche du monde. En d'autres termes, l'éviction progressive de la politique, le remplacement de la démocratie par la « société de marché », le refus – ou l'incapacité – de désigner un « projet », tout cela correspond ni plus ni moins à un *retour du destin*, au sens antique du terme. Nous serions prêts à laisser le

cours du monde s'en aller de nouveau au fil de l'eau…
Ce n'est pas une hypothèse gratuite.

L'économiste britannique d'origine autrichienne Friedrich von Hayek (1899-1992), prix Nobel d'économie
en 1974 et pape du libéralisme, appelait « constructivisme » toute volonté d'agir intentionnellement sur
le cours des choses, qui, d'après lui, devait être confié
à la régulation du marché. Il n'évoquait jamais ce
« constructivisme » sans une pointe d'ironie. « J'appelle constructiviste, disait-il, cette catégorie de personnes qui pensent qu'elles ont la capacité intellectuelle de tout organiser intelligemment. De l'autre côté
se trouvent ceux [les libéraux] qui sont conscients que
nous sommes engagés dans un processus qui fait partie
d'un mécanisme de décision que nous ne pouvons
contrôler [61]. » Dans la même conférence, Hayek reprochait significativement à Hegel d'avoir été « incapable
de penser un ordre qui n'aurait pas été délibérément
créé par la volonté de l'homme ». Quant à John May-
nard Keynes (1883-1946), son vieil adversaire de Cam-
bridge, il représentait pour Hayek, « de façon extrême,
le type d'homme qui pense que notre intelligence suffit
à décider de ce qui est bon et de ce qui est mauvais ».

La terminologie utilisée par Hayek et le contenu de
ses reproches dessinent en creux ce qui est devenu
la tentation avouée du libéralisme : renoncer à toute
espèce de volontarisme qui viendrait perturber la parfaite horlogerie du marché. Ainsi la trilogie marché-
technique-média – tous trois étant mus par une logique
« hors contrôle » – figure-t-elle la nouvelle incarnation

---

61. Friedrich von Hayek, *Conférence donnée à l'université de
Brasilia en mai 1981*; cité par Hugo Assmann et Franz J. Hinkelammert, *L'Idolâtrie de marché. Critique théologique de l'économie de
marché*, Cerf, 1993.

d'un destin immaîtrisable auquel il suffirait de s'abandonner avec confiance. « L'évolution de nos sociétés sous l'impact des sciences et des techniques, écrit le physicien Jean-Marc Lévy-Leblond, échappe très largement à notre volonté de contrôle et c'est l'une des questions clés pour les décennies qui viennent [62]. » Cette orientation est quelquefois formulée de manière plus provocante encore.

Dans les années 90, aux États-Unis, plusieurs essais ou ouvrages politiques ont été publiés, qui traitaient explicitement de cette mise « hors contrôle » d'une partie de notre histoire. Celui de Zbignew Brzezinski choisissait même pour titre cette expression assez glaçante [63]. Derrière l'imaginaire reconstruit par la mondialisation contemporaine se profile le dessein de « sortie de la politique » que certains libéraux anglo-saxons appellent de leurs vœux, en le baptisant *opting out*. Quant à Anthony Giddens, l'avocat britannique de cette fameuse « troisième voie » évoquée plus haut, il considère le fait – ou le droit – d'ignorer la politique comme un bienfait de la démocratie de marché. La politique ne devrait plus être que simple et quotidienne gestion [64].

La mise sous la tutelle des marchés financiers de la *décision* politique correspond au même renoncement. L'expression employée est celle de « pilotage automatique ». Elle dit bien ce qu'elle veut dire. « En bonne théorie capitaliste, les institutions sociales se gèrent toutes seules [65]. » En France, un politicien libéral

---

62. Jean-Marc Lévy-Leblond, *La Pierre de touche. La science à l'épreuve*, Folio Essais, 1996.

63. Zbignew Brzezinski, *Out of Control : Global Turmoil on the Eve of the Twenty-First Century*, Scribner's, 1993.

64. J'emprunte une partie de ces commentaires à Zaki Laïdi, « Les imaginaires de la mondialisation », *op. cit.*

65. Lester Thurow, *Les Fractures du capitalisme*, *op. cit.*

comme Alain Madelin oppose volontiers, avec une vraie ou fausse ingénuité, le « pilotage manuel » de la politique au « pilotage automatique » du marché, en marquant clairement sa préférence pour le second. La nouvelle anti-utopie qui rôde dans l'air du temps est donc celle d'un pilotage non humain de nos sociétés, propulsées vers une destination indéterminée ; un pilotage qui protégerait l'humanité contre elle-même et nous libérerait définitivement du fastidieux souci de l'Histoire. Certains vont même jusqu'à parler de *millénarisme inversé* pour évoquer cette nouvelle temporalité plane et circulaire que l'on substitue peu à peu au projet démocratique. C'est l'expression utilisée par l'essayiste et critique d'art irlandais Frederic Jameson. Pour lui, le concept d'avenir n'est plus porteur d'innovations véritables ni de progrès volontaire. Il n'est plus qu'une sorte de répétition indéfinie du même. Les seules « nouveautés » acceptées et souhaitées sont d'ordre technique ou consumériste.

Les nouvelles « sagesses »

Ainsi, nous voilà au-delà, très au-delà, des modestes dysfonctionnements de la République, des reculs de l'État, ou des malheureuses « pannes de moral » qu'évoquent les clichés habituels lorsqu'il est question de notre rapport à l'avenir. A notre insu, ou presque, c'est une tout autre affaire qui menace. Peut-être sommes-nous en train, pour reprendre une expression de Marcel Gauchet, de « tourner le dos à l'exigence démocratique suprême, celle de se gouverner soi-même ». La gravité et la vraisemblance de cette hypothèse donnent leur vrai sens aux tentations paradoxales qui assaillent la philosophie et la morale contemporaines. J'en citerai trois, pour mémoire.

Faisons d'abord un sort à ce que François Châtelet appelait le « nietzschéisme de salon », cette forme un peu bébête de l'égotisme moderne, qui exalte l'instant, prône la jouissance immédiate et affirme, avec un brin de grandiloquence, son refus de tout projet ou croyance. Nous connaissons mille exemples de ces récitations avantageuses. Le plus extraordinaire est qu'elles se proclament « subversives » ou « insolentes », alors qu'elles caressent l'époque dans le sens du poil. Leur invocation emphatique de l'éternel retour, du temps cyclique, leur glorification du vitalisme païen concordent parfaitement avec l'idéologie invisible du libéralisme. Ce nietzschéisme-là est à la révolte ce qu'une pantomime de patronage est à l'art dramatique. Une pose dérisoire, une *collaboration* déguisée en résistance, une puérilité de potache.

Plus respectables mais également ambiguës me paraissent être ces nouvelles « sagesses » consolatrices que les philosophes les plus médiatisés proposent aujourd'hui à l'opinion. Toutes participent d'une forme modernisée du stoïcisme ou de l'épicurisme. Elles insistent sur le bonheur des jours et la magnificence de l'instant qui passe. Elles les jugent préférables à un futur idéalisé. Elles recommandent donc à chacun de construire son bonheur avec une modestie nouvelle et une vertu librement choisie. Aucune de ces voies de la sagesse ne mérite d'être moquée ou dévalorisée comme elles le sont parfois. Elles ont au moins l'avantage d'offrir un refuge, une solution d'attente, un moyen d'échapper à la déréliction ou au nihilisme. Elles procèdent également d'une réaction – heureuse – contre l'accélération harassante de cette course de la modernité vers nulle part. Une course paradoxale *qui ne sait plus où elle va mais y va de plus en plus vite*, dans la frénésie d'une cavalcade angoissée et déshumanisante. Ce recours aux diverses écoles de « sagesse », grecques ou orientales, exprime légitimement une aspiration à la halte, au répit, à l'immobilité du bonheur quotidien. Il n'empêche ! La démarche, elle aussi, me semble en trop parfaite adéquation avec l'époque. Pour l'essentiel, elle récuse l'idée de *projet* et, bien entendu, l'espérance. Olivier Mongin a raison d'écrire au sujet d'André Comte-Sponville que cette « passion des vertus exclut l'espérance, une vertu au ressort trop politique et messianique. […] Cette attitude éthique se réclamant de Sénèque est respectable, mais elle exprime une incapacité [ou un refus] de se projeter dans le temps et de se porter vers un futur, elle ne se prête donc guère à la promesse [66] ».

La même chose pourrait être dite de cette fascination nouvelle pour le bouddhisme qui, comme on le sait, progresse chaque année dans les sociétés occidentales. Éminemment respectable, elle constitue un palliatif à l'évanouissement de l'avenir et au recul du volontarisme démocratique. Elle permet de s'accommoder du présent et exprime une aspiration au détachement, perçu comme le dernier moyen de reconquérir tout à la fois la liberté et la paix intérieure. L'objectif est noble, mais le symptôme est transparent.

Ces trois attitudes ont un point commun : elles conduisent à renoncer à toute volonté de peser, un tant soit peu, sur le cours de l'Histoire ou l'ordre du monde. Fort bien, mais la rançon d'un renoncement aussi « sage » est assez facile à définir. Pour reprendre la terminologie de la Bible hébraïque, il signifie qu'on

---

66. Olivier Mongin, *L'Après 1989. Les nouveaux langages du politique*, Hachette Littératures, 1998.

accepte une fois pour toutes de laisser le monde aux mains des réalistes et des « méchants ». Ce sont souvent les mêmes…

Chapitre 4

Le « projet » inégalitaire

> « Nos espérances sur l'état à venir de l'espèce
> humaine peuvent se réduire à ces trois points
> importants : la destruction de l'inégalité entre
> les nations ; les progrès de l'égalité dans un
> même peuple ; enfin le perfectionnement réel
> de l'homme. »
>
> Condorcet, *Esquisse d'un tableau historique
> des progrès de l'esprit humain.*

Au lendemain de la Seconde Guerre mondiale, alors
que s'élaborait en Europe comme en Amérique un nouveau contrat social, fondé sur la redistribution et la solidarité, nul n'aurait pu prévoir que l'inégalité ferait
aussi puissamment retour dans nos sociétés. Et si vite !
A l'époque, la compétition avec le contre-modèle communiste, l'optimisme historique des premiers temps de
la Libération, un siècle entier de luttes et de progrès
social additionnés, tout conspirait à faire de l'injustice
sociale un archaïsme en régression. On pensait avoir
fait définitivement reculer cette prétendue fatalité de
l'histoire humaine. L'aspiration égalitaire semblait
reconnue et légitimée par la communauté des nations,
triomphatrice de la barbarie nazie. Le fameux article 25
de la Déclaration universelle des droits de l'homme
adoptée en 1948 en portait, à lui seul, témoignage :

« Toute personne a droit à un niveau de vie suffisant pour assurer sa santé, son bien-être et ceux de sa famille [1]. » La croissance économique et le progrès technique seraient, pensait-on, les instruments qui permettraient de parachever cette conquête de l'esprit démocratique. Et cela fut vrai, *grosso modo*, durant les trois longues décennies de l'après-guerre, jusqu'au milieu des années 70. C'est plus tard que tout s'inversa.

Moins de cinquante années après la fin de la guerre, l'extraordinaire resurgissement de l'inégalité est donc un événement imprévu et, au sens propre du terme, un *scandale* historique. Un scandale que ni les diverses crises économiques, ni les chocs pétroliers, ni la mondialisation de l'économie ne suffisent à expliquer. Car l'inégalité et la pauvreté font bel et bien retour au sein des nations les plus riches. « Le grand déséquilibre du rapport de forces sociales, s'écriait Castoriadis peu avant sa mort, a permis le retour à un "libéralisme" brutal et aveugle. [...] On assiste au triomphe non mitigé de l'imaginaire capitaliste sous ses formes les plus grossières [2]. » André Gorz propose le même constat lorsqu'il écrit : « Avec le salariat le capital entreprend d'abolir la quasi-totalité des limites que, en deux siècles de luttes, le mouvement ouvrier avait réussi à imposer à l'exploitation [3]. »

La gravité du symptôme est telle que nous cherchons confusément à en minimiser la portée. Dans la rhéto-

_____

1. Notons qu'au lendemain de la Première Guerre mondiale, déjà, le traité de Versailles de 1919 créant l'Organisation internationale du travail (OIT) était porteur d'une affirmation bien oubliée aujourd'hui : « Le travail ne devrait pas être considéré seulement comme une marchandise ou un objet de commerce. »
2. Cornelius Castoriadis, « La "rationalité" du capitalisme », *La Résistible Emprise de la rationalité instrumentale*, *op. cit.*
3. André Gorz, *Misère du présent. Richesse du possible*, *op. cit.*

rique vaguement consensuelle qui prévaut aujourd'hui, cette nouvelle inégalité est présentée comme une « bavure », fâcheuse, certes, mais circonstancielle et discutable. Pour la désigner, on préfère d'ailleurs user d'un pluriel rassurant : *les* inégalités plutôt que l'inégalité. On se persuade que ces dernières sont le prix à payer pour l'immense mutation économique en cours dont nous serons tous, demain, bénéficiaires. Elles seraient la rançon – provisoire et supportable – d'une reformulation de la grande promesse néolibérale. Les sacrifices qu'implique la compétition mondiale, l'adaptation nécessaire de nos économies aux révolutions technologiques, la nouvelle logique individualiste, tout cela justifierait quelques « inconvénients » en termes de justice sociale. On se persuade tant bien que mal que ces « inconvénients » traduisent surtout une évolution en profondeur du concept d'égalité. Le discours le plus courant est celui, passablement sentencieux, de la *complexité*. Soyons réalistes et modernes, répète-t-il. Les choses ne sont plus aussi simples qu'hier. La vieille égalité arithmétique et social-démocrate devient obsolète en tant que concept et revendication. Le terme d'équité rend mieux compte du réel, etc. Ces réflexions sont parfois fécondes, du moins pour les plus rigoureuses d'entre elles. Je pense par exemple aux analyses de Michael Walzer, directeur de la revue américaine *Dissent*, sur ce qu'il appelle « l'égalité complexe[4] ». Mais le plus souvent, hélas, cette référence à la complexité est une façon d'escamoter le problème.

Quant au militantisme égalitaire, évidemment déshonoré par l'usage qu'en fit le communisme, il n'est plus qu'une nostalgie attendrissante (façon Arlette Laguiller)

---

4. Je pense à l'excellent livre de Michael Walzer, *Sphères de justice : une défense du pluralisme et de l'égalité*, Seuil, 1997.

ou un populisme dont il conviendrait d'abandonner l'usage à une extrême gauche plus résiduelle que significative. Les gens de raison, les réalistes et les « décideurs » compatissent nonchalamment lorsqu'ils sont confrontés à cet idéalisme. Eux gardent les pieds sur terre ! C'est tout juste s'ils consentent à parler de « libéralisme social » lorsqu'il est question de redistribution ou d'égalité, formule qui évoque irrésistiblement la fameuse « extinction du paupérisme » chère à Napoléon III et aux dames patronnesses du XIXe siècle.

La plupart de ces rhétoriques sont évidemment irrecevables, pour ne pas dire mensongères. Elles « tournent autour du pot » en se gardant d'en soulever le couvercle. Elles fixent l'intelligence sur l'accessoire ou l'imprécision et font silence sur l'essentiel. En réalité, cette inégalité revenue (au singulier et non au pluriel) n'est ni une bavure ni un inconvénient. C'est un *projet*. C'est le projet par défaut d'une société marchande qui n'en a plus beaucoup d'autres. Il est inavouable et inavoué. Il est régressif sous une apparence de modernisme. Il se présente, dans le meilleur des cas, comme une adaptation raisonnable aux nouvelles données de l'économie mondiale. C'est sous ce déguisement qu'il fait peu à peu l'objet d'un consensus flou et mou. Lassitude et panurgisme aidant, le projet inégalitaire table ainsi sur une étrange accoutumance, fondée elle-même sur ce qu'il faut bien appeler une étourderie historique [5].

Pourquoi ce mot « étourderie » ? Parce qu'est décidément étourdi – et imprudent – celui qui ne sait plus évaluer à sa juste mesure l'importance fondatrice et le

---

5. Sur ce thème de l'accoutumance de l'opinion à l'inégalité, voir le livre de Christophe Dejours, *Souffrances en France. La banalisation de l'injustice sociale*, op. cit.

caractère historiquement exceptionnel d'une valeur qui est encore inscrite, comme par mégarde, au fronton de nos mairies. Ce caractère de la revendication égalitaire, la généalogie mouvementée de sa conquête expliquent sa fragilité. Rien n'est moins naturel, rien n'est moins étranger à la plupart des traditions historiques que l'idée d'égalité. Cette valeur est d'autant plus vulnérable qu'elle est magnifiquement volontariste, problématique, à la merci du premier ressac de l'Histoire. C'est parce qu'elle est neuve et fragile, que l'égalité meurt dès qu'elle n'est plus revendiquée. Elle n'est jamais acquise. C'est toujours loin d'elle que la pesanteur des choses nous entraîne.

Une idée fragile ? Une idée neuve ?

L'homme semblable à l'homme

Dans les années 80, un désaccord philosophique avait opposé à ce sujet Léo Strauss, grand défenseur du droit naturel[6], à Luc Ferry qui publiait alors des essais de philosophie politique[7]. Ferry reprochait à Strauss de prôner, dans le cadre d'une critique de la modernité, un retour aux Anciens et à la pensée grecque. A ses yeux, une telle volonté de rapatrier purement et simplement les catégories mentales de l'Antiquité dans la modernité du XXᵉ siècle comportait des risques politiques extrêmement graves. La plupart des « droits de l'homme » modernes, en effet, sont des notions parfaitement étrangères à l'univers mental de l'Antiquité,

---

6. Léo Strauss, *Droit naturel et Histoire*, trad. de l'anglais par Monique Nathan et Éric Dampierre, Flammarion, 1986.
7. Voir, notamment, Luc Ferry et Alain Renaut, *Philosophie politique*, Flammarion, 1984 et 1987, t. 1 et 2.

qu'il s'agisse de celui des Grecs ou de celui des Romains. Dans la pensée antique, « il n'est évidemment nulle place pour ce que nous nommons aujourd'hui les droits de l'homme. Dans la conception grecque – qui subsiste encore au sein du droit romain –, le droit ne saurait en effet être pensé comme une norme de conduite : il n'est en quelque sorte qu'une médecine de la société qui consiste à rétablir l'ordre, à remettre chacun à sa place, lorsque cet ordre cosmique a été perturbé ».

Plus encore que l'idée d'autonomie individuelle, l'aspiration égalitaire dans son acception contemporaine était ignorée ou jugée scandaleuse par la philosophie antique. Ce qui prévalait alors, c'était un naturalisme et un élitisme paisiblement discriminateurs. Voilà bien une évidence qu'on a toujours passée sous silence chaque fois qu'on a prétendu, dans l'histoire occidentale, faire retour à l'Antiquité. De la Renaissance au Premier Empire, du nietzschéisme façon XIXe siècle à celui, plus édulcoré, d'aujourd'hui, les diverses réappropriations du passé gréco-romain ont toujours péché par omission. Ce qui fut omis, chaque fois, c'est cet inégalitarisme originel, dont la dichotomie entre citoyens et esclaves, entre hommes libres et « barbares » n'était que l'expression la plus visible. « Si les citoyens grecs peuvent être les actionnaires d'une société anonyme appelée "cité", c'est parce qu'il y a un travail productif, fourni par des êtres qui ne sont pas considérés par les Grecs, dans leur immense majorité, comme des hommes [8]. »

L'inégalitarisme de l'Antiquité va bien au-delà de cette question emblématique de l'esclavage. Sous la plume d'Aristote, on peut lire des aphorismes ou des

---

8. François Châtelet, *Une histoire de la raison*, *op. cit.*

jugements qui feraient frémir un homme de la modernité. (« Les barbares n'ont de l'homme que les pieds »,
par exemple.) Le refus de l'autre, de celui qui est « en
dehors » de la cité ou de celui qui la sert par sa sujétion,
est constitutif de la philosophie d'alors. Pour cette raison, on interprète parfois de travers ce qui est réellement
exprimé dans la fameuse « querelle » de Valladolid du
16 avril 1550, dans la chapelle du couvent San Gregorio
en Espagne, lorsqu'il fut question de savoir si les « sauvages » du Nouveau Monde avaient ou non une âme.
Face à Bartolomé de Las Casas, évêque du Chiapas, qui
plaide ardemment pour les Indiens, se dresse le cha-
noine et philosophe espagnol Ginès de Sépulvéda, qui
leur dénie le statut d'êtres humains. Or c'est *principalement sur l'enseignement d'Aristote* – dont il fut le
lecteur mais aussi le traducteur – que Sépulvéda appuie
son argumentation inégalitariste. Le mot même de
« barbare », qui vient du grec *barbaros* (étranger), s'appuie sur une onomatopée évoquant le borborygme quasi
animal de celui qui n'a pas de langage.

Cet inégalitarisme, lui-même en accord avec la plupart des grandes traditions de pensée plus anciennes
– qu'elles soient babyloniennes, chinoises ou pharaoniques –, est consubstantiel à la pensée grecque. Dans
le système d'éducation, par exemple, la fameuse *paideia*, qui désigne l'apprentissage de la philosophie, de
la maîtrise de soi, du contrôle des passions et de la civilité, est une notion délibérément élitiste. « Seuls les
fils de notables avaient les moyens et le temps de faire
le long voyage qui les amènerait des contrées les plus
lointaines de l'Orient grec pour suivre à loisir les cours
d'un maître tel que Libanius, à Antioche, ou Prohae-
resius, à Athènes. Ils sortaient de cette expérience
coûteuse et intellectuellement exigeante avec une
excellente opinion d'eux-mêmes qui les rendait aussi

supérieurs aux illettrés que les êtres humains au simple bétail. La *paideia* était un moyen d'exprimer la distance sociale [9]. »

La véritable naissance du concept d'égalité est inséparable du monothéisme, qui va le rendre tout simplement *pensable*. Là se situe, une fois encore, la grande rupture ontologique. C'est en référence à un Dieu unique que les humains peuplant la terre entière pourront être perçus comme *les mêmes*. Levinas exprime bien cela lorsqu'il écrit : « Le monothéisme n'est pas une arithmétique du divin, il est le don, peut-être surnaturel, de voir l'homme semblable à l'homme sous la diversité des traditions historiques que chacun continue [10]. » Pour ce qui concerne le christianisme des premiers siècles, il est d'usage de citer, bien sûr, la fameuse Épître aux Galates de saint Paul qui fonde explicitement cette révolution de l'égalité, si troublante pour les fonctionnaires romains ou les philosophes d'Athènes. « Il n'y a plus ni hommes ni femmes, ni Juifs ni Grecs, ni hommes libres ni esclaves, vous êtes tous un en Jésus-Christ. » La même proclamation est reprise par Paul dans d'autres épîtres et dans des formulations légèrement différentes. Par exemple : « Il n'y a ni Grec, ni Juif, ni circoncis, ni incirconcis, ni barbare, ni Scythe, ni esclave, ni homme libre, mais le Christ est tout en tous » (Col. 3,11).

De fait, cette idée d'une équivalence de chaque être humain confronté à un Dieu unique contrevient à la conception d'un monde hiérarchisé, différencié et vétilleux dans la définition de ses catégories « naturelles », conception qui est alors celle des païens. L'égalité est *une affirmation proprement révolution-*

9. Peter Brown, *Pouvoir et Persuasion dans l'Antiquité tardive*, Seuil, 1998.

10. Emmanuel Levinas, *Difficile Liberté*, Albin Michel, 1976.

naire. Le plus sûr moyen d'en prendre conscience n'est sûrement pas d'accumuler textes et citations – de saint Paul à Jean Chrysostome, des Évangiles à la Torah – comme on le fait d'ordinaire. A toute citation, il serait possible d'en opposer une autre, et le jeu devient rapidement circulaire. Une méthode autrement convaincante est celle qui procède *a contrario* : examiner, textes à l'appui, la nature des critiques adressées au judéo-christianisme par ses adversaires les plus résolus des premiers siècles. Cette démonstration en miroir est plus parlante. On constate vite que beaucoup de pamphlétaires païens classent l'égalitarisme parmi les « folies » colportées par les gens du Livre ; folies qu'il convient bien sûr de dénoncer.

L'un des plus lus et commentés de ces païens militants s'appelle Porphyre de Tyr (*Porphurios* en grec). Grand philosophe néoplatonicien du IIIe siècle et disciple de Plotin, il a écrit – outre un texte sur l'abstinence alimentaire – plusieurs traités contre le christianisme, dont le fameux *Contre les chrétiens*. Porphyre, en bon Hellène, s'en prend à l'irrationalité du christianisme, à sa scandaleuse « nouveauté », mais aussi à ce qu'on pourrait appeler sa démagogie égalitaire, oublieuse de l'ordre naturel. Un siècle plus tôt, un autre néoplatonicien, Celse, articulait dans son *Discours véritable* les mêmes reproches à l'égard des chrétiens mais aussi des juifs : reproches que Nietzsche reprendra tranquillement à son compte [11]. Plotin, de son côté, dédaigne les pauvres et les opprimés – « cette vile

---

11. Au sujet de Celse et de Nietzsche, notons cette remarque de Jacob Taubes : « J'ai lu Nietzsche et je me suis demandé : "Est-ce que tu trouves un argument qui n'ait pas déjà été évoqué par Celse ?" Je n'en ai trouvé aucun. » Jacob Taubes, *La Théologie politique de Paul*, *op. cit.*

tourbe » – qui, à ses yeux, expient sans doute une faute commise dans une vie précédente. De la même façon, l'empereur Julien (331-363), dit « l'Apostat », après avoir abjuré sa foi chrétienne, rédigera de nombreux textes et pamphlets destinés à combattre le christianisme. Il essaiera même – durant son règne de deux années – d'éradiquer ce dernier de l'Empire romain. Or, dans son traité *Contre les Galiléens*, Julien dénonce l'origine barbare du christianisme, qu'il présente comme une « maladie de l'intelligence ». Il s'alarme aussi des prétentions égalitaires de cette religion prétendument révélée. « Julien souligne notamment que cette doctrine égalitaire est un danger d'un point de vue social. Il critique aussi les apôtres jugés ignares, et les chrétiens de son temps : les moines et le culte des martyrs lui répugnent particulièrement [12]. »

L'hostilité à l'égard des moines qui revient en leitmotiv dans cette littérature de combat est révélatrice. Elle procède le plus souvent d'un élitisme outragé. Comment ? Ces personnages ignares, n'ayant reçu aucune éducation ni subi la moindre *paideia*, devraient être révérés et admirés ? Ils pourraient se substituer aux sages, devenus tels au terme d'un long apprentissage, et enseigner la « vérité du Christ » ? Pour les philosophes grecs ou romains – ceux que nous appellerions aujourd'hui des intellectuels – « la prééminence accordée aux moines chrétiens constituait un signal d'alarme. Elle annonçait des changements profonds dans la culture et la société de l'Empire romain tardif. Les notables avaient fondé leur autorité sur le monopole de codes oratoires extrêmement formalisés. [Or voilà que les moines s'en affranchissaient.] Ils pouvaient prononcer

---

12. Pierre Maraval, *Le Christianisme, de Constantin à la conquête arabe*, PUF, 1997.

les *gros mots* qui brisaient le charme de la *paideia* ». Cet égalitarisme semblait déraisonnable et attentatoire à la nature des choses. « Voilà ce qu'on pourrait appeler un populisme chrétien qui méprisait la culture des classes dirigeantes et se vantait de l'avoir remplacée par des mots simples, investis de l'autorité divine, accessibles aux masses de l'Empire [13]. »

Peter Brown, le grand spécialiste de l'Antiquité tardive à qui j'emprunte ces lignes, insiste sur l'effort que doit faire aujourd'hui l'imagination moderne, « saturée par des siècles de langage chrétien », pour mesurer la radicale nouveauté de cette incroyable vision égalitaire : des êtres humains, toutes différences abolies, soumis à la même loi universelle. Une vision alors d'autant plus choquante qu'elle se traduit dans la vie quotidienne, et de manière ostentatoire. La liturgie de ces premiers siècles, par exemple, insiste « scandaleusement » sur l'égal respect dû aux plus pauvres comme aux puissants. Lorsqu'un riche entrait dans une église, l'évêque ne devait en aucune façon se lever pour l'accueillir. En revanche, s'il s'agissait d'un pauvre, la phrase prononcée par le diacre devait être : « Toi, évêque, fais-leur une place de tout ton cœur, même si tu dois t'asseoir par terre. » Ces règles « rédigées pour la première fois avant la Grande Persécution restèrent en vigueur en Syrie pendant des siècles. Elles donnent un aperçu des horizons moraux et sociaux quotidiens au sein desquels la plupart des chrétiens de l'époque de Constantin étaient heureux de vivre [14] ».

De fait, dans le message initial, les choses sont claires : l'Évangile prend le parti des pauvres contre

---

13. Peter Brown, *Pouvoir et Persuasion dans l'Antiquité tardive*, *op. cit.*
14. *Ibid.*

les riches. Heureux les pauvres, malheur aux riches ! Certains prophètes juifs ne disaient pas autre chose. Ainsi, cette parole d'Isaïe : « Malheur à ceux qui joignent les maisons aux maisons, les terres aux terres jusqu'à ce que l'espace leur manque. » Le judéo-christianisme des premiers siècles (notamment en Syrie) témoigne d'une prise de distance à l'égard des riches et de la richesse. Dans l'Épître de Jacques ou l'Évangile de Matthieu, on trouve référence aux « petits » qui doivent faire l'objet d'une attention particulière.

Dans les textes de certains pères de l'Église, cette éminente – et toute nouvelle – dignité des pauvres sera réaffirmée avec force. C'est le cas de Jérôme (*Lettre* 77,6), qui proclame : « Celui que nous méprisons, dont nous ne pouvons souffrir la présence, dont la seule vue nous fait vomir, est pareil à nous, constitué absolument de la même glaise que nous, composé des mêmes éléments. Tout ce qu'il endure, nous pouvons aussi l'endurer. » C'est aussi le cas du flamboyant évêque d'Antioche, Jean Chrysostome (344-407), orateur passionné et ascétique, qui provoque constamment les puissants en donnant la priorité aux pauvres et en installant, par exemple, une colonie de lépreux près d'un faubourg élégant d'Antioche.

Souci des pauvres, bonheur des riches

Ces rappels étant faits, il serait néanmoins abusif de définir le catholicisme qui suivit comme une défense résolue et durable des plus démunis. Loin s'en faut ! Dans le christianisme orthodoxe tel qu'il se développe peu à peu aux IIe et IIIe siècles – et surtout après la conversion de l'empereur Constantin, en 312 –, les choses ne sont déjà plus aussi claires. « Le christianisme post-paulinien des Actes des Apôtres et des Épîtres pastorales est implanté dans la société hellénistique et païenne de l'Empire, caractérisée autant par sa stratification sociale que par son syncrétisme et par la mobilité des personnes. Le point de vue adopté par ce christianisme est celui des élites locales : des gens riches, influents ou cultivés sont directement ou indirectement nommés, interpellés ou, dans les Actes, montrés en exemple [15]. »

Pour les tenants de la « subversion » évangélique, pour les millénaristes ultérieurs ou les modernes théologiens de la libération, l'infidélité du catholicisme à l'égard de la promesse initiale *commence dès ce moment-là*. Le christianisme devenu religion officielle sacrifie rapidement au réalisme, à la raison d'État, et se lie pour les siècles à venir aux pouvoirs temporels, c'est-à-dire aux puissants. Dès le IVe siècle, dans l'Empire romain, une classe supérieure, prospère et sûre d'elle-même, embrasse l'ordre chrétien et lui confère une majesté aristocratique. Dans la Gaule du Ve siècle, cette captation est plus nette encore. « Les aristocrates fonciers de la Gaule (dont les grands-pères avaient souvent été païens) s'emparèrent du gouvernement de l'Église. [Cette] "aristocratisation" de l'Église en Gaule fut la plus durable. Elle mit les cités entre les mains d'hommes accoutumés à exercer le pouvoir dans le style romain [16]. »

Plus grave, le thème biblique de l'amour des pauvres sera mis à profit par certains évêques issus des classes dominantes pour asseoir leur pouvoir face aux autorités romaines. Un lien mystique est censé unir l'évêque

---

15. François Vouga, *Les Premiers Pas du christianisme*, Labor et Fidès, 1997. François Vouga est professeur de Nouveau Testament à la Kirchliche Hochschule Bethel, à Bielefeld, en Allemagne.
16. Peter Brown, *L'Essor du christianisme occidental*, *op. cit.*

à ces loqueteux qui lui font escorte et constituent ce que Jean Chrysostome appelait « l'autre cité ». A ces nouveaux notables, les nécessiteux fournissent ce qu'on appelait déjà une clientèle. La démagogie n'est pas loin. Au vœu de pauvreté des premières communautés chrétiennes s'oppose une magnificence épiscopale qui se coule dans les fastes et les majestés du pouvoir impérial tout en clamant son amour des pauvres. Elle est parfois si ostentatoire qu'elle fait l'objet de dénonciations dont on a gardé la trace. La *lithomania* (la folie de la pierre et des grandes constructions) devient une tentation permanente. On accusa par exemple Théophile d'Alexandrie d'avoir gaspillé les dons destinés aux pauvres dans la construction d'églises grandioses. « La nourriture des pauvres était dévorée par la pierre, par les marbres multicolores et les mosaïques d'or des nouvelles basiliques : la complainte fit le tour de la Méditerranée à cette génération [17]. »

L'Église trop glorieuse, trop complaisante et trop riche ! Voilà bien un reproche qui traversera des siècles de chrétienté. Il sera constamment repris par les théologiens dissidents, les esprits plus libres ou certains des grands maîtres spirituels. Il ne sera pas étranger, comme on le sait, au schisme de la Réforme du XVIe siècle et à la naissance du protestantisme. Il faut dire que ces esprits libres ont matière à s'encolérer. Dans la Gaule mérovingienne du VIe siècle, on cite le cas d'évêques dotés de fortunes personnelles et présidant à l'édification de « grands sanctuaires vêtus d'or et parés de pierres précieuses [18] ». L'un d'entre eux, l'évêque Bertrand du Mans, disposait d'un domaine privé de trois cent mille hectares, dispersés dans toute la Gaule.

---

17. Id., *Pouvoir et Persuasion dans l'Antiquité tardive*, op. cit.
18. Id., *L'Essor du christianisme occidental*, op. cit.

Cette « compromission » du message évangélique avec la puissance et la richesse temporelles ouvre, au sujet des pauvres et de l'égalité, une immense querelle religieuse qui, de siècle en siècle, accompagnera l'histoire occidentale. Celle-ci, comme on le sait, sera jalonnée de révoltes et de crispations, d'insoumissions théologiques, de réformes et de ralliements plus ou moins déshonorants aux pouvoirs constitués. A l'intérieur même du christianisme – et cela dès avant la Réforme –, la question de l'égalité sera donc *en débat*. Un débat virulent qui ne cessera pas. Il se développera notamment autour d'une interrogation essentielle qui divisera au XVIIIe siècle les théoriciens du libéralisme. Cette interrogation est toujours d'actualité à la fin de notre XXe siècle : la pauvreté des uns est-elle le fruit d'une injustice ou, au contraire, la sanction méritée de quelque insuffisance (paresse, imprévoyance, ivrognerie, etc.) ? La richesse des autres est-elle condamnable comme le serait un accaparement abusif ou est-elle méritée comme fruit d'un labeur ou d'un talent spécifique ?

La réponse à ces deux questions, qui trahissent deux conceptions différentes de l'égalité, enflammera périodiquement le christianisme. « A toutes les époques, écrit Jacques Ellul, il y a eu des chrétiens qui ont redécouvert [au sujet de l'égalité] la simple vérité biblique, sur le plan soit intellectuel, soit mystique, soit social : il y a eu les grands noms, célèbres : Tertullien (au début), Fra Dolcino, François d'Assise, Wycliff, Luther (sauf bien sûr dans sa double erreur de remettre tout pouvoir aux seigneurs et de faire massacrer les paysans rebelles), Lamennais, John Bost, Charles de Foucauld [19]... »

C'est surtout aux XIe et XIIe siècles, bien avant la

---

19. Jacques Ellul, *Anarchie et Christianisme*, Atelier de création libertaire, 1988 ; éd. de poche, La Table ronde, 1998.

Réforme protestante dont Ellul revendique l'héritage, que se produit un tournant doctrinal au sujet de l'égalité. Ce tournant, par son ampleur, témoigne *a contrario* de ce qu'était devenu le christianisme officiel au cours des périodes antérieures. Un grand retour s'accomplit alors vers les pauvres, que l'on baptise *pauperes Christi* (pauvres du Christ) et à qui l'on reconnaît une dignité qu'ils avaient largement perdue dans l'Europe mérovingienne et carolingienne. Au XIIe siècle, alors qu'un « blanc manteau d'églises a recouvert la chrétienté », pour reprendre l'expression fameuse du chroniqueur Raoul Glaber dans son *Historiarum sui Temporis*, les ordres mendiants se multiplient, notamment sous l'influence de François d'Assise. L'imaginaire médiéval ramène au premier plan ces pauvres du Christ, ou *pauperes Dei* (pauvres de Dieu), que l'on présente à nouveau comme les préférés du Seigneur, ceux dont la prière sera mieux entendue, et que l'on convie, en tant que tels, au chevet des trépassés.

« Cette prédilection mystique pour la pauvreté est un fait nouveau dans l'histoire de la spiritualité occidentale. Jusqu'au XIe siècle, en effet, l'indigence avait été considérée comme un châtiment non comme un signe d'élection. On était porté à y voir la rançon du péché et, au plan social, une affliction aussi inéluctable que la maladie, à laquelle on ne pouvait guère porter remède. La richesse au contraire passait pour un gage de la faveur divine [20]. »

Professeur d'histoire des institutions et spécialiste des crises du XIVe au XVe siècle, Jacques Ellul rappelle dans le livre cité plus haut que, dans la plupart des émeutes paysannes précédant la Renaissance, les curés du petit

---

20. André Vauchez, *La Spiritualité du Moyen Age occidental. VIIIe-XIIIe siècle*, Seuil, coll. « Points Histoire », 1994.

clergé marchent avec leurs paroissiens et prennent souvent la tête de la révolte. Cela ne vaut pas, hélas, pour
la hiérarchie cléricale qui, dans son ensemble, demeu-
rera longtemps encore du côté des pouvoirs et des
riches. En théologien dissident, Ellul trouve les mots
les plus durs pour dénoncer ce détournement du message évangélique. « Toutes les Églises ont scrupuleusement respecté et souvent soutenu les autorités de l'État,
elles ont fait du conformisme une vertu majeure, elles
ont toléré les injustices sociales et l'exploitation de
l'homme par l'homme en expliquant pour les uns
que la volonté de Dieu était qu'il y eût des maîtres et
des serviteurs, et pour les autres que la réussite socio-
économique était le signe extérieur de la bénédiction de
Dieu [21] ! »

Au XVIIᵉ siècle, du haut de sa chaire, Bossuet (1627-
1704) tonnera contre cet oubli des pauvres qui lui paraît
incompatible avec la Révélation biblique. C'est le sens
du fameux sermon contre les « mauvais riches » où
l'évêque de Meaux déclare : « Celui-là entend véritablement le mystère de la charité qui considère les
pauvres comme les premiers enfants de l'Église ; qui,
honorant cette qualité, se croit obligé de les servir ; qui
n'espère de participer aux bénédictions de l'Évangile
que par le moyen de la charité et de la communication
fraternelle [22]. »

Esprit bourgeois et inégalité

Dans l'optique des Lumières et de la Révolution,
l'égalité revendiquée par les philosophes puise claire-

---

21. Jacques Ellul, *Anarchie et Christianisme, op. cit.*
22. Bossuet, *Sermon sur la mort et autres sermons*, GF, 1970.

ment aux sources du message évangélique tout en s'opposant au cléricalisme établi. La démarche est dans la logique de l'Histoire. Dans ce passage de relais entre judéo-christianisme et modernité, on connaît le rôle capital joué par certaines pensées fondatrices : d'Emmanuel Kant à Baruch Spinoza ou de Didier Erasme au philosophe juif Moses Mendelssohn. A ces figures prestigieuses, il faudrait ajouter celle de Francis Bacon, philosophe anglais du XVIᵉ siècle. Bacon, pour reprendre les termes de Charles Taylor, « s'exprimait encore en termes chrétiens [23] ». Dans ses *Essais de politique et de morale* (1597 à 1624), Bacon met l'accent sur la bienveillance pratique, la générosité à l'égard des plus pauvres et le rôle de la science dans « l'allégement de la condition des hommes ».

Pour les encyclopédistes français, l'égalité est devenue une valeur laïcisée et un idéal indiscutable, au moins dans son principe. « Nos espérances sur l'état à venir de l'espèce humaine, écrit Condorcet, peuvent se réduire à ces trois points importants : la destruction de l'inégalité entre les nations ; les progrès de l'égalité dans un même peuple ; enfin le perfectionnement réel de l'homme [24]. »

Assez curieusement, pourtant, les hommes des Lumières, tout en luttant pour un surcroît d'égalité entre les hommes, se départent difficilement d'un élitisme de principe, lui-même hérité du passé féodal et aristocratique. Le mépris du commun, le dédain de la foule, l'horreur de la multitude sont des réflexes qui demeurent solidement ancrés chez les élites du XVIIᵉ et du XVIIIᵉ. Et même les philosophes que nous admirons

---

23. Charles Taylor, *Les Sources du moi, op. cit.*
24. Condorcet, *Esquisse d'un tableau historique des progrès de l'esprit humain*, GF-Flammarion, 1988.

aujourd'hui usent d'un langage que s'interdirait le plus réactionnaire de nos politiciens. Condorcet stigmatise, en matière d'opinion publique, « l'opinion populaire, qui reste celle de la partie la plus stupide et la plus misérable ». Diderot assure qu'il faut se méfier « du jugement de la multitude ignorante et hébétée dans les matières du raisonnement et de la philosophie, sa voix est alors celle de la méchanceté, de la sottise, de l'inhumanité, de la déraison et du préjugé ». Pierre Charron est plus violent encore lorsqu'il s'exclame : « Le vulgaire est une bête sauvage, tout ce qu'il pense n'est que vanité, tout ce qu'il dit est faux et erroné, ce qu'il réprouve est bon, ce qu'il approuve est mauvais, ce qu'il loue est infâme, ce qu'il fait et entreprend n'est que pure folie »[25].

Fragilité de l'égalité ! Le XIXe siècle, qui connaîtra la montée des nationalismes, les duretés de la révolution industrielle, les restaurations monarchiques ou impériales, la crispation contre-révolutionnaire du catholicisme, en fournira la cruelle démonstration. Les injonctions inégalitaristes de la contre-révolution reprennent largement le dessus. Celles qui procèdent, par exemple, de la philosophie sociale d'un Edmund Burke au siècle précédent. « Quand nous affectons de prendre en pitié ces pauvres, ces gens qui doivent travailler – sinon le monde ne pourra subsister –, nous badinons avec la condition humaine », n'hésitait pas à écrire l'auteur des *Réflexions sur la Révolution en France*.

Dans le monde anglo-saxon, on remet en question certaines dispositions redistributrices comme les *Poors Laws*, aux États-Unis, qui sont abrogées en 1834. Les économistes ou sociologues de cette époque – de David

---

25. Citations empruntées à Arlette Fage, *Dire et mal dire. L'opinion publique au XVIIIe siècle*, Seuil, 1992.

Ricardo à Robert Malthus, Thomas Huxley ou Herbert Spencer – ont tendance à interpréter le secours aux pauvres ou l'égalitarisme comme des atteintes aux principes de la sélection naturelle. Les uns et les autres usent d'une rhétorique sans nuances : il faut s'accommoder de l'existence des démunis et de la misère, sans chercher à les soulager. Robert Malthus, qui est pasteur anglican (le « sombre pasteur »), a été impressionné par le nombre important de miséreux dans la société anglaise du XVIIIe siècle. Dans son essai publié anonymement en 1798, *Essai sur le principe de population*, il prône la limitation des naissances mais rend surtout grâce à Dieu d'avoir épargné aux riches cette natalité excessive.

Le Britannique Herbert Spencer (1820-1903), de son côté, grand lecteur de Darwin, transposera les théories évolutionnistes sur le terrain social. A ce titre, il sera le véritable fondateur d'un « darwinisme social » intransigeant. Pour Spencer, la compétition sans merci et la survie du plus apte sont légitimes sur le terrain économique, comme en matière biologique. L'aide aux plus pauvres et la redistribution égalitariste n'ont donc pas de raison d'être. L'œuvre de Spencer exercera une influence durable dans le monde anglo-saxon, une influence qui ira parfois bien au-delà des idées de son auteur, lorsqu'il s'agira, par exemple, de justifier le racisme et l'impérialisme. La vision inégalitariste de Spencer, Malthus, Darwin, Ricardo ou Jean-Baptiste Say sont en parfaite cohérence avec le climat général de la révolution industrielle et, accessoirement, de la colonisation.

C'est durant cette période, en tout cas, qu'en Europe le catholicisme romain se ralliera le plus outrageusement à cette vision inégalitariste de la société et du monde. Il n'est pas abusif de définir ainsi la recomposition de la foi catholique autour d'une « ecclésiologie

fondée sur l'autorité du pape et l'obéissance à Rome »,
ecclésiologie passablement contre-révolutionnaire,
qui aboutira à ce qu'on a appelé l'« ultramontanisme »,
un système centré sur le Vatican, et qui se présentait
comme une vision totale de l'ordre du monde, pour ne
pas dire une « idéologie ». C'est peu de dire que cette
idéologie est régressive au regard des valeurs évangéliques, du moins telles qu'elles étaient interprétées
par un François d'Assise ou un Vincent de Paul... Elle
est tout à l'opposé de la « subversion biblique ». Pour
les ultramontains du XIXᵉ siècle, « l'inégalité entre les
hommes est une donnée de nature qui correspond à la
volonté de la Providence : s'ils sont tous bien égaux au
regard de Dieu pour leur destinée spirituelle et tous
appelés au salut de leur âme, sur cette terre ils sont
nécessairement différents les uns des autres et inégaux,
parce que destinés à remplir des fonctions distinctes
et d'inégale importance. [...] Travailler à l'égalité des
individus serait donc aller à l'encontre de la volonté
divine [26]. »

Cette acceptation de l'inégalité entre les hommes
comme résultat d'une volonté divine s'accompagne
évidemment d'un consentement à la hiérarchie, de
l'obéissance et du respect de l'autorité. La société est
perçue comme une réalité organique, comparable à un
corps vivant dont les différentes parties seraient vouées
à une tâche particulière.

Il faudrait tout un volume pour décrire plus en détail
la façon dont triomphe ainsi, au XIXᵉ siècle – aussi bien
sur le terrain social que celui des mœurs –, une *doxa*
inégalitariste que Michel Foucault appellera l'« esprit
bourgeois ». Cet esprit bourgeois est d'autant plus

---

26. René Rémond, *Religion et Société en Europe*, Seuil, 1998.

hégémonique qu'il réinterprète la tradition chrétienne dans un sens moralisateur et autoritaire, avec le soutien paradoxal du Vatican, qui répugne à accepter la République, la démocratie et la modernité en général. Ce retour « à droite » du balancier idéologique, ce grand basculement politique et moral est surtout spectaculaire au sujet de l'égalité. L'inégalité n'est-elle pas, ontologiquement, à l'origine même du capitalisme ? Fernand Braudel a longuement développé ce thème en soulignant, par exemple, l'importance de l'inégalité géographique dans le développement de l'économie capitaliste. « C'est tout de même l'Europe occidentale qui a transféré et comme réinventé l'esclavage à l'antique dans le cadre du Nouveau Monde et qui, par les exigences de son économie, a "induit" le second servage dans l'Europe de l'Est. D'où le poids de l'affirmation d'Immanuel Wallerstein : le capitalisme est une création de l'inégalité du monde [27]. »

C'est contre la dureté de cet « esprit bourgeois » et contre cette virulence inégalitaire que se dresseront les premiers théoriciens du socialisme, de Jean-Charles-Léonard de Sismondi (1773-1842) à Jules Guesde (1845-1922), Karl Marx (1818-1883) ou Joseph Proudhon (1809-1865). Notons d'ailleurs que, pour dénoncer l'arrogance « savante » du discours économique des théoriciens libéraux, Sismondi formula, dès le XIXᵉ siècle, des critiques cinglantes qui pourraient être reprises quasiment telles quelles aujourd'hui : « C'est avec regret, écrivait-il, que nous voyons l'économie politique adopter en Angleterre un langage chaque jour plus sentencieux, s'envelopper dans des calculs plus difficiles à suivre, se perdre dans des abstractions et devenir, en

---

27. Fernand Braudel, *La Dynamique du capitalisme, op. cit.*

quelque sorte, une science occulte, à l'époque même où l'humanité souffrante aurait le plus besoin que cette science parlât un langage populaire, qu'elle se proportionnât aux besoins de tous, qu'elle se rapprochât de l'intelligence commune, qu'elle s'appliquât enfin aux réalités. »

La pesanteur inégalitaire et l'urgence qu'il y a d'y résister domineront en tout cas toute l'histoire du XXe siècle. Pour succinct qu'il soit, ce rappel permet de mieux comprendre ce qu'il advient aujourd'hui : le retour en force, la résurrection inimaginable de thèmes, d'idées, de théories, de logiques, de métaphores et de prétendues certitudes qui nous renvoient implicitement au XIXe siècle. Le néolibéralisme des années 90, disait encore Castoriadis, « a écarté de lui-même les quelques moyens de contrôle que cent cinquante ans de luttes politiques, sociales et idéologiques avaient réussi à lui imposer. La domination anomique des "barons" prédateurs de l'industrie et de la finance aux États-Unis à la fin du siècle dernier n'en offrait qu'un pâle précédent [28] ».

L'identité contre l'égalité

Il faut d'abord s'entendre sur les mots. Au sujet de l'égalité, une pernicieuse ambiguïté est à l'œuvre, une ambiguïté qui brouille notre perception du réel et fausse la plupart des débats politiques. L'époque, en effet, est devenue plus exigeante qu'aucune autre au sujet de ce qu'on pourrait appeler l'*égalité identitaire*. On ne s'était jamais autant battu, on n'avait jamais

---

28. Cornelius Castoriadis, « La "rationalité" du capitalisme », *La Résistible Emprise de la rationalité instrumentale*, op. cit.

autant revendiqué, écrit, polémiqué au sujet de cette égalité-là. Pour l'opinion courante – et c'est un progrès incontestable –, une certaine inégalité immémoriale n'est plus admissible aujourd'hui : celle qui séparait le Blanc du Noir, le citoyen de souche de l'immigré, l'homme de la femme, l'hétérosexuel de l'homosexuel, l'enfant légitime de l'enfant naturel, le bien-portant du handicapé, le citoyen du sans-papiers, le provincial du Parisien, etc.

Une révolution invisible a donc eu lieu, qui rend – heureusement – insupportable ce qui, hier encore, était plus ou moins toléré. Cette révolution est radicale, sans doute définitive. Une revendication égalitaire est quotidiennement à l'œuvre aujourd'hui, revendication dont la *doxa* et le « politiquement correct » se font volontiers l'écho, à gauche comme à droite. Lorsqu'il s'agit de récuser l'ostracisme frappant une catégorie particulière d'hommes ou de femmes ; lorsqu'il s'agit de traduire cette reconnaissance en modifiant le vocabulaire (« mal-voyant » au lieu d'aveugle, « personnes de petite taille » au lieu de nain, etc.), un accord relatif se manifeste, dont il serait absurde de sous-estimer la portée. Marcel Gauchet a raison d'évoquer à ce sujet l'émergence spectaculaire d'un « individualisme égalitaire où l'égalité est comprise comme similitude des êtres ». Pour lui, cet individualisme identitaire, c'est-à-dire le droit pour chacun d'exprimer enfin – et de vivre – sa *différence*, participe bien d'une certaine acception de l'égalité, peut-être plus large que l'acception traditionnelle. « Il correspond, ajoute-t-il, à un nouveau visage de l'égalité. » Il serait absurde de nier ou même de sous-estimer cet apport de l'individualisme contemporain : la possibilité donnée à chacun de s'émanciper des anciennes hiérarchies ou catégorisations, de toutes celles que l'aspiration égalitariste de jadis prenait insuffisamment en compte. Ces revendications identitaires viennent opportunément nous rappeler que tout ne se ramène pas à l'étroite et mesurable égalité socio-économique.

Soit.

Le problème est que cette intransigeance égalitariste sur la question de l'identité, du statut, de la « différence » s'accompagne d'une incroyable indifférence à l'égard des inégalités de *condition*. La quête éperdue d'une égalité identitaire forme un écran de fumée masquant le retour des injustices quantitatives les plus criantes. En forçant le trait, on pourrait dire que l'époque est prête à s'enflammer pour combattre la moindre discrimination entre un homosexuel et un hétérosexuel, mais qu'elle a cessé de s'intéresser aux inégalités, fussent-elles gravissimes, entre deux homosexuels qui sont, par ailleurs, salariés, cadres, chômeurs, etc. La nouvelle sensibilité culturelle contribue à anesthésier l'ancienne sensibilité sociale. Le « politiquement correct » vient, sans l'avoir voulu, au secours de l'iniquité. Toute la difficulté des rapports entre gauche morale et gauche sociale – en Europe comme aux États-Unis – découle de ce paradoxe.

Il y a plus troublant : une corrélation existe indiscutablement entre l'explosion de cet individualisme et la montée des inégalités sociales. Ce n'est pas un argument polémique. Cette corrélation est mise en évidence par certains économistes appartenant à l'école dite de la « régulation », qu'il s'agisse de Robert Boyer, de Michel Aglietta ou même de Jean-Paul Fitoussi. De quoi s'agit-il au juste ? D'un mécanisme social et politique assez pervers mais facile à comprendre. Les valeurs individualistes, devenues hégémoniques depuis la fin des années 60, contribuent à rendre de plus en plus *difficilement gouvernable* la démocratie. Elles précipitent la crise du modèle fordiste de l'après-guerre, accélèrent le recul de l'État, dévalorisent le concept de « bien commun », ruinent peu à peu la capacité régulatrice du politique sur le terrain économique et social. Cet affaiblissement global du politique, ballotté entre les corporatismes et égoïsmes catégoriels, ouvre sans cesse davantage de terrain au marché, à la libre concurrence, à la loi du plus fort [29].

Le premier résultat de cet évanouissement du « bien commun » au profit de l'individu se retourne donc contre ce dernier. Et durement. Ironie du progrès, ruse de l'Histoire ! Voilà l'individu triomphant mais moins protégé ; le voilà mieux célébré mais beaucoup plus exploité ; largement émancipé des discriminations culturelles mais livré à la mécanique du marché. Ce dysfonctionnement de la régulation démocratique aboutit à un résultat que nul n'avait voulu : il pénalise les plus pauvres, les moins aptes, les moins compétitifs. Ainsi se trouve bouclée sur elle-même une extravagante schizophrénie qui voit l'individu moderne perdre en termes d'égalité sociale ce qu'il avait revendiqué et obtenu en termes d'égalité identitaire. Mieux reconnu dans sa « différence » mais davantage floué dans sa vie quotidienne ; mieux accepté dans son identité mais plus précarisé dans sa condition sociale : qui ne verrait dans tout cela un marché de dupe [30] ?

Le caractère pervers du mécanisme emporte d'autres conséquences encore. C'est parce qu'elles deviennent ingouvernables, parce que la cohésion sociale est minée par le « chacun pour soi », que nos démocraties s'en remettent piteusement aux fameuses contraintes exté-

---

29. Je m'inspire ici d'une analyse de Paul Thibaud, « Voyage dans la maladie française », *Le Débat*, n° 101, septembre-octobre 1998.

30. Voir, plus loin, chap. 7.

rieures. On peut dire, au rebours du discours dominant, que la mondialisation en tant qu'idéologie *n'est pas la cause mais la conséquence du projet inégalitaire* [31]. L'invocation rituelle des « obligations » du libre-échange international, l'antienne de la réduction des déficits publics et des sacrifices à faire, l'obsession des injonctions externes, tout cela se substitue aux anciens équilibres du contrat social que le politique n'est plus capable de garantir. On convoque des impératifs disciplinaires venus du dehors pour pallier les insuffisances de la régulation démocratique. A bien des égards, le résultat est catastrophique. « La discipline monétaire et le libre-échange sont venus suppléer la défaillance des régulations politiques et culturelles. [...] Le triomphe de l'inégalité s'est donc produit, notamment en France, sous le couvert d'un discours qui la dénonçait [32]. »

Quand les pauvres deviennent plus pauvres...

Triomphe de l'inégalité ? C'est d'abord de façon globale, bêtement quantitative, mesurable et chiffrée, qu'il faut prendre la mesure du phénomène. Mieux vaut renoncer pour cela aux querelles convenues ; celles qui consistent, par exemple, à opposer les différents « modèles » de capitalisme. Je pense aux sempiternelles empoignades sur les mérites respectifs des libéralismes américain et européen. Il est évident que le modèle américain – dont le dynamisme est spectaculaire – réussit infiniment mieux que son homologue européen sur le terrain de l'emploi. Le chômage est déjà résorbé

31. C'est la thèse stimulante proposée par Emmanuel Todd, *L'Illusion économique*, Gallimard, 1998.
32. Paul Thibaud, « Voyage dans la maladie française », *op. cit.*

outre-Atlantique, alors qu'il demeure massif sur le Vieux Continent. Il n'est pas moins évident, toutefois, qu'en matière de protection sociale et d'assistance aux démunis l'avantage reste au modèle européen.

Pour qui s'intéresse à l'aggravation générale de l'inégalité, ces discussions n'ont pourtant pas beaucoup de sens. Dans sa tendance lourde, le mouvement est le même de part et d'autre de l'Atlantique : là-bas comme ici, l'inégalité revient en force. Quant à l'arbitrage entre le plein emploi sans assistance (États-Unis) ou le chômage de masse mais assisté (Europe), il ne fait jamais qu'illustrer l'existence de deux méthodes différentes pour répartir *une même inégalité globale*. « Si l'on se soumet aux puissantes dynamiques économiques à l'œuvre aujourd'hui, qui poussent à une inégalité croissante dans les pays riches, le seul choix est bien celui du type d'inégalité [33]. »

Certes, ce choix politique n'est ni anodin ni sans conséquences. On peut penser par exemple que le « choix » européen – celui du chômage – est le plus pernicieux en termes de dislocation sociale, d'exclusion et de désespérance. Le chômage de masse emporte des effets systémiques désastreux. Il diffuse dans l'ensemble du corps social un poison fatal. Il se reporte d'une génération sur l'autre, engendre un climat désenchanté et violent, etc. A l'inverse, cependant, on peut considérer que le choix « américain », celui du plein emploi à n'importe quel prix et de la précarité maximale, est plus barbare. Il implique que soit quotidiennement tolérée dans les rapports sociaux une dureté propre à choquer les Européens. Tout est affaire de sensibilité politique et de traditions culturelles. Une chose

---

33. Pierre-Noël Giraud, *L'Inégalité du monde*, Gallimard, 1996.

est certaine : le mouvement de fond, la remontée prodigieuse de l'inégalité sont bien les mêmes, dans un cas comme dans l'autre.

Pour s'en convaincre, on peut se reporter aux descriptions concordantes que font du processus inégalitaire deux économistes, l'un français, l'autre américain. Pour Pierre-Noël Giraud, l'ampleur de cette évolution est telle qu'on doit y voir la fin d'un très grand cycle historique qui aurait commencé, *grosso modo*, au XVIIIᵉ siècle. Durant cette longue période, en dépit d'éventuels mais provisoires retours en arrière, les inégalités internes à chaque pays ont eu tendance à diminuer alors que s'aggravait l'inégalité entre les nations, notamment entre l'hémisphère Nord et l'hémisphère Sud. Depuis les années 80, voilà que ce grand mouvement historique s'est radicalement inversé. Les différences se réduisent entre certains pays de l'ex-tiers-monde et les pays développés, tandis que l'inégalité se creuse à nouveau à l'intérieur des pays riches. Une métaphore rend bien compte du phénomène : on a mis *du Nord dans le Sud et du Sud dans le Nord*[34].

Pour évoquer ce retour assez stupéfiant de la logique inégalitaire dans les pays du Nord, l'Américain Lester Thurow emploie, quant à lui, des métaphores d'un autre type. « Soudain, en 1968, écrit-il, comme un glacier immobile s'ébranle d'un coup, les inégalités ont recommencé à croître aux États-Unis. Le mouvement n'a fait que s'accélérer et s'étendre au cours des deux décennies suivantes. Au début des années 90, les écarts se creusaient rapidement sous tous les aspects, que ce soit entre les secteurs, les professions, ou selon les niveaux d'éducation, la démographie (âge, sexe, race) ou le lieu

---

34. *Ibid.*

d'habitation. En vingt ans, dans le groupe le plus affecté, celui des hommes, les inégalités de salaire ont doublé. [...] Ce qui se passa là aux États-Unis est sans précédent [35]. »

Confronté à un phénomène aussi ample, les tenants du néolibéralisme se rassurent – et se défendent – en soulignant que ce retour de l'inégalité s'est tout de même opéré sur fond de prospérité générale, une prospérité qui rend moins douloureuse et moins inique la distance nouvellement creusée entre riches et pauvres. Explicitement ou pas, l'argument renvoie aux fameuses analyses de John Rawls, grand théoricien de la justice sociale et défenseur d'une intervention minimale de l'État [36]. Pour Rawls, en effet, un accroissement de l'inégalité demeure, malgré tout, moralement légitime s'il aboutit *à une amélioration du sort des plus pauvres.* Autrement dit, l'enrichissement supplémentaire des riches n'est acceptable que s'il s'accompagne d'un enrichissement relatif – même faible – des pauvres. Ce qui, aux yeux de Rawls, est généralement le cas. Que ce soit en Amérique ou en Europe, l'argument a été répété, rabâché, ressassé au cours des vingt dernières années. Il fut même un temps, dans les années 80, où le recours à Rawls sur ce point précis était devenu un rituel de congrès.

Le seul ennui est que cet argument est statistiquement faux, au moins pour ce qui concerne les États-Unis. Là-bas, le creusement de l'inégalité à partir de la fin des années 60, non seulement a été plus drastique qu'on pourrait le croire, mais il s'est surtout traduit par *un appauvrissement des plus pauvres.* Et cela, dans des proportions accablantes. On est allé à rebours du

---

35. Lester Thurow, *Les Fractures du capitalisme, op. cit.*
36. John Rawls, *Théorie de la justice*, Seuil, 1987.

scénario consolateur de Rawls. « Aux États-Unis, écrit Thurow, le PIB par habitant, corrigé de l'inflation, a crû de 36 % entre 1973 et la mi-1995 ; et pourtant, le salaire horaire réel du travailleur non cadre (qui accepte un poste sans responsabilité hiérarchique, soit la grande majorité des emplois) *a baissé de 14 %* [37]. » La projection de ces statistiques dans le futur donne, virtuellement, des résultats inimaginables. Si rien ne vient corriger la tendance aux États-Unis, au début du siècle prochain le salaire réel des non-cadres *sera revenu à ce qu'il était cinquante années auparavant*, alors même que le PIB aura plus que doublé…

Plusieurs économistes d'outre-Atlantique s'accordent pour juger que ce phénomène d'appauvrissement des plus pauvres est sans précédent dans toute l'histoire américaine, exception faite, bien sûr, des périodes de crise conjoncturelle comme celle des années 30. « Jamais auparavant, ajoute Thurow, on n'avait constaté en Amérique le cas d'une baisse des salaires réels accompagnant une hausse du PIB par habitant [38]. » Bien entendu, cette régression n'est déjà plus l'apanage de la société américaine. Le phénomène gagne peu à peu l'ensemble du monde développé, à un rythme variable selon les pays. La Grande-Bretagne, par exemple, a vécu elle aussi cet appauvrissement des plus pauvres. Les statistiques de l'OCDE indiquent qu'entre 1979 et 1993 le revenu moyen s'y est accru de plus d'un tiers, alors que celui des 10 % les plus défavorisés a baissé de 17 %. Plus spectaculaire encore, un rapport gouvernemental publié à Londres en mars 1999 établissait un bilan proprement effrayant de la dérive inégalitaire de l'économie britannique. Entre 1977 et 1996, les inégali-

---

37. Lester Thurow, *Les Fractures du capitalisme, op. cit.*
38. *Ibid.*

tés *se sont accrues d'un tiers* en Grande-Bretagne. Les auteurs du rapport soulignent qu'une telle évolution est à peu près sans précédent et sans équivalent sur la planète. « Douze millions de personnes, ajoutent-ils, soit près d'un cinquième de la population, vivent dans un état de pauvreté relative [39]. » Ce naufrage social est d'autant plus significatif que, pendant des années, la Grande-Bretagne, flexible et libérale, fut présentée comme un « modèle » de dynamisme et d'efficacité par la plupart des commentateurs, notamment en France. Il serait cruel d'exiger de ces derniers qu'ils relisent aujourd'hui, à haute et intelligible voix, ce qu'ils écrivaient encore au début des années 90.

Toutes proportions gardées, cet accroissement spectaculaire des inégalités n'est pas, en Europe, circonscrit à la Grande-Bretagne. Plus généralement, dans l'ensemble des pays de l'OCDE, l'écart entre les 10 % des salariés les mieux payés et les 10 % les moins bien payés est passé de 7,5 contre 1 en 1969 à 11 contre 1 en 1992.

Ces chiffres laissent songeur. Ils révèlent en effet le décalage existant entre le contenu des débats théoriques concernant la justice sociale et la désespérante réalité mathématique. Et là, le démenti du réel est exemplaire. Par l'effet d'une ironie grinçante du calendrier, il se trouve que John Rawls a jeté son argument dans le grand débat international au moment même où, à deux ans près, celui-ci cessait d'être corroboré par les faits. L'édition américaine de son maître livre, *A Theory of Justice*, date de 1971. Or, observe Thurow, « c'est en 1973 que les salaires réels masculins, corrigés de l'inflation, ont commencé à baisser, et le mouvement a

---

39. Cité par *Le Monde*, 11 mai 1999.

gagné progressivement toutes les catégories d'Américains, y compris les diplômés de l'enseignement supérieur. Le salaire médian des hommes employés à plein temps a diminué de 11 % entre 1973 et 1993, lorsque dans le même temps le PIB par habitant augmentait de 29 % [40] ».

Tout s'est donc passé comme si, extraordinairement, les chiffres faisaient un pied de nez à la théorie ; comme si la réalité massive de l'inégalité se riait de nos discours subtils ; comme si le divorce était consommé entre les mots et les choses.

L'extinction du moins apte

Chacun, bien sûr, se pose aujourd'hui la même question : pourquoi ? Comment expliquer qu'une régression inégalitaire d'une telle ampleur puisse intervenir au cœur du monde démocratique, dans des sociétés complexes et culturellement avancées ? Pourquoi un recul si désastreux après un siècle de progrès social, de réformes, de réglementations sans cesse améliorées ? Pourquoi cet appauvrissement des plus pauvres, alors même que la richesse accumulée dans l'hémisphère Nord atteint des niveaux jamais connus dans l'histoire humaine ? Pourquoi une telle dureté sociale, alors que rien ne la rend véritablement nécessaire ?

L'erreur serait de croire qu'à ces questions simples on puisse apporter « techniquement » une réponse unique. Les économistes ont raison de rejeter les explications monocausales et mécanistes, qui participent de la démagogie. Il est évidemment absurde d'accuser le « progrès

---

40. Lester Thurow, *Les Fractures du capitalisme*, *op. cit.*

technique » ; simplificateur de dénoncer la mondialisation ; mensonger de convoquer la concurrence extérieure ; fallacieux de plaider pour un capitalisme plus
« musclé » qui impliquerait – mais pour la bonne cause
– davantage d'inégalité ; extravagant d'affirmer que
nos sociétés ne sont plus assez riches pour assumer la
charge de l'État-providence, etc. Ces fausses explications n'ont qu'un seul avantage : sous des habillages
différents, toutes s'en remettent, au fond, à on ne sait
quelle fatalité. Elles mettent l'accent sur tel ou tel mécanisme « objectif », contre lequel bataillerait vaillamment
– et vainement – le pouvoir politique. Bonne façon de
dédouaner celui-ci, tout en justifiant par avance la prochaine régression.

En réalité, si toutes ces causes se combinent, s'additionnent, se renvoient l'une à l'autre, c'est parce qu'elles
se fondent, en dernière analyse, sur une préférence
ou une décision initiale de nature politique. Aucune
d'entre elles ne produirait ses effets sans cela. Le retour
de l'inégalité est un choix, c'est-à-dire un *projet*. Il est
faux de dire que nos sociétés « n'ont plus le choix » ou
encore qu'elles sont condamnées à l'inégalité. C'est en
gardant cela à l'esprit qu'il faut réfléchir sur quelques
exemples.

Comme on le sait, les inégalités les plus criantes, les
plus immédiatement perceptibles sont celles qui se sont
creusées entre le salarié moyen et son PDG. Aux États-
Unis, cet écart n'était encore que de 1 à 35 dans les
années 60 ; il est aujourd'hui de 1 à 200, voire davantage. Mais aucune nécessité n'a présidé à cet élargisse-
ment de l'éventail des revenus ! (Il est abusif d'évoquer
la « loi du marché » à ce propos, ces rémunérations
étant souvent fixées par des cénacles étroits et peu
transparents.) Comme le font parfois observer les
essayistes américains, *il se trouve simplement que les*

capitalistes ont relancé la lutte des classes et qu'ils l'ont gagnée. Le choix est politique, au sens plein du terme.

De la même façon, la lutte obstinée contre l'inflation, la volonté de privilégier les actionnaires, la priorité accordée à la Finance ont conduit à peser délibérément sur les salaires. D'abord sur ceux du bas de l'échelle, puis sur ceux de la classe moyenne. Dans le même temps s'envolaient les profits et les revenus des catégories supérieures. Ainsi les grandes vagues de licenciement des années 80 aux États-Unis (le fameux *downsizing*) ont-elles permis de réduire les salaires modestes, au besoin en réembauchant des salariés moins bien payés, ou encore en jouant sur la sous-traitance. Mais, là encore, il s'agissait d'un choix, immédiatement profitable à quelques-uns. Dans cette optique, les salaires ne sont jamais que des « coûts » qu'il s'agit de réduire au strict minimum.

« L'externalisation, écrit André Gorz, permet au capitalisme de rétablir pour une partie croissante des actifs les conditions sociales qui prévalaient au début du XIXe siècle : les "contractuels", temporaires, vacataires et autres précaires sont comparables aux tâcherons employés de façon intermittente, à la demande, et auxquels l'entreprise ne doit ni assurances sociales, ni congés payés, ni indemnités de licenciement, ni formation [41]. »

L'ouverture des économies au vent du large, le choix du libre-échange ont peut-être permis d'améliorer la production mondiale. Ils ont surtout fourni un moyen « disciplinaire » permettant de faire accepter à l'opinion des régressions inégalitaires qui, sans cela, eussent été

---

41. André Gorz, *Misère du présent. Richesse du possible*, *op. cit.*

massivement rejetées. Ces régressions ont été si radicales que certains économistes n'excluent pas, à terme, une disparition pure et simple des classes moyennes dans les économies développées [42]. Rien de tout cela ne s'est fait indépendamment d'un rapport de force ni sans que des décisions fussent prises.

Dans un autre ordre d'idées, il est certain que les mutations technologiques ont introduit dans le monde du travail des formes nouvelles d'inégalités ou d'exclusion. Daniel Cohen, reprenant certaines analyses de l'Américain Michael Kremer datant de 1993, a mis en évidence, par exemple, ce qu'on appelle « l'effet *O'ring* », du nom d'un minuscule joint dont la défaillance a été responsable de l'échec dramatique du lancement de la navette spatiale Challenger. De quoi s'agit-il ? Dans tout processus de production, compte tenu de l'âpreté de la compétition industrielle, l'excellence est désormais requise *à chaque étape du processus*. Autrement dit, une entreprise performante ne doit pas seulement employer les meilleurs ingénieurs ou les meilleurs techniciens, il lui faut aussi les meilleurs standardistes, les meilleurs clavistes, etc. Cela signifie que l'écart entre deux niveaux de qualification, même s'il est faible, peut aujourd'hui justifier des écarts de revenus considérables. Les meilleurs sont courtisés, les moins bons pénalisés ou même rejetés [43]. L'inégalité explose et se transforme.

Daniel Cohen évoque ainsi « un éclatement des inégalités au sein de chaque groupe socioculturel. C'est en effet au sein de chaque tranche d'âge, de chaque catégorie de diplôme, de chaque secteur de l'économie que le phénomène inégalitaire se produit ».

---

42. C'est l'hypothèse avancée notamment par Pierre-Noël Giraud.
43. Daniel Cohen, *Richesse du monde, pauvreté des nations*, Flammarion, 1997.

A ces mutations d'ordre technologique s'ajoutent, au niveau de chaque entreprise, des transformations considérables dans l'organisation du travail. Ces transformations, pour l'essentiel, passent par une individualisation croissante des tâches et, partant, des revenus. Le management dit « par objectif » instaurant une meilleure « flexibilité individuelle » fait partie de ces transformations [44]. Elles produisent des formes nouvelles d'inégalités, parfois qualifiées de « fractales ». Or à quoi correspond cette révolution ? A une chose très simple : le marché, avec sa logique tranchante, *fait aujourd'hui irruption au cœur même de l'entreprise*. Il vient y ruiner les anciennes procédures de mutualisation ou de redistribution invisible. L'économiste Michel Albert parle de la nouvelle « entreprise nietzschéenne » pour qualifier ce bouleversement. Comprenons néanmoins que cette intrusion fracassante de la loi de l'offre et de la demande fait bel et bien partie d'un choix global délibéré : celui de la société de marché, présentée comme la meilleure imaginable.

Ce n'est sûrement pas un hasard si Herbert Spencer, le théoricien du darwinisme social cité plus haut, l'inventeur de la « survie du plus apte » est aujourd'hui redécouvert aux États-Unis. Des livres paraissent à son sujet [45], certains de ses textes sont réédités. Le voilà, à nouveau, comme au XIXe siècle, en harmonie avec l'époque.

Ainsi, année après année, le monde du travail, la condition salariale et la vie quotidienne des entreprises

---

44. Voir sur ces « révolutions » du management l'excellent petit livre de Jean-Pierre Le Goff, *La Barbarie douce. La modernisation aveugle de l'entreprise et de l'école*, La Découverte, 1999.

45. Voir, notamment, Jonathan H. Turner, *Herbert Spencer : a Renewed Appreciation*, Beverly Hills (Calif.), Stage Publishers, 1985, ou J. D. Y. Peel, *Herbert Spencer, the Evolution of a Sociologist*, New York, Basic Books, 1971.

connaissent-ils un durcissement inégalitaire continu et parfois effrayant, durcissement que le discours médiatique passe le plus souvent sous silence. « Les conditions d'existence d'une véritable classe ouvrière disparaissent tandis que se renforcent celles d'un salariat modeste partageant avec les employeurs la vision du travail comme simple quantité d'heures, dont la valeur n'est plus intrinsèque, mais sans cesse donnée – et remise en question – par le marché. Plus le marché est fort et proche, plus les compétences dont on a besoin sont simplement celles qui consistent à être meilleur que les autres. […] On assiste à un véritable éclatement des inégalités entre personnes ayant le même âge et le même niveau de diplôme [46]. »

Tous ces changements, on le voit, résultent d'un ensemble de causes, mêlant confusément la nécessité technologique, les contraintes de la concurrence, la modification des modes de production ou de commercialisation, le poids de l'individualisme et une *décision* dont la nature idéologique est le plus souvent dissimulée. Or cette décision, qui se veut cohérente avec la fameuse « théorie pure des économies de marché » (encore appelée « théorie pure de l'équilibre général de concurrence parfaite »), procède clairement d'un *projet inégalitaire*. Dans un long et rude article publié en 1998, Jean-Paul Fitoussi a montré jusqu'à quelle extrémité pouvait conduire cette théorie, par ailleurs si séduisante [47]. Citant les travaux récents de certains chercheurs américains [48], il montre qu'appliquée à la

---

46. Dominique Goux et Éric Maurin, « La nouvelle condition ouvrière », *Esprit*, novembre 1998.

47. Jean-Paul Fitoussi, « Perfection des modèles économiques, exclusions réelles », *Les Temps modernes*, 1998.

48. Il s'agit de Jeffrey Coles et Peter J. Hammond, « Walrasian equilibrium without survival : existence, efficiency and remedial

lettre ladite théorie pouvait tout simplement conduire à *l'extinction physique des moins aptes*. « Le plein emploi serait alors assuré… parmi les survivants et l'équilibre continuerait d'être un optimum social. »

Voilà une démonstration par l'absurde (mais courtoise) de l'inanité d'une pure théorie qui se présente pourtant comme scientifique. Il n'empêche que cette démonstration pose une question de principe à laquelle les ultralibéraux sont incapables de répondre. « Fait-il sens, demande Jean-Paul Fitoussi, de considérer comme "optimal" un système économique qui pourrait s'accommoder de "l'exclusion définitive" d'une partie de la population ? Or cette particularité de l'économie de marché a été soulignée depuis fort longtemps, même si elle ne fut formalisée que très récemment. »

En d'autres termes, la très savante « théorie pure » que l'on invoque tous les jours ne prévoit pas, formellement, la simple survie des plus pauvres ! A l'extrémité ultime de cette belle logique, il y aurait donc la disparition physique des moins aptes ! Comment dire en termes moins diplomatiques que ce recours sentencieux au « tout marché » pour justifier le grand projet inégalitaire a partie liée non point seulement avec la « théorie pure », mais avec la pure bêtise ?

La banalisation de l'injustice

Les auteurs comme Michael Walzer, qui réfléchissent aujourd'hui sur les mécanismes de l'exclusion, parviennent à des conclusions voisines de celles – très sévères – de Jean-Paul Fitoussi. L'exclusion sociale,

policy », in *Choice Welfare and Development*, Oxford, Clarendon Press, 1995.

politique, symbolique des plus faibles n'est-elle pas l'expression ultime de l'inégalitarisme ? L'exclusion, dans son principe, est-elle si éloignée que cela de « l'extinction » ? Est-il simplement pensable que l'exclusion puisse être justifiée, comme l'avancent certains « libéraux-libertariens » ? Walzer répond évidemment par la négative. « Le mythe [libertarien] d'une exclusion juste ou justifiée, renvoyée à un avenir hypothétique, reste un mythe. Il procède d'une conception étroite de l'individu, selon laquelle toutes ses capacités sont d'un seul type. Ou bien l'individu apparaît comme systématiquement compétent et volontaire, avec toutefois des forces et des faiblesses qui sont identifiées dans les différentes sphères ; ou bien il apparaît comme systématiquement incompétent et passif, ce qui le conduit partout à des échecs. [...] Cette dichotomie radicale est une invention idéologique [49]. »

Dans le même texte, Walzer insiste sur notre responsabilité collective dans ce meurtre symbolique des plus démunis. « Nous sommes tous complices à des degrés divers », écrit-il. Qu'est-ce à dire ? Walzer exprime-t-il ainsi je ne sais quel dolorisme abusivement culpabilisateur ? Certainement pas. Il évoque simplement, me semble-t-il, le cœur du problème ; il tire la leçon ultime. Rien n'aurait été possible, en effet, aucun « projet inégalitaire » de cette nature n'aurait pu être mis en œuvre s'il n'avait profité d'un mol consentement de l'opinion, prise dans son ensemble.

Au cours des dernières décennies, nous nous sommes habitués à cet irrésistible naufrage de l'égalité. La vulgate dominante s'est peu à peu chargée de références,

---

49. Michael Walzer, « Exclusion, justice et État démocratique », *in* Commissariat général au Plan, *Pluralisme et Équité. La justice sociale dans les démocraties*, Éd. Esprit, 1995.

de représentations collectives, de tropismes ou de frilosités qui fournissaient au projet inégalitaire une sorte de légitimité. Nous nous sommes insensiblement réaccoutumés à l'injustice sociale, tout en prenant notre parti de l'arrogance des nantis, de l'ostentation du luxe, de l'avidité des « héros » de la modernité. « L'habitude du chômage, écrit par exemple Jean-Paul Fitoussi, conduit insensiblement à percevoir comme moins urgente la nécessité de le réduire. [...] Le chômage n'est dès lors que l'une des dimensions de notre résignation à la croissance des inégalités [50]. »

Évoquant, à l'autre bout du spectre social, certains phénomènes significatifs comme le retour du luxe dans le paysage symbolique, un essayiste notait pour sa part en 1998 : « Les périodes de dépression non seulement rétablissent la hiérarchie sociale, mais, en plus, semblent la légitimer. Ceux qui s'en sortent n'ont plus de complexes. "Oser le vison", la publicité des Galeries Lafayette, dans les années 80, ne dit pas autre chose : "Vous êtes riches, acceptez votre différence." [...] L'écart social n'est plus culpabilisant [51]. » Périodiquement, la presse américaine de gauche s'insurge contre une complaisance du même type, présente dans la grande presse économique d'outre-Atlantique. En février 1998, par exemple, la revue *Dissent* accusait durement les magazines *Forbes*, *Business Week* ou *Fortune* d'entretenir une vision angélique du capitalisme en présentant les puissants et les très riches comme des personnages de contes de fées ou en « vantant l'héroïsme

---

50. Jean-Paul Fitoussi, « Perfection des modèles économiques, exclusions réelles », *op. cit.*
51. Jacques Marseille, *Marianne*, 7-13 décembre 1998. Dans le même article, on apprenait qu'un colloque sur le luxe avait eu lieu les 9 et 10 décembre 1998... à la Sorbonne.

de Tartempion qui essaie simplement de gagner un ou deux misérables millions de dollars[52] ». Les mêmes remarques pourraient assurément être faites au sujet de la presse européenne.

Pour paraphraser une formule fameuse, lorsque nous mesurerons, tôt ou tard, l'étendue des dégâts, il sera difficile de dire « nous ne savions pas »…

---

52. *Courrier international*, n° 382, 26 février-4 mars 1998.

Chapitre 5

La raison arraisonnée

« Le monde compte bon nombre de "rationalistes" qui sont un danger pour la raison
vivante. »

Maurice Merleau-Ponty, *Signes*,
Gallimard, 1980.

De tous les héritages, voilà l'un des plus précieux !
De toutes les promesses des Lumières, voilà celle que
nous devrions garder, jour après jour, en mémoire. La
raison ! La raison raisonnable et mesurée ! Ce pari sur
la capacité libératrice de l'entendement humain ; cette
volonté de s'émanciper des brouillards de l'irrationnel,
des superstitions tyranniques mais tout autant des
pesanteurs de l'appartenance ou de celles, infiniment
sédimentées, de la tradition… Rien n'est plus boule-
versant que l'histoire de cette patiente conquête, dont
on peut rétrospectivement comptabiliser les progrès
– et les reculs – sur toute la durée de l'aventure occidentale.

L'émergence de la raison ne fut, à aucun moment, un
processus naturel, prévisible, irrésistible dans la marche
de l'humanité, un processus auquel il aurait suffi
d'obéir paisiblement. Elle ne fut qu'effort, volonté ten-
due, bataille souvent gagnée mais quelquefois perdue.

La raison critique fut assiégée en permanence par des forces qu'elle tenait en respect. Elle fut tout à la fois l'espérance *et* la crise, le choix de l'autonomie humaine et la critique dissolvante des mythes, rites et frontières qui bornaient celle-ci. Elle fut conquérante sur la durée mais fragile dans ses victoires ; elle fut ténue mais obstinée. Cette consubstantielle fragilité, cette exigence jamais en repos donnent tout son sens à l'effroi qui nous habite aujourd'hui, alors qu'alentour la raison vacille ou – ce qui est pire – trahit ses promesses. Disant cela, je ne parle pas seulement des mille et une régressions vers la pensée magique, la divination, l'ésotérisme ou je ne sais quel chamanisme qui prolifèrent à nouveau dans l'époque. Sans sous-estimer cette menace, on aurait tort en effet de s'en tenir à ces bouffées d'irrationnel qui surgissent partout dans le monde, avec ou sans travestissement religieux. A ces dangers du dehors, il faut ajouter ceux, tout aussi redoutables, du dedans ; ceux qui menacent *de l'intérieur* la pensée scientifique.

Comment ne serions-nous pas alarmés par ces dévoiements d'autant plus périlleux qu'ils procèdent – comme le néolibéralisme – d'une arrogance consensuelle ? De la lumineuse raison critique à la dure rationalité instrumentale, de l'esprit clairvoyant aux rigidités mécaniques de la technoscience[1], des Lumières libératrices au néoscientisme dominateur, nous sentons qu'une distance vertigineuse s'est creusée entre la promesse et son aboutissement. Là est la vraie question ; là est sans doute la principale menace. Reste à l'identifier vraiment. Comment le pourrions-nous sans nous ressouvenir brièvement de la promesse originelle ?

---

1. L'inventeur du terme « technoscience » semble être Gilbert Hottois, *Le Signe et la Technique*, Aubier, 1984.

L'apothéose grecque

La raison est la part grecque de l'héritage occidental. Et quelle part ! Elle représente cette « aura hellénistique universelle, cette apothéose du *nomos* », irradiant, de siècle en siècle, toutes les pensées qui la côtoyèrent, influençant profondément les sagesses juives ou chrétiennes tout en étant fécondée par elles. « Cette apothéose, écrit Jacob Taubes, on pouvait la chanter à la manière païenne, c'est-à-dire gréco-hellénistique, à la manière romaine, ou on pouvait la chanter à la manière juive[2]. »

Jean-Pierre Vernant raconte de manière suggestive l'émergence de la raison, au VIe siècle avant J.-C., dans les villes ioniennes. Apparaît en effet à ce moment-là une « école » nouvelle, animée par des penseurs que les Grecs eux-mêmes appelleront les *philosophes* : Thalès, Anaximène, Anaximandre, Solon… Avant eux, bien sûr, à Babylone, en Chine ou ailleurs, on connaissait une certaine forme de rationalité. Celle des Ioniens est pourtant sans équivalent. Elle est neuve et différente. C'est elle qui « va permettre, par exemple, à la science occidentale d'avancer dans des voies où les autres ne pouvaient aller[3] ». Constater cette « rupture » ne revient pas à privilégier un quelconque européocentrisme. C'est rappeler une évidence. Heidegger, sur ce point, n'avait pas tort d'affirmer : « La philosophie est grecque dans son être même ; c'est d'abord le monde grec et seulement lui qu'elle a saisi en le réclamant pour se déployer, elle[4]. »

Ce point est capital, alors que, deux millénaires et

---

2. Jacob Taubes, *La Théologie politique de Paul, op. cit.*
3. Jean-Pierre Vernant, *Entre mythe et politique*, Seuil, 1996.
4. Dans *Qu'est-ce que la philosophie ?*

demi après cette émergence, la modernité occidentale balance entre l'impérialisme mondial du *McWorld* et le doute de soi qui débouche sur la pensée différentialiste et le « politiquement correct ». Il faut donc réaffirmer dès à présent – avec modestie et prudence – que l'apparition de la raison grecque représente une indiscutable discontinuité dans l'histoire du monde, discontinuité qui continue de nous fonder et *nous engage*. « Le Papou aussi est raisonnable, mais il y a papou et grec. […] Il y a dans la philosophie quelque chose de plus précis qu'une expression de l'inquiétude humaine en général. Il y a dans la philosophie grecque "quelque chose" qui commence à apparaître[5]. » Husserl ne disait pas autre chose lorsqu'il affirmait, en désignant les cités grecques du VIᵉ siècle avant J.-C. : « L'Europe de l'esprit a un lieu de naissance spirituel. »

Comment pourrait-on, en simplifiant à l'extrême, définir la nature de cette pensée rationnelle, de cette « mise en condition » que Heidegger nommait *Einstellung*? Les premiers changements cités par Vernant nous paraissent minimes, mais c'est à tort. A côté de la forme poétique traditionnelle apparaissent d'abord au VIᵉ siècle avant notre ère – et s'imposent peu à peu – des textes en prose. De la même façon, l'expression passe du chant oral à l'écrit, ce qui correspond à une forme plus distante et plus critique. Le texte écrit délivre le lecteur de cette émotion « ensorcelée » et ensorcelante qui saisissait l'auditeur de toute poésie orale. « Un texte écrit, ajoute Vernant, est un texte sur lequel on peut revenir et qui, en quelque sorte, déclenche une réflexion critique. A cette époque, on passe d'une forme qui est narrative à une forme de textes où l'on veut rendre rai-

----

5. Jean Beaufret, *Leçons de philosophie*, Seuil, 1998, vol. 2.

son de l'ordre des choses[6]. » Gardons à l'esprit ce qui n'est pas anodin : la raison grecque procède de ce qu'on pourrait appeler une *capacité critique*. Elle est d'abord mise à distance, questionnement, doute exigeant.

Elle rompt surtout, de façon décisive, avec l'ancienne rationalité qui était fondée sur l'idée de sujétion, de pouvoir, de puissance (le *kratos*). Jusqu'alors, en effet, dans la plupart des cosmogonies traditionnelles, la « rationalité » s'enracinait dans la notion de forces rivales, de rivalités divines et d'ordre triomphant sous l'égide d'une puissance supérieure aux autres. Au sens étymologique du terme, la raison ancestrale était bien *celle du plus fort*. Dans ce type de rationalité ancienne, « le point de référence est de savoir qui est le maître du monde et pourquoi son règne ne disparaîtra pas[7] ». C'est une puissance tutélaire, celle d'un dieu ou d'une force temporelle, qui ordonnait le monde.

La raison grecque va « raisonner », si l'on peut dire, d'une tout autre manière. A la puissance, elle substitue le *principe*. Ce qu'elle va chercher derrière les apparences, ce n'est plus le dieu ou la force mais le principe fondateur de l'ordre des choses. Ainsi voit-on percer l'idée que « c'est la loi – *nomos* – qui gouverne le monde et non point Zeus ». « Pour mettre sur pied une telle conception du monde, ajoute Vernant, les Grecs ont été obligés de changer leur vocabulaire. Ils ont dû utiliser non plus les noms de divinités traditionnelles, qui étaient vues comme des puissances, mais le nom de qualités sensibles, rendues abstraites et substantialisées par l'emploi de l'article : *le* chaud, *le* froid, etc. »

Dans la perception du réel, ce « miracle » de la raison grecque introduit une innovation, un bouleversement

---

6. Jean-Pierre Vernant, *Entre mythe et politique*, *op. cit.*
7. *Ibid.*

aussi radical que pouvait l'être le prophétisme juif dans la perception du temps[8]. C'est cette innovation qui va mener aux grandes catégories philosophiques et bientôt à Platon (Ve siècle avant J.-C.). Cette rationalité nouvelle ouvre la route non seulement à ce que nous appelons la science, mais aussi à ce que les Grecs eux-mêmes appelèrent *démocratie*. Pourquoi ? Parce qu'ils ont été capables de penser la cité comme les premiers philosophes ioniens pensaient l'univers : en mettant en avant non plus le pouvoir, mais *la loi commune*. Cette loi viendra empêcher un accaparement du pouvoir, du *kratos*, par l'un des membres de la cité. L'espace civique jouera ce rôle et assurera ce fameux équilibre qui est constitutif de la pensée grecque.

Ainsi peut-on dire que, dès l'origine, *la raison a partie liée avec la liberté*, mais aussi avec la mesure et la critique. Elle est à l'opposé de toute perspective dominatrice ou, pire encore, dogmatique. La meilleure illustration en est donnée par les rapports complexes et subtils que les Grecs, inventeurs de la raison, entretiendront avec leurs propres mythes et leurs croyances religieuses. On doit à Paul Veyne la meilleure réflexion sur ce paradoxe, fondamental puisqu'il touche en dernier ressort au rapport entre croyance et raison.

Croire et savoir, tout en sachant différencier plusieurs niveaux possibles de connaissance ; apprendre à douter, tout en négociant avec son propre doute ; établir des hiérarchies et des complémentarités subtiles dans l'appréhension du monde, rien de tout cela ne semblait hors de portée des Grecs. Veyne cite, entre autres, cette ambiguïté exemplaire de Galien (grand médecin grec du IIe siècle après J.-C.) au sujet de l'existence des

8. Voir chap. 3.

centaures. D'une part, dans un grand livre sur la finalité des parties de l'organisme, il récuse qu'il pût exister des natures mixtes telles que les centaures. Mais le même Galien évoque par ailleurs, sans sourciller, l'existence du centaure Chiron, éducateur des héros. « Si notre dessein n'est pas de dogmatiser sur l'existence de Dieu ou des dieux, écrit Paul Veyne, nous devrons nous borner à constater que les Grecs tenaient leurs dieux pour vrais, bien que ces dieux aient existé pour eux dans un espace-temps secrètement différent de celui où vivaient leurs fidèles [9]. »

Ce rappel aide sans doute à comprendre pourquoi et comment les relations qu'entretiendra la raison grecque avec le judaïsme, puis avec le christianisme, et, plus tard encore, avec l'islam n'ont pas grand-chose à voir avec la prétendue opposition frontale (rationalité contre religion) que décrivent les rationalistes amnésiques d'aujourd'hui. Opposition frontale sur le terrain du temps ou de l'égalité, peut-être [10], mais sûrement pas sur celui de la raison. Le distinguo n'est pas sans importance. Paul ne plaisantait pas lorsqu'il reprochait aux païens grecs d'être « trop religieux ». « Athéniens, déclarait-il devant l'aréopage d'Athènes, je vous considère à tous égards comme des hommes presque trop religieux » (Ac. 17,22). Il est vrai que le polythéisme grec de cette époque est englué dans le rite et le sacrifice. Entre la rationalité grecque et les religions du Livre, l'imbrication est autrement profonde, la fécondation réciproque, l'interpénétration constante. Une bonne part de la pensée juive, par exemple, est profondément hellénisée depuis les conquêtes d'Alexandre.

---

9. Paul Veyne, *Les Grecs ont-ils cru à leurs mythes ?*, Seuil, 1983 ; coll. « Points Essais », 1992.
10. Voir les deux chapitres précédents.

Or le judaïsme d'Alexandrie, qui pense et lit grec, ne vit pas en termes d'incompatibilité fondamentale les relations entre la *raison* hellène et le message des prophètes.

Il faudrait une autre place pour rappeler le rôle décisif joué par un penseur comme Philon ou un historien comme Flavius Josèphe – tous deux juifs – en tant que traits d'union entre l'hellénisme majoritaire et une pensée juive à la fois irréductible et ouverte. La traduction en grec de l'Ancien Testament (la Septante) se fera comme on le sait à Alexandrie, entre 250 et 130 avant J.-C., à l'initiative du roi d'Égypte Ptolémée Philadelphe. C'est donc en grec que les premiers chrétiens liront ce qu'ils appelleront l'Ancien Testament. « Pour démontrer ses affinités profondes avec les gentils [ici, les Grecs], le judaïsme alexandrin avait parfois recours à une fiction : Platon présenté comme un disciple de Moïse. Le christianisme recueille cette fiction, mais la démonstration est pour lui moins laborieuse encore parce qu'il se met effectivement, avec plus de décision que la Synagogue, à l'école de Platon. Il le fait spontanément : ses théologiens, élevés dans le paganisme ou, du moins, formés à la pensée grecque en nourrissent leur doctrine. Les pères de l'Église du IVe siècle ont, en face des barbares, l'orgueil de leur culture grecque et de leur cité romaine [11]. »

Pour ce qui concerne la raison et la Loi, juifs et chrétiens sont convaincus que le message biblique s'inscrit *dans la logique même de la pensée grecque*. Ils assurent que la « révélation » divine donne accès à une connaissance identique à celle que les philosophes païens

---

11. Marcel Simon, *Verus Israël. Étude sur les relations entre chrétiens et juifs dans l'Empire romain (135-425)*, Éd. E. de Boccard, 1983 (1res éd. : 1948 et 1964).

recherchaient par l'étude. Cette argumentation sera utilisée aussi bien par Philon d'Alexandrie que par Paul (Rom. 1,18-31). Quoique contemporains, Paul de Tarse et Philon d'Alexandrie ne se sont jamais rencontrés. Il n'en reste pas moins qu'ils partagent un fond culturel commun : l'hellénisme. A ce titre, ils constituent des témoins et des acteurs essentiels de l'imbrication entre tradition biblique et pensée grecque. « Pour Paul comme pour Philon, la littérature juive sapientiale, canonique ou non (Sagesse dite de Salomon, Proverbes, Ecclésiaste, Siracide), constitue l'un des chaînons majeurs qui les rattachent à la pensée grecque. Il n'est pas douteux par ailleurs que le christianisme, à partir du moment où il s'adresse aux gentils, s'est en quelque sorte placé dans le sillage du judaïsme alexandrin [12]. »

On pense maintenant que les trois évangiles synoptiques ont été écrits directement en grec. Plusieurs écrivains chrétiens joueront d'ailleurs, par la suite, un rôle important dans la transmission du savoir grec en Occident. C'est le cas de Boèce (480-524), auteur d'un ouvrage fameux dont le titre indique bien le propos : *Consolation de la philosophie*. « Le discours théologique ne se satisfait pas d'un biblisme étroit et se montre soucieux de *raison*, de cohérence rationnelle : aussi c'est à l'aide du langage philosophique du temps – majoritairement néoplatonicien, mais marqué aussi par le stoïcisme – que sera élaboré le contenu du donné révélé [13]. » D'une façon générale, ceux des auteurs chrétiens des premiers siècles qu'on appellera les « apo-

---

12. Marcel Simon et André Benoit, *Le Judaïsme et le Christianisme antique. D'Antiochus Épiphane à Constantin*, op. cit.
13. Pierre Maraval, *Le Christianisme, de Constantin à la conquête arabe*, PUF, 1997.

logistes » s'attacheront à réfuter les critiques païennes en insistant sur la convergence entre la pensée grecque et ce qu'il y a de meilleur dans le christianisme. C'est le cas du plus célèbre d'entre eux, Justin Martyr, auteur du fameux *Dialogue avec Tryphon*. Pour Justin, aucun doute n'est permis, c'est à Moïse, « le premier des prophètes, plus ancien que la Grèce elle-même », que Platon emprunte, par exemple, sa doctrine de la création. Sur ce point, « l'apologie chrétienne reprend une des idées centrales de l'apologétique judéo-alexandrine [14] ».

Au XIIᵉ siècle, le grand penseur juif Moïse Maïmonide (1135-1204), qui est aussi médecin à la cour du Kurde Saladin, s'attache à concilier le judaïsme avec la philosophie aristotélicienne. Ses écrits, bien qu'ils soient contestés par les rabbins orthodoxes, joueront un rôle considérable dans l'évolution de la pensée juive.

Bien plus tard, durant la Renaissance italienne, pour ne citer que cet exemple, Côme de Médicis fondera en 1439, à Florence, une « Académie platonique », dont la curiosité artistique et culturelle entendait renouer avec la sensibilité de l'Alexandrie hellène et juive du IIIᵉ siècle. On s'attacha à concilier le message biblique et l'héritage platonicien, voire égyptien, comme le montre la figure d'Hermès trismégiste (trois fois très grand), incarnation mythique du dieu Thot à tête d'Ibis, maître du savoir et « contemporain de Moïse ». « Le religieux s'est philosophisé ; la Bible a été lue avec des lunettes platoniciennes. [...] Il y a une harmonie préétablie entre révélation juive et pensée grecque ; et

---

14. Marcel Simon et André Benoit, *Le Judaïsme et le Christianisme antique. D'Antiochus Épiphane à Constantin*, *op. cit.*

c'est pour cela que la philosophie est la vérité de la religion [15]. »

Cela ne signifie pas, loin s'en faut, que la théologie chrétienne n'ait pas été travaillée par des tentations purement fidéistes ou exclusivistes, c'est-à-dire privilégiant délibérément la foi sur la raison. Saint Anselme, au IIe siècle, soutenait qu'on ne cherche pas Dieu avec la raison, pas plus qu'on n'allume une chandelle pour regarder le soleil. Pour Luther et Calvin, la nature humaine est à ce point corrompue que la raison est infirme devant la foi, etc. Il n'empêche que la raison et la foi furent le plus souvent perçues comme appartenant à *deux ordres distincts et complémentaires de la vérité*, deux dispositions humaines capables de s'éclairer l'une l'autre. Pour ce qui concerne le judaïsme, la Torah insiste sur la pluralité des interprétations et la quête, *jamais achevée*, de la vérité. La définition qu'il donne de l'idolâtrie est éclairante sur ce point. « Pour la Bible, écrit Stéphane Mosès, les idoles ne sont pas les croyances des autres ; ce sont toutes les croyances, les nôtres y compris, lorsqu'elles sont figées, fétichisées, soustraites au processus infini de la recherche du sens [16]. »

Éloge de la raison critique

Dans nos polémiques contemporaines, dans nos jugements à l'emporte-pièce sur ce que nous appelons « l'irrationalisme religieux », nous oublions volontiers cette cohabitation attentive des origines, cette com-

---

15. Jean Beaufret, *Leçons de philosophie*, Seuil, 1998, vol. 2.
16. Stéphane Mosès, *L'Éros et la Loi. Lectures bibliques*, *op. cit.*

plémentarité complexe mais foisonnante entre raison grecque et croyance biblique. Dans la sensibilité des premiers siècles, « la critique ne peut compromettre la foi. Au contraire : la liberté d'être critique, c'est-à-dire tout d'abord à l'égard de soi-même, découle de la liberté de la foi. C'est pourquoi l'historiographie du christianisme primitif devrait faire usage de cette liberté[17] ».

Le cas de l'islam est plus révélateur encore. Aujourd'hui, alors que le fondamentalisme massacreur déshonore l'héritage coranique et incarne *de facto* la barbarie, nous avons du mal à nous souvenir du rôle décisif joué par ce même islam dans la propagation et le succès de la pensée rationnelle dans l'Occident médiéval. La science arabe a joué un rôle bien plus important qu'on ne le croit d'ordinaire, qu'il s'agisse de l'algèbre, de l'arithmétique, de la trigonométrie, de la géométrie, etc. On pense même que le chercheur al-Tusi, pour citer un exemple, exerça une influence décisive sur Copernic[18].

Pendant une longue période, et jusqu'à l'aube des Lumières, un Averroès a incarné la rationalité philosophique aux yeux des universitaires européens, de Paris à Padoue. De livre en livre, un spécialiste comme Alain de Libera (pour ne citer que lui) s'efforce de rendre justice à l'islam, en nous rappelant ce que l'Occident lui doit sur le chapitre de la raison. « Le fait est là : c'est l'islam d'Andalousie qui a transmis aux Latins non seulement la philosophie des Grecs. [...] C'est par les traductions faites à Tolède du corpus scientifique arabe que "l'Occident" a acquis, dans les

---

17. François Vouga, *Les Premiers Pas du christianisme*, *op. cit.*
18. Voir le monumental ouvrage en trois volumes : Roshdi Rashed (sous la direction de), *Histoire des sciences arabes*, Seuil, 1997.

années 1150, une grande partie des savoirs qui ont permis ensuite à l'université médiévale d'exister : psychologie, philosophie de l'esprit, physique, métaphysique, ontologie, sciences naturelles, optique [19]. »

Dans ce message transmis par les philosophes musulmans, la raison grecque n'est jamais considérée comme une pure et tyrannique rationalité. Elle est aussi (surtout ?) « subversion du consensus », pour reprendre l'expression judicieuse de Libera. Elle est inséparable de la liberté spirituelle et de ce que nous appelons aujourd'hui la tolérance. Elle récuse en d'autres termes l'unanimisme autoritaire, la sujétion dogmatique. Pour exister, « la philosophie doit être libre, donc multiple, car on ne peut contraindre le raisonnement ». Quant à la théologie, elle se condamne elle-même dès lors qu'elle prétend indiquer une « voie unique ». « L'apologète, dont le but proclamé est de "défendre la religion contre ses ennemis", n'a qu'une fonction réelle : produire des "ennemis de la religion", comme, en d'autres temps, le psychiatre a produit le fou, et le policier le criminel [20]. »

C'est ce fil rouge qu'il faut tenir en main, cette *exigence critique* véritablement fondatrice qu'il faut garder à l'esprit lorsqu'on évoque le difficile cheminement ultérieur de la raison à travers l'histoire occidentale. Ceux qui s'emploient, comme François Châtelet, Peter Brown ou Charles Taylor, à le reconstituer insistent à juste titre sur la radicalité de cette exigence. Une exigence d'autant plus précieuse qu'elle s'opposera sans relâche aux funestes et fréquentes rétractations cléricales ou théologiques. Celles, catholiques, qui firent condamner un précurseur chrétien comme Copernic ;

---

19. Alain de Libera, « Le don de l'islam à l'Occident », in *L'Occident en quête de sens*, *op. cit.*
20. *Ibid.*

celles, rabbiniques cette fois, qui valurent à Spinoza d'être expulsé de la Synagogue, après son *Traité théo-logico-politique*, publié anonymement en 1670. Celle, encore, qui faisait dire à Luther « cette putain », lorsqu'il parlait de la raison dogmatique. La raison ne combat point tant la croyance en elle-même que la *clôture*. Bien des combats exemplaires de la raison contre le dogmatisme se déroulaient ainsi à l'intérieur même de la foi et non pas contre elle. (Ce qui, rétrospectivement, rend d'autant plus condamnable le dogmatisme religieux qui prétendait la museler.)

Ce fut le cas de Galilée, bon chrétien, fils respectueux de l'Église, mais que la hiérarchie condamna néanmoins, et abusivement. On pourrait dire la même chose de Montaigne, apologue du doute et de la liberté critique, mais dont les *Essais* sont néanmoins truffés de révérences explicites à la foi chrétienne [21]. D'une tout autre manière, un Rabelais (1494-1553), grand dynamiteur des dévotions hypocrites et des bigoteries moralisantes, n'en est pas moins un farouche défenseur de la foi. Mieux encore, à une époque où le christianisme éclate en guerres fratricides, les héros rabelaisiens, pétris d'évangélisme, « entendent réhabiliter le chrétien dans sa liberté » et promouvoir la figure d'« un sujet de raison et de désir qui vit sa foi dans son cœur ». La liste pourrait être allongée à l'infini. Newton, génial mathématicien, découvreur de la gravitation et cofondateur de la science moderne, fut aussi un grand mystique et

---

21. Je pense notamment au chap. 12 du Livre II : « Apologie de Raymond Sebon » (auteur d'un livre intitulé *Theologia naturalis sine liber creaturarum magistri Raymondi Sabone* : La Théologie naturelle ou le livre des créatures de maître Raymond Sebon). Montaigne y fustige les chrétiens infidèles aux valeurs de la religion. Le chapitre s'achève sur une référence à « notre foi chrétienne ».

écrivit des livres de théologie. Sur la question du *cogito* et de l'intériorité, le grand Descartes, en qui Hegel voyait le fondateur véritable de la modernité, est aussi l'héritier direct d'Augustin. « Descartes est à maints égards profondément augustinien », rappelle Charles Taylor, on peut même situer son apport « dans le renouveau de la piété augustinienne qui domina la fin de la Renaissance ». Et cela, même si, incontestablement, « cette conception nouvelle de l'intériorité, une intériorité qui se suffit à elle-même, de pouvoirs autonomes qui régissent l'ordre de la raison, a *aussi* préparé le terrain à l'incroyance moderne ».

On pourrait tout aussi bien évoquer Kant et son rationalisme critique, au sujet duquel François Châtelet écrit : « La raison n'a qu'un seul usage théorique, cognitif, celui de se *critiquer elle-même*, d'être capable de se fixer des limites [22]. » On pourrait citer à nouveau le cas de Hegel, pour qui le christianisme « participe à la construction de l'esprit de l'humanité » et « prépare à découvrir l'infini de la raison, de l'esprit qui se sait lui-même ». La leçon hégélienne, à rebours des interprétations simplificatrices, est bien que « le théologico-religieux a été une des conditions de possibilité du rationnel, et la culture contemporaine en reste si profondément imprégnée que l'on doit pouvoir retrouver du théologique dans la raison et dans l'usage de la raison [23] ». Quant au déisme qui s'épanouit au XVIIIᵉ siècle – notamment dans la postérité de John Locke – et ouvre la voie au laïcisme des Lumières, il se caractérise, pourrait-on dire, par une approche rationnelle de la foi et non par le refus de celle-ci. « C'est une idée capitale

---

22. François Châtelet, *Une histoire de la raison, op. cit.*
23. J'emprunte ces formulations à Jean-Marie Vincent, *Max Weber ou la démocratie inachevée, op. cit.*

La science

Dans une page saisissante, Alphonse Dupront décrivait ainsi l'extraordinaire *concomitance* des inventions et découvertes scientifiques durant la seconde moitié du XVIIIe siècle.

Les Lumières, à ses yeux, furent un « phénomène éruptif, qui charge la chronologie et qu'il faut saisir de façon brute, sous son aspect quasi quantitatif, et européen. La même année, 1767, James Watt achève la construction de sa machine à vapeur, qu'il vend huit ans plus tard à Wilkinson, et J. B. Priestley publie son *Histoire de l'électricité*. Nous sommes dans l'île anglaise, en tête d'une "révolution industrielle". Mais tout juste quatre ans après, Monge définit la géométrie analytique et Lavoisier analyse la composition de l'air. De 1774 datent les études de Priestley sur l'oxygène et la construction par Herschel de son grand télescope ; de deux ans postérieures sont les tentatives de Jouffroy d'Abbans sur le Doubs pour faire naviguer un bateau à vapeur. Les *Époques de la nature* de Buffon sont de 1778 ; la même année, Lamarck commence la publication de sa *Flore française*, publication qui durera jusqu'en 1795 ; en 1789, sort le *Genera Plantarum* de Jussieu.

A peine quelques années encore, la chronologie enregistre sans répit les "inventions", où se fait la science contempo-

du déisme, tel qu'il s'est développé, que Dieu s'adresse aux êtres humains comme à des êtres rationnels, que ses objectifs respectent pleinement leur raison autonome [24]. »

Tous ces rappels sont-ils de pure forme ? Sont-ils

24. Charles Taylor, *Les Sources du moi, op. cit.*

et les Lumières

raine : 1781, Herschel découvre la planète Uranus ; en
1783, deux ans après, Lavoisier réalise l'analyse de l'eau ;
Berthollet celle de l'ammoniaque en 1785. Durant ces
mêmes années, monte dans le ciel d'Annonay, puis de
Paris, la montgolfière ; Blanchard traverse la Manche en
ballon ; le mont Blanc est gravi pour la première fois. Les
grands traités, définisseurs de sciences neuves, sont autant
d'inventions capitales : *Mécanique analytique* de Lagrange
(1787) ; *Traité de statistique* de Monge (1788) ; *Traité de
chimie* de Lavoisier (1789), ou de 1792, le *De viribus elec-
tricitatis*, de l'Italien Galavani. On pourrait aussi inscrire
dans ce condensé chronologique les découvertes techniques ; la densité de sortie ou d'apparition est la même.
Plus le siècle touche à sa fin, plus le progrès d'apparition
semble s'accélérer ; plus exactement, disons : le grand
éclatement découvreur se situe dans les décennies 1770-
1780, soit peu avant les événements révolutionnaires.
De toute évidence, ce foisonnement découvre une "puissance" inventrice et créatrice d'une étonnante vitalité.
Rarement épidémie a été plus violente, plus éclatante,
donc plus nécessaire ».

Alphonse Dupront,
Qu'est-ce que les Lumières ?, *op. cit.*

superflus ? Certainement pas. Ils nous aident à comprendre la nature exacte de la raison raisonnable et à
mieux identifier la vraie promesse dont l'esprit scientifique se voulut porteur. La science, en effet, incarna aux
XVIIe et XVIIIe siècles des valeurs non seulement spécula-
tives, mais libératrices. Jean-Marc Lévy-Leblond, adver-
saire résolu du scientisme dogmatique d'aujourd'hui,

rappelle à juste titre cette dimension « militante » et intrépide de l'esprit scientifique originel : « C'est précisément de sa jeunesse, de sa fragilité, de son immaturité même que la science tenait cette capacité offensive. En leur commune adolescence, science et démocratie avaient en effet partie liée. Il n'y a de liberté, d'égalité et de fraternité que – toujours à regagner – contre les pouvoirs dominants [25]. »

Sans doute l'esprit scientifique se trouva-t-il menacé, dès le début, par une tentation totalisante, résultant du « projet mathématique de la nature ». Il lui fallut donc apprendre à cohabiter avec différents contrepoids (croyances, poésie, morale, mesure…) susceptibles de « maintenir le spectre totalitaire à distance [26] ». De ce point de vue, l'empire de la raison est un peu comparable à celui du marché : il n'est libérateur que lorsqu'il accepte par avance sa propre incomplétude, lorsqu'il ne perd jamais de vue ses limites. Par définition, la raison n'est raisonnable que quand elle est modeste…

Le retour d'un monde clos

Est-ce encore le cas aujourd'hui ? Nous savons bien que non. Dans le triomphalisme technicien qui occupe désormais, à lui seul, tout le terrain de la modernité, nous percevons une ivresse globalisante, un dédain de ce qui lui est extérieur, un refus de toute limite qui n'a plus rien à voir avec la raison critique. La rationalité

---

25. Jean-Marc Lévy-Leblond, *La Pierre de touche. La science à l'épreuve*, op. cit.
26. J'emprunte ces réflexions à Jean-Pierre Lebrun, *Un monde sans limite. Essai pour une clinique psychanalytique du social*, Érès, 1997.

instrumentale, comme le marché, est devenue canni-
bale. Elle dévore peu à peu ce qui lui est opposé. Elle
prétend occuper l'intelligence du monde, jusque dans
ses derniers recoins. C'est dans cette perspective que
doit se comprendre la remarque de Léo Strauss : « Le
"totalitarisme" d'aujourd'hui est essentiellement fondé
sur des "idéologies", et en dernière analyse sur une
science vulgarisée ou dévoyée [27]. » On compte sur l'excroissance scientifique et technicienne, et sur elle seule,
pour porter sur ses épaules tout ce qui reste de l'espérance humaine. Après la faillite des messianismes idéologiques ou religieux, elle incarnerait l'ultime projet
imaginable ou praticable, le dernier horizon vers lequel
diriger nos pas. Dans l'effroi indéfinissable qui nous
habite face à cette injonction, je vois au moins trois
composantes.

Il y a d'abord l'idée de totalité. Cette totalité-là,
impérieuse, nous la percevons déjà comme une cage
d'acier. En son nom, on nous enjoint de congédier tout
le reste pour mieux nous incarcérer dans une réalité
unidimensionnelle et mathématique, à l'opposé de
« l'univers infini » qu'évoquait Alexandre Koyré lorsqu'il décrivait le triomphe des Lumières et de la raison
libératrice dans son livre *Du monde clos à l'univers
infini* [28]. La technique contemporaine, en récusant toute
spiritualité, réinvente, mais pour son propre compte
cette fois, la *clôture* dont la raison devait précisément
nous libérer. « Le monde du scientisme est étouffant »,
observe François Lurçat en rappelant de quelle manière
un Levinas ou un Rosenzweig avaient cherché à briser

---

27. Léo Strauss, *La Persécution ou l'art d'écrire*, Presses Pocket,
1989.
28. Alexandre Koyré, *Du monde clos à l'univers infini*, Gallimard, 1973.

« le cercle de fer de la totalité, dans lequel le scientisme actuel nous enferme à nouveau [29] ».

Ironie de l'histoire : c'est au moment même où l'époque révoque ostensiblement tout discours globalisant qu'elle nous enjoint d'adhérer à une perception du monde qui se révèle, en dernière analyse, plus globalisante encore qu'aucune autre avant elle. Le système technicien, observait Jacques Ellul, se constitue lui-même en système symbolique et ne cesse de s'autojustifier en fabriquant ses propres représentations. C'est aussi ce paradoxe que Dominique Janicaud met en évidence lorsqu'il reproche à la rationalité technicienne d'aujourd'hui de « précipiter la ruine de ce qu'elle voulait sauver ». Et Janicaud le fait, à juste titre, *au nom même de la raison*. « Une pensée lucide (encore rationnelle), écrit-il, peut et doit proclamer que la rationalisation *intégrale* de la vie est le projet le plus démentiel de l'Histoire [30]. »

L'éthologue Boris Cyrulnik exprime la même inquiétude et dénonce la même prétention totalisante lorsqu'il compare – sur un mode plus facétieux – les différentes définitions du malheur humain. « Le Moyen Age nous racontait que le malheur sur terre, dans une vallée de larmes, nous permettait d'espérer le bonheur, ailleurs. Le XIXᵉ siècle nous expliquait que le bonheur, ça se mérite et que les malheureux sont à leur place, puisqu'ils ont échoué dans la conquête de cette faveur. Aujourd'hui, le discours qui légitime nos prouesses techniques nous demande de croire que le malheur est une maladie due à une chute de sérotonine [31]. »

---

29. François Lurçat, *L'Autorité de la science*, Cerf, 1995. C'est à cet excellent livre que j'emprunte ces notations sur la clôture.

30. Dominique Janicaud, *La Puissance du rationnel*, *op. cit.*

31. Boris Cyrulnik, *L'Ensorcellement du monde*, Odile Jacob, 1997.

Le principe de Gabor

Le deuxième fondement de notre inquiétude vient du *caractère immaîtrisé* du processus technicien. Il est un peu comme la créature ayant échappé à ses créateurs. Vertigineuse, fourmillante, conquérante, la technoscience incarne dorénavant un pur mécanisme auto-engendré, une avidité boulimique que rien ne domestique ni n'oriente. Fragmentée, complexifiée, informatisée, la rationalité technicienne s'éloigne à grande vitesse de la simple hypothèse de son contrôle, même partiel, par la raison humaine. Elle est une pure prolifération dont nous ne pouvons que prendre acte. C'est en tout cas l'attitude que nous assigne le « technodiscours » contemporain, forme dégradée, appauvrie, dogmatisée de la raison discursive. « La science ne pense pas », disait déjà Heidegger. Il est clair qu'aujourd'hui elle « pense » de moins en moins…

« Il est [même] possible, et sans doute même plausible que nous entrions dans une période où la science, devenue technoscience de par son engagement pratique, disparaisse sous cette technique qu'elle a transformée, comme un fleuve parfois disparaît sous les éboulements des parois mêmes du lit qu'il a creusé [32]. »

Ceux qui réfléchissent à ce mécanisme désormais autonome par rapport à la raison elle-même connaissent ce qu'on appelle parfois le « principe de Gabor ». Énoncé dès le milieu des années 60 par l'essayiste Dennis Gabor, ce principe se formule ainsi : dans la logique technicienne, « tout ce qui est techniquement faisable doit être réalisé, que cette réalisation soit jugée mora-

---

32. Jean-Marc Lévy-Leblond, *La Pierre de touche. La science à l'épreuve*, op. cit.

lement bonne ou condamnable [33] ». La technique l'emporte sur le savoir. Elle est en position de dicter ses raisons, d'imposer son rythme, de fixer elle-même ses ambitions et ses priorités. « Chaque concept s'est fait chose, chaque idée s'est faite machine. Le geste a oublié l'intention » (Lévy-Leblond). Les avancées techniciennes obéissent désormais à une logique propre et ne sont plus gouvernées par ce qu'on appelait traditionnellement un « savoir ». On peut même se demander si, dans ce contexte, il est encore légitime de parler d'une pensée ou d'une culture scientifiques. Sans doute ces notions sont-elles devenues, à notre insu, dérisoires.

Troisième ambiguïté, enfin, celle qu'on pourrait qualifier d'impunité politique et morale de la technoscience, seule idéologie du siècle à n'être jamais réellement questionnée sur le terrain des valeurs. Des chercheurs comme Jean-Marc Lévy-Leblond ou Jacques Testard dénoncent régulièrement – et à juste titre – cette étrangeté qui voit la science sortir indemne d'un siècle qui aurait dû, au moins, tempérer son arrogance. C'est peu de dire, en effet, que la prétention scientiste s'est *compromise* dans le passé avec les idéologies totalitaires. Avec le communisme, évidemment, mais également avec le nazisme. A côté du « sentiment » et du kitsch esthétisant nazi, il y eut *aussi* une prétention scientifique hitlérienne : biologie, procréation, racisme « scientifique », etc. Alain Finkielkraut a bien montré de quelle façon Hitler avait ainsi embarqué la science dans son entreprise à la fois folle et terriblement scientifique [34]. L'Allemagne nazie voulut être à la fois *plus scientifique et plus barbare* que l'Angleterre ou la France.

---

33. Dennis Gabor, *Inventing the Future*, Penguin, 1964.
34. Alain Finkielkraut, *L'Humanité perdue. Essai sur le XXᵉ siècle*, *op. cit.*

Un ouvrage collectif, publié en 1993, donnait d'innombrables exemples concrets de cette funeste cohabitation [35]. La rationalité, dès lors, ne devrait plus pouvoir être mécaniquement assimilée à la raison ou à la civilisation. Or, curieusement, cet enrôlement de la rationalité au service de la tyrannie, la certitude d'avoir – scientifiquement – raison sur fond de massacre n'a guère nourri de réflexion rétrospective, ni débouché sur la moindre repentance.

A cause de cela, les rationalistes font sourire lorsqu'ils chargent le « religieux » de toutes les turpitudes ou quand ils reprochent à l'Église catholique le caractère tardif de ses repentances…

Michel Serres évoque parfois, à ce sujet, la rupture morale que constitua, pour les démocraties elles-mêmes, la destruction d'Hiroshima et de Nagasaki, apothéose de l'habileté scientifique et technique. A ses yeux, cette acceptation du « mal » technologique nous a introduits, voilà plus d'un demi-siècle, dans une ère historique nouvelle, tout comme la chute de Troie avait mis fin à l'ancienne histoire grecque. Cette rupture eût exigé d'être au moins pensée et maîtrisée. Elle conviait l'humanité à s'interroger sur sa propre puissance. Or, on n'y consentit guère, hormis quelques cas individuels exemplaires, comme celui de plusieurs physiciens américains, dont Julius Oppenheimer (1904-1967), directeur du Centre de recherches nucléaires de Los Alamos, qui refusa de travailler à la bombe H et fut accusé de collusion avec les communistes, avant d'être – très tardivement – réhabilité.

Cette « étourderie » ontologique au sujet d'Hiroshima fut, comme funeste épilogue de la Seconde Guerre

_____

35. Josiane Nathan (sous la direction de), *La Science sous le Troisième Reich*, Seuil, 1993.

mondiale, la marque même de l'impunité morale, auto-proclamée, de la technoscience. « La prudence angoissée aurait pu être relayée par la mesure de la raison : la décision d'un moratoire général et la mise en place de contrôles internationaux extrêmement stricts. A défaut de trembler devant les cent mille soleils, on eût été kantien. A quoi assista-t-on ? Le frisson sacré des premiers témoins devint un objet de curiosité dans la chaîne des flashes d'information. L'horreur elle-même, détaillée, médiatisée, ennuya. Vint Bikini : on en fit un maillot de bain [36]. »

Aujourd'hui, la même compromission et la même étourderie sont à l'œuvre. Voilà que se trouve paisiblement oubliée cette dimension critique qui est pourtant constitutive de la raison. La science est spontanément créditée d'une positivité, d'un cousinage avec le « bien », le progrès, la lumière, et cela sous l'effet d'un optimisme naïf (ou calculateur). Or tout devrait nous détourner de cette outrecuidance. L'Histoire contemporaine nous montre en effet qu'aujourd'hui comme hier la science moderne, privée de sa capacité critique, s'accommode parfaitement des nouveaux fanatismes, tyrannies ou totalitarismes. Il y a *compatibilité* parfaite entre la technoscience − incapable de produire des valeurs humanistes − et la barbarie qui récuse ces dernières.

Veut-on des exemples ? Dans le monde musulman, les facultés des sciences ont été, comme on le sait, les principales pourvoyeuses de militants fondamentalistes. En Turquie ou au Maroc, les scientifiques sont souvent majoritaires dans les mouvements intégristes les plus radicaux. En Malaisie, une formation clandestine comme le *Jema'ah Islam Malaysia (JIM)* est

---

36. Dominique Janicaud, *La Puissance du rationnel*, *op. cit.*

d'abord apparue dans les départements scientifiques des campus britanniques et américains. Certains organisateurs des attentats du Hamas palestinien de Cisjordanie ou Gaza étaient ingénieurs. En Israël même, les juifs orthodoxes les plus intolérants (parmi lesquels l'assassin de Yitzhak Rabin, le 4 novembre 1995) sont souvent des techniciens en informatique de haut niveau. Quant à la secte japonaise Aum Shinri-Kyo, responsable d'un attentat au gaz mortel le 20 mars 1995, dans le métro de Tokyo, elle compte dans ses rangs une forte proportion de jeunes scientifiques très qualifiés. La secte s'enorgueillissait d'ailleurs de posséder à Kamikuishiki, près du mont Fuji, laboratoires et usines capables de mettre en œuvre des technologies de pointe [37].

Tout cela ne signifie évidemment pas que la pensée scientifique soit, par essence, maléfique. L'erreur des illuminés de tout poil est précisément de colporter cette contrevérité pour justifier leur retour pur et simple à l'irrationnel. En revanche, créditer la science d'une supériorité morale de principe – en l'opposant notamment aux religions constituées – procède d'un aveuglement symétrique et tout aussi condamnable.

Bouvard et Pécuchet ressuscités

C'est pourtant bien ainsi que procède le discours dominant. Non seulement il dispense la science de toute autocritique, mais il se complaît à réinventer les débats positivistes du XIXe siècle. Et avec quelles délices ! La presse, le flux télévisuel, les essais publiés, les revues elles-mêmes prennent un étrange plaisir à ressusciter les

---

37. Une partie de ces exemples sont cités par Jean-Marc Lévy-Leblond, *La Pierre de touche. La science à l'épreuve*, *op. cit.*

fameuses confrontations du type : Dieu face à la science, raison contre foi, croyance contre rationalité, etc. Dans la plupart des cas, il s'agit de réaffirmer avec une condescendance attendrie – mais infatigable – la supériorité de la démarche scientifique sur toutes les autres. Quelles qu'elles soient...

Il est vrai que ces confrontations rabâchées constituent, depuis le XIXe siècle, « un des lieux favoris de l'apologétique catholique et de la polémique antichrétienne ». Un débat assez vain dans son principe, mais qui renaît sans cesse de ses cendres. « Sur ce thème, on peut argumenter à l'infini, aligner les noms de "savants croyants" – qui n'ont jamais manqué –, accumuler les dossiers contentieux, rien ne dissipe le malaise devant ce débat en porte-à-faux [38]. »

Jean-Marc Lévy-Leblond n'a pas tort d'évoquer à ce sujet le *Bouvard et Pécuchet* de Gustave Flaubert. Au moins ce roman – daté mais éternel – nous permet-il de comprendre qu'il existe aussi *une bêtise proprement scientifique*, même si celle-ci est le plus souvent refoulée ou niée : cet aveuglement « de qui suit son sillon sans se laisser distraire ». A ce titre, en effet, les deux sots ratiocinants campés par Flaubert nous apparaissent comme étrangement contemporains. « Ces œillères bovines, Bouvard (le bien nommé) et Pécuchet les portent, et même s'ils n'arrivent jamais au bout de leurs labours successifs, ils ont en tout cas la myope détermination de ceux qui retournent la glèbe du monde avec une science plus efficace [39]. »

Loin de moi l'idée de rapprocher les figures embléma-

---

38. Émile Poulat, *Liberté, laïcité. La guerre des deux France et le principe de la modernité*, Cerf/Cujas, 1988.
39. Jean-Marc Lévy-Leblond, *La Pierre de touche. La science à l'épreuve*, *op. cit.*

tiques de Bouvard et Pécuchet de celle d'un chercheur aussi éminent que Claude Allègre, nommé ministre de l'Éducation nationale du gouvernement Jospin en 1997. Il n'empêche qu'on trouve dans ses écrits des modes de raisonnement, des simplifications, voire des témoignages de fatuité scientifique assez proches de ce positivisme ingénu moqué jadis par Flaubert. La fonction ministérielle exercée par ce chercheur devenu décideur justifie que l'on s'y arrête un moment.

En 1997, Claude Allègre publie un livre au titre relativement pompeux : *Dieu face à la science* (Fayard). Dans une langue rajeunie, il s'agit en réalité d'un pamphlet anticlérical assez classique – façon XIXe siècle – où le dogmatisme des religions, l'obscurantisme de l'Église et même du christianisme sont dénoncés avec vigueur. Lisant ces pages, on pense irrésistiblement à certaines proclamations du siècle dernier, comme celle d'Émile Vacherot : « La science, voilà la lumière, l'autorité, la religion du XIXe siècle [40]. » Le texte de Claude Allègre est néanmoins en parfait accord avec la sensibilité du moment. Le consensus médiatique lui fait fête.

L'année suivante, un théologien, bibliste renommé et professeur honoraire à l'Institut catholique de Paris, écrit en réponse un petit livre très érudit, au ton plus amusé que vindicatif [41]. L'auteur y pointe les innombrables bévues, erreurs factuelles, interprétations malveillantes ou biaisées, contresens historiques accumulés par Claude Allègre. Qu'il s'agisse du péché originel, de ses allusions erronées au concile de Trente

40. Dans un livre publié en 1859 sous le titre *La Démocratie* ; cité par Philippe Portier, *Église et Politique en France au XXe siècle*, Montchrestien, 1993.
41. Pierre Grelot, *La Science face à la foi. Lettre ouverte à Monsieur Claude Allègre, ministre de l'Éducation nationale*, Cerf, 1998.

(qui aurait décidé de « l'infaillibilité pontificale » !), de ses références absurdes à certains théologiens modernistes prétendument persécutés, comme Duns Scot, Guillaume d'Occam, Nicolas Oresme, Jean Buridan, etc. L'auteur suggère à Claude Allègre de se reporter aux textes et aux auteurs qu'il cite sans les connaître. Il va même jusqu'à lui indiquer – sur les principaux points – les références bibliographiques exactes.

Il faut ajouter que ce livre-là n'aura quasiment aucun écho, sauf dans la presse catholique. Les quelques milliers de lecteurs de Claude Allègre demeurent donc convaincus, à ce jour, d'avoir beaucoup « appris » sur les « errements » du christianisme. L'anecdote n'est pas dramatique, assurément. Elle me semble révélatrice de ce nouveau dogmatisme scientifique, si assuré de lui-même que, dans son intrépidité rationalisante et antireligieuse, il en arrive à tirer argument de sa propre ignorance. La démarche est paradoxale pour qui, ministre ou pas, entend parler au nom du savoir…

En réalité, le débat important n'est plus celui, grandiloquent, qui oppose la science aux autres démarches culturelles ou spirituelles. Il consiste à confronter la pensée scientifique contemporaine *à ses propres promesses*, à ses propres postulats, à ses propres dérives. Ce n'est pas tant d'une parade claironnante et narcissique que la pensée scientifique a besoin, mais d'une démarche critique et même autocritique. Or le « match » pittoresque – et si médiatique ! – contre Dieu, la croyance ou la religion remplit une fonction contraire : il dispense la technoscience de s'interroger sur elle-même et sur la vacuité idéologique dans laquelle son autisme l'emprisonne. En d'autres termes, il brouille opportunément l'ordre des priorités.

« Si la mentalité commune était religieuse il y a trois siècles et demi comme il y a vingt-cinq siècles, elle ne l'est plus aujourd'hui. Pour que la pensée des spécialistes soit libre, ce ne sont plus tellement les dieux qu'ils devraient laisser à la porte, mais plutôt la pensée vulgaire, façonnée par les médias et la publicité. Ceux-ci, en effet, […] nous inculquent aussi une morale, une vision du monde et de l'homme, bref une idéologie, à laquelle les scientifiques n'échappent pas [42]. »

La superstition scientiste

Superstition ? Bien sûr, ce mot appliqué à la science révèle une intention polémique. On attribue ordinairement la paternité de cette expression à la philosophe Jeanne Hersch [43]. Mais c'est un chercheur américain, Jacques Barzun, qui le premier désigna la science elle-même comme « superstition [44] ». Était-ce illégitime ? Je ne le pense pas. Que l'on songe, pour s'en convaincre, à la violence à peine contenue du nouveau plaidoyer scientiste, telle qu'elle affleure dans la plupart des textes. Je pense, par exemple, à ce fameux appel de Heidelberg, adressé par plusieurs centaines de scientifiques aux chefs d'État et de gouvernement réunis à Rio en juin 1992. Cet appel, largement financé par de grands laboratoires pharmaceutiques, entendait dénoncer « l'émergence d'une idéologie irrationnelle qui s'oppose au progrès scientifique et industriel et nuit au développement économique et social ». En réalité, il

---

42. François Lurçat, *L'Autorité de la science*, *op. cit.*

43. Dans un article intitulé « Sur la notion de race » et publié dans la revue *Diogène*, en juillet-septembre 1967. Jeanne Hersch est notamment l'auteur de *L'Étonnement philosophique : une histoire de la philosophie*, Gallimard, 1993.

44. Jacques Barzun, *Begin Here*, University of Chicago Press, 1991 ; cité par François Lurçat, *L'Autorité de la science*, *op. cit.*

s'agissait surtout de récuser – au nom de la recherche et de la « liberté scientifique » – toute forme de régulation éthique, écologique ou politique de la technoscience.

Cet appel fit l'objet d'innombrables réactions et commentaires. Il était révélateur de cette rigidité idéologique du néoscientisme, prompt à dénigrer toute mise en garde adressée à la science, au nom de la prudence, de la raison, voire du bon sens. Ce rejet *a priori* de toute limitation et moratoire imposés à la recherche révèle, en creux, un parti pris qui n'est pas éloigné, en effet, de la superstition pure et simple. « La science dans le monde actuel demeure dans une certaine mesure une science authentique ; mais elle est devenue une superstition. La recherche, vraie ou fausse sciences confondues, se développe à un rythme frénétique ; les chercheurs forment ce qu'on appelle une foule psychologique, où personne ne se donne les moyens d'une réflexion personnelle sur les conséquences de cet emballement [45]. »

Je me contenterai de citer, avec prudence, quelques cas significatifs.

Celui de Jean-Pierre Changeux, ancien président du Comité national d'éthique, n'est pas le moins intéressant. Auteur comblé et célébré de *L'Homme neuronal*, publié en 1983 [46], Changeux redonna à un néoscientisme rénové et sûr de lui une audience et un statut médiatiquement hégémoniques. Sans doute ses hypothèses rejoignaient-elles la sensibilité du moment, toujours est-il qu'elles furent accueillies avec faveur. Récusant l'existence même de « l'esprit » dans son acception traditionnelle, résumant la notion de personne à une pure alchimie neuronale, il reformulait à frais nouveaux – en s'appuyant sur les inimaginables

45. François Lurçat, *ibid.*
46. Éd. Odile Jacob.

progrès de la biologie – le vieux postulat positiviste, en l'accompagnant d'une critique à peine voilée des traditions religieuses, spirituelles ou simplement « idéalistes ».

C'est dans un dialogue ultérieur avec le philosophe protestant Paul Ricœur que Jean-Pierre Changeux exprimera plus nettement encore ce qu'on pourrait appeler le « noyau dur » de sa conviction. « Il n'y a pas d'inconnaissable, mais seulement de l'inconnu [47]. » Autrement dit, les questions humaines fondamentales sont essentiellement le produit d'une ignorance provisoire, d'un brouillard résiduel que la science dissipera un jour ou l'autre. A ses yeux, il n'existe donc pas d'inquiétude métaphysique, de conviction éthique ou d'ontologie que la science ne parvienne, tôt ou tard, à tirer au clair. La science et elle seule…

Cet optimisme rationaliste – ou cette suffisance – entraîne des conséquences dont on mesure mal la portée. Il remet en question toute « croyance » qui se voit rétrogradée au rang d'ignorance ou de superstition temporaire. Dans l'univers clos du scientisme, les concepts mêmes de liberté, de choix, d'idéalisme ou de convictions perdent, à la limite, tout statut véritable. Ils sont frappés d'obsolescence. L'individu est mécaniquement renvoyé à son naturalisme biologique et à son incapacité à se former un *jugement*. La rationalité scientifique, comme mode de connaissance, se voit investie d'un magister disqualifiant tous les autres. Elle est « totalitaire » en ce sens qu'elle ne reconnaît aucune légitimité aux autres façons (intuitives, poétiques, métaphysiques, mystiques ou autres) d'appréhender le réel. Elle cadenasse, au sens propre du terme, l'horizon du savoir.

---

47. Jean-Pierre Changeux et Paul Ricœur, *La Nature et la Règle*, Odile Jacob, 1999.

Changeux, sans le dire aussi brutalement, expulse ainsi une bonne part de la culture humaine, rejetée vers l'archaïsme de la pensée magique.

Il y a évidemment quelque chose d'effrayant – et pour tout dire d'un peu sot – dans cet aplatissement péremptoire de la vie humaine sur la seule « connaissance » scientifique dont d'autres chercheurs ont reconnu qu'elle n'était, elle aussi, qu'une « représentation [48] ». On peut même se demander si la démarche procède encore de la science et de la raison raisonnable. Beaucoup en doutent. « Sitôt que la science sort de ses limites pour appliquer ses méthodes et sa rationalité aux réalités qu'elle a mises entre parenthèses pour se constituer, elle cesse immédiatement d'être science pour devenir scientisme. [...] Le scientisme s'oppose point par point à la science : alors que la science pose ses limites et s'interdit de les transgresser, le scientisme décrète qu'il n'y a pas de limites et prétend se prononcer sur tout [49]. »

C'est sur ce point précis que les critiques qui lui sont adressées – y compris par Ricœur – semblent convaincantes. Elles le sont d'autant plus qu'il arrive à Changeux de convoquer abusivement certains philosophes, mais en les réinterprétant à son avantage. « Pour Spinoza, par exemple, que Changeux cite souvent, la connaissance scientifique n'était que l'un des trois genres de connaissance, le deuxième, auquel le troisième, la connaissance métaphysique, était selon lui transcendant [50]. »

---

48. Je pense, par exemple, au physicien Bernard d'Espagnat, auteur de nombreux ouvrages sur ce qu'il appelle le « réel voilé » et les limites de toute connaissance scientifique.

49. D. Folscheid, « La science et la loi », *Éthique*, n° 1.

50. Jean-William Lapierre, « A Jean-Pierre Changeux et Paul Ricœur, quelques remarques sur *La Nature et la Règle* », *Esprit*, mars-avril 1999.

Vers un nouveau darwinisme ?

D'autres critiques et débats autour de l'idéologie scientiste me paraissent plus alarmants encore. Charles Taylor, citant le sociobiologiste américain Edward O. Wilson, montre que la prétention ultime des néoscientistes contemporains est de *fonder biologiquement la morale*, c'est-à-dire au bout du compte de la dévorer. Pour Wilson, « les réponses émotionnelles de l'homme et les pratiques morales plus générales fondées sur elles ont été programmées en grande partie par sélection naturelle, au cours de milliers de générations [51] ».

Ce projet radicalement scientiste rejoint le fameux biologisme nietzschéen du siècle dernier. « Il faudrait avant tout, disait Nietzsche, que toutes les tables des valeurs, tous les impératifs dont parlent l'Histoire et les études ethnographiques fussent éclairés et expliqués par leur côté physiologique [52]… » A ce stade, la neurobiologie n'est plus seulement une discipline scientifique, elle devient le noyau dur d'une anthropologie, pour ne pas dire d'une idéologie : celle de l'homme-machine amputé de sa liberté. Le projet est aujourd'hui repris à son compte par Jean-Pierre Changeux, qui parle volontiers de « prédispositions neuronales à l'éthique ». Ce thème fut même au centre d'un colloque organisé en 1991 et dont les actes furent publiés [53]. Certes, il

---

51. Edward O. Wilson, *L'Humaine Nature*, Stock, 1979 ; cité par Charles Taylor, *Les Sources du moi, op. cit.*

52. Nietzsche, *La Généalogie de la morale*, Mercure de France, 1964. A noter que, dans d'autres textes, Nietzsche s'en prend au contraire avec violence à la raison, « cette puissance criminelle qui tue la vie » (*Ecce homo*).

53. Jean-Pierre Changeux (sous la direction de), *Fondements naturels de l'éthique*, Odile Jacob, 1991.

serait absurde d'invoquer immédiatement, au sujet de cette anthropologie, les sinistres souvenirs de la sociobiologie enrôlée, jadis, par les théoriciens du racisme. Une chose, en revanche, est certaine : l'interdit moral et politique qui frappait depuis des décennies la sociobiologie se voit ainsi subrepticement levé. « Depuis peu, écrivait un chercheur, en 1993, je rencontre à l'occasion de réunions interdisciplinaires des sociologues qui, malgré leur hostilité *a priori* à l'égard de la sociobiologie, déclarent ne plus supporter le tabou de principe qui la frappe. C'est en fait une forme d'argumentation qui est en train de s'éteindre [54]. »

Or cette relégitimation subreptice de la sociobiologie, qui est aussi une réponse à l'excès déclamatoire de certains ostracismes d'hier, marque l'affaiblissement irrésistible de deux valeurs, jadis indiscutées : le volontarisme progressiste (l'acquis contre l'inné) et l'aspiration égalitaire (l'idée que tout individu, à la naissance, est comme une *tabula rasa* sur laquelle il doit se construire). Il n'est pas difficile de comprendre pourquoi et comment, sur ces deux points, le néoscientisme est en parfaite harmonie avec le climat intellectuel du moment.

Sans faire de procès d'intention ni brandir ridiculement à son encontre un « soupçon » exterminateur, on peut donc s'interroger sur les risques évidents de dérapages, d'inconséquence, de laxisme conceptuel. Le biologisme et le *physicalisme* contemporains avancent en terrain miné. Ce physicalisme, qui est aujourd'hui réinventé, ne date d'ailleurs pas d'hier. En 1948, déjà, un symposium de chercheurs américains avait approuvé la formulation suivante, dont ils firent même un article de foi commun : « Les phénomènes du comportement

---

54. Bernard Brun, « Sur les fondements naturels de l'éthique », *Agone*, n° 11, 1993.

et de l'esprit sont en dernière analyse descriptibles en termes de concepts des sciences mathématiques et physiques. »

Repris plus tard, notamment par James Watson, coauteur de la découverte de la structure de l'ADN dans les années 60, ce présupposé physicaliste déboucha sur une conclusion passablement glaçante : rien de « spécial » ne distingue l'être humain du reste du monde animal. Watson explicite sa thèse en ces termes : « Il est très tentant, lorsque l'on considère l'ensemble des êtres vivants, de penser que l'homme y occupe une place privilégiée. [...] C'est pourquoi l'idée que "quelque chose de spécial" sépare l'homme des autres êtres a souvent été évoquée. Cette croyance a trouvé son expression dans les religions [55]. » Inutile d'ajouter que, pour Watson, cette « croyance » est aujourd'hui obsolète. Vieillerie humaniste...

François Lurçat, à qui j'emprunte ces références, n'a pas tort de rappeler que ces développements recoupent, presque mot pour mot, ce qu'écrivait au XIXe siècle un Vacher de Lapouge, idéologue du racisme : « Tout homme est apparenté à tous les hommes et à tous les êtres vivants. Il n'y a donc pas de droits de l'homme, pas plus que de droit du tatou à trois bandes, ou du gibbon syndactyle que du cheval qui s'attelle ou du bœuf qui se mange. L'homme perdant son privilège d'être à part, à l'image de Dieu, n'a pas plus de droits que tout autre mammifère. L'idée même de droit est une fiction. Il n'y a que des forces [56]. »

Pour évoquer les risques implicites – et gravissimes –

---

55. James Watson, *Biologie moléculaire du gène*, Édiscience, 1968.
56. Cité par Zeev Sternhell, « Anthropologie et politique : les avatars du darwinisme social au tournant du siècle », in *L'Allemagne nazie et le Génocide juif*, Gallimard-Seuil, 1985.

accompagnant ce retour de la sociobiologie, le même François Lurçat reproche par exemple à Jean-Pierre Changeux de faire l'éloge dans *L'Homme neuronal* (chap. VIII, p. 342) du biologiste allemand Haeckel, darwiniste convaincu, membre du comité d'honneur de la Société internationale pour l'hygiène raciale, fondée en 1905. Mais Lurçat n'est pas seul à s'inquiéter, loin s'en faut. Des chercheurs « humanistes » comme Pierre Thuillier, Albert Jacquard, Jean-Marc Lévy-Leblond, Stephen Jay-Gould, Richard Lewontin, Isabelle Stengers, Eugène Enriquez et bien d'autres encore ont quelques raisons de se battre bec et ongles, de livre en livre, contre les risques d'instrumentalisation de la biologie, sous couvert de « raison scientifique ». Force est de constater que leurs cris d'alarme n'ont pas l'audience qu'ils méritent. Noyés dans le tintamarre triomphant et dominateur, ils sont le plus souvent perçus et présentés comme les représentants d'une dissidence sympathique mais minoritaire. A l'instar du néolibéralisme dont il est l'allié, le néoscientisme demeure, pour le moment, une idéologie dominante.

C'est aussi ce que constate mélancoliquement Pierre Legendre. Après avoir dit son effarement devant une telle perversion de la raison (« L'idée que la science peut tout »), il ajoute : « La Science en tant que référence mythique n'est plus contestée, elle prend place désormais au niveau de la garantie divine du vrai. L'interrogation, si chère aux Occidentaux depuis la première Scolastique, sur un impossible du savoir – l'interrogation fameuse *fides querens intellectum*, mot à mot *la foi en quête de ce qui est compris*, la foi cherchant l'intelligibilité –, est tenue pour morte[57]. »

---

57. Pierre Legendre, *L'Inestimable Objet de la transmission*, *op. cit.*

La fin d'une culture

La question posée est finalement celle-ci : existe-t-il encore une culture scientifique, au sens plein du terme ? La plupart des dissidents cités plus haut sont tentés de répondre par la négative. Rien ne ressemble moins à une *culture*, avec ce que cela implique de cohérence, d'ouverture et de responsabilité, que la technoscience. Par le jeu d'une inversion détestable, cette rationalité-là se retourne contre la raison, dont elle devient l'ennemie intime. Prolongeant les inquiétudes de Max Weber, les philosophes de l'école de Francfort ne disaient pas autre chose lorsqu'ils redoutaient que l'instrumentalisation et la mythification de la raison n'aboutissent, en définitive, à son *autodestruction*. On pense à ces lignes de Horkheimer et Adorno, écrites à la fin de la dernière guerre : « Avec l'extension de l'économie bourgeoise marchande, le sombre horizon du mythe est illuminé par le soleil de la raison calculatrice, dont la lumière glacée fait lever la semence de la barbarie [58]. »

Pour les deux philosophes allemands, dès lors que la raison voit son statut de *raison critique* évoluer vers celui de *raison affirmée* ; dès qu'elle devient un élément au service d'un ordre existant (l'ordre marchand, en l'occurrence), sa propre vérité « se volatilise ». « En cela, la rationalité instrumentale réalise, non pas l'apothéose de la pensée, la liberté promise par l'*Aufklärung*, mais une régression d'autant plus pernicieuse qu'elle se présente [abusivement] comme inattaquable en raison [59]. »

---

58. M. Horkheimer et T. W. Adorno, *La Dialectique de la raison*, 1944 ; trad. fr. : Gallimard, 1971.
59. Jean-Philippe Bouilloud, « Une alternative à la rationalité instrumentale en gestion ? », in *La Résistible Emprise de la rationalité instrumentale*, *op. cit.*

Les analyses de Jürgen Habermas, moins sévères à l'égard de la modernité, procèdent néanmoins d'une critique comparable de l'idéologie scientifique [60]. Quant à Cornelius Castoriadis, il ne cessa d'expliquer d'un livre à l'autre que cette rationalité instrumentale non seulement servait à légitimer le capitalisme, mais qu'elle était *instituée* par ce dernier.

C'est dans une perspective comparable – quoique différemment formulée – que Jean-Marc Lévy-Leblond conteste à la science moderne, amnésique, parcellisée, désaffiliée, subvertie par la technique, le statut de « culture scientifique » dont elle se targue volontiers. « Une activité n'a de sens, écrit-il, que si elle a, d'abord, celui du temps et se vit comme mouvement, du passé vers l'avenir. Ne serait-ce pas là une définition possible de la *culture* et la raison pour laquelle la science n'en fait pas – en tout cas plus, et peut-être pas encore – partie [61] ? »

Incapable d'incarner une culture véritable, insoucieuse des exigences de la raison critique ou démocratique, infidèle aux promesses des Lumières, la technoscience n'en continue pas moins d'invoquer abusivement à son avantage une prééminence morale et intellectuelle. Contre le politique, contre les morales traditionnelles ou les croyances religieuses, les « technoscientifiques » revendiquent grâce à cela une liberté de recherche illimitée. Là se situe la contradiction – pour ne pas dire l'imposture – principale.

On objectera qu'il existe des « comités éthiques » dont la fonction officielle est de contrôler cette effervescence de la recherche et d'interdire, le cas échéant,

---

60. Jürgen Habermas, *La Technique et la Science comme idéologie*, trad. fr. Jean-René Ladmiral, Gallimard, 1990.
61. Jean-Marc Lévy-Leblond, *La Pierre de touche. La science à l'épreuve*, op. cit.

telle ou telle application. Il faut pourtant se demander si ces procédures n'ont pas pour fonction essentielle de servir d'alibi à la fuite en avant ou même d'accoutumer l'opinion à des innovations qu'elle aurait, sans cela, spontanément rejetées. Il est d'ailleurs paradoxal qu'à l'intérieur de ces comités, les scientifiques – voire les scientistes – jouent un rôle prépondérant face aux philosophes, moralistes, politiques ou théologiens, qui donnent l'impression d'y faire de la figuration intimidée. Ces comités d'éthique, « en alimentant le discours médiatique sur les nouvelles techniques, apprivoisent l'imaginaire collectif et légitiment par avance les réalisations mêmes qu'ils prétendaient retarder ou empêcher[62] ».

Dans un contexte de privatisation généralisée, alors même que s'accélèrent le recul de l'État et la dépossession démocratique, le pouvoir réel desdits comités serait de toute façon illusoire. Rien ne saurait durablement empêcher la recherche privée d'aller au bout de ses entreprises, fussent-elles folles. Le droit lui-même, qui s'efforce de tempérer tant bien que mal l'activisme prométhéen qui a saisi la biologie, se révèle en grande partie désarmé. Les différents textes, directives, protocoles, circulaires se multiplient et s'additionnent – notamment au niveau européen – à telle enseigne qu'on a pu parler d'une « biologisation du droit ». Mais leur portée reste largement théorique. « Face à la mondialisation des réseaux de recherche, les pouvoirs des institutions internationales restent encore dérisoires » et l'on risque vite de « laisser les arguments économiques et commerciaux prendre le dessus[63] ».

---

62. *Ibid.*
63. Mireille Delmas-Marty, *Trois Défis pour un droit mondial*, *op. cit.*

Au bout du compte, en effet, ce ne sont ni l'éthique, ni la morale, ni la décision démocratique qui tranchent le débat. C'est le marché, et lui seul. Ainsi se voit complété le « principe de Gabor » évoqué plus haut : tout ce qui est techniquement faisable sera entrepris et *tout ce qui est vendable sera réalisé*. Le « choix » ultime appartiendra à la seule loi de l'offre et de la demande. Telles sont les données véritables du problème posé, par exemple, par les biotechnologies et le clonage humain.

Un exemple entre mille : en octobre 1998, après l'annonce par les médias du « transfert » effectué par des biologistes américains du noyau d'un ovocyte d'une femme stérile dans celui d'une donneuse fertile – première étape vers le clonage –, Noëlle Lenoir, présidente du Comité éthique européen, dénonçait la prévalence de cette logique purement mercantile. « En pratique, écrivait-elle, il n'y a aucun contrôle. [...] Les lobbies industriels ont ouvertement milité pour que rien ne soit dit, même à propos de l'embryon, dans le cadre d'une législation fédérale [64]. »

On aurait bien tort de voir dans cet effroi une frilosité européenne contrastant avec l'intrépidité américaine. (C'est l'argument souvent avancé par les tenants de la technoscience et du libéralisme.) Les réquisitoires contre la servilité mercantile de la recherche appliquée qui paraissent aux États-Unis sont tout aussi sévères. Citons, parmi d'autres, le livre du journaliste américain Jeremy Rifkin, dans lequel celui-ci décrit l'appropriation du vivant par une poignée de grandes firmes multinationales. « Il est probable, ajoute Rifkin, que, d'ici moins de dix ans, chacun des cent mille gènes qui constituent le patrimoine génétique de notre espèce sera

---

64. *Le Monde*, 13 octobre 1998.

breveté et réduit au statut de propriété industrielle [65]. »

En réalité, les critères quantitatifs, les lois du marché, l'esprit de pure compétition entre les laboratoires, le record technologique médiatisé, la volonté de domination ont contaminé l'ensemble de la recherche scientifique. « Ce qui fait désormais critère de validité, même de valeur, c'est que ça marche, ça fonctionne ! Il ne reste plus qu'à apprendre à "gérer" au mieux son efficacité, à valoriser sa gestion [66]. » Ainsi la pensée scientifique n'est-elle pas seulement confrontée à une « crise de ses fondements » (Lurçat). Elle s'accommode dorénavant d'un *arraisonnement de la raison* elle-même. Or la raison ainsi arraisonnée est à l'opposé exact de cette superbe définition du savoir que proposait Emmanuel Levinas : « Le savoir ne devient savoir d'un fait que si, en même temps, il est critique, s'il se met en question, remonte au-delà de son origine [67]. » C'est une forme de critique assez voisine qu'exprime le théologien Gustave Martelet lorsqu'il analyse lumineusement le concept de *conscience* et cette transcendance blessée qui – contre les réductionnismes scientistes – distingue l'homme de la pure matière vivante [68].

Libérez la raison !

Maurice Bellet propose d'appeler « écorègne » cet impérialisme de la rationalité marchande, cet activisme

---

65. Jeremy Rifkin, *Le Siècle biotech. Le commerce des gènes dans le meilleur des mondes*, La Découverte, 1998.

66. Jean-Pierre Lebrun, *Un monde sans limite*, op. cit.

67. Emmanuel Levinas, *Totalité et Infini*, La Haye, Martinus Nijhoff, 1980.

68. Gustave Martelet, *Évolution et Création*, t. 1 : *Sens et Non-sens de l'homme dans la nature ?*, Cerf/Médiaspaul, 1998.

profus et incontrôlé qui s'est substitué aux anciens projets humains. L'écorègne désigne l'expansion aveugle et tourbillonnaire de l'économie, une expansion capable de défaire jour après jour « les constructions qui imposaient à l'homme une certaine idée de l'homme [69] ». La technoscience, dans cette optique, n'est rien d'autre qu'une des dimensions de l'écorègne. Elle se développe en combinaison étroite avec lui. C'est elle et elle seule qui rend possible ce dernier, qui le conforte et alimente les chaudières de la machine.

Ainsi définie, la technoscience n'apparaît pas seulement comme la rivale ou l'ennemie de la raison, *elle en est la prison*. L'urgence du moment n'est donc pas d'exalter la raison raisonnable mais, plus simplement, de la libérer. Libérer la raison, cela signifie ramener celle-ci à sa modestie fondatrice en lui rendant ses capacités d'écoute et d'ouverture. C'est ce qu'Edgar Morin réclamait lorsqu'il plaidait pour un « principe dialogique » entre raison et croyance. La démarche est autrement essentielle que les rodomontades physicalistes ou les confrontations binaires à la Bouvard et Pécuchet. Il y a plus d'intelligence dans un dialogue attentif avec les autres formes de savoir que dans la plate dénonciation de l'« obscurantisme » philosophique ou religieux. « La science, écrit encore Lévy-Leblond, se construit contre elle-même. » C'est l'oubli de cette exigence au profit d'une simplification rationaliste qui nourrit, par contrecoup, l'efflorescence des élucubrations ésotériques, cultes magiques ou sectarismes manipulateurs dont fourmille la modernité. Le néoscientisme et l'illuminisme se nourrissent l'un l'autre, comme s'ils étaient l'avers et le revers d'un même fourvoiement de l'esprit.

---

69. Maurice Bellet, *La Seconde Humanité*, *op. cit.*

Ayant compris cela, on ne s'étonnera pas que certains chercheurs de très haut niveau, comme Francisco Varela ou Henri Atlan, confessent un vif intérêt pour les millénaires d'observations cumulées sur les mécanismes de la conscience par les sagesses anciennes, bouddhistes et hassidiques en l'occurrence. On jugera révélateur qu'un spécialiste de l'informatique et de la cyberculture comme Pierre Lévy consacre dans le même temps une part importante de son travail à des réflexions sur la mystique biblique ou la sagesse orientale [70]. On ne sera pas surpris de constater que le pape lui-même, dans son Encyclique *Fides et ratio* d'octobre 1998, puisse réclamer, contre le scientisme explicitement désigné, une réhabilitation de la raison [71]. On ne s'étonnera pas davantage que les préoccupations « idéalistes » concernant la conscience et la métaphysique fassent retour aujourd'hui dans certains colloques scientifiques internationaux.

70. Voir Pierre Lévy, *Le Feu libérateur*, Arléa, 1999.
71. Notons que Jean-Paul II condamne tout autant une foi qui serait « privée de raison » et verserait dans la pure subjectivité. Il fait même reproche à certains théologiens de se désintéresser de la philosophie.

Chapitre 6

Le « mondial » contre l'universel

> « Que penser dans la confrontation avec
> les différences qui réclament chacune l'uni-
> versel comme leur propriété ? L'élection est
> le privilège illusoire que chaque groupe reven-
> dique pour lui-même ; mais il n'y a qu'un
> monde, et l'humanité ne peut se fuir elle-
> même. »
>
> Claude Sahel, *La Tolérance.*
> *Pour un humanisme hérétique*,
> Seuil, coll. « Points Essais », 1998.

Depuis des siècles, la question de l'universel hante
l'histoire occidentale. C'est une « question maudite ».
Elle alimente quiproquos et malentendus. Elle brouille
les catégories, subvertit les positions politiques ou
religieuses, fait périodiquement lever fantasmes et intolérances. Elle nourrit également des symétries simplificatrices : l'universel opposé au particulier, l'émancipation citadine contre le crétinisme villageois, l'aspiration
au même congédiant la singularité, l'internationalisme
planétaire substitué au chauvinisme national, l'aventure
de l'esprit contre l'enracinement naturaliste, la morale
mondiale contre la pluralité des valeurs, l'idée contre
le *lieu*, l'errance créatrice contre l'enracinement, etc.
Derrière ces dualismes querelleurs, la même question

se trouve posée : celle de l'universel. Elle peut être formulée en peu de mots : existe-t-il un principe d'humanité, une valeur d'essence supérieure, capable de transcender les différences de races, de culture ou de sexe pour définir notre *commune* humanité ? Cette valeur doit-elle l'emporter sur toutes les autres ? Voilà bien une question décisive.

Au début de notre ère, déjà, elle fut au centre de la riche confrontation entre juifs, chrétiens, Grecs et Romains. Pour les Romains, le droit – ce cadeau qu'ils firent au monde occidental – représentait une certaine idée de l'universel, circonscrite, il est vrai, aux limites géographiques de l'Empire et inséparable de la qualité de citoyen. Plus tard, la même référence à l'universel habita et divisa le judaïsme, tiraillé entre le « yahvisme missionnaire » et le repli rabbinique[1]. A l'époque des Lumières, elle opposa durablement les philosophes de l'Encyclopédie aux théoriciens de la contre-révolution pour qui l'idéalisme abstrait était un projet tyrannique et l'homme idéal une funeste invention. Les grandes entreprises totalisantes du XIXe – qu'il s'agisse du libéralisme, du colonialisme ou du marxisme post-hégélien – se proclamèrent universalistes et voulurent opposer le « progrès » en marche aux ténèbres des traditions indigènes. Cette extension de l'universalisme occidental n'alla pas, comme on le sait, sans violences ni désastres. « Des civilisations par ailleurs très raffinées, mais fondées sur la conscience collective du groupe, de la tribu, de la caste, ont été balayées au contact de l'homme occidental. Non parce qu'il avait une arme à feu ou un cheval, mais parce qu'il possédait un état de conscience différent, le rendant capable de se

---

1. Voir, notamment, Jules Isaac, *Genèse de l'antisémitisme*, Press Pocket, 1985 (1re éd. : Calmann-Lévy, 1956).

retrancher du monde et de le retrouver par une activité intérieure[2]. »

Après la Seconde Guerre mondiale, dans les années 50, 60 et 70, les oppositions s'inversèrent l'espace d'une génération. Il est vrai qu'à l'époque la compromission du projet civilisateur avec l'impérialisme et la répression post-coloniale avait rejeté une partie de la gauche vers une pensée différentialiste qui changeait ainsi, provisoirement, de camp[3]. Ce fut le temps de la mauvaise conscience occidentale et du « sanglot de l'homme blanc ». Comme le décrivait au IIe siècle le philosophe d'Edesse Bardesane, à propos de l'Orient, on exalta la singularité des « pays » contre le centralisme unificateur des États ou des empires[4]. Aujourd'hui, cette même question de l'universel est reformulée *autour du thème de la mondialisation*. Elle l'est, cette fois, de façon plus paradoxale, plus ambiguë et plus déroutante. La nouvelle *doxa* concernant l'universel participe, en effet, de deux injonctions contradictoires : l'une universaliste, l'autre différentialiste.

Sur le terrain économique et politique, la globalisation est présentée comme une prometteuse utopie internationaliste à laquelle il est difficile de ne pas adhérer, du moins en théorie. Choisissant – ou imposant – d'ouvrir les économies et les sociétés aux vents du large, d'abattre les frontières et de réduire particularismes et souverainetés, elle dit vouloir faire du monde « une seule terre », un village total, promis à l'abondance du libre échange et, tôt ou tard, aux droits de l'homme et à

2. Cornelius Castoriadis, « De l'utilité de la connaissance », *Revue européenne de science sociale*, n° 79, 1988, p. 121.

3. Voir chap. 1.

4. C'est à Bardesane (154-222) que l'on doit l'une des meilleures descriptions de l'Empire – et des pays voisins – aux IIe et IIIe siècles, dans *Le Livre des pays*, composé par l'un de ses disciples.

la démocratie. C'est ainsi que s'exprime « l'idéologie du monde » à laquelle j'ai fait plusieurs fois référence. Aux compartimentages régressifs et possiblement oppresseurs d'avant-hier, on oppose les ouvertures universalistes d'après-demain : droit d'ingérence, libre circulation, prévalence du droit pénal international, etc. Face aux refus résiduels – nationaux, religieux, protectionnistes –, ces ouvertures incarnent le Bien de l'universalité opposé au Mal du particularisme et du repli identitaire.

Le village planétaire, la perspective d'un monde unifié et « sans souveraineté [5] » sont présentés comme une alternative aux divers pathos et intolérances de terroir. Demain, assure-t-on, les opinions n'accepteront plus qu'une spécificité ou une exception nationale soit opposée à l'extension planétaire des droits de l'homme et de la « société de marché ». Tous les débats sur la mondialisation sont ainsi chargés de connotations normatives. L'effacement des frontières et la déréglementation du commerce mondial sont présentés comme un mouvement vers l'autre dont le refus trahirait on ne sait quel égoïsme peureux. « L'universel est souvent invoqué dans ce débat, écrit Shmuel Trigano, comme un impératif moral que l'on oppose aux particularismes, aux intégrismes et aux communautarismes [6]… »

Sur le terrain domestique, en revanche, la normativité s'inverse, et presque mot pour mot. La même rhétorique se retourne comme un doigt de gant. Cette fois, c'est la particularité, le singulier, l'identité irréductible qui sont exaltés, contre l'uniformité sociale ou la norme

---

5. Voir le livre de Bertrand Badie, *Un monde sans souveraineté*, Fayard, 1999.
6. Shmuel Trigano, *L'Universel et la Différence*, Colloque du collège des études juives, 1998.

majoritaire. Lorsqu'il en appelle à la cohésion sociale ou au « bien commun », le discours universaliste, cette fois, est connoté négativement. On le soupçonne de dissimuler une vieille arrogance occidentale ou judéo-chrétienne. C'est ce que répètent les « postmodernes » et les « déconstructeurs », comme Richard Rorty, qui affirmait en 1996, devant l'Unesco, que l'universalisme n'était rien d'autre qu'une morale de riches Occidentaux [7]. Dans les sociétés démocratiques et multiculturelles, le pluralisme et la diversité identitaire sont jugés préférables aux anciennes visions globalisantes et aux démarches assimilationnistes. La sociologie contemporaine en vient parfois à mettre en question le concept même de société, qui n'aurait plus de sens dans un contexte marqué par l'individualisme et le multiculturalisme [8]. Priorité aux différences et à la bigarrure des tribus, chacune campant sur sa vision du monde et, à la limite, sa conception de la morale. On récuse, avec horreur, tout « point de vue surplombant » et toute trace de holisme. Au diable l'universalité jacobine et le besoin de références communes !

Dans les limites du droit, la « société des individus », pour reprendre l'expression de Norbert Elias [9], renvoie chacun à l'affirmation souveraine de son identité. Pour les tenants du « politiquement correct » américain, par exemple, le credo universaliste est désormais un archaïsme vaguement ridicule. Il participe de ce que les différencialistes radicaux appellent « l'impérialisme de l'assimilation ». Il signale surtout une domination à combattre. L'universalisme ne peut être le fait que d'un

---

7. Rapporté par Zaki Laïdi, *Libération*, 9 avril 1999.

8. Voir, par exemple, François Dubet et Danilo Martuccelli, *Dans quelle société vivons-nous ?*, Seuil, 1998.

9. Norbert Elias, *La Société des individus*, trad. fr., Fayard, 1991.

WASP (*White Anglo-Saxon Protestant*) indifférent ou condescendant à l'égard des autres cultures. Il est une menace pour le droit légitime des minorités. La culture humaniste elle-même se voit soupçonnée d'être une arme au service de l'oppression majoritaire. Beethoven, Mozart, Proust ou Faulkner ont le tort irréparable d'être blancs, morts et occidentaux… On leur préférera les cultures africaines oubliées ou les cosmogonies maories. Dans la vie quotidienne, les « représentations collectives » chères à Émile Durkheim ou les disciplines sociales sont rejetées au profit de la singularité. Cette exaltation des différences et des identités participe de ce que le sociologue Michel Maffesoli appelle « le retour des tribus », qu'il définit comme une rémanence archaïque, une « effervescence dionysiaque qui va contaminer l'ensemble du corps social [10] ».

Entre les deux analyses, on voit bien – on devrait voir – qu'il existe une incompatibilité de principe. Le concept d'universalité ne peut pas incarner tout à la fois le Mal et le Bien. Quant à la valorisation des identités, elle se concilie difficilement avec une quelconque référence à l'universel. « La métamorphose des croyances en identités, note justement Marcel Gauchet, est la rançon du pluralisme poussé jusqu'au bout, jusqu'au point où toute ambition universaliste et conquérante perd son sens, où aucun prosélytisme n'est plus possible [11]. » Bizarrement, cela n'empêche pas les deux thématiques divergentes d'être invoquées à tour de rôle et, souvent, par les mêmes ! Ainsi l'opposition entre universel et différence débouche-t-elle au bout du compte

---

10. Dernier livre paru : *Du nomadisme, vagabondages initiatiques*, Livre de poche, 1997.

11. Marcel Gauchet, *La Religion dans la démocratie. Parcours de la laïcité, op. cit.*

sur une injonction contradictoire. Elle est comparable au fameux *double bind* (double contrainte) défini par les psychiatres et considéré comme un impératif indé- cidable. L'exemple le plus souvent cité est l'absurde recommandation suivante : sois spontané !

En la circonstance, le double message concernant l'universel serait *grosso modo* le suivant : renonce aux particularismes mais affirme ton identité ! Cette impos- sibilité angoissante me paraît être au cœur du désarroi contemporain dont elle aggrave l'intensité. Elle explique que tant d'esprits soient égarés. La contradiction mérite d'être posément interrogée.

Un nouvel imaginaire

Évacuons d'abord l'aspect strictement économique du problème. La globalisation, accélérée depuis le début des années 80, est d'abord un processus industriel et – surtout – financier. Le libre-échange commercial et la circulation ouverte des capitaux tendent à faire de la planète tout entière un marché unique. Entendu ainsi, le phénomène est beaucoup moins nouveau qu'on ne l'imagine. Il est consubstantiel au projet libéral, et cela depuis l'origine. « Le capitalisme, notait Fernand Brau- del, a toujours été monopolistique, et marchandises et capitaux n'ont pas cessé de voyager simultanément, les capitaux et le crédit ayant toujours été le plus sûr moyen d'atteindre et de forcer un marché extérieur [12]. »

Dès la Renaissance, bien avant le « doux commerce » de Montesquieu, les échanges marchands étendus à l'ensemble du monde connu devaient, pensait-on, favo-

---

12. Fernand Braudel, *La Dynamique du capitalisme*, *op. cit.*

riser la concorde universelle et la paix entre les peuples. Au XVIIIᵉ siècle, le marquis René Louis d'Argenson, secrétaire d'État aux Affaires étrangères (1744-1747), disait déjà : « Toute l'Europe ne devrait être qu'une foire générale et commune[13]. »

Au demeurant, le XIXᵉ siècle sera effectivement marqué par un effacement provisoire des frontières et une mondialisation des échanges. « André Siegfried, qui, né en 1875, avait vingt-cinq ans au début de notre siècle, se rappelait avec délices, beaucoup plus tard, dans un monde hérissé de frontières, qu'il avait fait alors le tour du monde ayant en tout et pour tout, comme pièce d'identité, une carte de visite[14]. » Du point de vue économique, le processus de mondialisation est accéléré aujourd'hui et amplifié par la révolution technologique qui abolit le temps et les distances. Cela ne fait aucun doute. Dans sa nature, pourtant, elle est moins radicalement nouvelle qu'on ne le croit.

Quoi qu'il en soit, cette acception purement économique et financière de la mondialisation, interprétée comme une « contrainte externe », est aujourd'hui insuffisante. Le phénomène a pris une tout autre dimension. Les analyses les plus pertinentes – je pense à celles de Jean-Paul Fitoussi, Philippe Engelhard[15] ou Zaki Laïdi – insistent à juste titre sur ses composantes à la fois culturelles et *idéologiques*. Là est la vraie nouveauté. La mondialisation induit dorénavant un discours sur le changement social tout entier qui frappe d'obsolescence les références de jadis. « La mondialisation enserre désormais tous les faits sociaux dans

---

13. Cité par Armand Mattelard, *Histoire de l'utopie planétaire : de la cité prophétique à la société globale*, La Découverte, 1999.
14. *Ibid.*
15. Philippe Engelhard, *L'Homme mondial*, Arléa, 1996.

une chaîne de causalité dont le point de départ serait le global et non plus le local [16]. »

A ce titre, le thème du « global » charrie un ensemble de références culturelles, d'aspirations consuméristes, de représentations symboliques qui composent, en effet, un nouvel imaginaire. Devenu majoritaire, au moins chez les plus jeunes, cet imaginaire est confusément référé à une certaine idée de l'universel, à ce que Walter Benjamin appelait « le semblable dans le monde [17] ». Une sensibilité uniforme se répand ainsi par mille canaux et réunit virtuellement les jeunesses de tous les continents. Les styles de vie se ressemblent, les cultures s'enrichissent des diversités tout en s'amalgamant de façon identique d'un bout à l'autre de la planète. On consomme les mêmes produits, on porte les mêmes vêtements, on plébiscite les mêmes marques, etc. La *worldmusic* et la *worldlitterature* réinterprètent folklores et mémoires locales tout en les universalisant avec une inépuisable créativité.

La globalisation médiatique, pour sa part, accroît l'impression d'une nouvelle transparence planétaire – un seul monde – qui donne à chacun le sentiment qu'il est désormais au contact permanent du lointain et qu'il partage avec quelques milliards de semblables les émotions essentielles et la même sentimentalité instantanée. D'où cette progressive uniformisation des affects qui constitue le grand message télévisuel. Que cette transparence et cette proximité soient largement illusoires n'est pas le problème. Elles sont vécues comme des réalités et rétro-agissent sur les comportements politiques quotidiens. Mieux encore, elles transforment de l'intérieur la poli-

---

16. Zaki Laïdi, « Les imaginaires de la mondialisation », *Esprit*, octobre 1998. Je m'inspire ici partiellement de ces analyses.
17. Cité par Zaki Laïdi, *ibid*.

tique elle-même. A la « démocratie d'opinion » s'ajoute maintenant ce qu'on pourrait appeler la « diplomatie d'opinion ». Pour le meilleur et pour le pire, une émotivité mondiale, éruptive, vient battre en brèche le vieux cynisme des raisons d'État et des *realpolitik* dans la gestion des crises internationales. Des hommes souffrent, la télévision les montre, il faut agir… Cette mondialisation de l'opinion est porteuse de progrès indéniables (la diffusion d'une morale planétaire) et de perversions catastrophiques (la versatilité des réactions, la sélectivité des indignations ou leur manipulation, la thématique de l'urgence ayant l'amnésie pour corollaire, etc.).

L'ambiguïté principale de cet imaginaire universaliste tient malgré tout à ce qu'il procède – aussi – d'une idéologie : celle du marché. La symbolique qu'il met en avant, en dépit des apparences, ne se réduit donc pas à une revendication morale, à cette émergence du « sympa » et de « l'humain » sur les ruines de l'ancien cynisme étatique. On pourrait même soutenir que cette positivité éthique du « droit-de-l'hommisme » sert très souvent d'habillage – et d'alibi – à l'extension indéfinie de la rationalité marchande. En disqualifiant les appartenances, en détruisant les affiliations nationales ou sociales, en congédiant les identités collectives au profit d'une sorte de solipsisme fusionnel, on accélère la disparition de toute médiation entre l'individu et le marché. La mondialisation, dès lors, est d'abord celle du commerce, de la publicité, de la vulgarité mercantile. C'est ce qu'on pourrait appeler la « stratégie Benetton ». « Il ne fait guère de doute que l'imaginaire de la consommation, allié à une disparition d'un but à poursuivre, renforce cette aspiration à l'accession directe et rapide à un produit ou à un savoir [18]. »

18. *Ibid.*

La re-tribalisation du monde

En forçant à peine le trait, on pourrait dire que la société occidentale, avec une fausse ingénuité, s'emploie moins à universaliser ses valeurs que *son propre nihilisme*. Sous couvert d'universalité démocratique, elle projette aussi vers le dehors le plus contestable d'elle-même : cynisme du plus fort, émiettement individualiste, avidité du profit et mépris du faible. Elle le fait de façon extrêmement agressive, en profitant du contrôle quasi hégémonique qu'elle exerce sur les moyens de communication et les productions culturelles. Ces dernières se voient enrôlées par le marché dans le cadre de la compétition industrielle. Elles deviennent les armes d'une stratégie dominatrice. L'indéniable dignité de la défense des droits de l'homme et de la démocratie permet ainsi de dissimuler sous un généreux prosélytisme des volontés d'expansion économique. Comme le « goupillon » du christianisme missionnaire avait permis de légitimer jadis la conquête coloniale, la défense des droits de l'homme ouvre aujourd'hui la route aux multinationales.

Quant aux débats sur la mondialisation, ils s'en trouvent évidemment biaisés puisque, en général, avocats et adversaires de la mondialisation *ne parlent pas de la même chose*. Les uns se font les avocats d'une liberté en expansion ; les autres dénoncent une stratégie de conquête. Mais tous usent du même mot : mondialisation. Un concept qu'il est absurde d'assimiler purement et simplement à une modalité de l'universel. Sur ce point, Jean Baudrillard a raison. « Mondialisation et universalité ne vont pas de pair, elles seraient plutôt exclusives l'une de l'autre. La mondialisation est celle des techniques, du marché, du tourisme, de l'information. L'universalité est celle des valeurs, des droits de l'homme, des libertés, de la culture, de la démocratie. La mondialisation semble irréversible, l'universel serait plutôt en voie de disparition [19]. »

L'agressivité commerciale et l'ambiguïté de ce projet universaliste expliquent en tout cas la violence des refus qu'il suscite en retour. Confrontées à la puissance irrésistible de cette uniformisation marchande, les sociétés traditionnelles réagissent de façon plus complexe qu'on ne le croit. Elles se cabrent, certes, mais pas seulement. La fascination envieuse se mêle à la souffrance du déraciné, le désir mimétique et l'attrait pour l'individualisme et la consommation cohabitent plus ou moins – ou alternent – avec des rejets explosifs et des rétractations identitaires. En ayant, hélas, une nette préférence pour les secondes… Ainsi la mondialisation fabrique-t-elle mécaniquement son contraire. L'universalisme – largement dévoyé – produit un surcroît de *différence*, au pire sens du terme. André Gorz décrit bien ce processus paradoxal et cumulatif. « Culturalisme, racisme, intégrisme sont les conduites chargées de ressentiment agressif par lesquelles les victimes des appareils de pouvoir cherchent à préserver une forme ultime d'appartenance. [...] Le prix qu'il leur faut payer pour cette sécurité est la soumission totale aux traditions, aux rites et aux chefs de leur communauté, le renoncement total de l'individu à exister par lui-même [20]. »

La « tyrannie de la communication [21] », c'est-à-dire, en l'espèce, la mondialisation médiatique, n'est jamais

---

19. Jean Baudrillard, « Le mondial et l'universel », *Libération*, 18 mars 1996.
20. André Gorz, *Misère du présent. Richesse du possible*, *op. cit.*
21. Voir les analyses d'Ignacio Ramonet, *La Tyrannie de la communication*, Galilée, 1999.

qu'un des aspects de ce vaste dévoiement de l'universel. Mais il est assez emblématique pour mériter d'être analysé. Là encore, les choses ne sont pas aussi simples qu'on l'imagine. Le règne mondial de CNN, la multiplication des *networks* racoleurs, l'omniprésence – de Dakar à Shanghai – des séries télévisées et des « roues de la fortune », tout cela ne saurait être réduit à un triomphe de la bêtise au lieu et place de la morale universelle. La nature intrinsèque du média joue un rôle dans cette perversion du message.

Lorsqu'on évoque aujourd'hui, thème rabâché, l'avènement du fameux « village mondial » prophétisé jadis par le chercheur canadien Marshall McLuhan, on oublie que lui-même prévoyait que ce rétrécissement du monde par le biais des médias *irait de pair avec sa retribalisation*. A ses yeux, il était prévisible que la technologie électronique, en raison de son caractère implosif et émotif, oblige l'individu à « quitter les hauts plateaux des valeurs alphabétiques pour le cœur même des ténèbres tribales, vers ce que Joseph Conrad appelait l'Afrique intérieure [22] ». La société ouverte, héritière visuelle de l'alphabétisation phonétique, ajoutait-il, n'a plus aucun sens pour la jeunesse retribalisée d'aujourd'hui. « La société fermée, enfant du langage, du rythme et des technologies auditives, est en train de renaître. » Pour illustrer son propos, McLuhan évoquait même un symptôme annonciateur de cette régression : la façon dont Hitler avait utilisé la radio et l'« éloquence émotionnelle » qu'elle permettait de diffuser auprès d'une « foule psychologique [23] ». Hitler n'avait-il pas, « grâce à

_____

22. Marshall McLuhan, *D'œil à oreille*, Denoël/Gonthier, 1977. Notons toutefois que McLuhan portait un jugement plutôt positif sur cette retribalisation.

23. Cette expression fut inventée au XIXe siècle par Gustave Le Bon, *Psychologie des foules*, 1895 ; réédé. PUF, 1991.

la radio, retribalisé les Allemands et réveillé la sombre tendance atavique de la nature tribale qui a permis, au cours des années 1920 et 1930, l'éclosion du fascisme en Europe » ?

L'analyse pourra être jugée outrancière. On objectera que la même radio, utilisée par les Alliés, aura servi tout aussi bien le camp de la liberté. L'appel du 18 juin 1940 du général de Gaulle, diffusé sur les ondes de la BBC, en porte témoignage. Il n'empêche ! Bien des réflexions contemporaines sur la mécanique audiovisuelle qui sollicite l'émotion plus que la raison, bien des descriptions de l'omnipotence médiatique, qui dissout le politique et pervertit la délibération démocratique, doivent beaucoup aux intuitions initiales de McLuhan.

Le fantasme américain

Une hypothèque, à ce stade, doit être levée. Il est d'usage, en Europe et ailleurs, d'interpréter cette uniformisation du monde comme une *américanisation*. En d'autres termes, la mondialisation ne serait qu'une ruse impériale au service de l'hégémonie américaine. Elle permettrait aux États-Unis de faire triompher sur l'ensemble de la planète leur propre modèle de libéralisme : la société de marché. En américanisant la planète, en favorisant le triomphe de certains comportements standardisés, on fabriquerait des consommateurs robotisés, avides de s'agréger à l'*American way of life*. On travaillerait donc pour le plus grand bénéfice – idéologique et industriel – de la première puissance mondiale.

Cette analyse est à la fois partiellement vraie et largement fausse. Partiellement vraie parce qu'il est incontestable que l'uniformisation des modes de consommation et des comportements individualistes sert d'abord les intérêts américains. Or, depuis l'effondrement du communisme, la vertigineuse montée en puissance et l'affermissement d'une hégémonie culturelle, politique, militaire et économique des États-Unis (les quatre aspects se renforçant l'un l'autre) ne font aucun doute. Cette volonté hégémonique a même été théorisée à Washington, comme on l'a vu, par les avocats de l'*enlargement*[24]. La mondialisation est donc bien un processus dont tire profit l'économie américaine.

Mais elle n'est pas que cela. Loin s'en faut. Les sempiternelles querelles à son sujet entre « pro » et « anti »-américains semblent assez dérisoires lorsqu'on se tient à distance des passions politiques. Notons d'abord que les États-Unis connaissent eux aussi une crise politique profonde, une « dépossession » démocratique à laquelle tous les phénomènes décrits ci-dessus ne sont pas étrangers : effondrement de la participation électorale, affaiblissement du politique face aux médias, remise en cause de la cohésion sociale et grippage des mécanismes d'intégration (le *melting pot*), recul de la culture anglo-saxonne et même de la langue anglaise, pénalisation de la société, etc. De ce point de vue, les États-Unis sont donc logés à la même enseigne que les autres pays développés. Ils sont confrontés aux mêmes périls et se débattent dans les mêmes contradictions.

En forçant un peu le trait, on pourrait mettre en avant un paradoxe : si tant est que le monde s'américanise, l'Amérique quant à elle est plutôt en danger de « désaméricanisation » ! Dans un long et rude article publié en février 1998 dans la revue bostonienne *The Atlantic Weekly*, le politologue américain Robert Kaplan ne mâchait pas ses mots pour décrire cette crise améri-

_____

24. Voir chap. 2.

caine. « Quand la participation dégringole au-dessous de 50 %, écrivait-il, tandis que, dans le même temps, la classe moyenne consacre des sommes folles à jouer dans les casinos et à la loterie, à s'inscrire dans les clubs de *fitness* privés et à acheter de grandes quantités de stimulants et d'antidépresseurs, on peut légitimement se faire du souci quant à l'état de la société américaine[25]. »

Quant à la – vraie – culture américaine, elle est autant menacée que les autres par la « production » médiatique d'Hollywood ou d'Atlanta. Lorsque nous identifions spontanément cette sous-culture à je ne sais quelle essence américaine, nous oublions qu'elle n'est pas prise au sérieux par les intellectuels d'outre-Atlantique eux-mêmes. La plupart d'entre eux sont les premiers à la juger affligeante. Disneyworld ou la série « Dallas » ne résument pas, à eux seuls, la culture des États-Unis. « Pour l'intellectuel américain, observe René Girard qui vit en Amérique depuis un demi-siècle, la vraie culture vient d'Europe et la "production américaine" est souvent considérée comme un phénomène commercial qui ne mérite même pas le nom de culture[26]. »

Concernant la mondialisation, ajoutons que les analyses les plus sévères sont avancées par des essayistes… américains. C'est parmi les universitaires de Princeton, de Berkeley ou d'ailleurs qu'on trouve les critiques les plus radicales de ce *McWorld* décervelé qui répand aujourd'hui son inculture sur la planète entière. Ils sont les premiers à pourfendre cette caricature de l'universalisme, cette image obscène de la culture occidentale

---

25. Publié en français dans *Courrier international*, n° 382, 26 février-2 mars 1999.

26. René Girard, « France, Amérique : le mythe croisé », entretien avec Guitta Pessis-Pasternak, *Dérives savantes ou les paradoxes de la vérité*, Cerf, 1994.

que l'époque propose – ou impose – aux autres peuples de la terre. Pour eux, l'important n'est évidemment pas de dénoncer l'américanisation du monde mais sa *dévastation*. Je pense, pour ne citer qu'un exemple, aux analyses d'un universitaire comme Benjamin Barber, professeur de sciences politiques et critique radical de la sous-culture planétaire, qu'elle soit ou non d'origine américaine.

A ses yeux, la perversion de l'universalisme par le *McWorld* et les réactions de refus, d'intolérance ou d'intégrisme qu'elle provoque en retour (ce qu'il appelle *Djihad*) forment un couple infernal. Les deux mouvements vont de pair ; ils se renforcent l'un l'autre et conspirent au même résultat : le naufrage du projet universaliste. A l'heure de la mondialisation, écrit-il, « l'idéologie se mue en une sorte de "vidéologie" qui repose sur des bandes sonores et des clips vidéo. La vidéologie est plus floue et moins dogmatique que les idéologies politiques traditionnelles, mais elle n'en réussit que mieux à instiller les nouvelles valeurs dont les marchés mondiaux ont besoin pour prospérer [27] ».

Comme ses collègues européens, Barber juge désastreuse la sourde violence de cette « persuasion » qui accule les peuples à un choix impossible : soit une capitulation mimétique qui les détache de leur propre culture, soit une révolte identitaire qui les coupera, à terme, de la modernité. Le procès qu'il intente à la mondialisation version *McWorld* revient à critiquer la violence d'un déracinement imposé du dehors. Un Français comme Marcel Gauchet ne dit pas autre chose lorsqu'il accuse les Occidentaux d'avoir tellement cru à l'universalité de leurs techniques et principes – même

27. Benjamin Barber, *Djihad versus McWorld*, Desclée de Brouwer, 1996

dénaturés – qu'ils ne laissaient « d'autres choix aux autres que l'adoption en bloc avec répudiation de toute leur histoire et de toute leur culture antérieure [28] ». Or, ajoute-t-il en substance, l'appropriation d'une valeur venue de l'extérieur et présentée comme universelle ne peut se faire *que si cette adhésion est décidée à l'intérieur de soi*. C'est tout le contraire qui se passe avec cet ouragan imposant partout – et sans délai – la même rationalité marchande, le même individualisme, le même désenchantement wébérien.

« Les "intégrismes" ont là leur sens et leur racine : ils fonctionnent comme des substituts d'identité sociale qui protègent l'individu contre les rapports sociaux de compétition et situent son identité sur un terrain abrité contre les valeurs, les pressions, les exigences changeantes de la société ambiante [29]. »

Les signes de la tribu

Pour Benjamin Barber, cette confusion agressive entre les valeurs universelles et les intérêts bien compris des multinationales est d'autant plus critiquable qu'elle est délibérée et, pourrait-on dire, auto-entretenue. Je veux dire qu'elle traduit un *changement de nature* du capitalisme, désormais transformé par la concurrence mondiale. Aujourd'hui, les grandes firmes qui s'affrontent pour le partage des marchés ne vendent plus véritablement des produits mais des *signes*. L'essentiel de la compétition ne porte plus, comme hier, sur la qualité de telle ou telle marchandise, sa solidité, son esthétique, sa

28. Marcel Gauchet, « Qu'est-ce que l'intégrisme ? », *L'Histoire*, n° 224, septembre 1998.
29. André Gorz, *Misère du présent. Richesse du possible*, *op. cit*.

nouveauté, etc. Sur ces chapitres, la plupart se valent et même s'équivalent. La compétition ne porte même plus – principalement – sur le prix, en tout cas pour les produits de grande consommation. La concurrence sur les prix n'a certes pas disparu mais elle joue désormais à la marge. La véritable guerre commerciale au niveau planétaire se livre bien davantage *sur le terrain de l'image*, du symbole, de l'appartenance symbolique.

Lorsque, au début des années 90, le fabriquant de chaussures Nike ou le maroquinier Gucci ouvraient des magasins dans d'anciens pays communistes comme la Hongrie ou la Pologne, ce n'était pas sur la qualité réelle de leurs produits qu'ils tablaient pour s'implanter sur ces nouveaux marchés. Ils vendaient essentiellement des *signes*, assimilés localement à la « supériorité » occidentale. En achetant – à prix d'or – une marque, un jeune Hongrois ou une jeune Polonaise s'appropriait d'abord et avant tout une appartenance. Exhibé ensuite devant les proches ou les étrangers, ce *symbole* aurait pour fonction de signaler l'intégration imaginaire à un groupe, à une tribu, à une catégorie supérieure. Toute consommation devient ainsi un trafic d'identités symboliques, et cette valeur fantasmée l'emporte largement sur la valeur tout court.

Plus caricatural encore : dans le Vietnam toujours communiste mais désormais ouvert aux produits de consommation occidentaux, les manufactures de cigarettes se sont trouvées menacées de faillite par l'engouement mimétique des Vietnamiens pour les cigarettes américaines. Dans les rues de Hô Chi Minh-Ville ou de Hanoï, il fallait un vrai courage à un consommateur moyen pour acheter, au vu et au su de tout le monde, un paquet de *Vinh Hoï*, *Du Lich*, *Mélia* ou *Thang Long* à 12 dongs plutôt qu'un paquet de *Lucky Strike* à 1000 dongs. Pour limiter les dégâts, les manufactures locales durent changer le nom de leurs propres cigarettes pour adopter des appellations nouvelles *à consonance anglo-saxonne*. Funeste symptôme de dépossession de soi-même ! Bel exemple de signe l'emportant sur la substance !

Qu'est-ce que cela signifie, au juste ? Que les sociétés qui s'affrontent sur le marché mondial sont littéralement obsédées par la manipulation des symboles. Elles sont conscientes, à juste titre, que le succès ou l'échec de leurs produits en dépend. Or cette guerre des symboles passe évidemment par le conditionnement publicitaire. « Les marques sont des codes porteurs d'associations et d'images soigneusement cultivées par la publicité et le marketing [30]. » L'explosion des budgets publicitaires au cours des dernières décennies traduit ce glissement progressif de la substance vers le symbole. Les chiffres que donne à ce propos Benjamin Barber sont proprement ahurissants. La croissance des dépenses publicitaires mondiales a été supérieure d'un tiers à celle de l'économie mondiale et trois fois plus rapide que celle de la population du globe. Elles ont été multipliées par sept de 1950 à 1990, passant de 200 milliards à 1300 milliards de francs. Par tête d'habitant, elles sont passées de 75 francs en 1950 à presque 250 francs aujourd'hui.

Il faut pousser un peu plus loin l'analyse. Cette substitution du signe au contenu, ce déplacement du territoire de la compétition commerciale aboutissent à un résultat lourd de conséquences : l'assimilation est aujourd'hui parfaite entre les *valeurs* qu'affirment défendre les sociétés industrialisées et les *produits* qu'elles cherchent à vendre. En d'autres termes, la

---

30. Benjamin Barber, *Djihad versus McWorld, op. cit.*

valeur s'est faite produit et le produit s'est fait valeur.
La connivence entre la prédication universaliste et le
marketing commercial s'en trouve renforcée dans des
proportions inimaginables. Elle va jusqu'à une quasi-
identification. Inutile de dire que la valeur a perdu dans
l'aventure l'essentiel de sa légitimité. Pour les tenants
des cultures traditionnelles, il est devenu assez logique
d'identifier la mondialisation sous contrôle occidental
à une gigantesque manipulation de l'universalité. Cette
manipulation, on l'aura compris, implique une déréalisation non seulement du monde, mais aussi de
l'homme et de ses besoins véritables. Ces biens nécessaires « doivent "mourir" comme valeurs d'usage, car
ils ne demeurent encore valables que comme valeurs
d'échange marchand. Les besoins humains eux-mêmes
doivent disparaître. Ils seront transformés en simples
préférences de marché. De cette façon, tout ce qui a
trait à la liaison organique entre les hommes doit être
vidé de sa corporéité et projeté dans l'espace infini des
valeurs abstraites [31] ».

Ce n'est pas tout. La conquête des marchés passant
dorénavant par la promotion victorieuse de signes
d'appartenance, la rivalité commerciale s'exerçant de
plus en plus sur le terrain symbolique, le discours publicitaire apprend à en tirer les conséquences. Il s'agit
d'amorcer tel réflexe d'imitation (porter des Nike) plutôt que tel autre ; il s'agit d'entretenir ensuite un fantasme identitaire (j'appartiens à la caste des porteurs
de Nike) et de créditer ce fantasme d'une positivité
universelle (tout le monde rêve de porter des Nike).
Le pathos publicitaire, de mieux en mieux ciblé, adapte

---

31. Hugo Assmann, « Idolâtrie du marché et sacrifices humains »,
in Hugo Assmann et Franz J. Hinkelammert, *L'Idolâtrie de marché*,
op. cit.

le contenu de son message à l'objectif visé. Il s'agit de *vendre de l'identité*, c'est-à-dire de la différence. L'appartenance tribale – essentiellement différencialiste – devient du même coup le concept central de l'argumentaire publicitaire. Le prosélytisme universaliste de la mondialisation se retourne ainsi contre lui-même ou s'avoue comme supercherie.

S'il ne s'agissait que de publicité et de commerce, on pourrait encore relativiser les choses et penser que le discours universaliste passe aussi par d'autres canaux. On serait bien imprudent de le faire. En effet, la frontière *devient chaque jour plus poreuse entre le médiatique et le publicitaire*, le concept et le slogan. Sur cette question précise, on peut encore emprunter à Benjamin Barber un exemple significatif : celui de la chaîne américaine MTV, qui incarne à ses yeux rien de moins que « l'âme bruyante de *McWorld* ». Propriété de la société Viacom, appartenant elle-même à Sumner Redstone, MTV est devenue l'un des plus puissants médias mondiaux. Elle diffuse de Tokyo à Los Angeles et de Calcutta à Lagos des clips musicaux (notamment du rock), des informations et des programmes infantiles. Or, sur les antennes de MTV, un détail « a fait date dans l'histoire des médias » : « La frontière entre divertissement et publicité a totalement disparu. [...] Sur MTV, tout est promotion de quelque chose [32]. »

Ainsi se trouve explicitement consommée la fusion contre nature entre discours et marchandise. « Cet univers médiatique utilise tous les genres, les mélangeant soigneusement, y mêlant des fictions et créant des mythes pour mettre de la vie dans la consommation, de la consommation dans le sens, du sens dans l'imagi-

---

32. L'expression est de John Seabrouk dans le mensuel *The New Yorker* du 10 octobre 1994. (Cité par Benjamin Barber, *op. cit.*)

naire, de l'imaginaire dans la réalité, de la réalité dans la virtualité et, pour boucler la boucle, de la virtualité dans la vie réelle, de telle sorte que la distinction entre la réalité et la virtualité s'efface. Tout est abâtardi [33]. »

Cette apothéose exemplaire de *McWorld* coïncide avec la défaite non moins exemplaire du projet universaliste. La question posée, *in fine*, devrait nous inviter à réfléchir à ce qu'un essayiste parisien appelait la « mondialisation heureuse ». « Qui donc, demande Benjamin Barber, va défendre l'intérêt public, nos biens communs, dans ce monde darwinien de sociétés prédatrices qui se contentent de contrôler les référents symboliques essentiels de la civilisation [34] ? »

Faut-il rappeler ici que MTV a fait école et que, aux États-Unis comme en Europe et au Japon, les nouveaux puissants de la communication se livrent à une intense compétition pour créer, à l'échelle planétaire, des empires médiatiques obéissant au même cynisme prédateur ? On n'a sans doute pas encore pris la vraie mesure de cette bataille pour le contrôle du multimédia, dont les risques vont bien au-delà de l'uniformisation du monde. « L'objectif visé par chacun de ces titans de la communication est de devenir l'interlocuteur unique du citoyen. Ils veulent pouvoir lui offrir, aussi bien, des nouvelles, des données, des loisirs, de la culture, des services professionnels, des informations financières et économiques ; et le mettre ainsi en état d'interconnectivité par tous les moyens de communication possibles [35]. »

On est loin du grand dessein universaliste des origines. C'est donc vers lui qu'il faut brièvement se retourner.

---

33. *Ibid.*
34. *Ibid.*
35. Ignacio Ramonet, *La Tyrannie de la communication*, *op. cit.*

Le retour aux sources

Dans un essai récent, Alain Badiou, philosophe vigoureusement athée et fidèle à l'héritage de Mai 68, s'interroge sur l'importance décisive de saint Paul dans la fondation de l'universalisme [36]. Récusant l'essentiel du message chrétien (« ces fables… »), il note cependant qu'on trouve dans les quatorze Épîtres pauliniennes, notamment dans la fameuse *Épître aux Galates*, une formulation effectivement « fondatrice » de l'universalisme. Pour Paul, la définition de l'être humain ne devait plus être référée à une identité particulière (juif, grec, homme, femme, etc.) mais à la seule affirmation de sa croyance en Jésus-Christ. Badiou estime que cet arrachement à la prison de la singularité au nom d'un *principe* supérieur capable de transcender les différences correspond très exactement aux exigences de la modernité. Sauf sa foi en la résurrection du Christ, Paul de Tarse serait un penseur de notre temps pour ne pas dire un post-soixante-huitard !

On a ironisé, bien sûr, sur cette étrange méthode exégétique consistant à interpréter une pensée en l'amputant de ce qui la fonde. A ce compte-là, on pourrait faire tout aussi bien de Nietzsche, fils de pasteur, un mystique qui s'ignore, de Renan, ancien séminariste, un croyant tourmenté, du « petit père » Émile Combes, séminariste lui aussi, un catholique honteux, ou de saint Augustin, théoricien de l'intériorité, le lointain inventeur de la psychanalyse ! Cette critique étant faite, la question posée par Badiou est moins saugrenue qu'il n'y paraît. Les Épîtres de Paul contiennent, en effet, sur

---

36. Alain Badiou, *Saint Paul. La fondation de l'universalisme*, PUF, 1997.

la question de l'égalité comme de l'universalité (qui en est le corollaire), des affirmations « inouïes » et qui seront promises à une longue postérité. Paradoxalement, ce que l'on pourrait reprocher à Badiou, c'est d'avoir centré sa réflexion sur ces seules Épîtres, c'est-à-dire sur Paul lui-même, en négligeant le contexte historique et philosophique dans lequel elles s'inscrivent.

Je pense, bien sûr, au judaïsme et à l'hellénisme dans leurs interactions ou influences réciproques. Je pense également aux querelles des origines entre juifs et chrétiens, celles qui verront le christianisme s'émanciper de son fondement hébraïque et s'étendre peu à peu à une gentilité imprégnée par la pensée grecque. Dans tous les cas de figure, la question de l'universalité se trouve posée. Elle est même décisive. Il serait présomptueux de prétendre résumer, en quelques paragraphes, plusieurs siècles de controverses, débats philosophiques, persécutions et hérésies, écrits innombrables. Le regain de faveur dont bénéficie aujourd'hui l'exégèse biblique et le réexamen érudit de cette période foisonnante qu'est l'Antiquité tardive sont d'ailleurs symptomatiques. Ce qui s'est joué durant ces premiers siècles (et même avant) est d'une grande importance pour les hommes et les femmes d'aujourd'hui. Au moins peut-on donner, sur cette période, quelques indications.

Dans ses rapports initiaux avec le judaïsme, l'influence de la pensée grecque est considérable, même si l'on a tort de minimiser l'apport spécifique de la tradition juive[37]. Dès après les conquêtes d'Alexandre en Méditerranée (de 333 à 324 avant J.-C.), le judaïsme se

_____

37. Un philosophe comme Shmuel Trigano reproche à juste titre à la plupart des spécialistes de l'Antiquité (cette « école française » essentiellement agnostique) de faire du « miracle grec » une « construction idéologique » qui permet de minimiser l'importance du « miracle hébreu ».

trouve confronté à l'hellénisme universaliste qui « ouvre au yahvisme la porte de l'univers », pour reprendre l'expression de Jules Isaac. Alexandre, en effet, qui rêve de fusionner les Macédoniens, les Grecs et les Perses en une seule race, se veut un guerrier de l'universel. A ses yeux, l'unité du genre humain (*konia*) doit s'appuyer sur une langue unique (*koïnè*), c'est-à-dire une version parlée du grec. « Il n'a guère fallu plus d'une génération pour que, dans les communautés judéennes de la Diaspora, la langue des ancêtres, hébreu ou araméen, fût abandonnée au profit du grec, langue des vainqueurs, et digne de la victoire. Dès le IIIe siècle (avant J.-C.), la diaspora parle grec, écrit grec [38]. »

Cette prévalence de la langue grecque, c'est aussi celle des catégories conceptuelles de la philosophie. La traduction en grec de la Torah, du Pentateuque, puis celle des Prophètes et des livres canoniques ne fut pas seulement une entreprise technique qui aboutira à l'élaboration de la Septante (la Bible traduite en grec). Elle correspondit aussi à un renforcement de l'emprise des concepts grecs sur le judaïsme de la diaspora. Cette traduction monumentale atténue tout ce qui, dans les textes hébraïques, pouvait choquer un païen éclairé, elle réduit le particularisme du message *en l'universalisant*. Elle spiritualise l'image que ces textes donnent de Dieu. En d'autres termes, elle « transpose en mots et en concepts empruntés aux écoles philosophiques grecques les tournures et notions spécifiquement sémitiques [39] ».

Cette rencontre qui définit, comme on l'a vu, le judaïsme alexandrin, fait triompher – mais pour quelques

---

38. Jules Isaac, *Genèse de l'antisémitisme, op. cit.*

39. Marcel Simon et André Benoit, *Le Judaïsme et le Christianisme antique. D'Antiochus Épiphane à Constantin, op. cit.*

siècles seulement – un courant universaliste qui s'oppose, et s'opposera longtemps, à une tendance au « repli ombrageux ». En 168 avant J.-C., la destruction et le pillage du temple par Antiochos IV séleucide, qui fait ériger à sa place une statue de Zeus (« l'abomination de la désolation », diront les textes ultérieurs), auront une influence de même nature sur le judaïsme. Elle gommera son caractère abusivement « national ». « Une fois ce temple disparu en vertu de la volonté divine, la pensée judéo-alexandrine se trouvait bien plus à l'aise pour proclamer, et cette fois dans la ligne la plus authentiquement juive, l'avènement pour tous les hommes de bonne volonté de la religion en esprit [40]. » Philon d'Alexandrie, on l'a dit, est le représentant le plus admirable de ce judéo-hellénisme dont l'enseignement est explicitement universaliste. On pourrait multiplier les citations qui en apportent la preuve. Celle-ci, par exemple, extraordinairement proche des Épîtres de saint Paul et très moderne dans son inspiration : « Le monde est en accord avec la loi et la loi avec le monde, et l'homme soumis à la loi est par là même citoyen du monde [41]. »

On peut estimer que les pharisiens de Jérusalem, auxquels seront confrontés les premiers chrétiens (et dont saint Paul faisait initialement partie), étaient les héritiers directs de cet universalisme judéo-hellénistique. C'est en tout cas ce qu'avançait Isidore Lévy [42] en

---

40. Marcel Simon, *Verus Israël. Étude sur les relations entre chrétiens et juifs dans l'Empire romain (135-425)*, *op. cit.* C'est à ce livre magistral que j'emprunte la plupart des analyses proposées ici.

41. Philon d'Alexandrie, *De opificio mundi*, trad. Roger Arnaldez, Cerf, 1961. Notons que toute l'œuvre de Philon est disponible, en traduction française, chez ce même éditeur. Notons également – ce qui est un signe – que les œuvres de Philon sont désormais disponibles en hébreu.

42. Isidore Lévy, *Recherches esséniennes et pythagoriciennes*, Droz, 1964. (Cité ici par Marcel Simon.)

ajoutant qu'ils avaient su « concilier Moïse et Pythagore, ou si l'on veut Platon ». « Les pharisiens, de plus
en plus nombreux et actifs à mesure qu'on approche de
l'ère chrétienne, sont les disciples palestiniens des juifs
hellénistiques d'Alexandrie. » Ce rappel permet de
mieux comprendre de quelle tradition Paul est véritablement l'héritier, les catégories mentales qu'il a fait
siennes au moment de sa conversion sur le chemin de
Damas et dont les Épîtres porteront évidemment la
trace.

La chair et l'esprit

La naissance du christianisme et les distances qu'il
prendra rapidement avec le judaïsme conduiront ce dernier à « répudier l'idée d'universalisme ». A mesure
que, sous l'influence de Paul, le christianisme missionnaire se tourne vers les païens et convertit peu à peu
ces derniers, le judaïsme se replie sur lui-même. Il se
réfugie dans la prescription rabbinique ou se place
sous la protection de l'Empire perse. « Le judaïsme de
type alexandrin, d'esprit hellénistique et universaliste
disparaît et c'est autour du Talmud que s'opère le
regroupement des forces spirituelles d'Israël[43]. » Ce
repli rabbinique et talmudique s'accentuera encore, à
mesure que le christianisme s'imposera dans l'Empire
romain.

L'enseignement universaliste de Philon d'Alexandrie
est critiqué, alors que le même Philon (redécouvert
aujourd'hui par les intellectuels juifs) aurait pu être
pour le judaïsme l'équivalent d'un père de l'Église

---

43. Marcel Simon, *Verus Israël. Étude sur les relations entre
chrétiens et juifs dans l'Empire romain (135-425)*, *op. cit.*

catholique [44]. La Septante est brutalement remise en
question, à partir du IIe siècle, au profit d'une version
de la Bible dite « d'Aquila », plus proche de l'hébreu.
L'animosité tardive contre la Septante ira même très
loin. « Les rabbins palestiniens déclarèrent que le jour où
cette traduction fut élaborée avait été aussi néfaste que
celui où l'on fabriqua le veau d'or, et que les ténèbres
avaient alors couvert le monde pendant trente jours [45]. »
Il est vrai que les chrétiens avaient annexé entre-temps
non seulement la Septante mais aussi l'œuvre de Philon,
et qu'ils en avaient fait des armes de combat contre les
juifs…

Les premiers chrétiens se présentèrent en tout cas
comme les seuls détenteurs du message universaliste.
(*Verus Israël !* Le nouvel Israël !) C'est notamment sur
ce point que porta leur conflit avec le judaïsme. En
opposant le nouvel Israël « selon l'esprit » à l'ancien
Israël « selon la chair », Paul désigne en réalité *la primauté de l'universel sur le particulier*, la prévalence
de la foi en la résurrection du Christ sur l'appartenance.
Là se situe très exactement le point d'articulation entre
les trois héritages grec, juif et chrétien de la tradition
occidentale. L'essentiel du message de Paul ne consiste
pas tant, comme l'ont soutenu ses détracteurs, à opposer la foi à la loi, que l'universalisme à l'identité « charnelle ». « Au fondement de la pensée de Paul se trouve
le principe *christologique* : par le seul Jésus-Christ,
assure-t-il, "la grâce de Dieu […] s'est répandue en

---

44. Il est vrai que, du côté chrétien, un Origène fut ostracisé de la
même manière et pour les mêmes raisons : une trop grande complaisance à l'égard de l'hellénisme. Origène n'est toujours pas considéré comme un père de l'Église.

45. Marcel Simon et André Benoit, *Le Judaïsme et le Christianisme antique. D'Antiochus Épiphane à Constantin, op. cit.*

abondance sur la multitude (Romains 5,15)". Il n'y a pas de différence entre Juifs et Grecs. "Nous estimons [dit-il encore] que l'homme est justifié par la foi, indépendamment des œuvres de la loi." (Romains 3,28-30 [46]). »

De ce point de vue, on peut soutenir en effet, comme le fait Alain Badiou, que Paul participe à la « fondation de l'universalisme ». A condition de préciser toutefois que cette proclamation paulinienne est inséparable de sa foi en la résurrection et que, d'autre part, elle ne tombe pas du ciel, si l'on peut dire. Elle s'inscrit dans un processus, une maturation, où l'hellénisme et le judaïsme ont joué un rôle. Comme cela avait été le cas pour les juifs d'Alexandrie, les premiers chrétiens ne se contentèrent pas d'emprunter à l'univers grec dans lequel ils vivaient des concepts et des « catégories ». Ils en restèrent imprégnés. Il n'y eut pas seulement rencontre entre le christianisme et l'hellénisme, mais *hellénisation partielle du christianisme*. Ce sera particulièrement vrai au IIIᵉ siècle, durant ce qu'on appellera l'âge d'or de la patristique. Certains des pères grecs de l'Église perpétueront en fait, mais d'un point de vue chrétien, la tradition judéo-alexandrine et resteront plus ou moins influencés par l'enseignement de Philon. C'est le cas du plus célèbre d'entre eux, Clément d'Alexandrie, auteur du *Pédagogue* et des *Stromates*, écrits apologétiques où se devine une influence de Platon et du stoïcisme.

Il est juste d'ajouter que cette influence de l'hellénisme ne sera pas toujours vue d'un très bon œil par les théologiens orthodoxes, prompts à y déceler des traces d'hérésies. « Les hérétiques [à leurs yeux] ont voulu mêler à la doctrine authentique des éléments empruntés

---

46. Geneviève Comeau, *Catholicisme et Judaïsme dans la modernité*, Cerf, 1998.

à la philosophie de l'époque. C'est la thèse défendue par Irénée dans son *Adversus Haereses* et mise en œuvre de manière systématique par Hippolyte dans ses *Philosophoumena*[47]. » Mais ces crispations doctrinales n'empêcheront pas l'interpénétration réciproque entre hellénisme et christianisme.

Ainsi recueilli et revivifié, l'universalisme grec prendra même un caractère d'évidence sous la bannière chrétienne. « A mesure en effet que le christianisme étend ses conquêtes, lorsque l'empereur lui-même est officiellement chrétien et que s'est formée une culture chrétienne, toute nourrie de culture classique, la coupure introduite à l'origine s'estompe : on devient, ou, plus souvent maintenant, on naît chrétien sans cesser d'être "hellène"[48]. » Quant à la rétractation du judaïsme « selon la chair » refusant de se joindre à *Verus Israël* et de reconnaître Jésus comme le Messie, elle alimentera pendant des siècles, comme on le sait, cet antijudaïsme chrétien et cet « enseignement du mépris » sur lesquels nous reviendrons[49].

L'universalité revendiquée par le christianisme des origines explique en tout cas la vigueur de son extension au cours des premiers siècles. Une extension dont on ne mesure pas toujours l'ampleur ni la rapidité. On connaît certes les étapes de la christianisation de l'Occident européen, de la Gaule à l'Irlande et de l'Espagne aux territoires germaniques ou même à l'Afrique orientale (l'Éthiopie évangélisée dès le IVe siècle !). On connaît moins bien, en revanche, la réussite du prosély-

---

47. Marcel Simon et André Benoit, *Le Judaïsme et le Christianisme antique. D'Antiochus Épiphane à Constantin*, *op. cit.*
48. Marcel Simon, *Verus Israël. Étude sur les relations entre chrétiens et juifs dans l'Empire romain (135-425)*, *op. cit.*
49. Voir chap. 11.

tisme chrétien en direction de l'Orient, de la Mésopotamie, de la Grèce, de l'Inde ou même de la Chine. Il est vrai qu'elle fut surtout le fait des missionnaires nestoriens, disciples de Nestorius, ancien patriarche de Constantinople, dont la doctrine fut déclarée hérétique par les conciles d'Éphèse (431) et de Chalcédoine (451). Si cette extension mérite d'être brièvement rappelée ici, c'est qu'elle procède d'une *démarche universaliste* et s'efforce de perpétuer un dialogue permanent et savant avec la philosophie grecque.

L'exemple le plus spectaculaire est sans aucun doute l'université de Nisibe, créée au Ve siècle aux confins de la Mésopotamie et de la Perse. Destinée à l'enseignement des écritures chrétiennes, elle accueillit rapidement des milliers d'étudiants venus de Mésopotamie et d'ailleurs. Elle devint l'un des grands centres universitaires du Proche-Orient. Or c'est à Nisibe que d'innombrables traductions furent faites et que la confrontation érudite entre pensée grecque et enseignement chrétien fut systématisée. A Nisibe, « la logique élémentaire, dont les règles avaient été exposées par Aristote, était essentielle pour comprendre le sens exact des passages cruciaux des Écritures. Elle était nécessaire aussi pour la controverse religieuse. C'était un outil rigoureusement impartial, "technocratique", manié par une élite bien préparée à entrer avec brio dans la controverse avec ses nombreux rivaux, chrétiens et non chrétiens [50] ».

Ce n'est là qu'un exemple. Il aide à comprendre comment cette expansion du christianisme, puis de l'islam, qui ne s'interrompit jamais pendant de longs siècles, fut aussi, indirectement, celle des valeurs abrahamaniques et grecques. La laïcisation progressive de ces valeurs universalistes ne peut faire oublier leur origine première

---

50. Peter Brown, *L'Essor du christianisme occidental*, *op. cit.*

et leur genèse. Tel est le paradoxe de cette longue – et peut-être abusive – corrélation entre judéo-christianisme et modernité occidentale. Un paradoxe difficile à admettre pour un esprit moderne, et plus difficile encore à assumer en toute connaissance de cause. L'interprétation que propose Shmuel Trigano pour ce qui est du judaïsme me paraît éclairante : « Islam et chrétienté ont changé la face du monde en faisant reculer le paganisme : ils ont d'une certaine façon "civilisé" (en termes judaïques), "judaïsé" la plus grande partie du monde, ce qui a donné au peuple d'Israël une audience, une aire d'action immenses que seul il n'aurait jamais acquises. […] En d'autres termes, les deux religions abrahamaniques ont contribué à construire l'universalité d'Israël et du message sinaïtique [51]. »

Le déracinement de soi

Reste à comprendre pourquoi cette prodigieuse expansion de l'universalité occidentale, bientôt laïcisée, s'est accompagnée de tant de violences, de tant de crimes et d'agressivité pour les cultures singulières. Point n'est besoin de se pencher bien longtemps sur l'histoire pour trouver mille exemples d'un universalisme arrogant et destructeur. Tout s'est passé comme si l'injonction du déracinement, qui est l'essence même de l'aventure humaine, devenait meurtrière dès lors qu'on l'absolutisait. La conscience aiguë de ces dévastations innombrables, envers funèbre du progrès, laisse à la charge du monde occidental une responsabilité historique qu'il doit apprendre à regarder en face. Elle lui enjoint de

---

51. Shmuel Trigano, *Un exil sans retour ?*, *op. cit.*

résoudre la question de l'universel et du particulier autrement que par cette « double contrainte » désespérante – ou hypocrite – que j'évoquais plus haut. Ni l'agressivité destructrice de la rationalité instrumentale (cette forme dégradée du prosélytisme), ni l'exaltation des différences (cette mauvaise conscience sans lendemain) ne constituent aujourd'hui des réponses acceptables. Encore moins lorsqu'elles additionnent leurs calamités ! Reste à comprendre comment pourraient être réconciliés l'héritage universaliste *et* la singularité.

Le propre de la mondialisation telle qu'elle est dévoyée par la société marchande est qu'elle menace *tout à la fois l'universel et la différence*. Elle détruit son contraire tout en se détruisant elle-même. Les deux sont donc à réhabiliter et à défendre ensemble. Telle est la question posée. Je ne crois pas qu'il en existe beaucoup d'aussi fondamentales. Cette question n'est plus d'essence religieuse. C'est sur elle que butent par exemple les juristes soucieux d'élaborer un véritable droit mondial ou de diffuser sur toute la planète cette morale minimale, exprimée par les différentes chartes internationales. Aujourd'hui, en effet, ce qu'il est convenu d'appeler la philosophie des droits de l'homme – même quand elle n'est pas pervertie par le cynisme commercial – suscite le même type de rejet que jadis le christianisme missionnaire ou l'islam conquérant. « On a parfois reproché à la Déclaration des droits de l'homme de 1948 d'exprimer la prédominance de la culture occidentale[52]. » La plupart des conflits et malentendus viennent de cette ambiguïté. C'est elle qu'il s'agit de dépasser. D'où cette nécessité de promouvoir, à côté d'une « raison modeste » qui

---

52. Mireille Delmas-Marty, *Trois Défis pour un droit mondial*, *op. cit.*

nous détourne de la tentation scientiste, un universalisme non exclusif qui laisse place au singulier sans jamais cesser de le questionner.

Il me paraît révélateur que cette harmonisation nouvelle du particulier et de l'universel soit aussi la mission qu'assigne Shmuel Trigano au judaïsme lui-même : « Ce n'est plus de se mesurer au passé, ce n'est plus de se mesurer à la pensée dominante qu'Israël forgera sa présence au monde. C'est en fondant tout sur sa puissance aurorale, en tablant tout sur l'un, en ouvrant pour l'humanité la voie de l'universel sous l'un. L'humanité est en effet appelée à semblable réversion [53]. »

Il nous faut apprendre, en effet, à conjuguer différemment ces deux dimensions de notre destin : la singularité qui nous définit, l'universel qui nous invite au dépassement de celle-ci. Mieux encore, contre les dogmatismes et les intolérances contemporaines, nous devons comprendre que *c'est la singularité elle-même qui nous ouvre à l'universel*. A condition qu'elle ne soit ni close, ni violentée, ni assignée. La plénitude de la condition humaine consiste idéalement à tenir aboutés l'un à l'autre ces deux impératifs contraires : l'obscur besoin d'une patrie et la nécessité de s'en affranchir. Nous avons autant besoin d'appartenance que de liberté ; cette appartenance peut désormais être « multiple », pour reprendre la terminologie contemporaine, elle n'en est pas moins nécessaire. Comme demeure nécessaire le souci d'échapper à sa finitude, d'échapper surtout à cette barbarie obtuse qui ne sait désigner l'autre, l'ailleurs, que comme périls. « L'universel, c'est le local moins les murs », disait magnifiquement l'écrivain portugais Miguel Torga, en 1954, dans une confé-

53. Shmuel Trigano, *Philosophie de la Loi. L'origine de la politique dans la Tora*, Cerf, 1991.

rence faite au Brésil[54]. Les juristes les plus lucides expriment la même vérité paradoxale lorsqu'ils constatent, expérience aidant, que « chaque homme n'accède à l'humanité que par la médiation d'une culture particulière[55] ». Notons que c'est, sous une autre forme, ce qu'écrivait déjà Hegel lorsqu'il distinguait – mais sans les opposer – les esprits des peuples (*Volksgeister*) et l'Esprit du Monde (*Weltgeist*), en ajoutant que les premiers trouvaient leur vérité et leur destin dans le second.

Cet équilibre sans cesse recherché et toujours instable, cette reconnaissance de l'autre sans capitulation devant ses préjugés définissent au bout du compte la tolérance au sens fort du terme. Celle qui s'affirme, mais sans démagogie ni renoncement ; celle qui récuse tout aussi bien la certitude fermée sur elle-même que le relativisme irresponsable. « Tolérer les opinions au nom d'une prétendue morale permissive revient bien souvent à l'aveu d'un indifférentisme réel : si toutes les opinions se valent, elles se rejoignent dans la nullité objective, et aucune norme ne permet en fait d'en juger[56]. » La vraie tolérance ne débouche pas sur l'indifférence à la vérité ; l'acceptation de l'autre n'oblige pas au renoncement à soi-même ; la place concédée à la différence n'interrompt pas la quête du semblable. Auteur d'un livre fameux sur *L'Enracinement*, la philosophe Simone Weil est morte en 1943, bien avant que

---

54. Cette conférence a été éditée sous forme de livre. Miguel Torga, *L'Universel, c'est le local moins les murs*, trad. du portugais par Claire Cayron, William Blake, 1994.

55. Pierre-Henri Imbert, *Revue universelle des droits de l'homme*, 1989 ; cité par Mireille Delmas-Marty, *Trois Défis pour un droit mondial, op. cit.*

56. Claude Sahel, préface à *La Tolérance. Pour un humanisme hérétique*, Seuil, coll. « Points », 1998.

ne fût vulgarisé le terme « mondialisation ». Elle donnait pourtant la meilleure définition possible de ce que pourrait être un universalisme pacifié lorsqu'elle écrivait en substance : c'est un devoir de nous déraciner, mais c'est toujours un crime de déraciner l'autre.

Chapitre 7

Le « moi »
en quête de « nous »

> « Aujourd'hui, nous ne cherchons plus de pen-
> sées émancipatrices, parce que nous sommes
> émancipés. Toute la difficulté vient de là. »
>
> Joël Roman, *Chronique des idées*
> *contemporaines*, Bréal, 1995.

Individus libérés, nous voilà pris de vertige devant notre propre victoire. Celle-ci est désormais si totale qu'elle nous affranchit et nous oppresse tout à la fois. Chaque jour, au tréfonds de nous-mêmes, nous ressentons le poids de ce dilemme : une absolue liberté alliée à un absolu désarroi. La modernité nous a légué et la première et le second, au point que nous savons les deux indissolublement liés. Nous nous sentons pris au piège. Pour rien au monde, nous ne renoncerions à cette précieuse autonomie, mais nous n'en pouvons plus, décidément, de ce vide. Nous balançons sans relâche entre la conscience d'un privilège et l'obscur sentiment d'un deuil. Le privilège, c'est celui que Kierkegaard appelait « le choix de soi-même », la possibilité inouïe de nous construire et de vivre comme nous l'enten-dons ; le deuil, c'est celui qui fut mélancoliquement défini par le romancier britannique D. H. Lawrence quand il parlait de « la crucifixion de la solitude individuelle », cette vacuité indéfinissable… « Dans le monde contemporain, écrivait Louis Dumont, l'individualisme est d'une part tout-puissant et de l'autre perpétuellement et irrémédiablement hanté par son contraire[1]. » On ne saurait mieux définir notre trouble. Ainsi sommes-nous devenus des solitudes souveraines et désemparées. Nous sommes les bénéficiaires comblés et les tributaires inquiets d'une histoire que nous ne pouvons ni récuser ni assumer jusqu'au bout.

Comblés, nous le sommes au-delà même de ce que des générations entières avaient pu rêver. C'est d'abord cela qu'il faut dire et rappeler sans relâche. Les libertés nouvelles, les conquêtes, souvent obtenues au prix de luttes difficiles, sont des réalités bien vivantes dont on ne saurait minimiser l'importance. Qu'il s'agisse de l'émancipation des femmes, des libertés du citoyen face aux pouvoirs, de la dignité spontanément reconnue à l'individu, l'héritage est prodigieux. On peut comprendre que nous n'ayons aucune envie de le brader et que, même, nous nous sentions prêts à le défendre – résolument – contre les archaïsmes ou les nostalgies qui prétendraient y porter atteinte. En d'autres termes, nous demeurons *mobilisés* sur ce front-là. Nous ne voudrions rien lâcher de tout ce qui a été conquis. A juste titre.

Pour autant, nous refusons, dans le même temps, de dissimuler notre effroi, notre vertige, notre désarroi devant un sentiment de vide. Nous éprouvons, presque physiquement, le sentiment d'un « trop », d'un excès, d'une menace à front renversé. Au regard de ce tourment, comme elles nous paraissent courtes les querelles

---

1. Louis Dumont, *Essais sur l'individualisme. Une perspective anthropologique sur l'idéologie moderne*, Seuil, 1983.

sur le libéralisme opposé au jacobinisme ou sur les démocrates affrontés aux républicains ! Comme elles nous semblent devenues inessentielles, les polémiques sur la « révolte » face à l'ordre social ! Quel ordre social ? Ces rhétoriques et ces vains moulinets sur la scène publique nous laissent incrédules, comme s'il s'agissait là de combats très anciens. La contradiction, telle que chacun de nous peut la vivre, nous semble autrement profonde, tellement plus grave…

Cette profondeur, il faut essayer de la sonder, comme on tâte le fond d'une rivière avant de s'y engager.

La conscience du moi

Comment pourrions-nous le faire sans nous ressouvenir d'abord de ce qu'a d'extraordinaire, aussi bien dans le temps que dans l'espace, l'émancipation *personnelle* dont nous bénéficions aujourd'hui ? Écrivant cela, je n'évoque pas seulement l'idée de liberté (qui nous renvoie à l'ordre politique) mais la simple *conscience du moi*, cette appropriation de soi-même et cette autonomie désormais sans limites. Charles Taylor ironise à bon droit sur ces philosophies naturalistes qui « ont tendance à croire que nous possédons un moi comme nous avons un cœur ou un foie[2] ». En réalité, ce « moi » perçu comme valeur première est une invention récente. Toute récente, même. Seules notre amnésie et notre étourderie nous autorisent à parler de l'individu comme d'une réalité banale, quotidienne, en oubliant son incroyable nouveauté historique et le saut qualitatif que l'élection de cette valeur a représenté dans notre

2. Charles Taylor, *Les Sources du moi, op. cit.*

rapport au monde. Certes, le passé n'a jamais manqué d'individus d'exception, de destins solitaires et hors du commun, autant de réalités dont nous parlent la littérature et l'Histoire depuis des siècles. Ce qui ne pouvait exister, en revanche, c'est l'individu comme conquête et comme horizon.

L'Antiquité gréco-latine, par exemple, ignorait le concept de personne ou d'individu. Le mot latin *persona* – comme le grec *prosopon* – servait à désigner les masques de théâtre. « La pensée antique voyait surtout dans la *persona* une fonction sociale assignée par la société à tel ou tel de ses membres. Cette notion appartenait à la sphère du théâtre et de la procédure judiciaire, et non au champ de la psychologie. [...] L'homme n'avait pas conscience de son existence comme personne[3]. » Le grand sociologue Norbert Elias insiste lui aussi volontiers sur cette impossibilité, pour la pensée antique, de se référer à un individu dépourvu de toute référence collective, un individu compris comme personne isolée ayant prééminence sur le groupe[4].

En historien, Fernand Braudel évoque quant à lui cette quasi-inexistence de la conscience individuelle au temps – pas si lointain – où l'humanité était encore ensevelie dans ce qu'il appelle la « vie matérielle », c'est-à-dire une réalité communautaire hantée par la survie, impérieuse à proportion, et dont nous sentons parfois encore la présence fantomatique par-dessus notre épaule. « D'innombrables gestes hérités, accumulés pêle-mêle, répétés infiniment jusqu'à nous, nous aident à vivre, nous emprisonnent, décident pour nous

---

3. Aron J. Gourevitch, *La Naissance de l'individu dans l'Europe médiévale*, trad. du russe par Jean-Jacques Marie, préface de Jacques Le Goff, Seuil, 1997.

4. Lire notamment : Norbert Elias, *La Société des individus*, *op. cit.*

à longueur d'existence. Ce sont des incitations, des pulsions, des modèles, des façons ou des obligations d'agir qui remontent parfois, et plus souvent qu'on ne le suppose, au fin fond des âges [5]. » Il faut bien comprendre que, pendant des millénaires, la perspective d'une échappée hors de cette nécessaire solidarité du groupe était tout simplement impensable. L'antique soupir que psalmodient les liturgies médiévales n'exprime pas le vœu d'être libéré du groupe mais de tout autre chose : *A peste, fame et bello, libera nos, Domine.* (De la peste, la faim, la guerre, délivre-nous, Seigneur !)

Mieux encore. Quand nous évoquons aujourd'hui nos « pensées les plus intimes », lorsque nous désignons notre for intérieur comme un lieu composé d'espaces infinis, de recoins secrets et inexplorés, nous ne nous rendons pas compte que « cette localisation n'est pas une donnée universelle » mais « un mode historiquement limité d'interprétation du moi, qui a fini par prédominer dans l'Occident moderne », un mode « qui a un commencement dans le temps et dans l'espace et qui pourrait bien avoir une fin » [6].

Une « invention occidentale » ? Si l'on en doute encore, qu'il nous suffise de nous tourner vers l'une ou l'autre des grandes sagesses non européennes. Celle de la Chine, par exemple. Un érudit comme François Cheng nous est, pour ce faire, d'un bon secours. Philosophe et calligraphe chinois, mais excellent connaisseur de notre culture (il a traduit Jacques Derrida en mandarin), Cheng est un messager infatigable entre les deux traditions, orientale et occidentale. Or il souligne régulièrement dans ses ouvrages ou ses interviews que la pensée chinoise n'a jamais approfondi la notion de

---

5. Fernand Braudel, *La Dynamique du capitalisme*, *op. cit.*
6. Charles Taylor, *Les Sources du moi*, *op. cit.*

« sujet », comme être libre et indépendant. C'est une interprétation qu'elle n'a véritablement abordée (et si peu !) qu'au contact de l'Occident [7]. La même chose pourrait être dite – et fut dite par Louis Dumont – de l'hindouisme ou du bouddhisme, pour lesquels l'individualisme et la sagesse ne peuvent être acquis qu'au prix d'un retrait du monde.

Cristal et fumée

Mais entendons-nous d'abord sur les mots. Pour définir cette prodigieuse conquête, le terme de *liberté* est insuffisant. Il évoque un seul aspect des choses et, à cause de cela, fausse la plupart des débats concernant la « société des individus », pour reprendre l'expression de Norbert Elias. La démarche la plus éclairante est sans doute celle qui combine deux classifications. Elles ne se confondent pas mais se complètent. La première, chère à Louis Dumont, oppose le holisme à l'individualisme ; la seconde, souvent utilisée par Marcel Gauchet, met plutôt en vis-à-vis l'hétéronomie et l'autonomie. Qu'est-ce à dire ?

Le holisme, du grec *holos*, qui veut dire « entier », est, au sens littéral, un point de vue épistémologique selon lequel un exposé scientifique est forcément tributaire du domaine tout entier dans lequel il apparaît. Par extension, le mot qualifie la priorité accordée au groupe, à l'ensemble, à la communauté, plutôt qu'à l'une de ses « particules élémentaires », c'est-à-dire l'individu. Les sociétés holistes sont celles qui mettent en avant les

---

7. Conversation avec Stéphane Paoli sur France Inter, le 23 octobre 1998. Voir aussi François Cheng, *Le Dit de Tiany*, Albin Michel, 1998.

valeurs collectives – valeurs de survie, d'identité, de
cohérence ou de défense – en limitant volontairement
la souveraineté de chacun. Pour l'essentiel, l'histoire
du monde fut dominée par le holisme, même si celui-ci
s'est révélé plus ou moins pesant selon les circonstances. Jacques Monod décrivait bien cette servitude
millénaire lorsqu'il notait : « Pendant des centaines de
milliers d'années, la destinée d'un homme se confon-
dait avec celle de son groupe, de sa tribu, hors laquelle
il ne pouvait survivre. La tribu, quant à elle, ne pouvait
survivre et se défendre que par sa cohésion. D'où l'extrême puissance subjective des lois qui organisaient et
garantissaient cette cohésion[8]. » Faut-il ajouter que ce
holisme est encore la règle aujourd'hui dans la plupart
des sociétés de l'hémisphère Sud, même si elles sont
dorénavant travaillées par la subversion individualiste ?

Dans l'absolu, le holisme intégral caractérise le totalitarisme (comme prévalence de la *totalité*). A ce titre,
les totalitarismes fusionnels du XXe siècle ne furent que
« des maladies de la société moderne qui [résultaient]
de la tentative, dans une société où l'individualisme est
profondément enraciné, et prédominant, de le subordonner de nouveau à la primauté de la société comme
totalité[9] ». Le plus parfait exemple de cette volonté
d'en revenir à un holisme intégral fut d'ailleurs donné
par Hitler lui-même. « L'ère du bonheur personnel est
close, déclarait-il à Hermann Rauschning. Ce que nous
lui substituons, c'est l'aspiration à un bonheur de la
communauté[10]. »

A l'opposé, l'individualisme radical correspondrait
quant à lui à l'anarchie, c'est-à-dire à la tyrannie du

---

8. Jacques Monod, *Le Hasard et la Nécessité*, Seuil, 1970.
9. Louis Dumont, *Homo aequalis*, Gallimard, 1977.
10. Hermann Rauschning, *Hitler m'a dit*, *op. cit.*

désordre. D'un côté, l'ordre rigide du cristal ; de l'autre, l'effervescence aléatoire de la fumée [11].

En réalité, aucune société ne fut jamais aussi monolithique que cela, ni dans un sens ni dans l'autre. La plupart d'entre elles conjuguaient une certaine dose de holisme avec une marge plus ou moins grande d'individualisme. Il n'empêche que la valeur *dominante* était – universellement – holiste. Et cela, jusqu'à la période moderne. « A la veille encore de la Déclaration des droits de l'homme, l'individu n'était pas reconnu, sinon comme obstacle : il n'avait d'existence sociale que par sa place dans le cercle-réseau des communautés dont il relevait [12]. » Tout le mouvement d'émancipation, surtout depuis les Lumières, peut être compris comme une lente et progressive valorisation de l'individualisme impliquant un recul correspondant du holisme. Cette libération doit être entendue dans un sens large. L'individu moderne ne se libère pas seulement des sujétions imposées par l'État. Il s'affranchit tout autant des « assignations à résidence » : villageoises, familiales, culturelles, communautaires, biologiques, etc. Il se déracine pour s'affronter à l'universel.

L'opposition entre hétéronomie et autonomie évoque, quant à elle, un aspect sensiblement différent de la même question. L'hétéronomie, du grec *heteros*, « l'autre », et *nomos*, « la loi », désigne le fait de recevoir de l'extérieur les règles organisant sa conduite, les impulsions et les principes d'action, au lieu de les trouver en soi, de façon autonome. Jusqu'à l'époque moderne, la *loi* était arrimée – et fondée – sur une transcendance, le

---

11. Je paraphrase ici le titre d'un ouvrage d'Henri Atlan, *Entre le cristal et la fumée*, Seuil, 1986.
12. Émile Poulat, *Liberté, laïcité. La guerre des deux France et le principe de la modernité*, *op. cit.*

plus souvent religieuse. Elle était dictée du dehors, ou du moins d'en haut, par un pouvoir qui l'imposait à ses sujets. Tel était le sens du fameux principe, *cujus regio, ejus religio*, qui fut notamment invoqué lors de la paix d'Augsbourg, en 1555, après les guerres de Religion. Choisie par le prince, la religion, avec ses règles spécifiques, s'appliquait naturellement aux sujets de celui-ci.

Mais la religion, pensait-on, s'imposait au souverain lui-même, dont elle limitait l'omnipotence. Elle favorisait ainsi l'exercice de la liberté. Tocqueville définissait les avantages paradoxaux d'une certaine dose d'hétéronomie religieuse lorsqu'il notait : « En même temps que la loi permet au peuple américain de tout faire, la religion l'empêche de tout concevoir et lui défend de tout oser. La religion qui, chez les Américains, ne se mêle jamais directement au gouvernement de la société doit donc être considérée comme la première de leurs institutions politiques ; car si elle ne leur donne pas le goût de la liberté, elle leur en facilite singulièrement l'usage [13]. »

Nos sociétés démocratiques ont définitivement récusé toutes ces formes, même résiduelles, d'hétéronomie. Elles entendent se fonder de façon autonome, c'est-à-dire s'auto-instituer, ou s'auto-organiser, pour reprendre la terminologie de Cornelius Castoriadis. Mieux encore, elles concèdent à chacun de leurs membres la capacité de choisir lui-même librement – dans les seules limites du droit – les valeurs auxquelles il adhère, les principes moraux qu'il reconnaît pour légitimes, les croyances qu'il assume, etc. Dans la sensibilité moderne, la simple hypothèse d'une valeur enracinée au-dehors, en haut ou

---

13. Tocqueville, *Œuvres, papiers et correspondances. Démocratie en Amérique*, Gallimard, 1951, t. 1.

ailleurs, est perçue comme attentatoire à la liberté de chacun. Nous nous sommes définitivement libérés de ce que John Stuart Mill appelait « le despotisme des coutumes ».

L'utopie moderne conjugue ainsi l'individualisme et l'autonomie ; elle place le « moi » au centre de son projet et affronte, mais sans le secours d'une transcendance, sa propre incomplétude. Cette incomplétude que l'on définit parfois en transposant (abusivement ?) le fameux théorème de Gödel, qui concernait les logiques mathématiques. Ce théorème fut énoncé par le logicien américain d'origine autrichienne Kurt Gödel (1906-1978), dont les travaux ont modifié durablement notre conception des mathématiques [14]. Pour Gödel, *les systèmes consistants ne peuvent être complets et les systèmes complets ne peuvent être consistants*. Transposé au domaine des sciences humaines, cela signifie qu'aucune collectivité n'est capable de trouver en elle-même ce qui la fonde. Toute communauté serait donc contrainte de se référer à un au-delà d'elle-même, à un « ailleurs » pour assurer sa propre cohérence.

Or c'est cette prétendue fatalité de l'hétéronomie que récusent nos sociétés démocratiques. Elles parient sur ce qu'on pourrait appeler une auto-institution des valeurs conçues *a minima*, dont l'ordre juridique serait la meilleure approximation. Autonomie totale, sous l'unique surplomb de la loi civile et du Code pénal ! Ce polythéisme des valeurs, régulé par la loi et elle seule, a pris au pied de la lettre l'utopie formulée par Eugène Fournier, un socialiste indépendant du début du siècle qui écrivait dans *La Crise socialiste* (1908) : « Nous

---

14. Gödel est également l'inventeur de ce qu'on appelle les « propositions indécidables ». Son maître-livre sur ce sujet, *Principia Mathematica*, date de 1931.

avons brisé toutes les traditions et nous sommes plus libérés et dénués de tout que les premiers pionniers d'Amérique, qui du moins avaient emporté leur Bible avec eux. Notre école est sans Dieu et notre village sans prêtre. Nous avons pour règle unique la conscience individuelle ouverte à toute la critique, et pour unique régulateur le Code pénal [15]. »

Certes, on pourra juger bien schématiques ou sommaires ces quelques rappels terminologiques. Ils nous aident cependant à comprendre l'extraordinaire *révolution* ontologique et historique que représente cette victoire du « moi » sur le « nous » et de l'« ici » sur l'« ailleurs ». Elle nous fait mieux toucher du doigt la nouveauté de cette rupture qui, au terme d'une longue histoire, débouche sur l'invention et le triomphe sans partage de l'individu moderne, cette étrangeté. Elle nous éclaire enfin, *a contrario*, sur la nature des nostalgies qui, parfois, nous assiègent.

« *Rentre en toi-même…* »

Dans le « choc des cultures [16] » que provoque aujourd'hui l'extension planétaire de la modernité, l'individualisme est, de toutes les valeurs, celle qui est considérée comme *la plus occidentale*. C'est contre elle (son « égoïsme », son pouvoir dissolvant, le nihilisme qu'elle trahit, etc.) que se dressent les traditions menacées. C'est encore elle qu'on montre du doigt lorsqu'on veut

---

15. Cité par Marcel Gauchet, *La Religion dans la démocratie*, *op. cit.*

16. Je fais bien sûr allusion ici au fameux article très controversé de Samuel Huntington, paru en 1994 dans la revue *Foreign Affairs* et repris en français dans *Commentaire*, n° 66, été 1994.

accuser l'impérialisme culturel de l'Euro-Amérique. Ce n'est pas par hasard. Plus nettement encore que le progrès, l'égalité, la raison ou l'universel, cette primauté de l'individu constitue – pour le meilleur et pour le pire – le cœur même de l'héritage judéo-chrétien. On serait même tenté de dire du christianisme *stricto sensu*. Ni les historiens ni les théologiens n'ont de doute sur ce point. « L'individu défini comme personne acceptée indépendamment de ses qualités et constituée par une décision indépendante de son appartenance sociale et ethnique est une invention du christianisme [17]. »

Dans cette « invention », la pensée grecque eut toutefois sa part. C'est sur des fondements posés par Platon que le christianisme s'est construit. Sur ce point précis, Nietzsche n'avait pas tort de voir dans le christianisme un « platonisme à l'usage du peuple ». Reste à comprendre comment on est passé de l'un à l'autre. Pour Platon, tout accès à la vie supérieure passe par une unification du moi et une maîtrise des passions. Ce pouvoir d'atteindre, intérieurement, à l'univers des *Idées* n'est pas déposé en nous par l'éducation. C'est une capacité individuelle que nous possédons en propre. Elle nous permet de percevoir avec calme et lucidité comment nous devons agir. Elle nous invite à être « maître de nous-même », c'est-à-dire à la fois raisonnable et libre.

C'est au nom de cette souveraineté triomphante, de cette sagesse intérieure, que Platon soutient dans la plupart de ses dialogues (dans le *Gorgias*, par exemple) qu'il vaut mieux être un juste, fût-ce au prix de certaines souffrances ou de certains renoncements. Ce choix est

---

17. François Vouga, *Les Premiers Pas du christianisme*, *op. cit.*

toujours préférable à celui d'une réussite extérieure qui serait le fruit d'un consentement à l'injustice. Cette inflexion décisive permet à Platon de disqualifier cette « éthique de l'honneur » et ces valeurs héroïques qui prédominaient dans la plupart des cultures anciennes. Y compris chez les Grecs eux-mêmes. Jusqu'à Platon, le devoir essentiel, la seule vertu imaginable, consistait à quêter la renommée et la gloire dans la vie sociale ou l'*âgon* guerrier. Autant de démarches qui sacrifiaient au holisme, et qui, pour le reste, s'en remettaient au destin. En leur préférant une contemplation apaisée de l'ordre cosmique et de l'âme, Platon renverse la problématique au profit de l'individu. Il opère une transvaluation des valeurs, pour reprendre la fameuse injonction de Nietzsche. (« Transvaluation de toutes les valeurs ! ») A ses yeux, la vie supérieure n'est plus identifiable à la gloire acquise dans la cité ou sur le champ de bataille. Elle « est celle dans laquelle la raison – la pureté, l'ordre, la mesure, l'immuable – gouverne les désirs et règle leur penchant à l'excès, à l'instabilité, au caprice, au conflit [18] ».

Derrière la maîtrise platonicienne, on discerne un projet d'*unification du moi*, qui est une première étape vers la notion moderne d'individu. Le « moi », dans cette perspective, devient capable de se détacher des communautés particulières, des affiliations et des cités. Il devient capable, comme le fut Socrate, d'imposer l'opiniâtreté solitaire de sa liberté à l'opinion athénienne, même unanimement hostile. Ce n'est pas tout. Pour Platon, seule l'ignorance peut nous détourner durablement de l'amour du Bien, puisque ce dernier coïncide avec le plus grand bonheur. Si nous ne choisissons pas

---

18. Charles Taylor, *Les Sources du moi, op. cit.*

le Bien, c'est parce que *nous ne savons pas encore*. Il appartient donc à chacun de nous de vaincre l'ignorance. La victoire sur les passions, les désirs et les préjugés en découlera naturellement. Nul choix douloureux ne sera nécessaire. La pleine reconnaissance du concept d'individu souverain n'est pas loin.

Le pas supplémentaire – modeste mais décisif – sera effectué par le christianisme, et plus encore par saint Augustin. L'idée de choix, de foi et de volonté est mise en avant. Dans le message évangélique et dans les Épîtres de saint Paul, la reconnaissance de l'individu comme valeur première apparaît en pleine lumière. La foi, en effet, ou la conversion, n'est pas et ne peut pas être une décision collective. Elle s'appuie nécessairement sur une relation directe à Dieu. Jésus le dit d'ailleurs explicitement : « Beaucoup se tiennent près de la porte, mais ce sont les solitaires qui entreront dans la chambre nuptiale [19]. » « Le baptême, c'est-à-dire l'abandon des idoles pour le vrai Dieu ou la décision de placer son existence sous la Seigneurie du Crucifié, présuppose un choix personnel et l'acceptation d'alternatives par lesquelles *l'individu, choisissant son Dieu, se choisit lui-même comme personne ayant sa conscience individuelle* [20]. » Tel est le cœur de l'injonction biblique.

Autrement dit, le siège de la décision éthique est dorénavant l'individu et non plus le commandement communautaire, la loi des cités ou l'autorité impériale. Là gît la *subversion* radicale du premier christianisme. Il rompt – dans certaines limites – avec le holisme. Cette priorité accordée à la conscience personnelle affranchit cette dernière de la contrainte des normes

---

19. Évangile de Thomas, 75.
20. François Vouga, *Les Premiers Pas du christianisme*, *op. cit.* (C'est moi qui souligne.)

sociales et lui permet de les affronter. Ce que feront, en effet, au prix des persécutions que l'on sait, les chrétiens des premiers siècles défiant l'*imperium* romain. Bien sûr, cette émancipation par rapport aux normes collectives et à la loi n'est pas sans limites. L'individualisme paulinien ne rejette pas en bloc tout ce qui procède du holisme. Mais ces restrictions au « don de la liberté » dont parlent les Écritures sont énumérées par Paul de façon restrictive : la liberté d'autrui, l'obéissance volontaire aux puissances et l'édification de la communauté. Paul justifie ces limites dans l'Épître aux Corinthiens lorsqu'il dit « tout n'est pas utile » ou « tout n'édifie pas ». Pour le reste, *la liberté devient la règle et la loi l'exception*.

Faut-il préciser que cette affirmation de la liberté intérieure marque une distance prise avec le judaïsme ? Non seulement sur la question de la Loi au sens collectif du terme, mais encore par rapport à la notion d'impureté, qui n'est pas sans rapport avec l'idée qu'on se fait de l'intériorité. Pour la tradition juive, l'impureté vient du dehors et le respect des prescriptions du *cachrout* permet de protéger l'intérieur de soi-même. En s'abstenant de manger tel ou tel aliment, on empêche l'impureté de pénétrer en soi. Pour le message évangélique, tel qu'il est exprimé, par exemple, dans l'Évangile de Marc : « Il n'y a rien d'extérieur à l'homme qui puisse le rendre impur en pénétrant en lui. [Jésus] déclarait ainsi que tous les aliments sont purs » (Marc 7,15a,19b). S'il y a impureté, elle est au-dedans de l'homme depuis l'origine, et c'est à lui de la rejeter hors de lui-même. Le chemin de la pureté va désormais de l'intérieur vers l'extérieur [21].

---

21. J'emprunte cette notation et cette citation de Marc à Geneviève Comeau, *Catholicisme et Judaïsme dans la modernité*, op. cit.

Mais c'est avec saint Augustin, grand lecteur des néo-platoniciens et de Plotin, que cette primauté de l'individu sera véritablement théorisée. « Le moi humain reçoit alors une interprétation nouvelle : unité d'une substance dotée de conscience et de volonté, d'une personne douée de raison et d'émotions. [...] Le centre de l'univers est l'*ego*, le face-à-face avec le Créateur[22]. » Il est de tradition d'ajouter qu'en rédigeant ses propres *Confessions*, inventant du même coup ce que nous appelons l'autobiographie, Augustin met sa propre conscience individuelle à l'épreuve et illustre tout à la fois la profondeur et la complexité évolutive de celle-ci. Augustin, inventeur d'un genre littéraire ? La chose est indéniable. Le genre en question, toutefois, n'est rien de plus que la mise en œuvre d'une « percée » autrement essentielle : celle qui promeut l'*intériorité* et la *volonté*, les deux étant liées.

L'intériorité est un thème central chez Augustin[23]. Il inaugure une tradition philosophique et épistémologique dont toute l'histoire occidentale portera la trace. Il induit, pour le Vᵉ siècle, une doctrine totalement nouvelle et indique un chemin singulier, « celui qui mène de l'extérieur à l'intérieur et de l'intérieur au supérieur[24] ». La vérité n'est plus dans le monde mais à l'intérieur de soi. Le salut ne réside pas dans la sagesse exilée du monde mais dans l'adhésion volontaire, aidée par la grâce. Pourquoi cette nécessité de la grâce ? Parce que,

---

22. Aron J. Gourevitch, *La Naissance de l'individu dans l'Europe médiévale*, *op. cit.*

23. Voir l'excellente monographie de Mᵍʳ Claude Dagens, « L'intériorité de l'homme selon saint Augustin », in *Bulletin de littérature ecclésiastique*, Institut catholique de Toulouse, juillet-décembre 1987.

24. Étienne Gilson, *Introduction à l'étude de saint Augustin*, Vrin, 1943 ; cité par Charles Taylor, *Les Sources du moi*, *op. cit.*

dans la théorie augustinienne des « deux amours » (charité et concupiscence), la seule volonté de l'homme, pervertie par la chute, est incapable de choisir le véritable amour sans le secours de la grâce. La longue querelle avec Pélage et le pélagisme portera sur ce point.

En mettant à part cette question de la grâce, qui participe de la querelle théologique, on a pu dire, à juste titre, qu'Augustin invente en réalité le *cogito* – bien avant Descartes –, en accordant la première place à la conscience individuelle dans la recherche de la vérité. Toute cette réflexion augustinienne sur l'intériorité pourrait se résumer en une seule formule de l'évêque d'Hippone : *Nolis foras ire, in teipsum redi ; in interiore homine habitat veritas* (« Au lieu d'aller dehors, rentre en toi-même ; c'est au cœur de l'homme qu'habite la vérité [25] »). A cette maxime, on pourrait d'ailleurs en adjoindre une seconde, qui définit, quant à elle, la libre volonté humaine : *Ego, non fatum, non fortuna, non diabolus* (« Moi, et non pas la fatalité, ni le destin, ni le diable »).

Cette alliance – d'ailleurs ambivalente – de l'*intériorité* et de la *volonté* vient battre en brèche – ou dépasser – la simple maîtrise de soi platonicienne. La question n'est plus seulement de connaître le « souverain Bien » dont seule l'ignorance nous détournerait. Avec Augustin, la question devient celle d'une conscience de soi, d'une liberté et surtout d'un choix personnel. L'individualité prend alors son acception moderne. « Par sa doctrine de l'immortalité de l'âme et du jugement individuel, le christianisme a sans aucun doute contribué à établir la valeur inestimable de l'individu [26]. »

---

25. Saint Augustin, *De verra religione*, XXXIX, 72, in *La Foi chrétienne*, Desclée de Brouwer, 1982.

26. Eugen Drewermann, « L'Europe chrétienne et l'illusion de Maastricht », in *Cahiers d'Europe*, n° 1, automne-hiver 1996.

Vers l'identité moderne…

D'Érasme à Spinoza, de Descartes à Locke ou Hobbes, de Montesquieu à Rousseau, de Condorcet à Holbach, de Kant à Hegel ou Mendelssohn, de Smith à Tocqueville ou Fichte, de Schopenhauer à Nietzsche et à bien d'autres, on peut suivre à la trace l'approfondissement ultérieur de cette confrontation entre l'individu et le groupe, entre l'aspiration à l'autonomie de la conscience et l'hétéronomie religieuse ou laïque qui prétend l'interdire. Toute l'histoire occidentale – avec ses avancées et ses reculs – peut s'interpréter comme une lente et irrésistible victoire du « moi », correspondant à la formation de l'identité moderne. Sachons gré à Charles Taylor d'avoir magnifiquement reconstitué ce cheminement. Pour décrire cette genèse de l'individualisme, il suggère de distinguer quatre grandes étapes.

D'abord l'invention de l'intériorité par Platon et saint Augustin sera reprise et développée par des laïcs comme Montaigne, Descartes ou Locke. Descartes, par exemple, « est l'un des fondateurs de l'individualisme moderne parce que sa théorie renvoie le penseur individuel à sa propre responsabilité, exige qu'il construise un ordre de pensée pour lui-même, à la première personne du singulier [27] ». Deuxième étape : la Réforme contribuera à l'affirmation de la valeur éthique de la « vie ordinaire », centrée sur la famille et le travail. Puis le XVIIIe découvrira, notamment avec Rousseau, la « voix de la nature » présente dans la conscience. Rousseau, à ce titre, « est le point de départ d'une transformation dans la culture moderne, qui tend vers une inté-

---

27. Charles Taylor, *Les Sources du moi, op. cit.*

riorité plus profonde et une autonomie radicale [28] ». Une autonomie revendiquée au nom d'une « religion civile » et contre le dogmatisme ecclésiastique que Rousseau condamne, bien qu'il soit croyant et qu'il considère le christianisme comme une grande révolution spirituelle et individualiste dans l'histoire de l'humanité. « Quiconque ose dire : hors de l'Église point de salut, doit être chassé de l'État, peut-on lire dans *Du contrat social*. Un tel dogme n'est bon que dans un gouvernement théocratique ; dans tout autre, il est pernicieux. »

De son côté, Kant donne un fondement nouveau à l'intériorité augustinienne en rejetant l'hétéronomie des morales du passé et en récusant, bien sûr, la nécessité de la grâce. Il affirme la capacité – autonome – de l'esprit humain de définir la morale en puisant en lui-même. Sur ce point, « la théorie de Kant constitue l'une des formulations les plus directes et les plus intransigeantes de la position moderne [29] ». Dernière étape : l'esprit bourgeois et la sensibilité victorienne imposeront, au moment de la révolution industrielle, une interprétation de l'Histoire, *comme un progrès moral à la charge et au bénéfice de chacun*.

Deux éléments accompagneront cette lente victoire de l'individualisme au cours des siècles : l'émancipation progressive à l'égard du religieux et la montée en puissance des logiques économiques.

La distance prise avec la religion constituée et l'aspiration à l'autonomie sera la grande affaire, jamais achevée, de la Réforme, puis des Lumières et de la Révolution. Le protestantisme, indéniablement, radicalise d'abord l'individualisme chrétien en favorisant un

---

28. *Ibid.*
29. *Ibid.*

retour aux sources évangéliques, à une relation directe avec Dieu. Il dé-cléricalise la foi. Il en fait une affaire personnelle. « Le protestantisme sous sa forme puritaine (et certaines de ses retombées dans le catholicisme piétiste) va donner à l'Occident une impulsion nouvelle. L'individualisme poussé à l'extrême suscite une "morale" radicalement profane et économique : l'*utilitarisme*[30]. » Mais le bouleversement introduit par le protestantisme ne se limite pas à cela.

Dans la Réforme s'exprime aussi une hantise du désordre social qu'un auteur comme Michael Walzer a bien mise en évidence. Aux yeux des puritains calvinistes, les pauvres sans emploi, les vagabonds, mais aussi les nobles licencieux et indisciplinés menacent l'ordre social. Il s'agit donc de prôner un individualisme autolimité, voire ascétique, qui permette de refonder cet ordre social sur une responsabilité personnelle, que la réussite terrestre viendra récompenser. A partir de la Réforme, la croyance et l'obéissance religieuses changent ainsi de signification. « La relation à un Dieu tout autre n'exige plus de passer par un intermédiaire ; elle demande à l'inverse l'acte de foi d'une conscience autonome. La légitimité religieuse bascule vers le croyant individuel, en libérant un immense potentiel de subversion qui fera sentir ses effets très au-delà de la Réforme proprement dite et même de ses contrecoups politiques[31]. »

Cette naissance de l'esprit bourgeois – durablement affecté d'un complexe d'infériorité à l'égard de la noblesse – passe d'ailleurs par une nouvelle critique en

---

30. Serge Latouche, *L'Occidentalisation du monde*, La Découverte, 1992.
31. Marcel Gauchet, *La Révolution des droits de l'homme*, Gallimard, 1992.

règle de la « morale de l'honneur » et du goût de la gloriole aristocratique, gloriole que Platon et les stoïciens, puis saint Augustin avaient condamnée en leur temps. L'exaltation de la vie ordinaire, la pratique parcimonieuse du « doux commerce » et la placidité familiale sont désormais assimilées à la civilisation véritable. A l'éthique de la gloire, du gaspillage et de la conquête (la *libido dominandi*) se substitue un « nouveau modèle de civilité dans lequel la pratique du commerce et l'acquisition de biens conquièrent une place sans précédent [32] ». On trouve trace de cette sensibilité aussi bien chez Hobbes que chez Montesquieu, Pascal, La Rochefoucauld, Molière et quelques autres.

Les Lumières, puis la Révolution française s'inscriront dans cette perspective à la fois bourgeoise et individualiste. Il s'agit alors de définir une société autonome, réunissant des hommes libres, une société « moderne », c'est-à-dire sans passé ni traditions, du présent, et tout entière ouverte vers l'avenir. La distance progressive prise avec la religion, le rejet sans cesse plus accentué de l'hétéronomie et de la transcendance creusent un « vide » qu'occupera, peu à peu, la seule rationalité économique et un ordre libéral qui « n'a d'autres mythes collectifs que ceux des représentations de l'argent ou ceux d'une dynamique de la quantité [33] ».

Dès l'origine, d'ailleurs, ces logiques économiques ont influé directement sur l'émergence de l'individu moderne qu'elles rendaient tout à la fois possible et nécessaire. Possible parce que l'autonomie individuelle, rappelons-le, est aussi un « luxe » que seul autorise une victoire, au moins relative, sur la rareté, sur la fatalité des famines, des épidémies et des guerres

---

32. Charles Taylor, *Les Sources du moi, op. cit.*
33. Alphonse Dupront, *Qu'est-ce que les Lumières ?, op. cit.*

privées. Nécessaire parce que le développement du commerce et – surtout – de l'industrie exigera des comportements nouveaux, plus individuels.

Schumpeter a bien montré comment « ces nouveaux types de travail et de conduite se constituèrent en rupture avec l'ordre stable des temps révolus, avec le milieu culturel qui avait immobilisé et protégé les générations précédentes pendant des siècles ; leur développement alla de pair avec la dissolution des anciens liens qui liaient les travailleurs au village, au manoir, au clan, souvent même à la famille élargie. [...] L'individualisme prit corps parce que les occasions de donner forme à la vie qui avaient toujours été communes au groupe s'individualisèrent [34] ». Il nous rappelle que l'individualisme ne fut pas seulement le produit d'une laïcisation de l'héritage chrétien mais qu'il eut aussi, et depuis le début, *partie liée avec l'industrialisation et le capitalisme*, ce « flot venant rompre tous les barrages traditionnels » et qui prend naissance dès le haut Moyen Age.

Dans un livre injustement oublié, Louis Dumont avait souligné à quel point l'individualisme, devenu la valeur fondatrice de nos sociétés modernes, était consubstantiel à la primauté de l'économie sur l'éthique ou la politique. Il était l'une des conditions du « tout économique [35] ».

---

34. Joseph Alois Schumpeter, *Impérialisme et Classes sociales* (1919), trad. fr., Flammarion, 1983.

35. Louis Dumont, *Homo aequalis. Genèse et épanouissement de l'idéologie économique*, 1985. (Ce livre n'a pas été réédité et il n'est plus disponible.)

Les mains vides ?

Pour le reste, il est frappant de constater que la crainte d'un excès d'individualisme qui déboucherait sur la déréliction a toujours été présente dans cette longue histoire. Ayant répudié les modèles et les mythes traditionnels, les bourgeois des Lumières et de la Révolution sont hantés par la peur de « se retrouver les mains vides », pour reprendre l'expression d'Alphonse Dupront. Pour ce dernier, le drame principal de la Révolution française, drame dont nous assumons l'héritage, « c'est le manifeste aveu d'impuissance à se faire une image, une mythique ou une définition consciente de la société », une incapacité avérée de se donner « un ordre de valeurs spirituelles, capable de la fonder elle-même, ou de la justifier » [36].

Contrairement à ce que l'on croit parfois, cette obscure inquiétude suscitée par le triomphe de l'individualisme ne fut pas seulement le fait des penseurs de la contre-révolution ou des théoriciens du *Sturm und Drang* [37] et du romantisme allemand (Johann Gottfried Herder, par exemple). On la trouve tout aussi bien chez certains partisans avérés des Lumières. Chez Tocqueville, par exemple, est exprimée la crainte que la démocratie ne soit affaiblie par un « trop » d'individualisme qui conduirait les citoyens à se désintéresser du pacte social. « Dans certaines pages sombres de son livre *De la démocratie en Amérique*, Tocqueville anticipe que

---

36. Alphonse Dupront, *Qu'est-ce que les Lumières ?*, *op. cit.*
37. *Sturm und Drang*, littéralement « Tempête et élan », du nom d'une tragédie de Klinger. Mouvement littéraire du XVIIIe siècle allemand qui entendait réagir contre le classicisme et le rationalisme des Lumières.

l'un des principaux dangers pour les démocraties nais-
santes sera de ne pouvoir protéger la liberté de tous
contre l'individualisme de chacun [38]. »

Ces pages, on ne les relit pas aujourd'hui sans être
impressionné par leur intuition prophétique. « Je veux
imaginer, écrit Tocqueville, sous quels traits nouveaux
le despotisme pourrait se produire dans le monde ; je
vois une foule innombrable d'hommes semblables et
égaux, qui tournent sans repos sur eux-mêmes pour se
procurer de petits et vulgaires plaisirs, dont ils remplissent leur âme. Chacun d'eux retiré à l'écart est comme
étranger à la destinée de tous les autres ; ses enfants et
ses amis particuliers forment pour lui toute l'espèce
humaine. »

Le même pessimisme se retrouve chez Max Weber,
que l'on considère pourtant comme l'inventeur de « l'individualisme méthodologique » et l'adversaire résolu
des courants holistes. Weber redoute que l'émergence
d'un individualisme strictement pragmatique et rationaliste n'aboutisse à une sorte de *glaciation morale*,
chacun n'ayant plus avec les autres que des relations
marchandes. Pour Weber, « les hommes risquent [donc]
de rester enfermés dans des activités dont les moyens
seront calculés rationnellement, mais dont les fins non
renouvelées auront de moins en moins de signification
pour eux [39] ».

L'inquiétude est plus manifeste, bien sûr, chez les
théoriciens modernes plus ou moins nostalgiques du
holisme. Ceux-là mettent en avant le pouvoir désociali-
sant de l'individualisme et le risque, dans une société

---

38. Dominique Goux et Éric Maurin, « La nouvelle condition
ouvrière », *Notes de la Fondation Saint-Simon*, octobre 1998.
39. Jean-Marie Vincent, *Max Weber ou la démocratie inachevée*,
op. cit.

atomisée, de voir chacun livré à la loi du plus fort. C'est le cas d'Auguste Comte, de Marx ou de Durkheim, pour ne citer qu'eux. Pour Marx, les choses sont claires. « Constatons avant tout, écrit-il, le fait que les "droits de l'homme", distincts des "droits du citoyen" ne sont rien d'autre que les droits du membre de la société bourgeoise, c'est-à-dire de l'homme égoïste, de l'homme séparé de l'homme et de la communauté [40]. » Dans sa *VIe Thèse sur Feuerbach*, il insiste à nouveau sur cette idée : « L'essence humaine, écrit-il, n'est pas une chose abstraite, inhérente à l'individu isolé. Elle est, en réalité, l'ensemble des relations sociales. »

Pour Durkheim, le concept d'intérêt individuel autonome est une absurdité. Aucune société ne saurait s'affranchir complètement des « représentations collectives » qui fondent sa cohésion et contribuent à l'identité de chacun. Autrement dit, il est illusoire de parler d'une pensée individuelle indépendante. Dans les faits, elle n'existe pas. Elle est forcément socialisée. Quant aux intérêts de chacun, ils sont eux aussi fortement sociaux, même s'ils ne s'avouent pas comme tels. Ils dépendent de catégories mentales élaborées collectivement et qu'il est périlleux de remettre en cause. Ce pessimisme de Durkheim est d'autant plus intéressant que, dans le même temps, il considère comme définitivement révolus les anciennes solidarités holistes, les symboles et les mythes collectifs du passé. C'est donc un vide nouveau et inguérissable qu'il désigne avec mélancolie. « Une caractéristique de notre évolution est qu'elle a détruit successivement tous les contextes sociaux préétablis ; ils ont été bannis l'un après l'autre, que ce soit par la lente usure du temps ou

40. Karl Marx, *La Question juive*, 10/18 ; cité *in* François Dagognet, *Une nouvelle morale*, Les Empêcheurs de penser en rond, 1998.

la révolution violente, mais de telle façon que rien n'a été mis en œuvre pour les remplacer [41]. »

Paradoxalement, cette inquiétude foncière cohabite chez Durkheim avec une adhésion volontariste au progrès et à la démocratie libérale. Tout indique qu'il y a chez lui un conflit permanent entre pessimisme et volonté. Cette contradiction assumée rend son œuvre d'autant plus attachante. « Sa défense passionnée des valeurs libérales et son interrogation inquiète sur leur capacité à survivre montrent qu'il penchait personnellement pour une culture de l'avenir, une culture du marché individualiste, et ce penchant enfermait sa théorie dans des complexités et des contradictions [42]. »

Georg Simmel, un grand sociologue, contemporain (et ami) de Durkheim, évoquait lui aussi, au tout début du siècle, « cet individualisme abstrait qui va de pair avec l'économie monétaire ». Tout en reconnaissant à l'économie moderne le mérite de libérer l'individu des pesanteurs « interpersonnelles » de la tradition, il disait craindre l'arrivée d'une époque où l'échange monétaire serait le seul lien entre les personnes [43].

Plus près de nous, certains sociologues américains, comme Christopher Lasch ou Richard Sennet, exprimèrent dans les années 70 une inquiétude du même type devant les ravages de l'individualisme contemporain [44].

---

41. Émile Durkheim, *Le Suicide : étude de sociologie*, PUF, 1991.

42. Mary Douglas, « Justice sociale et sentiment de justice. Une anthropologie de l'inégalité », *in* Commissariat général au Plan, *Pluralisme et Équité. La justice sociale dans les démocraties*, Éd. Esprit, 1995.

43. Voir l'ouvrage monumental de Georg Simmel, *Philosophie de l'argent* (1900), trad. fr. PUF, 1987.

44. L'ouvrage de Christopher Lasch, *The Culture of Narcissism*, n'a pas été traduit en français. Voir, en revanche, de Richard Sennet, *Les Tyrannies de l'intimité*, Seuil, 1979.

La frontière invisible

Aujourd'hui, en cette toute fin de siècle et de millénaire, c'est peu de dire que l'inquiétude s'est muée en
effroi. Au triomphe de l'individualisme correspond
une montée des périls, mais dans des proportions que
ni Tocqueville, ni Durkheim ou Weber n'auraient subo-
dorées. C'est l'ampleur même de la victoire du « moi »
qui donne tout son sens à l'anxiété qui l'accompagne.
Cette ampleur, on aurait bien tort de la minimiser.
Aucune époque n'avait approché cette réalité, ce
continent nouveau aussi étonnant que l'Amérique des
conquistadores ou les mythiques cités de Cibola : l'individu délivré des sujétions millénaires, affranchi des
contraintes, fatalités et morales qui gouvernaient sa vie
depuis son apparition sur terre. Aucune société, avant
la nôtre, n'avait tenté de faire vivre ensemble des indi-
vidualités que n'assujettirait plus aucun absolu contraignant, nul dogme – qu'il soit d'essence mythologique,
philosophique ou religieuse – sur la nature du Bien
commun. Aucun groupe humain n'était parvenu à
cette cohabitation de libertés différentes, de croyances
disparates qui sont autant de micro-souverainetés.
Pas un homme ne put jouir, individuellement, de cette
marge providentielle, de ce *jeu*, au sens mécanique
du terme, où la fantaisie de chacun n'est bornée qu'à
la fantaisie de l'autre. Oui, l'ampleur du triomphe est
impressionnante.

L'inquiétude qu'elle fait naître en nous ne l'est pas
moins. Un seuil décisif semble cette fois avoir été franchi, au-delà duquel, non seulement la société menace de
se défaire, mais l'individualisme lui-même se retourne
contre l'individu. Cette prodigieuse libération du « moi »
se fracasse en bout de course contre un mur invisible.

En parachevant cette victoire, nous aurions mordu la ligne ; nous aurions outrepassé le stade de la libération pour entrer dans celui de la désaffiliation. C'est-à-dire de la solitude. Et cela aussi bien pour ce qui concerne l'autonomie victorieuse de l'hétéronomie que l'individualisme congédiant le holisme.

Pour Marcel Gauchet, les dernières traces de transcendance ou d'hétéronomie ont été effacées « à un moment qui doit se situer vers 1970 ou peu après ». A ce moment de notre histoire s'est trouvée définitivement acquise l'autonomie de la cité, du citoyen et de l'individu. Tout lien, même indirect, avec le divin s'est trouvé rompu, et nul ne peut plus se sentir « commandé par l'au-delà ». Paradoxalement, cet évanouissement du religieux a précipité une crise symétrique de la « transcendance » laïque qui s'était construite *contre lui*. Privée d'ennemi, la laïcité vécue comme thème rassembleur fait naufrage à son tour. Cet écroulement nous laisse sans voix mais pas sans angoisse. Et pour cause ! « C'est toute l'idée de la chose publique qui […] se trouve emportée dans le mouvement. C'est tout l'édifice civique monté pour relever le défi de la dépendance métaphysique qui voit ses bases se désagréger[45]. »

Pour ce qui est de l'individualisme, la dynamique ancestrale de l'émancipation – du « nous » vers le « moi » – paraît s'être subrepticement inversée. De centrifuge, elle est devenue centripette. C'est vers le dedans du groupe que, dorénavant, on regarde avec envie. Une douleur nouvelle s'exprime. Ce n'est plus vraiment l'émancipation qu'on revendique mais l'exclusion qu'on redoute ; on est moins pressé de combattre les contraintes sociales que d'empêcher la dislocation

---

45. Marcel Gauchet, *La Religion dans la démocratie, op. cit.*

finale des solidarités ; on cherche moins la dissidence héroïque que l'affiliation rassurante. *A l'individualisme désiré d'avant-hier succède l'individualisme subi d'aujourd'hui.* Un « individualisme négatif », habité par la peur et la méfiance de l'autre. La nouvelle thématique militante porte trace de ce revirement : exclus, sans papiers, sans logement, sans travail... On devrait s'intéresser davantage à la symbolique de ce vocabulaire contemporain. Elle signale cette fois un extraordinaire changement. Les luttes sociales ne portent plus sur une « libération » revendiquée mais dénoncent la dureté d'une exclusion, l'injustice d'un exil. Ce n'est plus un désir d'émancipation qu'on exprime mais un « désir de société [46] ». Y compris, quelquefois, quand c'est la violence qui exprime ce désir...

Les sociologues de terrain qui tentent de déchiffrer la nature de ces luttes sont les premiers à constater ce retournement symbolique. « Il est frappant de voir que les émeutes des banlieues [...] sont tout sauf des révoltes contre un pouvoir oppresseur, tout plutôt que des prodromes d'une révolution menaçant le système économique. L'affrontement n'est pas le dernier recours dans le cadre d'un rapport de force mais la tentative d'entrer dans ce cadre, de se faire prendre en compte, de trouver des interlocuteurs, d'établir un lien social par le conflit à défaut de tout autre moyen [47]. »

En définitive, l'individualisme lui-même a changé de signification. Alors même que son éloge demeure inchangé – et même claironnant – dans le bavardage

---

46. Je reprends ici le titre significatif d'un livre récent : Jean-Marc Salmon, *Le Désir de société : des Restos du cœur au mouvement des chômeurs*, La Découverte, 1998.

47. Jacques Donzelot, *Face à l'exclusion. Le modèle français*, Éd. Esprit, 1991.

ambiant, sa réalité vécue a changé : le voilà marqué d'un signe négatif. L'or de la liberté s'est changé en plomb. « Le retranchement du collectif a favorisé tout à la fois la perte de confiance en soi et dans les autres, et la conscience de faire partie d'un monde instable, erratique, plein de dangers, dominé par des puissances invisibles et incontrôlables. Avec l'individualisme non de la conquête mais de la perte, la question qui hantait le tournant du siècle est redevenue centrale : comment constituer et maintenir une société [48] ? »

Si j'évoquais le « bavardage ambiant », ce n'était pas par hasard. On peut sourire en effet de voir perdurer malgré tout, dans ce contexte, un nietzschéisme avantageux qui donne toujours le ton et s'agite à pourfendre des tyrannies souvent imaginaires, à combattre des cléricalismes flappis, à toiser avec une fausse audace les « autorités » d'avant-hier. Ceux-là prétendent combattre l'incendie de la veille quand c'est l'inondation d'aujourd'hui qui menace... Archaïsme paradoxal ? « Depuis un bon siècle, disons depuis l'anarchisme nietzschéen, la destruction des idoles en général et de la morale en particulier faisait figure de voie royale de l'émancipation de l'individu. Nous sommes brutalement passés dans une configuration où la morale est redevenue centrale pour l'auto-constitution de l'individu [49]. »

Ne nous attardons pas sur ce pittoresque-là. Il arrive qu'on se trompe de priorité comme on se trompe de guerre...

---

48. Lucien Karpik, *Le Débat*, novembre-décembre 1997.
49. Marcel Gauchet, *La Religion dans la démocratie*, *op. cit.*

L'individualisme contre l'individu

Au moment même où il pourrait célébrer sa victoire, l'individu se sent ainsi cruellement floué. Délivré de ses chaînes, il est aussi privé de ses rôles, de ses places, de ses identités. Le voilà dépouillé de toute obligation mais dépourvu de toute identité, sécurité, fonction sociale clairement reconnue. Privé d'inscription dans une mémoire collective assumée, affranchi de toute « culture », il erre dans sa liberté toute neuve comme dans un désert glacé. L'interminable montée du chômage et l'aggravation continue de la précarité n'ont fait que révéler encore mieux cet angoissant désarrimage. « La société se révèle incapable de produire les individus pour qu'ils la servent et de se servir des individus qu'elle produit. Il n'y a plus assez de société pour que les individus puissent se définir par la manière de la servir. Au lieu de la servir, il s'agit maintenant de la produire [50]. »

Confronté à cette dislocation du « nous » au profit (théorique) du « moi », l'individu paraît réévaluer chaque jour à la hausse la terrible rançon dont le voilà débiteur. Le premier motif d'amertume, c'est la découverte d'un paradoxe. Cette « démocratie de marché » s'est construite sur une valorisation frénétique de l'individu mais, dans la réalité, elle fait peu de cas de la personne. Voilà bien le plus étonnant ! Sur le terrain du travail, par exemple, la hiérarchie des valeurs s'est inversée. Ce n'est plus l'individu qui se « rend utile » en assurant une fonction productrice, c'est la société qui lui concède un emploi. Le travail – même dur et mal payé – est qualifié de « privilège ». Dans les nouvelles formes

---

50. André Gorz, *Misère du présent. Richesse du possible*, *op. cit.*

de gestion des entreprises comme dans le partage des bénéfices, ce même travail, cette quantité en surnombre et de peu de valeur, est d'ailleurs pénalisé au profit du capital. L'individu salarié ne pèse plus rien face aux logiques financières qui ont subverti l'économie.

Dans l'organisation quotidienne de la production, le paradoxe est plus criant encore. Le management individualisé, qui est maintenant la règle, est rarement favorable à l'individu. Le sociologue Robert Castel, spécialiste reconnu des questions liées au travail, souligne les effets pervers de cette individualisation des tâches à l'intérieur de l'entreprise. Rendue possible par les changements technologiques mais rendue nécessaire par l'impératif de rentabilité maximale, cette parcellisation à outrance du travail profite à quelques-uns mais pénalise le plus grand nombre. Elle met les plus faibles à merci. Quant au nouveau management, qui joue habilement sur la thématique de « l'épanouissement de soi », il se révèle parfois plus retors et plus contraignant que celui de jadis. « Le discours managérial dit : "Investis-toi, identifie-toi à ton entreprise." Cette exigence est différente de celle adressée autrefois à l'ouvrier taylorien. On lui demandait d'exécuter une tâche dure et aliénante, mais, après, on le laissait tranquille. Dans le hors-travail, il avait finalement une liberté. Et c'est peut-être grâce à cela que la classe ouvrière a pu s'organiser et construire ses propres modes de réaction. Aujourd'hui, si le discours managérial est appliqué à la lettre, il n'y a même plus cette distance [51]. »

Tout le reste est à l'avenant. La disparition de la culture ouvrière, la déstructuration de l'entreprise vécue comme communauté, la ruine du syndicalisme, tout concourt

---

51. Robert Castel, *Libération*, 14 décembre 1998.

à laisser l'individu libre mais désarmé face à des logiques et des dominations nouvelles contre lesquelles il ne peut plus grand-chose. Il peut d'autant moins que les impératifs, même élémentaires, de cohésion sociale ont été sacrifiés sur l'autel de la concurrence internationale. C'était là un choix de gribouille dont beaucoup d'économistes contestent aujourd'hui la pertinence. L'un d'eux, Anton Brender, montre bien l'inanité du calcul à courte vue qui a consisté à sacrifier la cohésion d'une société au profit de la compétitivité supposée de ses entreprises. (En acceptant les licenciements massifs ou la montée des inégalités, par exemple.) Inanité, en effet, parce qu'il apparaît aujourd'hui que la nouvelle compétition internationale qui met aux prises les économies nationales place justement au premier plan ces « différences immatérielles » que sont l'éducation, le consensus, l'égalité, la paix civile. Bref, tout ce qui contribue à la cohésion sociale. Une cohésion qui est faite, en définitive, de valeurs partagées, de confiance, de stabilité politique, etc.

Or, dans la plupart des pays occidentaux, au cours des vingt dernières années, toutes ces composantes ont été négligées avec une légèreté qui laisse songeur. Calcul de gribouille, en effet. « La concurrence entre nations se joue désormais à fronts renversés. Les secteurs, les activités qui jusque-là ne semblaient en rien concernés par la concurrence internationale [le transport et l'éducation, par exemple] y jouent désormais un rôle décisif. Or, alors même que l'on faisait entrer à grands pas le pays dans l'économie globalisée, ces secteurs ont été les laissés-pour-compte de la décennie du "tout entreprise [52]". »

---

52. Anton Brender, *La France face à la mondialisation*, *op. cit.*

Cette faute de l'intelligence est une assez bonne métaphore. En dévalorisant systématiquement le « nous » au profit du « moi », on s'est exposé aux mêmes effets pervers. Si l'on voulait paraphraser le jargon économique, on dirait que la « compétitivité de chacun » pour le bonheur dépend aussi de ces « biens invisibles » que seul le « nous » est en mesure de fournir. Par biens invisibles, entendons le sentiment d'appartenance, l'affiliation à une collectivité, une classe, une langue, une mémoire, un parti ou une histoire. Tout ce que l'individu a partiellement perdu ; et tout ce qu'il perd irrémédiablement dès qu'il est exclu de la grande machinerie du marché. « Comme le disait judicieusement l'un des membres d'une équipe qui se confronte quotidiennement aux "sans domicile fixe", "le monde autour d'eux ne parle plus d'eux !". Disons qu'ils sont désinscrits, qu'ils sont frappés de non-lieu, ce qui constitue une exclusion d'un autre tabac que la seule pauvreté[53]. »

Faut-il ajouter que cette nouvelle et vulnérable solitude dans laquelle nous précipite l'individualisme intégral est un facteur supplémentaire d'inégalité ? Il pénalise les catégories défavorisées bien plus que les autres. Pour les plus riches, la cohésion sociale perdure sans trop de difficulté. « Le délitement du lien social et le processus de désaffiliation en œuvre dans certaines catégories populaires, écrivent les auteurs d'une excellente enquête chez les "riches", s'opposent au maintien, voire au renforcement des liens multiples qui caractérisent les grandes familles de l'aristocratie fortunée et de la bourgeoisie[54]. »

---

53. Jean-Pierre Lebrun, *Un monde sans limite*, *op. cit.*
54. Michel Pinçon et Monique Pinçon-Charlot, *Grandes Fortunes*, Payot, 1998.

D'un impérialisme à l'autre

Tous ces processus de désocialisation expliquent que s'exprime aujourd'hui, de manière désordonnée et sporadique, un puissant désir de société. Les nouveaux acteurs, les innombrables travailleurs sociaux ou militants caritatifs s'emploient inlassablement à reconstituer, mais au coup par coup, un lien social en pleine déliquescence. Dans les profondeurs de la société – et *à rebours de l'idéologie individualiste dominante* –, on s'acharne à refabriquer du « nous ». C'est le sens qu'il faut donner à ces mouvements aussi disparates que les Restos du cœur, SOS-Racisme, Droit au logement, etc. « Le fait de créer une association est déjà l'expression d'une volonté d'appartenance civique, de fonder un contrat entre individus, même pour des objectifs limités. Ce n'est pas par hasard que le mouvement associatif joue un rôle essentiel dans ce désir de recréer du lien social [55]. »

Peut-on, pour autant, fonder tous les espoirs sur ce mouvement social aussi généreux que protéiforme ? C'est le pari que fait, par exemple, Alain Touraine. Pour lui, ces « conflits sociaux et des formes d'action politique qui se réorganisent sous nos yeux [...] manifestent les enjeux, les acteurs et les conflits d'un monde nouveau [56] ». Cet optimisme me paraît excessif. Il néglige le fait que ces divers mouvements sont en général éphémères, encore peu fédérés, toujours ponctuels. Ils participent plus du *lobbying* social ou médiatique que du politique proprement dit. Quant aux militants

---

55. Jean-Marc Salmon, *Politis*, n° 528, 24 décembre 1998. Voir aussi, du même auteur, *Le Désir de société, op. cit.*
56. Alain Touraine, *Critique de la modernité, op. cit.*

qui les animent, de leur propre aveu, « ils ont l'impression d'être des Sisyphes poussant un rocher qui redescend toujours plus bas du fait de l'aggravation de la crise sociale [57] ».

Mais il existe, à ce sujet, une autre ambiguïté, infiniment plus dangereuse : celle qui affecte la quête éperdue d'identité dont témoignent ces mouvements. Deux sociologues proches d'Alain Touraine ont bien montré de quelle manière la fragilisation de l'individu exacerbait chez lui un désir de reconnaissance identitaire. Et cela, d'autant plus que, dans la culture individualiste dominante, le « mépris social » vise aujourd'hui « celui qui n'est pas un sujet maître et souverain de lui-même ». Chacun se sent donc tenu de revendiquer et d'affirmer sa « différence », ne serait-ce que pour être considéré. Mieux encore, « les individus ne se satisfont plus d'une identité privée, et l'extension du processus d'individualisation s'accompagne désormais d'un désir d'affirmation publique des identités [58] ».

Or là est le piège. Pourquoi ? Parce que l'affirmation consolatrice d'une identité, la proclamation publique d'une « différence » dans le cadre d'une société multiculturelle exigent que l'on adhère à des groupes, des communautés, des « tribus » ou catégories qui sont toutes jalouses de leurs différences collectives. Ces groupes confèrent des identités communautaires, des appartenances de substitutions. Mais elles ne le font qu'au prix d'une adhésion sans nuance, voire d'une obéissance fusionnelle aux codes et aux valeurs dudit groupe. Rien ne leur est plus étranger que la singularité individuelle ou la dissidence. En d'autres termes, elles

---

57. Jean-Marc Salmon, *Politis, op. cit.*
58. François Dubet et Danilo Martuccelli, *Dans quelle société vivons-nous ?, op. cit.*

effacent l'individu en l'intégrant. Elles refabriquent une forme nouvelle et redoutable de micro-holisme : le holisme identitaire. Le raisonnement vaut aussi bien pour l'appartenance à une bande de quartier que pour l'adhésion à une minorité raciale, religieuse ou sexuelle.

Un intellectuel italien a bien mis en évidence ce contre-effet du multiculturalisme qui, tout en arborant l'étendard de la différence, fabrique des micro-conformismes encore plus contraignants que ceux de jadis. Comme l'ouvrier réel de jadis n'était respectabilisé qu'à travers son appartenance à une « classe », le jeune beur, la féministe ou l'homosexuel d'aujourd'hui ne se voient reconnus qu'à la condition expresse qu'ils adhèrent à une « catégorie », répudiant du même coup leur singularité personnelle. Au bout du compte, en prétendant guérir la solitude de l'individu désaffilié, « les idéologies de la différence en réalité *anéantissent* la différence ». (En l'occurrence, il s'agit de la différence individuelle.) Elles réinventent, à l'échelle d'une minorité, « cet "impérialisme de l'assimilation" si souvent décrié ».

Ainsi se retourne pathétiquement contre l'individu un individualisme largement rhétorique qui s'abolit là même où il prétend triompher. Telle serait « l'hypocrisie » d'une modernité « qui, alors même qu'elle promet l'individu, *se moque de lui*[59] ».

Une douce lobotomie

Mais on ne peut s'en tenir là. Les dislocations sociales et l'émiettement des identités qui les accompagne ne

---

59. Voir l'article remarquable de Paolo Flores d'Arcais (directeur de la revue italienne *Micromega*), « L'individu libertaire », *Esprit*, août-septembre 1998.

sont que l'aspect visible, extérieur, d'un ébranlement encore plus profond. Nous sentons bien que les ruptures amorcées aujourd'hui vont bien au-delà des émancipations ci-dessus décrites, qui libéraient idéalement le « moi » de ses anciennes appartenances villageoises, familiales, sociales ou nationales. Aujourd'hui, la désaffiliation touche au cœur même du « moi » : filiation, procréation, différenciation sexuelle, intégrité des corps, etc. Voilà donc que, l'un après l'autre, ces repères essentiels, ces codes généalogiques, se voient déconstruits par les entreprises prométhéennes de la biologie. Un nouveau « soupçon » pèse sur la personne. Il est plus lourd de conséquences que celui qui fut jadis apporté par la psychanalyse. La déconstruction qui est maintenant à l'œuvre est plus dévastatrice que les ébranlements provoqués jadis par la référence freudienne à « l'inconscient ». Nous avançons désormais, à tâtons, vers un horizon d'appartenances incertaines, d'identités génétiques aléatoires, de personnalités fractales et de réseaux complexes. Ah, certes, l'aventure individualiste se révèle plus risquée que nous pouvions l'imaginer ! L'individu n'est plus seulement fragilisé ou désemparé ; sa consistance secrète est en question.

Les anxiétés nouvelles, telles que peuvent aujourd'hui les entendre tous les praticiens à l'écoute de la souffrance humaine – psychiatres, psychanalystes, médecins généralistes –, ne concernent plus seulement la précarité sociale. La peur confuse qui s'exprime dans le secret des cabinets médicaux tourne autour des questions de filiation, d'identité personnelle, d'inscription généalogique. L'individu contemporain sent possiblement menacée une part essentielle de lui-même qu'il a du mal à définir. Qu'est-ce, au juste, qu'un être humain ? Les mises en garde d'un Pierre Legendre trouvent ici tout leur sens. « Les certitudes scientifiques ne suffisent pas à nous fonder dans l'être en tant que sujets humains. Pour s'inscrire dans la problématique du lien, elles doivent être instituées, c'est-à-dire entrer, selon certaines conditions, dans le discours fondateur, accéder au niveau des montages normatifs d'une société, tout comme les savoirs antiques ou sauvages que nous appelons si judicieusement mythologiques. Sous l'industrie comme dans tous les temps, nous avons besoin d'une *histoire vraie*. »

Or cette *histoire*, de plus en plus, nous file entre les doigts. De ces inquiétudes, nulle distraction ne saurait vraiment nous distraire ; nulle chimie nous guérir. Est-ce un hasard si les unes et les autres prennent tant d'importance dans notre quotidien ? Cette boulimie de « signes » distrayants et d'images télévisuelles ; cette surconsommation d'euphorisants et de neuroleptiques ; cette versatilité affolante de la conscience moderne : tout trahit un *manque* essentiel. Dans le pire des cas, nous le conjurons en nous réfugiant dans une sorte d'hébétude, que Boris Cyrulnik n'a pas tort d'assimiler à une lobotomie douce : « Ceux qui prétendent organiser une culture sécuritaire qui détruirait l'angoisse et nous offrirait des distractions incessantes pour lutter contre l'ennui nous proposent-ils autre chose qu'une lobotomie culturelle ? Si une telle culture existait, nous connaîtrions une succession de bien-être immédiats, nous serions satisfaits, dans un état dépourvu de sens, car nous n'éprouverions qu'une succession de présents [60]. »

Que sommes-nous donc tentés de fuir sinon l'effroi du non-être ? Partout autour de nous, des signaux nous indiquent que la dissolution du « sujet humain » n'est plus tout à fait inimaginable. De la technicisation médi-

---

60. Boris Cyrulnik, *L'Ensorcellement du monde*, *op. cit.*

cale (soigner des organes plus que des hommes) aux bouleversements de la procréation (donneur anonyme, clonage, etc.) ; de la déréalisation numérique au triomphe du virtuel : quelque chose paraît s'effriter vertigineusement dans la tessiture du « moi »[61]. L'individu victorieux bascule dans la crainte de se dissoudre. On ne doit pas s'étonner si tant d'hommes et de femmes réagissent à cette menace d'effritement par un surcroît de narcissisme organisé et appliqué.

Tous les mouvements dits de « l'épanouissement de soi » et du « potentiel humain » qui prolifèrent en Amérique témoignent de cette panique silencieuse. Renouant avec le naturalisme ou l'expressivisme américain du XIXᵉ siècle, ils rassemblent « des gens préoccupés exclusivement de s'épanouir et dont les affiliations semblent de plus en plus révocables[62] ». Ces hommes et ces femmes se barricadent dans un solipsisme à peine tribal, mais fortement médicalisé, et ne sont plus capables de s'identifier à la moindre collectivité *politique*. Ils sont, effectivement, des lobotomisés volontaires. Ils constituent la clientèle potentiellement innombrable d'une secte qui ne dit pas son nom et jouit des faveurs de l'époque. Ces sursauts par lesquels se manifeste l'absolu désarroi du « moi » contemporain sont d'autant plus pathétiques qu'ils demeurent prisonniers d'un conformisme d'imitation qui ridiculise, par avance, toute prétention à « l'authenticité du moi ».

Le philosophe Michel Meyer ironise à bon droit sur ces ressacs désespérés de l'égocentrisme *new age*. « Chacun veut ce que l'autre veut parce qu'il le veut,

_____

61. J'emprunte cette notation à un article sur les donneurs de sperme anonymes rédigé par Geneviève Delaisi de Parseval, *Libération*, 12 novembre 1998.

62. Charles Taylor, *Les Sources du moi, op. cit.*

et non parce que des raisons intrinsèques, désormais défaillantes, commandent ce choix. L'homme est devenu sans qualité, support vide d'un narcissisme épuisant, où chacun est le comptable frustré de ce que fait son voisin, le boutiquier de sa propre bêtise arrogante, immergée dans le bien-être et l'assurance d'être "comme tout le monde" : un être qui compte, en somme. Aux dépens de l'autre, qui fait de même lorsqu'il est le même[63]. »

* *
*

A l'issue d'un si long chemin, au terme d'une magnifique conquête de la liberté et de l'autonomie, l'individu bute en définitive sur une évidence qui peut se formuler assez simplement. Il ne suffit pas de dire que le « moi » a besoin du « nous », sans quoi il sombre dans la désaffiliation et la désespérance solipsiste. La dépendance est plus forte encore. Le nous est constitutif du moi, voilà la vérité. La présence de l'autre ne me « prive » pas d'une partie de moi-même, sous l'effet de je ne sais quelle prédation. Bien au contraire, *elle me construit* dans mon être véritable. Je suis fait de l'autre comme d'un matériau originel. De lui, je reçois langage, conscience et identité. C'est l'autre qui me définit comme personne et fait de moi autre chose qu'une « marionnette vivante », pour parler comme Pierre Legendre. L'individu émancipé de la culture occidentale se trouve engagé, bon gré mal gré, dans ce réapprentissage de l'autre que l'individualisme lui avait désappris. Si le « moi » est aujourd'hui en quête de « nous », c'est pour se retrouver lui-même. Là se

---

63. Michel Meyer, *De la problématologie : philosophie, science et langage*, LGF, 1994.

trouve sans aucun doute la bonne nouvelle et peut s'amorcer la refondation.

Face aux délires du solipsisme contemporain, il n'est pas inutile de rappeler la sage circonspection dont faisait preuve Raymond Aron, pourtant acquis au libéralisme économique. Refusant d'adhérer aux vues radicales et ultralibérales d'un Hayek, par exemple, il était parfaitement conscient des limites de l'individualisme. Pour Aron, si « l'exigence d'une sphère privée peut constituer le contenu essentiel de la revendication de liberté », il est néanmoins « inacceptable de se référer à ce critère unique pour juger de toutes les sociétés actuelles ». Autrement dit, si nous revendiquons la liberté des modernes que nous voulons, il serait dangereux de renoncer à la liberté des anciens comme participation au pouvoir. Nous devons apprendre à les combiner, sans jamais dissocier le « moi » et le « nous »[64].

Chose étonnante, ce ne sont plus seulement les théologiens, les moralistes, les poètes, les philosophes ou les amoureux qui nous invitent à retrouver l'autre. Aujourd'hui, les hommes de science, assez extraordinairement, sont les premiers à en souligner la nécessité. « Quand un enfant débarque au monde, il sent qu'il est, mais il ne sait pas ce qu'il est. Ce n'est que progressivement, sous l'effet conjugué du sentiment de soi sous le regard de l'autre, qu'il découvre qu'il est homme. […] L'idée commune qui émerge des travaux sur l'ontogenèse du sentiment de soi, c'est que sa construction dépend du développement du sentiment de l'autre[65]. »

Pourrait-on mieux dire ?

_____

64. Je reprends ces citations et cette remarque sur Aron dans l'excellente somme de Lucien Jaume, *L'Individu effacé ou le paradoxe du libéralisme français*, Fayard, 1997.
65. Boris Cyrulnik, *L'Ensorcellement du monde*, op. cit.

Chapitre 8

Retour du sacrifice,
retour de la vengeance…

> « On a l'impression que les vieilles fatalités pri-
> mitives, provisoirement écartées par la lumière
> prophétique et évangélique, resurgissent sous
> le masque des impératifs scientifiques et tech-
> niques. »
>
> René Girard, *Quand ces choses*
> *commenceront…*, Arléa, 1994.

Un étrange vocabulaire colonise cette fin de siècle. Des mots et des expressions circulent aujourd'hui qui rameutent de très anciennes figures symboliques. On parle de *lynchage* médiatique et de *bouc émissaire*. En toutes occasions, on s'accoutume à la rumeur de ces « foules psychologiques » réclamant la désignation d'un *coupable*, puis son *immolation* symbolique sur l'autel des médias. Désormais, nulle calamité ne peut plus survenir – inondation, incendie ou avalanche – sans que nous demandions, unanimement, le *châtiment* d'un seul ou de quelques-uns, châtiment dont nous escomptons qu'il ramènera la paix, au moins la paix « médiatique ».

Dans d'autres circonstances, nous prenons notre parti de ces diabolisations instantanées de l'adversaire, de l'autre, du rival ou de l'immigré, perçues comme une menace à éliminer. Ces récriminations évoquent l'unanimité vengeresse d'un groupe obéissant à ce comportement mimétique propre aux foules, comportement que reconnaissent aisément les anthropologues. Mais notre besoin de coupables devient chaque jour plus insatiable. Pour y répondre, nous réinventons si nécessaire la figure du salaud, du monstre, du « criminel-né » à détruire ou du puissant à abattre, figures criminologiques du XIXe siècle dont le droit moderne s'était débarrassé. Et qui reviennent !

Un prurit d'élimination, de reconduction aux frontières (hors du groupe), de mise à l'écart, s'exprime quotidiennement. Il révèle une peur obscure, une anxiété mal identifiée. Il est devenu si impérieux que ce besoin de « punitions » envahit nos codes et règlements[1]. La politique internationale elle-même, désormais sous influence médiatique, obéit à ce tropisme de la diabolisation qui vient souder la cohésion justicière d'une communauté internationale en mal de certitudes. Un journaliste du *New York Times*, David Bindera, évoquait la « tyrannie de la victimologie » médiatique, créée par « l'instinct de troupeau » des journalistes. Il ajoutait, à propos de cette influence des médias sur la politique extérieure, que dans un conflit extérieur l'Amérique ne pouvait admettre « qu'un seul méchant à la fois »[2].

Nous devinons qu'il existe un point commun, une cohérence secrète, un lien entre tous ces réflexes ou

---

1. Je pense, notamment, à la réforme du Code pénal français, promulguée en 1993, et largement dominée par l'idée de *violence* et de *sécurité*.
2. Enquête de l'hebdomadaire londonien *The Independant of Sunday*, juin 1994.

comportements. Ce lien, nous avons du mal à le définir, mais il fait tressaillir quelque chose d'enfoui dans les profondeurs de notre mémoire collective ; un refoulé, un rituel ancestral que nous répugnons à nommer : le sacrifice. Je veux parler des procédures ou rites sacrificiels que le grand anthropologue français Marcel Mauss (1872-1950) mais que Freud aussi, dans *Totem et Tabou* ou dans *Moïse et le Monothéisme*, avaient mis en évidence et dont René Girard a montré la présence constante dans toutes les cultures humaines [3]. Le sacrifice, c'est l'immolation réelle ou ritualisée d'un « coupable » pour refonder l'accord unanime et restaurer la stabilité du groupe. Il exprime la volonté de rejeter hors de la communauté la figure du mal, incarnée par un seul.

Or, ce rite sacrificiel, la morale universelle issue du judéo-christianisme mais laïcisée depuis trois siècles l'avait frappé d'illégitimité. On peut même dire que le renoncement progressif au sacrifice, la lente, très lente substitution du système judiciaire à la vengeance privée, pourraient suffire à caractériser l'émergence de ce que nous appelons *civilisation*. Un pari sur la *civilité* au lieu et place du sacrifice, pari dont la témérité n'avait pas échappé à Nietzsche. « L'individu a été si bien pris au sérieux, écrivait-il, si bien posé comme un absolu par le christianisme, qu'on ne pouvait plus le sacrifier : mais l'espèce ne survit que grâce aux sacrifices humains. [Or] cette pseudo-humanité qui s'intitule christianisme veut précisément imposer que *personne ne soit sacrifié* [4]. »

---

3. Voir notamment René Girard, *La Violence et le Sacré*, Grasset, 1972 ; *Des choses cachées depuis la fondation du monde*, Grasset, 1978 ; *Le Bouc émissaire*, Grasset, 1982.
4. *Œuvres complètes* XIV, Fragments posthumes 88-89, Gallimard, 1977. J'emprunte cette lumineuse citation à René Girard,

Est-il abusif d'avancer que ce rite de la vengeance et du sacrifice réapparaît aujourd'hui sous des déguisements qui ne peuvent faire longtemps illusion ?

De la justice à la « plainte »

Le terrain du droit, de la procédure, de la justice est le plus immédiatement significatif. Je ne m'attarderai pas ici sur ce que les magistrats eux-mêmes appellent la « pénalisation de la société ». Ce phénomène, négligé voici seulement cinq ans, est déjà devenu un lieu commun du débat politique. Il est un des effets pervers de l'individualisme contemporain et, surtout, du polythéisme des valeurs. Ainsi compris, il se définit en peu de mots : la prévalence de la sanction pénale comme ultime mode de régulation sociale. A mesure que les croyances ou les représentations collectives – jadis intériorisées – s'évanouissent, la punition se renforce. Il y a là, incontestablement, un *mécanisme sacrificiel*. Le droit pénal, par la force des choses, remplace le lien social ou politique défaillant. Il ne s'agit plus d'intégrer quiconque à une norme commune mais d'éliminer prioritairement la menace incarnée par un éventuel *coupable*. Antoine Garapon, magistrat et secrétaire général de l'Institut des hautes études sur la justice, évoque explicitement ce retour du sacrifice à propos d'un cas particulier : la pénalisation de la vie politique, pénalisation d'autant plus émotive et moins contrôlable qu'elle s'effectue sous le feu des médias et participe plus encore que toute autre d'un phénomène de foule.

Quand ces choses commenceront…, Entretiens avec Michel Treguer, Arléa, 1994.

« Nous sommes les spectateurs d'une dérive sacrificielle, assure-t-il, par laquelle la désignation d'un coupable, surtout s'il s'agit d'un puissant, devrait délivrer du mal [5]. »

Le droit pénal tend à devenir – avec la loi du marché – le dernier mécanisme régulateur d'une société dépourvue de croyances fortes et de valeurs réellement partagées. Autrement dit, le taux de remplissage des prisons devient inversement proportionnel à la vigueur des convictions communes. Plus ces dernières s'affaiblissent, plus les prisons se remplissent. Derrière un ordre moral, dont le prétendu « retour » est dénoncé avec l'insistance que l'on sait, se dissimule une évolution bien réelle celle-là : l'installation d'un ordre pénal qui en est l'image renversée ou le succédané. Singulier paradoxe : la permissivité généralisée débouche ainsi mécaniquement sur une population pénitentiaire en augmentation. A mesure que l'anomie et l'entropie gagnent, une manière de totalitarisme judiciaire, une rigidification de la vie sociale sous l'effet de l'obsession procédurière tiennent lieu de camisole sociale. Le phénomène est d'autant plus inquiétant qu'il s'accompagne d'une progressive délégitimation de la règle, que plus rien ne fonde véritablement dans ce contexte d'« ontologie faible ».

Les psychanalystes ne sont pas les derniers à pointer ce paradoxe de la pénalisation ou de la prolifération juridique, tout en soulignant l'impasse où nous conduit ce phénomène. « Il ne s'agit pas d'espérer rétablir des repères par des interventions légiférantes, non que celles-ci ne soient pas de mise, mais parce que le droit est lui-même la proie de cette infiltration. L'inflation du

---

5. *Le Monde*, 6 février 1999.

juridique que nous pouvons constater de nos jours, écrit l'un d'eux, vient plutôt confirmer l'impuissance de la Loi symbolique à encore réguler symboliquement ce qui n'est bien souvent plus qu'un échange imaginaire, un duel généralisé et sauvage [6]. »

Mais il serait insuffisant de s'arrêter à cette seule pénalisation, aussi importante soit-elle. Le retour du sacrifice sur le terrain juridique prend des formes plus subtiles et plus essentielles. Il s'inscrit dans l'évolution même de notre philosophie du droit. La nouvelle fonction du fétichisme juridique contemporain est de corseter chaque individu – habité par ce qu'Antoine Garapon appelle un « individualisme peureux » – à l'intérieur d'une carapace de « droits négatifs », le protégeant des autres, mais, du même coup, repliant chacun sur l'énigme un peu folklorique, sur le pathos de ses croyances privées. La fragile paix juridique de la modernité est une réponse à la relativisation des croyances, des convictions, des certitudes. Renvoyées à la sphère privée et tolérées sous cette seule condition, elles voient leur statut symbolique dégradé et leur fonction organisatrice s'affaiblir. La croyance n'est plus rien d'autre qu'une manière de *hobby*, une manie singulière et inoffensive, un tic attendrissant, face à un monde extérieur et à un État neutre et réaliste, qui *ne croient plus en rien*. En outre, chacun devient le rival de chacun, jusques et y compris sur le terrain de ce qu'on appelait naguère la morale. Ne reste plus pour arbitrer cette rivalité indécidable que l'invocation de la menace proférée ou du préjudice subi qui justifieront, le cas échéant, l'immolation du rival, son expulsion sacrificielle.

Cette individualisation du droit – qui ne fait plus

---

6. Jean-Pierre Lebrun, *Un monde sans limite, op. cit.*

Le nouvel ordre pénal

La pénalisation des sociétés démocratiques se traduit par une augmentation spectaculaire de la population pénitentiaire et une aggravation tendancielle de la sévérité des peines. Les deux exemples américain et français sont révélateurs.

Aux États-Unis, selon le Service des statistiques de l'administration pénitentiaire, les prisons comptaient 1 630 940 détenus en 1996, soit 615 détenus pour 100 000 habitants (sept fois plus qu'en Europe). Ce pourcentage ne constitue pas seulement une manière de record mondial, il marque une augmentation sans précédent de cette même population pénale au cours des dernières décennies. Celle-ci ne représentait en effet que 290 000 détenus en 1960, 494 000 en 1984 et 744 000 en 1985. Leur nombre a donc été multiplié par 5,5 en moins de quarante ans. Dans le même temps, la sévérité des peines s'est beaucoup accrue, au point qu'on parle maintenant volontiers de *tough penality* (rude punition). Ajoutons qu'en 1995 la Californie dépensait deux fois plus pour ses prisons que pour ses universités, et quatre fois plus par délinquant que par étudiant.

En France, de 1975 à 1995, la population carcérale a augmenté d'environ 100 %. On est passé d'un taux de détention de 50 détenus pour 100 000 habitants en 1975 à un taux de 90 aujourd'hui. Cette sévérité se traduit également par une chute libre de la libération conditionnelle : accordée à 30 % des détenus pouvant en bénéficier en 1972, elle n'était plus accordée qu'à 10 % d'entre eux en 1992.

primer l'idée de cohésion sociale mais la protection des individus – aboutit à une prolifération de textes, à une multiplication des interventions, à une colonisation de l'espace privé par la règle, notamment pénale. « Loin de disparaître, note Irène Théry, le droit civil enfle comme enfle l'attente à l'égard de la justice, comme enfle la tendance procédurière[7]. » C'est au droit – et à lui seul – que l'on confie désormais la protection du faible contre le fort, de l'enfant contre l'adulte, de la femme contre l'homme et, d'une façon générale, de chacun contre chacun. Mieux encore, à l'idée de faute à sanctionner (où est la « faute » dans un contexte relativiste ?) se substitue celle de préjudice à réparer et de sécurité à garantir. La frontière tend naturellement à se brouiller entre droit civil et droit pénal. « On répare les dommages sans faire de distinction entre l'acte volontaire et involontaire, car désormais c'est la victime qui demande réparation, ce n'est plus l'État ou la société, des entités fictives[8]. »

Cet effacement de l'intérêt commun – qu'il s'appelle civisme ou citoyenneté – au nom des droits sacro-saints de l'individu-roi est aussi un héritage du siècle, et une conséquence indirecte des totalitarismes contemporains, qu'ils fussent nazi ou stalinien. Par eux, la preuve a été apportée que le pouvoir politique, même légal au sens juridique du terme, pouvait devenir criminel au nom du « bien commun », et au-delà de l'imaginable. Cette funeste démonstration historique débouche, pour le meilleur et pour le pire, sur une primauté absolue de la victime. « La sacralisation a changé de camp : elle n'est plus dans la souveraineté et pas davantage dans le pouvoir, elle est dans la plainte[9]. »

---

7. Irène Théry, « Vie privée et monde commun, réflexion sur l'enlisement gestionnaire du droit », *Le Débat*, mai-août 1995.

8. Bertrand Lemmenicier, *Justices*, n° 1, 1995 ; cité par Mireille Delmas-Marty, *Trois Défis pour un droit mondial*, *op. cit.*

9. *Le Monde*, 6 février 1999.

Or, si la défense des victimes est un progrès moral indiscutable, rien n'est plus menaçant pour la justice, comme valeur et comme institution, que cet irrésistible émiettement de l'ordre juridique en une multitude de procédures visant la « réparation » de préjudices privés, dans le cadre d'un droit pénal devenu lui-même pléthorique. « Le droit pénal, ajoute encore Antoine Garapon, se reconstruit du point de vue de la protection des victimes, et non plus d'après le modèle thérapeutique ou judiciaire (comment guérir le criminel, le réformer, le sauver[10]). » Plus grave encore, cette prévalence du point de vue victimaire renoue confusément avec cette prétention nietzschéenne à l'*innocence*, prétention qui devient facilement exterminatrice. L'individu moderne est habité par une quête éperdue d'innocence[11]. Il refuse cette idée judéo-chrétienne selon laquelle il a lui-même partie liée avec le mal. Ce dernier n'est plus et ne peut plus être qu'au-dehors, à l'extérieur, chez l'autre. Il devient donc possible – et tentant – de l'éradiquer. « On identifie le mal, l'échec, à une personne ou à un groupe. J'ai la conscience tranquille parce que je m'oppose à telle personne ou à tel groupe, mais que puis-je faire ? Ceux-ci font obstacle à la bienfaisance universelle ; il faudrait les liquider[12]. »

Tout aussi dangereusement que le rêve de pureté des fondamentalistes religieux, l'innocence nietzschéenne qui récuse l'intériorité du mal débouche sur une obsession purificatrice. Non, ce n'est pas un hasard si reviennent dans le vocabulaire courant les termes de lynchage ou d'élimination. Notre pratique du droit procède, au

---

10. *Ibid.*
11. Sur ce thème, on lira avec profit le livre – très « girardien » – de Pascal Bruckner, *La Tentation de l'innocence*, Grasset, 1995.
12. Charles Taylor, *Les Sources du moi, op. cit.*

bout du compte, d'une dérive redoutable : la privatisation de la justice, c'est-à-dire le retour de la vengeance. Poussée à l'extrême, cette tyrannie de l'égocentrisme querelleur est un symptôme de dislocation. La vie collective se ramène à l'éternelle quête, jamais satisfaite, de réparations personnelles pour des préjudices – réels ou imaginaires – qu'on n'accepte plus de passer par pertes et profits, ni de mettre au compte des inconvénients de la vie commune. Nous ne sommes plus disposés à la moindre « perte » pour vivre ensemble.

Décrivant le surgissement de cette justice individualiste quasiment « privée », un professeur de droit de l'université de Lyon note justement que « la perception individuelle des intérêts augmente la potentialité des conflits ». Il ajoute que « la généralisation des rapports contractuels qu'induit le marché crée à l'échelon de l'ensemble de la société des situations virtuellement contentieuses. L'économie d'échange repose sur le droit qu'elle étend à tous les rapports sociaux [13] ».

Quant à la cohésion sociale, elle sort fragilisée de cette guerre de tous contre tous. On voit donc se multiplier ces lynchages sacrificiels symboliques dont les médias sont l'instrument. Ils signalent une étrange boulimie de coupables et de sacrifices. Comme la cohésion est sans cesse plus menacée, il faut sans cesse davantage de sacrifices pour la restaurer. L'effet pacificateur du sacrifice est de moins en moins durable, de sorte que la mécanique du bouc émissaire s'emballe d'elle-même, au détriment de la justice dont elle ruine peu à peu l'équanimité souveraine et apaisante… « La défaite de la justice, écrit Blandine Kriegel, n'est pas seulement un

---

13. Frédéric Zenati, « Le citoyen plaideur », in *La Justice. L'obligation impossible*, Seuil, 1999

phénomène institutionnel, c'est un phénomène culturel. Elle n'est pas seulement un fait politique, elle est aussi un fait symbolique. La marginalisation de la justice a partie liée avec la délégitimation de l'idée de justice [14]. »

Faut-il ajouter que la démarche sacrificielle tend à se substituer à la politique elle-même ? Qu'il s'agisse de politique extérieure ou intérieure, l'accent mis sur la nécessaire punition d'un coupable – réel ou imaginaire – dispense commodément d'une tâche ingrate : celle qui consiste à régler vaille que vaille les problèmes. La croisade ostentatoire contre telle ou telle « incarnation du mal » détourne du pragmatisme qu'implique la gestion imparfaite, quotidienne et critiquable de la cité. Or si les « méchants » existent et méritent d'être combattus, les problèmes ou contradictions grâce auxquels ils prospèrent n'en sont pas moins réels. La chasse au coupable peut ainsi correspondre à un évitement assez lâche de la politique, pour ne pas dire à une démission.

L'immolation du plus faible

Le droit n'est qu'un des domaines où se manifeste ce phénomène. Une dérive comparable est perceptible sur le terrain de l'économie. Écrivant cela, je fais allusion au vocabulaire contemporain dont la connotation sacrificielle est évidente. La survie du plus apte, théorisée au XIXe siècle par le sociologue darwinien Herbert Spencer, c'est *a contrario* l'immolation du moins apte. La productivité, la concurrence ou le rétablissement des équilibres impliquent, nous dit-on, des *sacrifices*.

---

14. Blandine Kriegel, « La défaite de la justice », in *La Justice. L'obligation impossible*, *op. cit.*

Le nouvel âge des inégalités[15] s'accommode d'une multiplication des exclus ou laissés-pour-compte qu'il n'est pas abusif d'assimiler à des *victimes* immolées et que l'on voudrait au surplus rendre *coupables* de leur propre exclusion. (En dénonçant, par exemple, le coût excessif de la main-d'œuvre…)

Au-delà de ces symptômes langagiers, tout n'est donc pas excessif, loin s'en faut, dans ce qu'avancent à ce propos les théologiens de la libération. Je pense notamment au Brésilien Hugo Assmann, qui reconnaît d'ailleurs emprunter certaines de ses analyses à René Girard. Il le fait de façon assez éclairante pour mériter d'être cité : « Le langage que nous utilisons, écrit-il, suggère un rapprochement possible avec la pensée de René Girard, qui s'exprime dans un langage semblable au nôtre. […] L'antique nécessité des boucs émissaires – c'est-à-dire de victimes expiatoires qui permettent la réconciliation – se serait métamorphosée à un point tel que ce qui autrefois requérait des opérations manifestes et publiquement assumées ait été tellement intégré dans le quotidien des relations mercantiles qu'il fonctionne maintenant comme un processus silencieux, permanent et pratiquement inaperçu ? Nous lançons cette provocation afin qu'une fois admise cette *métamorphose de la victime expiatoire* sous l'action (entre autres) du paradigme économique, la nécessaire protestation : "Assez de sacrifices !" acquière une nouvelle urgence[16]. »

Pour Assmann, comme pour la plupart des théologiens de la libération, l'idéologie du « tout marché »

---

15. Je fais allusion au titre de l'ouvrage de Pierre Rosanvallon et Jean-Paul Fitoussi, *Le Nouvel Age des inégalités*, Seuil, 1996.
16. Hugo Assmann, « Idolâtrie du marché et sacrifices humains », *in* Hugo Assmann et Franz J. Hinkelammert, *L'Idolâtrie de marché, op. cit.*

revient à mettre la rationalité économique au service de processus sacrificiels. Les faux dieux de l'économie, eux aussi, ont soif de victimes. A l'instar des idoles païennes, ils réclament des sacrifices sans cesse plus barbares. Aux yeux d'Assmann, les théoriciens du libéralisme ont ignoré le message évangélique en sanctifiant, depuis Adam Smith, l'intérêt égoïste de chacun au lieu et place de l'amour du prochain. Cette perversité du « noyau dur » de la pensée économique, jusqu'à présent déguisée derrière toutes sortes de faux-semblants, réapparaît aujourd'hui de façon manifeste avec la dérive impitoyable de l'économie moderne. Citant un vers du poète brésilien Moacyr Felix – *Le verbe avoir est la mort de Dieu* –, il qualifie d'*idolâtres* ces faux dieux de l'économie. « Dénoncer des dieux trop apparents, parler d'idolâtrie sur le terrain de l'économie (comme sur d'autres terrains), c'est dissiper l'évidence. C'est mettre en lumière ces dieux-là afin que tous puissent percevoir enfin la fonction qu'ils remplissent dans le système d'oppression [17]. »

Cette oppression exercée avec le secours de la nouvelle idolâtrie économique n'a été rendue possible, aux yeux d'Assmann, que parce qu'on est parvenu, au nom même de la rationalité marchande, à reformuler le sens de la vie humaine. La réduction de la personne à la finitude étriquée de l'*homo œconomicus* en est la meilleure illustration. Cet être étrange, cet homme unidimensionnel, pour reprendre l'expression de Herbert Marcuse, n'aurait pas d'autres besoins que ceux que l'argent et la compétition sans merci lui permettent d'acquérir. « Les "infinitudes perverses" (du capital, du marché, etc.) ne sont rien d'autre que des utopies inversées et

---

17. *Ibid.*

l'emprisonnement des espérances dans le "déjà-là"[18]. »

Les théologiens de la libération sentent fortement le soufre puisqu'ils dénoncent d'une même voix les trop nombreux ralliements de l'Église officielle à cette logique idolâtre. Ils pointent, en d'autres termes, la persistance historique – depuis la conversion de l'empereur Constantin ! – d'un *christianisme sacrificiel* qui serait infidèle aux valeurs évangéliques. Exprimant cela, ils relancent une querelle théologique aussi complexe qu'explosive et sur laquelle je reviendrai. Objectera-t-on que l'extrémisme révolutionnaire de cette théologie et sa compromission militante avec l'extrême gauche sud-américaine lui enlèvent toute pertinence ? Ajoutera-t-on que cette radicalité, comme réponse militante au libéralisme, est mieux adaptée à l'inégalitarisme latino-américain qu'au contexte européen ?

Je ne crois pas que ces objections soient suffisantes pour évacuer la question posée. Le mécanisme sacrificiel est bel et bien présent dans la théorie économique libérale. Les théologiens « gauchistes » ne sont pas les seuls à le dire. Professeur à l'École polytechnique de Paris et à l'université de Stanford en Californie, spécialiste reconnu de la pensée néolibérale américaine, Jean-Pierre Dupuy a abordé cette question dans un gros ouvrage de recherches. Il montre de quelle façon la pensée utilitariste anglo-saxonne – héritée de Jeremy Bentham et de John Stuart Mill – s'est efforcée de théoriser la démarche sacrificielle en lui donnant un fondement rationnel. Pour les utilitaristes, le sacrifice d'un seul ou de quelques-uns est légitime s'il engendre un bénéfice pour le plus grand nombre. C'est d'ailleurs sur ce point précis que les adversaires de l'utilitarisme, qu'il s'agisse de Richard Nozick, de John Rawls ou des

18. *Ibid.*

« communautariens » comme Michael Sandel, font porter leurs critiques.

« L'utilitarisme sacrificiel, écrit Jean-Pierre Dupuy, c'est le mécanisme victimaire – l'unanimité retrouvée contre une même victime – rendu transparent, nimbé de la lumière crue du calcul rationnel, et cette clarté même est insupportable[19]. » Pour les utilitaristes, le bénéfice du plus grand nombre peut légitimer la « perte » subie par quelques-uns, moins bien armés ou moins talentueux. Dupuy montre que la pensée utilitariste est ainsi minée par une contradiction éthique qu'elle n'est jamais parvenue à surmonter. *En acceptant l'idée du sacrifice d'un tiers exclu, elle contrevient aux principes mêmes de la conscience civilisée dont pourtant elle se réclame.* « Si cet autre est mon semblable, comment pourrai-je accepter de le sacrifier ; ou encore, à l'inverse, comment arriver à reconnaître dans l'autre que l'on est en train d'immoler le visage du même[20] ? »

Cette querelle théorique n'est pas de pure forme. Elle est à l'arrière-plan de la plupart des débats d'aujourd'hui sur la priorité accordée ou non à la lutte pour le plein emploi, sur la montée des inégalités, les nouveaux mécanismes d'exclusion inhérents au néolibéralisme, etc. Le consentement plus ou moins avoué à l'élimination des moins aptes – c'est-à-dire à leur immolation symbolique – est souvent présenté comme une démarche rationnelle puisqu'elle permet de « sauver » le plus grand nombre. Les licenciements en masse de salariés ne sont-ils pas justifiés par le souci de sauver une entreprise ? Le chômage n'est-il pas le prix à payer pour améliorer la compétitivité d'une économie ? En réalité, au-delà de cette prétendue clarté rationaliste, l'argu-

---

19. Jean-Pierre Dupuy, *Le Sacrifice et l'Envie*, *op. cit.*
20. *Ibid.*

mentation libérale *revient à consentir au sacrifice*. En cela, elle est moins raisonnable qu'elle le prétend, comme John Rawls a tenté de le démontrer [21].

L'essayiste communautarien Michael Sandel n'a pas tort d'ironiser quant à lui sur ce cynisme utilitariste qui sous-tend notre complaisance contemporaine pour l'économie sacrificielle : « Pour le plus vif plaisir de très nombreux Romains, demande-t-il, était-on en droit de jeter ne serait-ce qu'un seul chrétien aux lions [22] ? »

La revanche des persécuteurs

Si la modernité, insensiblement, régresse ainsi vers une logique sacrificielle, on serait bien imprudent de confondre cette dérive avec une simple résurgence de la violence au cœur de cet univers policé que Norbert Elias appelait la « civilisation des mœurs [23] ». Cette résurgence est pourtant incontestable, et c'est d'abord elle qu'il faut évoquer. Elle aussi est en rapport direct avec la démarche sacrificielle. Je ne parle pas seulement de la délinquance ordinaire, du crime, de la querelle quotidienne, de l'agressivité généralisée qui semblent dresser les hommes, les corporations ou les groupes les uns contre les autres. Inusable sujet du débat politique, point limite de la permissivité démocratique : c'est peu de dire que le thème soit actuel. Je songe aussi à tous ces phénomènes d'incivilité, à la fois omniprésents et plus difficiles à identifier. Du vandalisme ordinaire à la rudesse des rapports humains : nous sommes souvent

---

21. John Rawls, *Théorie de la justice*, *op. cit.*
22. Cité par Jean-Pierre Dupuy, *Le Sacrifice et l'Envie*, *op. cit.*
23. Norbert Elias, *La Civilisation des mœurs*, Calmann-Lévy, 1973.

saisi de vertige devant ce *retour de la société démocratique vers je ne sais quelle archaïque sauvagerie.*

Ce retour vient annuler, en effet, les bénéfices d'une longue et difficile évolution historique, dans laquelle Elias voyait un mouvement vers la civilisation, qui passait par une intériorisation volontaire de la règle. « Dans un certain sens, écrit Elias, qui trouve ici des accents platoniciens, le champ de bataille a été transposé dans le for intérieur de l'homme. C'est là qu'il doit se colleter avec une partie des tensions et passions qui s'extériorisaient naguère dans les corps à corps où les hommes s'affrontaient directement [24]. »

De l'homme médiéval à la noblesse de cour, de la rivalité brute à la codification des rapports sociaux ou des règles de la politesse, des guerres privées et autres duels mondains à la monopolisation de la contrainte par l'État et lui seul, notre histoire peut se lire comme une tentative pour conjurer la violence. Tentative jamais totalement couronnée de succès et, donc, sans cesse recommencée. Les règles de la politesse, en effet, les rituels et les bienséances peuvent toujours dissimuler des formes de violences plus feutrées et néanmoins cruelles. (Que l'on songe à la société japonaise.) Sans compter la « violence symbolique » des rapports sociaux inégalitaires que Pierre Bourdieu a mise en évidence et qui n'est jamais qu'un sacrifice dissimulé. Il n'empêche que cette tâche de Sisyphe définissait assez bien l'idée que nous nous faisions du progrès démocratique. Or, après avoir apprivoisé tant bien que mal cette violence privée, nous sommes à nouveau entraînés dans une régression plus redoutable qu'on ne l'imagine : celle qui nous conduit vers une ingénuité retrouvée

---

24. Id., *La Dynamique de l'Occident*, Calmann-Lévy, 1975.

de la violence, une persécution qui n'éprouve même plus le besoin de se travestir. Nul ne peut nier que rôde désormais dans nos sociétés ce consentement paresseux ou résigné à la violence « injuste ».

C'est un symptôme, assurément. Il ne résume pourtant pas, à lui seul, la question du sacrifice, qui est plus grave encore. Le sacrifice, en effet, n'est pas une figure parmi d'autres de la violence sociale, dont le retour en force ne serait que l'accompagnement d'un processus plus général. Le sacrifice ne s'identifie pas à la simple violence. Il est même l'opposé de celle-ci puisque son accomplissement vise à empêcher la contamination violente au sein du groupe. Le sacrifice, en réalité, n'est pas un « dérapage » de la modernité. Il est un rituel conjuratoire dont la réactivation obéit à une logique redoutable. Comme le lynchage de jadis, l'exclusion pénale, sociale ou économique d'aujourd'hui est censée favoriser un retour de la cohésion chez les non-exclus. Le licenciement « compétitif », en sacrifiant les moins aptes à l'intérieur d'une entreprise, vise à apporter aux salariés restants, mais surtout aux actionnaires, un « plus », sous la forme d'un partage plus avantageux et plus harmonieux des résultats. La diabolisation-immolation médiatique d'un supposé coupable permet d'apporter à l'ensemble du groupe un surcroît d'unanimité et de bonne conscience. Qu'il s'agisse de fait divers ou de politique, le mécanisme est le même.

Le sacrifice n'a donc pas grand-chose à voir avec une violence « gratuite » ou un simple cafouillage, comme la modernité nous en fournit par ailleurs mille exemples. Il est central. Il touche au contenu même du « vivre ensemble ». Sous une forme édulcorée, au point de ne plus être aisément repérable, il renoue bel et bien avec un rituel très ancien : celui du meurtre fondateur.

C'est en cela que ce retour du mécanisme sacrificiel est une affaire infiniment plus sérieuse que ne peut l'être un simple accroissement, même exponentiel, de la violence asociale et des incivilités. Ce qui est en jeu, cette fois, c'est le cœur même du « testament occidental », la clé de voûte qui tient encore ensemble – ou articule entre elles – les cinq valeurs fondatrices dont j'ai esquissé la typologie dans les chapitres précédents. Ni l'espérance, ni l'égalité, ni la raison, ni le projet universaliste, ni l'autonomie du moi n'eussent été imaginables sans cette prise de distance avec le rite sacrificiel, c'est-à-dire la « pensée magique ».

Or cette réapparition subreptice du rite sacrificiel reconstitue mécaniquement des unanimités ou des unanimismes qui légitiment les formes nouvelles de persécution. René Girard a bien montré en effet que le sacrifice n'a de sens et de fonction qu'à une condition expresse : que chaque acteur du lynchage soit convaincu de la culpabilité du lynché. L'unanimisme – cette pensée unique au carré ! – est l'une des composantes du mécanisme sacrificiel. Elle implique, pour qu'il produise ses effets, une diabolisation de la victime, qu'il s'agit de rendre responsable de sa propre persécution. Autrement dit, seul le sentiment d'innocence des persécuteurs vient légitimer la permanence de la persécution. De la même façon, la responsabilisation des pauvres dans leur propre échec sera la meilleure façon de conforter la tranquillité des riches et l'harmonie du système.

En ce sens, le retour du mécanisme sacrificiel rend possible un véritable cataclysme symbolique capable de pulvériser, à terme, l'essentiel de l'héritage. Nous invitant à reparcourir à l'envers deux mille ans d'Histoire, il aboutirait à soumettre de nouveau les victimes au « point de vue » des persécuteurs. Comparable à un clonage à la Frankenstein permettant de ressusciter les mammouths du quaternaire, il redonnerait vie et force à une barbarie ontologique que l'on croyait définitivement disparue. C'est dans cette perspective qu'il faut entendre l'inquiétude exprimée avec force par René Girard : « Pour qui perçoit la pertinence redoutable du principe sacrificiel dans l'intelligence anthropologique de notre univers, la direction vers laquelle le monde s'engouffre, unanimement, mimétiquement, est inquiétante, c'est le moins qu'on puisse dire. […] Il est difficile pour moi de ne pas me représenter l'évolution actuelle comme une régression, comme un retour inquiétant à ce qui semblait à jamais transcendé [25]. »

Reste à comprendre le vrai contenu de cette antique persécution qui avait été, en effet, transcendée.

La « folie des sacrifices »

Partons, une fois encore, du plus simple. L'ethnologie, l'anthropologie, mais aussi l'Ancien Testament nous parlent sans cesse de sacrifices, d'infanticides rituels, d'immolations des premiers-nés, de meurtres fondateurs. Ils le font de manière explicite et évoquent des sacrifices bien réels. Les prophètes juifs ne furent pas les derniers à dénoncer ces pratiques, dont la permanence, d'une civilisation à l'autre, a toujours troublé les ethnologues. Les découvreurs européens du Nouveau Monde diront leur épouvante de retrouver au XVIe siècle, chez les Aztèques, une survivance des sacrifices humains, pratiqués sur une grande échelle et destinés à honorer les divinités. Qu'il s'agisse de Huitzilo-

---

25. René Girard, *Quand ces choses commenceront…*, op. cit.

pochtli, dieu de la Nuit et de la Guerre, de Quetzalcóatl, dieu civilisateur, ou de Tlaloc, dieu de la Pluie. Au cours de l'année 1999, les archéologues ont mis au jour, sur les sommets glacés du volcan Llullaillaco, dans la cordillère des Andes, les corps de trois adolescents incas sacrifiés au XVIe siècle. D'innombrables découvertes du même genre avaient été faites au cours des années précédentes et sous d'autres cieux. Le sacrifice est l'invariant énigmatique de toutes les cultures.

Pour ce qui concerne notre propre histoire, il faut nous ressouvenir à quel point cette querelle des sacrifices joua un rôle central durant les premiers siècles de notre ère. Un rôle que nous avons trop longtemps minimisé. Il est vrai que, dans les diverses réinterprétations de l'Antiquité gréco-romaine auxquelles la pensée occidentale s'est livrée – au XIIe siècle, à la Renaissance, au moment des Lumières ou même au XIXe siècle –, on a souvent passé sous silence la dimension violente et sacrificielle de la société antique. C'était à tort. Peter Brown insiste à juste titre sur cet oubli en rappelant que la violence – et surtout celle exercée sans limite par le pouvoir – hantait littéralement l'univers mental des Gréco-Romains. Toutes les réflexions des platoniciens ou des stoïciens sur le nécessaire « contrôle de soi » doivent être comprises à la lumière de cette incroyable brutalité.

La violence accompagnait les membres de l'élite romaine à chaque étape de leur vie. Du maintien par la force de l'esclavage à la violence exercée contre les femmes ou les enfants, « le flot de l'horreur, écrit Brown, venait lécher les pieds de toute personne éduquée », et à peine sortis de la maison, les jeunes gens « pouvaient voir la violence exemplaire infligée à leurs inférieurs par tous les tribunaux ». Cette violence faisait partie intégrante de l'éducation. « Même un recueil de textes à l'usage des jeunes écoliers latins apprenant le grec incluait des scènes de tortures comme faisant partie intégrante de la vie d'un Romain aisé. "Le siège du gouvernement est installé. Le juge monte au tribunal […]. On amène un brigand coupable. On l'interroge sur ses méfaits. On le soumet à la torture : le bourreau porte la main sur lui, l'étouffe ; il est pendu, écartelé, matraqué. Il supporte toutes les tortures. Il nie son crime. Il est sûr d'être condamné. […] Il est emmené et exécuté" [26]. »

Quant aux sacrifices, ils constituent le rite essentiel des religions païennes qui, au début de notre ère, s'identifient de plus en plus au culte impérial, à travers celui de Mithra importé d'Inde et d'Iran [27]. S'il ne s'agit plus – comme dans le cas des Aztèques – de sacrifices humains, le souvenir de ces derniers n'est peut-être pas aussi complètement enfoui dans la mémoire collective qu'on l'imagine. Certaines traditions religieuses égyptiennes, par exemple, perpétuées à Alexandrie au temps de l'Empire romain en sont un exemple. Lorsque l'évêque Théophile fit donner l'armée, en 391, pour détruire les temples païens de cette cité – et notamment le fameux *Serapeum* –, on y découvrit certains stratagèmes architecturaux permettant aux prêtres d'exercer un illusionnisme propre à impressionner les fidèles. Mais « d'autres [découvertes] provoquaient des réac-

---

26. Peter Brown, *Pouvoir et Persuasion dans l'Antiquité tardive*, *op. cit.*

27. La première diffusion du culte de Mithra est immédiatement consécutive aux campagnes romaines contre Mithridate et contre les pirates en Silicie (vers 67 avant J.-C.). On a retrouvé dans la basilique Saint-Clément, à Rome, un autel dédié au Mithra iranien. Le musée archéologique de Metz possède quant à lui un magnifique autel de Mithra d'époque romaine.

tions d'horreur : ainsi les crânes découverts dans la crypte du *mithraeum* d'Alexandrie, où l'on voit des restes de sacrifices humains [28] ».

Une chose est sûre : la première et peut-être la plus grave *subversion* introduite par le monothéisme judéo-chrétien dans l'Empire romain consistera en une condamnation sans appel des sacrifices. Les juifs, déjà, ne sacrifiaient plus depuis la destruction du Temple. On a pu également invoquer à leur sujet les paroles de certains prophètes proscrivant le sacrifice. Ainsi Jérémie (7, 22) : « Je n'ai pas fait d'ordonnance à vos pères touchant les sacrifices et les libations aux jours où je leur ai pris la main pour les faire sortir du pays d'Égypte [29]. »

Pour les premiers chrétiens, en tout cas, la question est théologiquement réglée. Le sacrifice de la croix est le « dernier » des sacrifices, celui qui abolit tous les autres. « L'épître aux Hébreux […] prend à bras-le-corps la question de l'accomplissement des sacrifices en Christ : le sacrifice du Christ est unique, définitif, fait une fois pour toutes, et au bénéfice de tout homme. C'est un sacrifice sanglant, comme ceux de la "première Alliance", mais ce n'est plus le sang d'animaux, c'est le sien propre (voir Hébreux 9,11-14). Il nous obtient une "libération définitive" (9,12) [30]. »

Pour rester sur le terrain de l'Histoire, l'interdiction des sacrifices et des pratiques de divination sera très logiquement l'une des premières décisions prises par Constantin après sa conversion au christianisme. Il les

---

28. Pierre Maraval, *Le Christianisme, de Constantin à la conquête arabe*, op. cit.

29. Cité par Marcel Simon, *Verus Israël*, op. cit.

30. Geneviève Comeau, *Catholicisme et Judaïsme dans la modernité*, op. cit.

interdira en dénonçant « les rites d'une illusion démodée » et en usant d'un vocabulaire révélateur. Dans une lettre au jeune roi des rois Shahpuhr II, Constantin écrit vers 322 : « Ce Dieu (Un), je l'invoque en ployant le genou et en fuyant avec horreur le sang du sacrifice [31]. » Cette interdiction sera reformulée et codifiée à plusieurs reprises, aussi bien par Constance II (337-361) que par Théodose Ier (379-395). En 341, une loi impériale stipule : « Que cesse la superstition, qu'on abolisse la folie des sacrifices [32]. »

L'hostilité contre les premiers chrétiens sera souvent liée à ce rejet des sacrifices, rejet dans lequel les païens voient une atteinte intolérable à la tradition. La plupart des tentatives de restauration païenne passeront d'ailleurs par une réaffirmation solennelle du caractère sacré des rites sacrificiels. Peu avant la conversion de Constantin, alors même que l'Empire glisse déjà vers le christianisme, l'empereur Dioclétien (284 à 305) participe à des cérémonies et liturgies sacrificielles. Dans cet Empire profondément ébranlé, la société païenne aspirait à un retour de la loi et de l'ordre. *Reparatio* et *renovatio* étaient les slogans du moment. « La *religio* consistait encore à se montrer devant un autel fumant, les dieux toujours présents à ses côtés, entouré d'animaux jugés depuis un temps immémorial appropriés à un très grand sacrifice [33]. » Plus tard, l'empereur Julien, dit « l'Apostat », reprochera lui aussi aux chrétiens de « ne plus sacrifier » et de se comporter ainsi comme des athées en contribuant à la décadence romaine. Durant son bref

---

31. Cité par Peter Brown, *L'Essor du christianisme occidental*, *op. cit.*
32. Cité par Pierre Maraval, *Le Christianisme, de Constantin à la conquête arabe*, *op. cit.*
33. Peter Brown, *L'Essor du christianisme occidental*, *op. cit.*

règne, il s'efforcera – en vain – de rétablir les cultes anciens et les sacrifices.

Au début du Ve siècle, lorsque Rome est brièvement conquise et pillée (en 410) par les Wisigoths d'Alaric, les philosophes païens en rendront responsables les chrétiens. En abolissant les sacrifices, ils auraient privé l'Empire de la protection des dieux. Ces reproches – et quelques autres – seront à l'origine de la décision prise par Augustin de se lancer dans la rédaction de *La Cité de Dieu*, œuvre monumentale destinée à répondre, notamment, à ces accusations d'impiété à l'égard des idoles.

L'innocence des victimes

Pour les Romains, cette condamnation des sacrifices par les premiers chrétiens est un « scandale » gravissime qui menace la cohésion de l'Empire et ruine la tradition. Pourquoi ? Il faut s'interroger sur le sens véritable et, surtout, l'extraordinaire vigueur de la réaction romaine. Elle est d'abord, bien entendu, de nature politique. En refusant les sacrifices et les cultes païens, les chrétiens s'affranchissent du même coup de toute sujétion « religieuse » à l'empereur. Ce qu'ils dénoncent, en stigmatisant « l'idolâtrie », c'est aussi le culte impérial, un culte qui prenait de plus en plus d'importance à l'aube de notre ère et tendait à faire de l'empereur un dieu vivant. « Les hommes ont conféré à cet homme le titre honorifique d'*Augustus* et ils le vénèrent dans les villes et les nations, lui élevant des temples et lui offrant des sacrifices », écrivait au sujet de l'empereur, vers 23 avant J.-C., Nicolas de Damas, écrivain attaché à la cour du roi Hérode. Quant à Virgile (70-19 avant J.-C.), il proclamait significativement dans *L'Énéide* :

« C'est lui, celui qui depuis longtemps a été promis aux pères, César Auguste, fils de Dieu qui instaurera l'âge d'or sans fin [34]. »

C'est donc d'abord l'autorité impériale que les premiers chrétiens remettent en question en rejetant le culte païen. Insoumis, refusant de porter les armes, ils proclament qu'Auguste n'est pas le Sauveur. Leur prière – « Gloire à Dieu au plus haut des cieux » – sonne comme une sédition puisqu'elle implique un rejet définitif de toute déification terrestre du pouvoir et de la force. « Un tract datant de 120 après J.-C. environ, dirigé contre le culte de l'empereur romain, lie très clairement la confession de Dieu et le refus de Rome : "Dieu seul est digne de recevoir la gloire et la force, la magnificence, la victoire et la seigneurie" [35]. » Le message évangélique sape de cette façon *le principe même du pouvoir temporel*. Il invalide tout autant la morale sociale, qu'il s'agisse de la pratique du serment, de la conception patriarcale du mariage ou de l'arbitraire des hiérarchies traditionnelles. Rien d'étonnant, dans ces conditions, que les premiers chrétiens soient considérés comme de dangereux anarchistes et des êtres amoraux par le pouvoir romain. Les persécutions trouvent d'abord là leur origine.

Dans la plupart des grandes vagues de persécutions – notamment celle de Dèce (250-251) ou encore celle de Valérien (257-258) –, la question du sacrifice est capitale. C'est cette pratique du culte impérial que veulent imposer à tout prix les empereurs aux chrétiens rétifs. Certains finissent par céder à la contrainte, on les appel-

---

34. Cité par Eugen Drewermann, *De la naissance des dieux à la naissance du Christ* (titre original : *Dein Name ist wie der Geschmack des Lebens*, 1986), trad. fr. : Seuil, 1992.

35. *Ibid.*

lera les *sacrificati*. D'autres, les *thurificati*, s'y refuseront obstinément, au péril de leur vie. D'autres encore se procureront, en payant, de faux certificats attestant qu'ils ont « sacrifié ». On les désignera par le terme de *libellacité*. A plusieurs reprises, en tout cas, cette obligation du sacrifice est formalisée par des édits impériaux rigoureux. Les plus sévères furent sans doute ceux de l'empereur Dioclétien, au tout début du IVe siècle. Dioclétien, il est vrai, était poussé par son fameux César Galère, un barbare cruel et violent. Les historiens estiment que la dernière vague de persécutions anti-chrétiennes qu'il déclencha fit, à elle seule, trois mille cinq cents victimes. L'un des édits de Dioclétien, en 304, enjoignait à tous les habitants du monde romain de sacrifier aux dieux de l'Empire sous peine des pires supplices, la mort ou la déportation aux mines [36].

Mais cette explication purement politique qui désigne les chrétiens comme une menace pour l'autorité impériale est insuffisante. A ce stade, les interprétations de René Girard sont d'un précieux secours et nous aident à réévaluer la vraie nature de la *subversion* qui menace non seulement la culture romaine mais, bien au-delà, *toutes les cultures et traditions sacrificielles*. Pour Girard, la cohésion des sociétés humaines repose, en dernière analyse, sur le souvenir d'un meurtre fondateur, d'un sacrifice originel. Les mythes qui en perpétuent le souvenir, les rites qui en rejouent symboliquement le déroulement ont pour fonction d'en réactiver l'effet pacificateur. Cette vertu pacificatrice ne peut produire ses effets, comme on l'a vu, que si la culpabilité de la victime est avérée. « Le mythe justifie la vio-

---

36. J'emprunte ces exemples à Marcel Simon et André Benoit, *Le Judaïsme et le Christianisme antique. D'Antiochus Épiphane à Constantin*, op. cit.

lence contre le bouc émissaire, la communauté n'y est jamais coupable. Thèbes n'est pas coupable vis-à-vis d'Œdipe, Œdipe est coupable vis-à-vis de Thèbes [37]. »

C'est parce qu'ils sont unanimement convaincus de la culpabilité du bouc émissaire que les membres d'une communauté reconquièrent la paix, au prix de cette violence sacrificielle qui devient donc fondatrice. L'unanimité, on pourrait même dire la « bonne conscience » sans faille des lyncheurs, est une dimension absolument nécessaire à l'efficacité du sacrifice. Ainsi les mythes, les rites, le religieux qui sont à l'origine des cultures humaines (culture étant entendu ici dans le sens de « vision du monde ») expriment-ils nécessairement ce qu'on pourrait appeler, pour simplifier, le *point de vue des persécuteurs*. Ce point de vue sort d'ailleurs renforcé de chaque rite sacrificiel, puisque celui-ci, effectivement, parvient à contenir la violence et à ramener, pour un temps, la cohésion et la paix. Cette efficacité apparente conforte l'unanimité des persécuteurs.

Dans l'univers symbolique traditionnel – qu'il s'agisse des Romains ou de quiconque –, les persécuteurs et, par extension, les détenteurs du pouvoir sont dans leur bon droit. Ils ne persécutent jamais que des victimes *qui le méritent*. En outre, cette « persécution » n'a d'autre but avoué que d'empêcher la contagion de la violence. Elle procède d'un souci d'ordre, d'une intention civique, pourrait-on dire, qu'elle soit impériale, royale, clanique ou familiale. L'histoire humaine, écrite par les vainqueurs, répète et ornemente à l'infini un discours univoque : celui des sacrificateurs que personne n'est en mesure de déconstruire. Au nom de quoi, en vertu de quelle « valeur supérieure », de quelle transcendance

---

37. René Girard, *Quand ces choses commenceront…*, *op. cit*

le ferait-il ? Toute l'horreur de l'univers sacrificiel est
là : c'est un espace symbolique clos à l'intérieur duquel
l'objection faite au sacrifice – objection qui pulvérise-
rait toute la cohérence du processus – n'est ni pensable,
ni seulement imaginable.

Or, dans l'analyse girardienne, le caractère révolutionnaire du message évangélique vient justement de ce
qu'il parvient à déjouer et à briser l'unanimité des persécuteurs. Il réhabilite « scandaleusement » le point de
vue des victimes. Il accomplit et systématise en d'autres
termes l'objection extravagante et magnifique d'Anti-
gone dressée face à Créon au nom de « principes supérieurs » dans la pièce de Sophocle. Le caractère inouï de
la Révélation évangélique est bien là : en « révélant »
l'innocence des victimes, il disqualifie le sacrifice et en
ruine, par avance, tous les effets. La Révélation introduit un grain de sable dans la mécanique sacrificielle
et, en démasquant l'unanimité illégitime des persécuteurs, elle infléchit – virtuellement – toute l'histoire
du monde.

Mais elle est plus exigeante encore puisqu'elle adjure
le croyant de renoncer à entrer, à son tour, dans le cycle
de la violence. Le refus déterminé de la vengeance n'a
pas d'autre sens. Là est la véritable spécificité chrétienne, qui est à mille lieues d'un vague humanisme du
« pardon » et qui va au-delà de la bienveillance prônée
par d'autres sagesses et d'autres traditions philosophiques. La parabole biblique de la joue gauche qu'il
s'agit de tendre si l'on est frappé sur la joue droite
ne participe pas non plus d'une « morale d'esclave »
débouchant sur le « ressentiment », comme le soutien-
dra Nietzsche. Elle exprime la volonté explicite et
consciente de déjouer le mécanisme mimétique de la
violence. « Il ne faut pas rendre le mal pour le mal, dira
Paul dans l'Épître aux Romains, mais faire du bien à

son ennemi » (Rom. 12,14). Aimer son ennemi ! L'injonction extravagante table sur ce que Dostoïevski appelait (dans *L'Idiot*) « le terrible pouvoir de la douceur » pour désamorcer le piège sacrificiel et la réciprocité infinie de la violence.

La symbolique de la croix elle-même joue dans le même sens et constitue le scandale absolu. La vénération d'un crucifié est une démarche obscène, pour ne pas dire répugnante, aux yeux d'un Romain. Pourquoi ? Parce qu'il paraît déraisonnable à quiconque est englué dans la symbolique sacrificielle de faire un Dieu d'une victime. Cette idée d'un Messie souffrant et immolé sera dénoncée, voire ridiculisée par les polémistes antichrétiens des premiers siècles. « Vous mettez tout votre espoir en un homme qui a été crucifié », constate avec étonnement Tryphon, dans le fameux *Dialogue avec Tryphon* de Justin Martyr, apologiste grec, martyrisé en 165, sous Marc Aurèle. Celse, le philosophe païen antichrétien (et antijuif), ironisera, bien avant Nietzsche, sur cette déification d'un crucifié – c'est-à-dire d'un vaincu – par le christianisme. Un autre écrivain païen, Lucien, se moquera de celui qu'il appelle « un sophiste crucifié ».

Pour ce qui concerne les juifs, on a longtemps pensé que cette idée d'un Messie souffrant, d'un Dieu victime, leur répugnait autant qu'aux païens. Ce n'est plus aussi sûr, si l'on en croit les enseignements tirés du décryptage des manuscrits de la mer Morte. « Si, comme le pensent certains auteurs, les esséniens reconnaissaient, de façon plus ou moins explicite, dans ce pontife de l'ère messianique [le Messie d'Israël], une réincarnation du Maître de Justice, et s'il était établi par ailleurs que ce dernier mourut martyr, il faudrait en conclure que l'idée d'un Messie souffrant avant d'être un Messie glorieux n'a pas été aussi totalement étrangère au judaïsme qu'on le croit en général [38]. »

Toujours est-il que la *subversion* chrétienne initiale, c'est d'abord cela : l'innocence des victimes incroyablement proclamée et retournée contre les persécuteurs ; l'inanité du sacrifice démontrée et, avec elle, la vanité des mythes, des rites et des cultures ou idéologies qui en procèdent. Évoquant Jésus, les versets du *Magnificat* sont explicites à ce sujet : « Il disperse les superbes ; Il renverse les puissants de leur trône ; Il élève les humbles » (Luc 1,51-52). De leur point de vue, les autorités romaines avaient parfaitement raison de voir dans cette révélation un danger certain...

De la subversion à la « religion officielle »

Paradoxalement, cette interprétation est également embarrassante pour le christianisme historique et pour l'Église elle-même, telle qu'elle prédominera tout au long des siècles. Pourquoi ? Parce que, dès la conversion de Constantin, dès que le christianisme devient « religion officielle », il rompt plus ou moins avec cette dimension subversive de la Révélation. En s'intégrant au pouvoir temporel – et cela pour plus de mille cinq cents années ! –, voire en se substituant carrément à lui après la chute du régime carolingien, il rejoint lui-même l'univers sacrificiel contre lequel il se dressait à l'époque des origines. « A partir de Constantin, le christianisme triomphe au niveau de l'État lui-même et, très vite, il va couvrir de son autorité des persécutions analogues à celles dont les chrétiens des premiers âges

---

38. Marcel Simon et André Benoit, *Le Judaïsme et le Christianisme antique. D'Antiochus Épiphane à Constantin*, *op. cit.*

avaient été les victimes. Comme tant d'entreprises religieuses, idéologiques et politiques après lui, le christianisme encore faible subit les persécutions ; dès qu'il est fort, il se fait persécuteur [39]. »

Cette terrible ambivalence du catholicisme historique – libérateur *et* oppresseur, subversif *et* répressif, défenseur des victimes *et* inquisitorial, anarchiste *et* théocratique – imprégnera dorénavant toute l'histoire occidentale. Elle débouchera, et pour des siècles, sur une cohabitation contre nature entre une Église officielle alliée au pouvoir temporel – y compris pour le pire – et un héritage évangélique qui ne cessera de cheminer, malgré tout, à travers les siècles et jouera souterrainement un rôle majeur dans l'émergence des Lumières et de ce que nous appelons aujourd'hui la modernité.

La raideur temporelle, voire l'intolérance sacrificielle du christianisme romain se manifestent *dès le début du règne de Constantin*. La lutte contre le paganisme et la destruction des temples païens se généralisent dans tout l'Empire. Après la liberté de culte accordée aux chrétiens par le fameux édit de Milan (313), les textes impériaux destinés à éliminer le paganisme se multiplient. En 356, la peine de mort est encourue par ceux qui adorent les idoles ; en 380, l'édit de Thessalonique déclare le christianisme seule religion d'État ; en 392, défense est faite d'honorer les pénates ; en 395, on interdit de se promener autour des temples païens ; en 435, la décision sera prise de démolir ceux d'entre eux qui subsistent [40]. Cette volonté d'éradication des « superstitions » s'accompagne de violences populaires, dont la plus connue est le lynchage, en 415, du philosophe

---

39. René Girard, *Le Bouc émissaire, op. cit.*
40. J'emprunte ces notations à Émile Poulat, *Liberté, laïcité, op. cit.*

païen Hypatie, figure éminente du conseil municipal d'Alexandrie.

Dans le même temps, on renonce brusquement à l'esprit de dissidence pour *recommander l'obéissance au pouvoir*. Dans cette perspective, l'Église invoque le fameux texte de l'Épître de Paul aux Romains, que l'on réinterprète : « Que toute personne soit soumise aux autorités supérieures ; car il n'y a pas d'autorités qui ne viennent de Dieu et les autorités qui existent ont été instituées par Dieu » (Rom. 13,1-7). De cette Épître, on retiendra d'ailleurs pendant plus de quinze siècles une seule formule, *Omnis potestas a Deo* (Tout pouvoir vient de Dieu), laquelle servira régulièrement à légitimer les pouvoirs temporels [41].

Le revirement est le même pour ce qui est du rapport des chrétiens au métier des armes. Dès 314, à Arles, l'empereur Constantin organise un synode pour mettre un terme à ce que nous appellerions l'objection de conscience des chrétiens. Le troisième « canon » de ce concile excommunie tout simplement les soldats qui se refuseraient au service militaire ou qui se révolteraient contre leurs chefs. Le septième canon légitime l'existence de fonctionnaires chrétiens de l'État et demande seulement qu'ils ne fassent pas d'actes de paganisme (par exemple adresser un culte à l'empereur) [42].

C'en est bien fini de la *subversion* évangélique ! Qu'on n'imagine pas, cependant, que cette transformation de la Révélation biblique en religion officielle soit allée sans difficultés ni controverses. L'établissement de ce qu'on appelle l'orthodoxie, c'est-à-dire la

---

41. En réalité, Paul s'exprime ici dans le cadre d'une Église chrétienne du Ier siècle qui, unanimement, est hostile au pouvoir impérial. Dans ce texte, il cherche à modérer cette hostilité.
42. Cité par Jacques Ellul, *Anarchie et Christianisme, op. cit.*

conformité de la foi avec les dogmes dûment définis et approuvés par l'institution romaine, s'élabore en réalité au fil d'une multitude de conciles, en s'opposant à quantité d'hérésies, en traversant des querelles théologiques inexpiables. Cette effervescence des premiers siècles est toujours aussi troublante pour quiconque s'y réfère.

Un catholicisme athée ?

Allié au pouvoir, professant une « doctrine officielle », l'Église ne viendra à bout de toutes ces menaces, contestations, hérésies ou paganismes renaissants qu'en usant d'une autorité qu'il faut bien qualifier de sacrificielle, pour ne pas dire plus. Certes, la puissance temporelle qu'elle acquiert permettra au christianisme de triompher et de durer, mais elle fourvoiera du même coup la Révélation dans des entreprises (croisades, inquisition, persécution des juifs, absolutisme royal, etc.) qui n'auront plus grand-chose à voir avec la réhabilitation évangélique des victimes. La réforme grégorienne du XIe siècle, en réaffermissant le pouvoir du pape, contribuera à faire de l'obéissance une vertu, ce qu'elle n'était pas auparavant. « Rien ne fut peut-être de plus grande conséquence dans l'histoire occidentale [43]. » Historiquement, s'est ainsi développé un catholicisme institutionnel, un cléricalisme punisseur et autoritaire, dans lequel certains théologiens « dissidents » n'hésitent pas à voir une forme « religieuse » d'athéisme. C'est d'ailleurs dans cette même perspective qu'un Charles

---

43. Voir le remarquable travail de Jean-Claude Eslin, *Dieu et le Pouvoir. Théologie et politique en Occident*, *op. cit.*

Maurras, disciple agnostique d'Auguste Comte et très hostile à ce qu'il appelait « le venin judaïque de l'Évangile », pourra dire : « Je suis athée mais catholique ! » Dans cette perspective également qu'un Napoléon déclarera avec un cynisme tranquille : « Les curés tiennent le peuple, les évêques tiennent les curés, et moi je tiens les évêques. »

Les exemples caricaturaux ne manquent pas, dans notre histoire, de ce catholicisme sacrificiel, raidi dans sa défense de l'ordre et du pouvoir ; un catholicisme impérieux que la triple tiare portée par le pape a longtemps incarné. Il suffit d'évoquer, à Rome, l'idéal théocratique des papes Grégoire VII, Innocent III et Boniface VIII, ou, en France, la Ligue sous Henri III, le « parti dévot » sous Louis XIII, la compagnie du Saint-Sacrement sous Louis XIV ou le pape Pie VI qui, dans son *Quod Aliquandum* de 1791, recommande « l'obéissance aux rois ». Plus près de nous, on peut citer le fameux *Syllabus errorum*, publié par Pie IX, le 8 décembre 1864, en annexe de l'encyclique *Quanta Cura*. Que l'on se souvienne aussi des croisades de Louis Veuillot, directeur, pendant quarante ans, du quotidien *L'Univers*, et dont la formule dogmatique est passée à la postérité : « L'Église est le bien sans mélange de mal ; la Révolution est le mal sans mélange de bien. » Que l'on songe à la crise de 1907, qui voit le pape Pie X condamner les exégètes « modernistes » de la Bible dans son encyclique *Pascendi*, encyclique suivie du décret *Lamentabili* fustigeant « l'esprit de nouveauté » dans l'Église. Que l'on songe également à la condamnation en 1910, par ce même Pie X, du Sillon, le mouvement de Marc Sangnier, accusé de « modernisme social » et condamné à s'autodissoudre.

Un théologien comme Jacques Ellul n'use pas de précautions superflues pour dénoncer ce qu'il appelle la « trahison des Églises » historiques. « Toutes les Églises, écrit-il, ont scrupuleusement respecté et souvent soutenu les autorités de l'État, elles ont fait du conformisme une vertu majeure, elles ont toléré les injustices sociales et l'exploitation de l'homme par l'homme (en expliquant pour les uns que la volonté de Dieu était qu'il y ait des maîtres et des serviteurs, et pour les autres que la réussite socio-économique était le signe extérieur de la bénédiction de Dieu !), elles ont aussi transformé une parole libre et libératrice en une *morale* [44]. » Nombreux seront d'ailleurs – de Lamennais à Emmanuel Mounier, Maurice Clavel, Henri Guillemin et tant d'autres – ces rebelles intraitables que l'on pourrait appeler des « chrétiens anticléricaux ».

C'est encore à leur héritage qu'en appelle aujourd'hui – malgré quelques extrapolations plus discutables – un Eugen Drewermann lorsqu'il s'écrie : « De quel théologien vivant peut-on dire qu'il est un ami des prostituées et des "publicains" ? Où, dans la théologie contemporaine, nous apprend-on à comprendre l'autre et à nous porter garants pour lui, au lieu de le juger et de le condamner ? Et où, dans l'Église contemporaine, y a-t-il place pour les hommes qui se brisent en se heurtant aux lois de la société bourgeoise et ecclésiastique [45] ? »

Encore faut-il noter qu'en Occident la tradition catholique a aussi justifié certaines distances prises par l'Église à l'égard du pouvoir, certaines ingérences modératrices ou remontrances adressées aux puissants. Qu'il s'agisse des limitations médiévales imposées à la guerre privée (« paix de Dieu » ou « trêve de Dieu »), qu'il s'agisse des condamnations ou excommunications

---

44. Jacques Ellul, *Anarchie et Christianisme*, *op. cit.*
45. Eugen Drewermann, *De la naissance des dieux à la naissance du Christ*, *op. cit.*

de certains monarques coupables d'immoralité. En Orient, en revanche, le christianisme orthodoxe a hérité de Byzance une tradition de loyalisme à peu près sans faille à l'égard du pouvoir temporel. Le ralliement des patriarches orthodoxes slaves – notamment russes – au système communiste en fut le dernier exemple. Ce loyalisme est un effet du caractère mystique, unanimiste et fusionnel de l'orthodoxie. Il n'en est pas moins historiquement critiquable. « Le péché historique de l'orthodoxie fut souvent, au nom même de l'essentiel, de n'avoir pas protesté. Car, s'il est vrai que l'Empire "est consacré au bon ordre des choses humaines" et le Sacerdoce "consacré au service des choses divines", ce dernier ne peut rester indifférent ou se cantonner dans le service des choses divines si l'Empire manque à son office [46]. »

Ce loyalisme et cette complaisance contrastent en tout cas avec la résistance frondeuse – et souvent déterminante – opposée *à ce même communisme* par les hiérarchies catholiques d'Europe de l'Est : le clergé polonais et le père Popielusko assassiné par des nervis communistes ; le cardinal Mindszenty incarcéré pendant dix-huit années en Hongrie ; le cardinal Tomasek ou le père Václav Maly en Tchécoslovaquie, qui furent signataires de la *Charte 77* et devinrent des héros de la sortie du communisme, etc.

Les illusions persécutrices

Le plus extraordinaire dans l'histoire du christianisme est donc que, en dépit de cette lourde tradition romaine,

---

46. Vladimir Grigorieff, *Religions du monde entier. Principe, enjeux, repères historiques*, Marabout, 1996.

impériale et sacrificielle de l'Église officielle, la *sub-version* biblique originelle n'ait jamais cessé, malgré tout, de *travailler en profondeur la conscience occidentale*. Et pas seulement celle des chrétiens déclarés. C'est à ce formidable paradoxe que fait allusion Max Weber lorsqu'il constate : « Les exigences a-cosmiques du Sermon sur la Montagne, sous la forme d'une pure éthique de la conviction, ainsi que le droit naturel chrétien compris comme une exigence absolue fondée sur cette doctrine, ont conservé leur puissance révolutionnaire et ils sont chaque fois revenus à la surface avec toute leur fureur dans presque toutes les périodes de bouleversements sociaux [47]. »

C'est le même paradoxe que pointe René Rémond lorsqu'il constate la persistance et l'inlassable renaissance, pendant plus de quinze siècles, de ce qu'il appelle une « utopie chrétienne » venant corriger, dans une certaine mesure, les inclinations d'alliance avec les pouvoirs propres à l'Église officielle. « Au sein même du catholicisme, écrit-il, court un filon qui a trouvé notamment dans la spiritualité franciscaine son expression la plus noble, qui rêve d'un monde où s'accomplirait la prophétie d'Isaïe, qui ne connaîtrait plus ni guerres ni conflits d'aucune sorte, définitivement affranchi des rapports d'inégalité et de domination [48]. »

Comment interpréter, au bout du compte, cette ambivalence ? En invoquant la faiblesse humaine, comme le faisait François de Sales, évêque de Genève (1567-1622), lorsqu'il disait de façon imagée : « Partout où il y a des hommes, il y a de l'hommerie » ? Par la dure nécessité historique – la realpolitik ecclésiastique et l'inévitable lenteur du progrès moral ? Indépendam-

---

47. Max Weber, *Économie et Société*, Press Pocket, 1995, 2 vol.

ment des jugements de valeur que l'on peut porter sur cette forme de cléricalisme sacrificiel, la thèse que propose René Girard en réponse à toutes ces questions mérite réflexion. A ses yeux, la durée historique – le temps nécessaire à l'accomplissement – est inséparable de la Révélation elle-même. En d'autres termes, le renversement antisacrificiel amorcé par le message biblique est bien trop explosif, radical, dévastateur pour être immédiatement entendu par des sociétés humaines enlisées dans le sacré de l'univers sacrificiel. Proclamer l'innocence des victimes et l'illégitimité des persécuteurs, ce n'est pas seulement rompre l'unanimité de la domination, c'est dissoudre le sacré, disloquer la tradition, miner les cultures et mettre irrésistiblement celles-ci en mouvement vers la promesse du futur.

Le fait est que ce ferment biblique, laïcisé ou non, ne cessera d'agir et de produire ses effets. Il est constitutif de ce que nous appelons parfois le progrès ou la conscience universelle. Irrésistiblement, de siècle en siècle, le point de vue des persécuteurs perdra sa légitimité. Il sera de plus en plus soupçonné et soupçonnable. Bientôt, nul ne pourra persécuter ingénument. « Ainsi sera détruite la crédibilité de la représentation mythologique [49]. » Ainsi seront lentement dissipées les illusions persécutrices et virtuellement brisé le cycle sans fin de la violence et du sacré. Virtuellement ! L'adverbe a son importance. La ruine progressive du mécanisme sacrificiel n'entraîne pas, en effet, la fin des persécutions. Loin de là ! Elle signifie simplement que celles-ci, sauf exception, ne peuvent plus s'exercer sans travestissement.

Elles ont perdu leur cruelle virginité pré-judéo-

---

48. René Rémond, *Religion et Société en Europe*, *op. cit.*
49. René Girard, *Le Bouc émissaire*, *op. cit.*

chrétienne et ne peuvent plus s'inscrire dans la bonne conscience et l'unanimité vengeresse. Elles sont doré-navant contraintes, si l'on peut dire, à un *détour symbolique par le point de vue des victimes*. Après les Lumières occidentales, on peut dire qu'on ne peut plus persécuter qu'en confisquant hypocritement ce point de vue des victimes. C'est d'ailleurs une bonne définition de l'idéologie. Le prolétaire exploité, le peuple alle-mand injustement puni seront les « victimes » mises en avant par les deux grands totalitarismes du siècle. Aucun des deux n'était en mesure de déclarer sim-plement, comme c'était encore le cas dans l'univers archaïque : je persécute parce que je suis le plus fort... « Nous restons des persécuteurs mais des persécuteurs honteux [50]. » C'est la même constatation que faisait Schumpeter au sujet des guerres, lorsqu'il notait : « L'impérialisme, qui, dans les temps antiques, pouvait se dispenser de porter le moindre masque et qui, au temps des monarchies absolues, pouvait encore se contenter d'un voile bien transparent, doit aujourd'hui se dissimuler soigneusement derrière tout un écran de phraséologie – même si cette phraséologie n'est pas exempte d'appels détournés aux instincts belliqueux [51]. »

Les réflexions théologiques d'Alain Besançon sur l'équivalence des deux totalitarismes – nazisme et stali-nisme – s'inscrivent exactement dans cette perspective. Contre Raymond Aron, qui estimait naguère que l'in-tention du communisme, au moins, n'était pas blâmable, Besançon soutient, au contraire, que cette falsification du bien, ce dévoiement du point de vue victimaire à des fins d'oppression, constitue la face la plus noire du

---

50. *Ibid.*
51. Joseph Alois Schumpeter, *Impérialisme et Classes sociales*, *op. cit.*

communisme. Celui-ci s'approprie en effet, pour le subvertir, l'idéal de l'humanité tout entière. L'immoralité du falsificateur est au moins aussi grande que celle du barbare « ingénu ». Besançon a raison d'ajouter que seul un point de vue théologique permet de rendre compte de cette unicité du mal[52].

Sur un autre plan – et sans établir la moindre équivalence –, le sacrifice des moins aptes et l'exploitation économique des plus pauvres pratiqués par le capitalisme sauvage des origines se sont généralement opérés derrière le paravent des valeurs bibliques délibérément « réinterprétées ». Aujourd'hui encore, et notamment au début des années 80, dans le cadre de la « révolution conservatrice américaine », une abondante littérature a cherché à justifier théologiquement la dureté libérale. Il est vrai que c'était le plus souvent de façon assez ridicule[53].

Dira-t-on que le « détail » est sans importance puisque la persécution demeure ? Objectera-t-on qu'il est indifférent aux victimes d'être opprimées au nom de tel ou tel « point de vue » ? Ce serait mal comprendre le processus civilisateur et l'optimisme toujours agissant dans la modernité. Aucun progrès humain, qu'il soit juridique, éthique ou moral, ne peut se concevoir sans que soient préalablement sapés les fondements sacrificiels de la persécution. Je serai même tenté de dire que tout projet de morale universelle, toute ambition civilisatrice ne commencent vraiment qu'à partir de ce seuil

---

52. Alain Besançon, *Le Malheur du siècle*, Fayard, 1998.
53. Parmi ces apologistes « chrétiens » de l'utralibéralisme, citons George Gilder, *Richesse et Pauvreté*, Albin Michel, 1981, et *L'Esprit d'entreprise*, Fayard, 1985, ou Michael Novak, *Une éthique économique : les valeurs de l'économie de marché*, Cerf, 1987, livre dans lequel il invoque notamment saint Jean de la Croix !

minimal. Cette disqualification du sacrifice est bien « la » valeur fondatrice par excellence. Tout le reste en dépend, même si rien n'est acquis.

On comprend d'autant mieux, dès lors, l'extraordinaire péril que pourrait constituer, en cette fin de siècle, le retour annoncé de l'antique sacrifice.

TROISIÈME PARTIE

LE RENDEZ-VOUS
AVEC LE MONDE

Pour un humanisme paradoxal

Une courte halte s'impose puisque la boucle est bouclée. Les six périls énumérés dans ces pages sont évidemment imbriqués l'un dans l'autre. Point n'est besoin d'une longue réflexion pour comprendre de quelle façon ils se confortent – ou s'aggravent – mutuellement. Quelle que soit la valeur fondatrice que l'on choisit d'examiner en premier, on voit vite que la fragilité spécifique qui l'affecte renvoie aussitôt à la fragilité de toutes les autres. Il y a même quelque chose de troublant dans la cohérence implacable de ce « système négatif » à l'intérieur duquel nous nous sentons piégés et qui menace de nous entraîner dans le naufrage. Cette cohérence dessine une configuration symbolique nouvelle que nous commençons seulement à penser – et difficilement –, tant nous demeurons prisonniers des anciennes catégories mentales de la politique et de l'idéologie.

Cohérence implacable ? L'évanouissement de l'avenir disloque par exemple toutes les formes de prudences sociales ou générationnelles. Il mine par anticipation les solidarités réciproques puisque celles-ci étaient inséparables d'une représentation minimale du futur : je donne aujourd'hui et je recevrai demain ; tu donnes maintenant et tu recevras plus tard : tout contrat social s'inscrit dans une temporalité. Le règne du « à quoi bon » et du « chacun pour soi » s'impose tout naturellement quand l'avenir n'est plus clairement choisi, ni même discernable, sauf à considérer comme un « projet » la seule accumulation marchande ou technologique. Or cette résignation à l'immédiateté du monde et à la disparition de l'avenir menace de dissoudre à son tour la politique et, avec elle, l'aspiration minimale à l'égalité et à la justice.

La fatalité oligarchique

« La politique, c'est le goût de l'avenir », disait Max Weber. L'affaiblissement de la première découle directement de l'évanouissement du second. Plus d'avenir, plus de politique. Mais cette « dépossession » du politique ouvre aussitôt la voie aux formes nouvelles de domination et à ces mille et une dérives oligarchiques, désormais perceptibles dans toutes les démocraties avancées. La crise de la démocratie, ce n'est pas seulement l'hégémonie du privatif et du marché, c'est le retour inexorable au règne de « quelques-uns ». De ce retour, chaque jour qui passe nous apporte de nouveaux signes. Insensiblement, les opinions se réaccoutument dangereusement à l'idée que les décisions véritables – politiques, économiques, scientifiques, diplomatiques – échappent au citoyen, et ne peuvent que lui échapper. Cette dérive est une douce catastrophe. C'est la victoire silencieuse de cette « loi d'airain » de l'oligarchie, mise en évidence jadis par les théoriciens dits « machiavéliens [1] ». Ultime

---

1. Je pense notamment au sociologue italien Vilfredo Pareto (1848-1923).

conséquence : la « défaite de la justice », pour parler comme Blandine Kriegel, qui déchaîne insensiblement les mécanismes sacrificiels les plus archaïques. Ces « quelques-uns » dont aucun contrepoids représentatif n'équilibre plus le pouvoir suscitent la fureur sporadique du plus grand nombre. La chasse aux puissants, notamment judiciaire, vient donc corriger, à intervalles réguliers, la dérive oligarchique. Tout se tient donc dans ces poupées russes emboîtées l'une dans l'autre. La synergie est saisissante. Elle ne s'arrête d'ailleurs pas là.

L'instrumentalisation de la raison critique, son ravalement au rang d'une *technoscience* correspondent à un « futur » de rechange, à un « projet » de substitution. Faux projet, en vérité, puisqu'il nous jette seulement dans une fuite en avant ingouvernée. Seuls les Américains, pour des raisons qui tiennent à leur histoire, peuvent élever au rang de mythe mobilisateur cette utopie technologique repoussant toujours plus loin la *frontière* du possible et du savoir. La technique, en tant qu'annonciatrice d'un « avenir radieux », est déjà devenue outre-Atlantique l'équivalent de la marche vers l'Ouest, qui promettait l'aventure et la fortune aux descendants des pionniers du *Mayflower*. Or rien n'est plus évocateur dans la mémoire collective américaine que cette idée de frontière que l'audace des hommes permet de repousser sans cesse, mois après mois, jusqu'à l'extrémité des terres californiennes. Quoi de plus mobilisateur, en effet, que cette mythologie du chariot bâché et des immensités énigmatiques de l'Ouest peu à peu conquises et domestiquées par des défricheurs d'espace qui avancent vers l'océan Pacifique, bible et fusil en main, mais pioches et charrues embarquées à l'arrière ?

Aujourd'hui, la *frontière* technologique – informatique, cybernétique, bio-génétique – joue exactement le même rôle symbolique que les lointaines plaines de l'Ouest. Le même mythe se perpétue sous une autre forme. C'est d'abord lui qui explique l'infatigable optimisme du Nouveau Monde, capable de survivre à toutes les déconvenues. Un optimisme que l'essayiste Gunnar Myrdal évoquait en parlant du « charme invaincu de la grande autosuggestion américaine ». C'est lui également qui nourrit cette confiance spontanée dans la technologie perceptible outre-Atlantique. Elle pousse l'Amérique au « laisser-faire », y compris quand des questions éthiques se posent. Au-delà de la compétition proprement commerciale, les querelles opposant les États-Unis à l'Europe – à propos du maïs transgénique, du bœuf aux hormones ou du brevetage génétique – en sont l'illustration presque quotidienne. Il y a, en Amérique, une impatience agacée à l'égard des prudences, des lenteurs, des tergiversations éthiques européennes sur les mêmes sujets.

Ce grand dessein symbolisé par la frontière est une exception propre au cas américain et à lui seul. Rien de tout cela n'est comparable chez nous, dans la vieille Europe saturée de scepticisme. Pour les peuples du Vieux Continent, dont la vraie patrie est l'Histoire plus que l'espace, l'idée de *frontière* comme représentation du futur n'a pas grand sens. Qu'il s'agisse de frontière géographique ou de frontière technologique. Pour cette raison, les remontrances adressées à l'Europe, dont on dénonce parfois les frilosités ou la prétendue « fatigue », sont un peu ridicules. Tous les peuples n'ont pas les mêmes récits fondateurs.

Tu seras roi !

Chez nous, le néoscientisme contemporain apparaît plutôt comme l'allié de cette ivresse libérale qui n'as-

signe plus comme destin aux sociétés humaines que le
« possessif », le quantitatif, le mesurable. A nos yeux,
technoscience et ultralibéralisme vont naturellement
ensemble. Ce sont les deux faces d'une même hégémonie. Elle nous paraît à la fois pesante et rudimentaire.
« L'écorègne se soutient par la technoscience, dont le
rôle devient décisif, note justement Maurice Bellet. Car
celle-ci est bien sans thèse ni doctrine, elle est un
immense complexe de fonctionnement, où l'écorègne
trouve une réserve inépuisable d'efficacité, donc d'expansion[2]. »

Plus précisément encore, nous sommes plus sensibles,
nous, Européens, au fait que la technoscience contemporaine est devenue l'alliée naturelle du « projet »
inégalitaire décrit plus haut. Elle renforce et justifie ces
nouveaux modes de domination auxquels nous avons
du mal à résister. « La connivence entre les idéologies
de la domination – avouées ou non – et le technoscientisme est peut-être le trait le plus décisif de la réalité
mondiale actuelle. Moribondes ou à bout de souffle,
ces idéologies trouvent dans le technoscientisme un
relais inespéré[3]. »

L'exaltation du moi, enfin, cette apothéose d'une
autonomie individuelle, sans cesse promise, sans cesse
élargie et sans cesse récriminante, devient, au bout du
compte, la dernière ruse d'une modernité qui n'a plus
d'autre dessein défini que cette ébriété/malaise de l'individu-roi, sur fond de prolifération technicienne et
consumériste. Tu seras roi ! Tu seras efficace ! Tu seras
seul ! Promesse intenable et marché de dupe. Libre et
désaffilié, le moi est menacé d'engloutissement dans
son propre triomphe. Il a pour vocation d'être seul, en

---

2. Maurice Bellet, *La Seconde Humanité, op. cit.*
3. Dominique Janicaud, *La Puissance du rationnel, op. cit.*

effet, mais finalement désemparé, déconstruit, vaincu par sa propre victoire.

* *
*

Ces six périls imbriqués l'un dans l'autre nous désignent donc en creux les six principes qu'il s'agit de refonder sans cesse et de défendre, jour après jour. On voit bien de quels principes il s'agit. Ils sont assez simples. L'espérance retrouvée plutôt que la déréliction ou la dérision ; l'égalité défendue contre la domination du plus fort ; la politique réhabilitée face aux « fatalités » du marché ; la raison critique – et modeste – mille fois préférée au scientisme comminatoire ; la solidarité et les convictions communes opposées à l'individualisme vindicatif ; la justice substituée à la vengeance sacrificielle.

Le cadre de cette refondation est-il assez clair ? Il l'est assurément. Mais sa définition, pour évidente qu'elle paraisse, débouche en dernier ressort sur une difficulté infiniment plus difficile à résoudre. Ces valeurs-là – qui sont les nôtres et celles de l'helléno-judéo-christianisme – sont-elles aussi clairement universelles que nous sommes tentés de le croire ? Sont-elles extensibles, sans autre forme de procès, au reste de la planète ?

Cette (vieille) question, c'est aujourd'hui en termes tout à fait nouveaux qu'elle nous est posée.

La bigarrure du monde

Le reste du monde, en effet, n'est plus le « lointain ». Il ne le sera jamais plus. Nous ne sommes plus, nous les habitants du promontoire béni de l'Euro-Amérique, *devant* le vaste monde comme nous le fûmes pendant des siècles. Le monde en question n'est pas seulement à notre portée. Il n'a pas seulement rétréci. *Il nous a rejoints* jusqu'à l'intérieur de nous-mêmes. La globalisation, que l'on invoque à tort et à travers, ne se résume pas à la simple ouverture de nos frontières, de nos commerces ou de nos curiosités. De façon plus essentielle, elle signifie une irruption du monde et de l'altérité au cœur de nos sociétés et de nos consciences. Le dedans et le dehors se confondent : le monde est déjà là. Tout entier. C'est désormais chez nous que s'enchevêtrent les différences et les exotismes ; c'est à l'intérieur de nos frontières que se nouent les contradictions que nous affrontions jadis dans un vis-à-vis *géopolitique* : contradictions entre un centre dispensateur de modernité et une périphérie enchâssée dans la tradition ; contradictions entre une métropole promotrice des Lumières et des « territoires exotiques » encore dans les ténèbres et les superstitions ; contradictions entre un pouvoir central colonisateur et sa périphérie. Voilà que le planisphère est redessiné. Fin des empires, fin des colonies, fin de la centralité occidentale, fin des privilèges de l'homme blanc. Adieu, les anciens parapets ! A quoi bon pleurer ? C'est ainsi.

Le multiculturalisme, l'immigration, les brassages et métissages de cultures et de corps sont la transmutation en *problèmes domestiques* du vieux face-à-face impérial ou colonial de naguère. Le dehors est arrivé chez nous. Il frappe à nos frontières et, inexorablement, les franchit. Nulle barricade, nulle douane, nulle gendarmerie ne nous protégera de cette demande ni n'ajournera bien longtemps ce rendez-vous. Que nous le voulions ou non, nous serons pluriels et métis. Quoi que nous fassions, nous cohabiterons avec l'ailleurs. Quant à la haine de l'autre, aux prurits d'expulsions, de cadenassage ou, au contraire, d'acculturation forcée, qui saisissent parfois nos consciences inquiètes, ce sont des réactions aussi vaines que celles des « civilisateurs » qui s'efforçaient, jadis, de contenir les peuples sous l'autorité et la férule d'une métropole. Ce n'est plus ainsi que les choses se passeront. Nous le savons bien.

Les questions se posent de façon toute différente. La nécessaire refondation bute sur un paradoxe inédit. Les bras jalousement refermés sur nos convictions essentielles, nous allons au-devant d'un rendez-vous auquel l'Histoire ne nous avait pas préparés. De partout monte vers nous la même interrogation. Elle se formule ainsi : toutes ces certitudes – égalitaristes, laïques, progressistes, individualistes, raisonnables, critiques, etc. – ne seraient-elles pas le dernier avatar d'une arrogance occidentale et judéo-chrétienne réinventée ? En souhaitant refonder ces principes pour mieux les affirmer et les universaliser, ne reconstituons-nous pas une sorte de néocolonialisme ? Les entreprises bien-pensantes, les antiennes droit-de-l'hommistes et les droits d'ingérence humanitaires ne répètent-ils pas, mine de rien et avec d'irréprochables intentions, l'ancienne politique de la canonnière ? Au-dehors, ne cherchons-nous pas à imposer *notre* vision de l'homme et de l'univers ? A l'intérieur de chaque pays, la volonté d'intégrer la pluralité ne renoue-t-elle pas, au niveau domestique cette fois, avec la « mission civilisatrice » d'un Christophe Colomb, d'un Louis-Hubert Lyautey ou d'un Jules Ferry ? Les Afro-Américains new-yorkais, les Sioux d'Arizona, les Sonninkés de la banlieue parisienne, les Turcs de Bavière, les Chinois de la Place d'Italie ou les Kabyles bordelais nous posent en tout cas la question en ces termes. J'en connais peu d'aussi difficiles. Pourquoi ? Parce qu'il est impossible de lui opposer une réponse simple et univoque. L'aigreur des débats sur le multiculturalisme ou le communautarisme en est la preuve. La plupart du temps, ces débats voient s'affronter, d'un camp à l'autre, des réponses bien trop simplificatrices pour être pertinentes.

Réponse simple ? Dirons-nous que ni l'universalité ni la République ne se discutent, que l'acculturation et l'assimilation citoyenne à « nos » valeurs ne souffrent aucune exception ? Alors, nous devrons tôt ou tard consentir à ce que cette assimilation soit imposée, y compris par la force publique, à ceux qui ne la désirent pas. Nous serons conduits à des intolérances répressives qui, pour trouver l'énergie nécessaire, n'auront d'autres recours que celui d'une évocation obsessionnelle de « l'avant ». Un « avant » le plus souvent imaginaire et que seule notre nostalgie, rétrospectivement, reconstruit.

Nostalgie pour la République une et indivisible, nostalgie pour la nation cohérente et homogène, nostalgie pour une acception organique de la communauté, nostalgie pour un holisme minimal ou un sacré aujourd'hui en lambeaux… On connaît la litanie. Que cette nostalgie soit moralement légitime – et même respectable – n'est pas le vrai problème. Le problème, c'est qu'elle a de moins en moins de sens à mesure que se dissout la communauté (nation, famille, État, etc.) à laquelle il s'agissait d'assimiler quiconque venait du dehors. Privée de sens et de force, la démarche trop rigidement républicaine et intégratrice vire donc à l'incantation désespérée… et désespérante, pour ne pas dire ratiocinante. On est sensibles à l'inquiétude qu'elle exprime, aux dangers qu'elle nous désigne, à la noblesse du volontarisme qui l'anime, mais on doute qu'elle soit encore opératoire.

Mais alors ? Dira-t-on à l'inverse que pluralité et relativité doivent faire loi dans une société sans représentations collectives partagées ? Acceptera-t-on l'idée qu'aucune intégration-assimilation d'un individu au groupe ne soit plus légitime ni même envisageable dans des sociétés devenues multiculturelles ? Ajoutera-t-on qu'à cette pluralité d'individus, tous dissemblables et tous souverains, doive correspondre une infinie pluralité des principes et des convictions, sans autre limite que celles des droits civil et pénal ? Objectera-t-on que c'est à l'intérieur de chacune de nos sociétés que nous devrions organiser, respecter et légitimer toute la bigarrure du monde ? Y compris ce qu'on pourrait appeler la bigarrure morale… Nous savons bien que ce relativisme intégral ne mène nulle part, lui non plus. Il revient à prendre son parti de l'atomisation sociale, de la frénésie individualiste ou tribale qui ne produisent, à terme, que des perdants. Il implique que l'on considère assez lâchement comme inévitables ces diverses dislocations qui laissent l'individu seul face aux régulations du marché. Paradoxalement, c'est aux « méchants » et aux « malins » qu'il fait la part belle. « Au nom de quelle éthique faudrait-il respecter une conduite qu'on sait être mauvaise, justifier le plus fort ou l'intérêt égoïste ? La Loi morale est impérative : si la discussion peut être utile, la dispute doit déboucher sur une proposition fondée, et une seule [4]. »

Dans le meilleur des cas, ce relativisme nous renvoie aux débats byzantins de la philosophie politique américaine sur la neutralité de l'État, le refus de tout point de vue surplombant, l'inexistence de toute espèce de « bien commun », triple credo des libéraux-libertariens et des utilitaristes d'outre-Atlantique.

---

4. Claude Sahel, préface à *La Tolérance. Pour un humanisme hérétique*, *op. cit.*

Les « intuitions » de John Rawls

Ce « meilleur des cas » vaut qu'on s'y attarde. La tentative de John Rawls pour affronter cette contradiction est en effet la plus significative et l'une des plus honorables. Je ne suis pas sûr qu'elle soit très concluante. Le projet initial de Rawls contre le nihilisme des philosophies utilitaristes, c'est la tentative de fonder une théorie rationnelle de la justice, *acceptable par tous, en dépit du pluralisme des valeurs et des points de vue.* Comment définir une conception du Bien dans une société qui récuse précisément tout « point de vue » commun ? Rawls veut protéger ce pluralisme des valeurs et des opinions (qu'il considère comme un acquis fondamental), mais sans accepter pour autant l'émiettement social absolu qui menacerait la cohésion démocratique. Quadrature du cercle. On voit toute la difficulté du projet. Faire de l'un avec du multiple, déduire une norme de l'absence de normes, fabriquer une règle en conjuguant des libertés : telle est l'audace de l'entreprise. Tel est aussi son mérite.

Sans entrer dans le détail de l'analyse, disons que Rawls est conduit à évoquer l'idée d'une « théorie étroite » du Bien ou plus exactement de « principes minimaux de justice politique » qui seraient moins contraignants que des « valeurs communes », au sens traditionnel du terme. Le raisonnement, on peut le comprendre, est sur le fil du rasoir. Rawls cherche obstinément à tracer une voie étroite entre holisme et individualisme, entre le relativisme multiculturel et le dogmatisme de la règle morale, entre l'anarchie politique et l'« idéologie officielle ». Il use pour cela de concepts ou de métaphores à la fois subtils et discutables : le « voile d'ignorance », le devoir de civilité, etc. Il bute surtout sur des difficultés théoriques que ses adversaires n'ont pas manqué de relever. J'en citerai deux.

La première tient aux raisons profondes qui pousseraient les citoyens d'une société pluraliste à *préférer des principes de justice* plutôt que d'autres. Si aucune conviction forte ne nous rassemble, au nom de quoi choisirions-nous la justice plutôt que l'injustice ? Et comment parviendrions-nous à nous accorder sur la simple définition de cette même justice ? Au nom de l'intérêt individuel et de la réciprocité escomptée ? En vertu d'un « calcul » qui nous pousserait vers le Bien dans l'attente d'un bénéfice personnel qui serait simplement différé ? La motivation paraît à la fois bien faible et trop « sophistiquée ». On voit mal comment elle suffirait à convaincre les méchants ou les profiteurs ? Pour Rawls, la citoyenneté bien comprise doit pouvoir suffire à ancrer les individus dans l'idéal démocratique malgré la diversité de leurs convictions. « Le pluralisme, écrit-il, est le résultat normal de l'exercice de la raison humaine dans le cadre des institutions libres d'un régime constitutionnel[5]. » A ses yeux, cet ancrage harmonieux implique que soient réunies certaines conditions : il s'agit de *séparer radicalement* ce qui relève de la sphère privée (les convictions personnelles et l'héritage culturel propre à chacun) de la raison publique s'exerçant sur le forum délibératif. Le problème est qu'il ne parvient pas, ou qu'il parvient mal, à conjuguer, à articuler ces deux dimensions séparées[6]. Chacun d'entre nous pourrait-il, sans difficulté ni absurdité, mener sa vie en « partie double », comme

---

5. John Rawls, *Libéralisme politique*, PUF, 1995.
6. Je m'inspire ici des analyses de la traductrice française de Rawls, Catherine Audart, « Justice et démocratie », in *Quelles valeurs pour demain ?*, *op. cit.*

on le dit d'une comptabilité ? Ce n'est pas sûr. L'affaiblissement continu du processus démocratique outre-Atlantique ne plaide d'ailleurs pas en faveur d'une séparation aussi radicale entre public et privé.

La seconde critique a été mise en lumière par des communautariens comme Charles Taylor ou Michael Sandel. Elle tient à l'enracinement de l'idée même de justice et, plus précisément, du « désir » de justice. John Rawls raisonne *comme si la chose allait de soi*, comme si le souhait d'un monde juste était partagé sans difficulté par tous les hommes et les femmes de la planète. Il tient pour acquis non pas vraiment la définition de la justice, mais, au minimum, le *désir de justice*. Il part du principe que ce désir habite tous les individus quelles que soient leur culture, leur différence, leur particularité… Ce rousseauisme inavoué le dispense de s'expliquer sur ses propres intuitions fondamentales, à lui, John Rawls, né en 1921, à Baltimore, dans le Maryland, sur les bords de la baie de Chesapeake : celles d'un Blanc américain ayant recueilli, ne serait-ce qu'inconsciemment, le double héritage du christianisme et de la tradition libérale anglo-saxonne. Or une société multiculturelle compte quantité d'individus venus des quatre coins du monde et qui n'ont pas grand-chose de commun avec un sage et scrupuleux WASP de Baltimore…

En forçant le trait, on pourrait dire que, pour l'essentiel, Rawls suppose résolu le problème qu'il prétend poser. Sans le dire vraiment, il postule que les « opinions » multiples et dissemblables qu'il entend faire cohabiter librement partagent malgré tout, au départ, *un même fonds commun*, une même inclination éthique. Or nous savons bien que c'est faux. Nous avons vu, au fil de ces chapitres, que les valeurs fondatrices formant ce « fonds commun » n'étaient jamais que le produit exceptionnel, fragile, aléatoire d'une histoire particulière. Elles ne sont ni naturelles ni forcément solides. Cette critique n'enlève rien au mérite considérable de la réflexion rawlsienne qui est allée le plus loin possible dans la recherche d'un compromis raisonnable entre le trop de « nous » et l'excès de « moi ».

Le détour par Rawls nous ramène à la question initiale, celle qui habite ce livre depuis la première page : la nécessité impérative de redéfinir et, donc, de refonder les principes essentiels, les « valeurs », convictions communes, substrats symboliques, représentations collectives (la terminologie importe peu) qui nous permettent de vivre ensemble. A la différence de Rawls, je ne crois pas, en effet, que ces principes aillent tellement de soi qu'il ne soit plus nécessaire de les réenraciner.

L'aveu de soi

Cette nécessaire refondation débouche sur ce qu'on pourrait appeler un humanisme paradoxal. Il consiste à s'ouvrir à l'autre, au pluriel, au multiple, sans rien céder sur l'essentiel. Il revient à récuser tout à la fois l'impérialisme normalisateur (un seul point de vue à prendre ou à laisser) et le relativisme trop accommodant (à chacun sa règle, à chacun sa vérité). Il veut, en d'autres termes, *mener bataille sur deux fronts* : contre l'intolérance d'un côté, contre le nihilisme de l'autre. Et cela sur chacun des principes énumérés dans les pages précédentes. Plaider pour la raison modeste et contre le scientisme n'implique pas que l'on baisse la garde face aux illuminismes sectaires et aux blablas magiques. Plaider pour un minimum de cohésion sociale ne signifie pas que l'on accepte n'importe quel jacobinisme. Plaider pour un contrôle politique – et démocratique – du marché ne veut pas dire qu'on s'en remet à je ne sais quelle planification autoritaire. Plaider pour l'espérance laïque ne nous ramène pas à la fétichisation hégélienne de l'Histoire. Lutter sur deux fronts ? N'est-ce pas le propre de tout combat raisonnable ?

Notre rendez-vous avec le monde, la nécessité nouvelle dans laquelle nous sommes d'accueillir la différence, de gérer le multiple, de nous ouvrir à l'altérité, tout cela implique néanmoins une *fermeté retrouvée* – et non point un surcroît de distance – quant aux principes dont nous sommes les héritiers. L'oubli ou la haine de soi n'est pas le meilleur chemin vers l'autre, pas plus que le renoncement à la vérité ou la démagogie du n'importe quoi. C'est perché sur son arbre généalogique que l'homme chante le plus juste. La rencontre avec l'autre commence par l'aveu de soi. L'amour du différent implique la quête du semblable. Il y a quelque chose d'effrayant dans ce contresens qui conduit à n'aller vers le multiple, le pluriel, qu'après avoir « affaibli » voire abandonné toute adhésion à soi-même.

Ce n'est pas tout.

Là où nous redoutions la cacophonie et le relativisme, ce qui coagule les différences et refonde une solidarité minimale, c'est d'abord la claire conscience du danger. Les doutes que nous pouvions entretenir quant à la pertinence de l'héritage occidental et judéo-chrétien se dissipent assez vite au vu des assauts dont il est désormais l'objet. Notre complaisance un peu lâche pour le dissemblable et l'exotique marque le pas dès qu'elle aperçoit l'extrémité de certains chemins.

Chapitre 9

Les habits neufs du barbare

> « Le seul véritable enjeu depuis mille ans est de savoir si l'on appartient, mentalement, aux peuples de la forêt ou à cette tribu de gardiens de chèvres qui, dans son désert, s'est auto-proclamée élue d'un dieu bizarre, un "méchant dieu". »
>
> Pierre Vial, *National Hebdo*, 26 mars 1998.

Dénoncer la « barbarie » est une démarche assez courante. Elle participe du rituel politique – et électoral – le plus ordinaire. L'adversaire, pense-t-on, sera d'autant mieux combattu qu'on l'aura désigné sinon comme un barbare *stricto sensu*, du moins comme un complice de la barbarie. Ah, cette fameuse complicité « objective » ! Galvaudé, le mot l'est tout autant sur le terrain de la pensée. La barbarie passée, présente et à venir, est un dragon que chacun meurt d'envie de terrasser et ne se lasse pas de convoquer sur le ring. Ce combat valeureux – le Bien triomphant du Mal – est surtout gratifiant lorsqu'il s'agit de barbaries anciennes, dûment identifiées et estampillées (par exemple Hitler, Staline ou Pol Pot) dont on assure vouloir empêcher le « retour » en tenant ces spectres à distance. Cette veille au créneau est utile, même si elle est parfois théâtrale et un peu gratuite.

Pour les barbaries d'aujourd'hui ou de demain, la démarche est déjà plus aléatoire. La volonté de les combattre implique un effort de définition préalable (ce n'est pas toujours aussi simple) et même, parfois, un minimum de courage, une vertu qui n'est pas si répandue. Le plus souvent, on ne combat donc la barbarie présente ou à venir que dans le flux rassurant de l'unanimité mimétique. La certitude de reconnaître un « méchant » autorise d'autant mieux les audaces verbales que tout le monde en est d'accord et que nul ne viendra sérieusement vous contredire. Nous connaissons quelques-unes de ces figures de la barbarie : par exemple Le Pen en France, Egon Gaïdar en Autriche, Jirinovski en Russie et quelques autres de moindre surface. Leur fonction immédiate aura été de remobiliser, encore et sans cesse, l'armée des défenseurs du Bien contre un Mal que ces barbares incarnaient avec une noire volupté.

Ces marches au canon, ces mobilisations, ces dénonciations et ces résistances, nul ne pourrait en contester rétrospectivement le mérite et l'utilité. Il est bon qu'elles aient existé. Il est fâcheux qu'on en soit resté là. Il est dommage que, hypnotisés par ces gesticulations mussoliniennes et ces rhétoriques dégoûtantes, on n'ait pas mieux réfléchi, posément, résolument, à l'essence profonde de cette « méchanceté du monde » qui resurgit dans la modernité de cette fin de siècle. L'inattention à l'égard des idées majeures charriées par cette mouvance, la faiblesse du travail intellectuel sur ce terrain – sauf exception [1] – sont manifestes. Or nul ne doit sous-estimer l'adversaire. « Ceux qui détestent les

---

1. Il serait injuste de ne pas rendre ici hommage au patient travail mené depuis des années par Pierre-André Taguieff. Je signale, entre autres, un gros livre qui m'a été très utile ici : Pierre-André Taguieff, *Sur la nouvelle droite*, Descartes et Cie, 1994.

idées d'Alain de Benoist, écrivait Raymond Aron au milieu des années 80, doivent les combattre par des idées, non par des bâtons ou du vitriol[2]. » Sa fille Dominique Schnapper n'avait pas tort de dénoncer plus récemment l'insuffisance de la réflexion sur l'extrême droite : « Il faut désormais que les antilepénistes cessent de sous-estimer les penseurs du Front national, écrivait-elle ; le mépris affiché pour l'adversaire est toujours mal venu dans une démocratie. Ils ont devant eux un adversaire qui n'est pas intellectuellement négligeable. Il faut discuter intellectuellement ses arguments[3]. » Mais Dominique Schnapper ne parlait que de la « planète » encombrante du Front national, négligeant le reste de la constellation. Elle péchait peut-être à son tour par négligence. Il semble que chez nous, en France, l'arbre (ou l'épouvantail) du lepénisme nous ait caché une tout autre forêt.

Quelle forêt ? La grande forêt primitive, justement...

Les nouveaux « païens »

Le néopaganisme revient dans la plupart des démocraties occidentales. Qu'est-ce à dire, au juste ? Chez nous, il n'est pas seulement l'anodin produit de ce « nietzschéisme de salon » dont se moquait jadis François Châtelet. Il est plus combatif et procède d'une volonté mieux affirmée : répudier vingt siècles de judéo-christianisme pour en revenir à l'innocence des origines ; rompre une fois pour toutes avec le « ressentiment » évangélique et le laxisme social pour retrouver la vita-

2. Raymond Aron, *Mémoires*, Julliard, 1983, t. 2.
3. Dominique Schnapper, « Le discours du Front national », *Commentaire*, n° 75, automne 1996.

lité dionysiaque ou les enchantements de Brocéliande ; récuser la démocratie « américanisée » et le matérialisme consumériste, rejeter la morale des faibles et la primauté accordée aux victimes pour libérer l'énergie des forts, etc. Face à ce néopaganisme protéiforme, trois réactions sont à la fois courantes et critiquables : « folkloriser » ses diverses manifestations, circonscrire ce courant à une sensibilité politique marginale, minimiser du même coup son influence souterraine.

Folkloriser ? La réaction est d'autant plus tentante que les aspects pittoresques ne manquent pas. Je pense, par exemple, à la dimension proprement régionaliste du grand retour aux sources (celtitudes musicales et océaniques, druidisme cérémonieux, germanisme wagnérien, exaltations vikings, etc.) qui génère quantité de fêtes ou musiques. C'est à ces images insolites et colorées que l'on songe instinctivement dès que se trouve évoquée la question de nos racines préchrétiennes. Considéré sous l'angle du pur folklore, ce ressourcement « païen » n'inquiète guère, même lorsqu'il flirte – sans le savoir parfois – avec des mythologies douteuses : qu'il s'agisse du marteau de Thor, fils d'Odin et divinité du tonnerre, de la tour de Jul, du royaume de Thulé. La vision folklorisante et provinciale ne justifie pas, en tout cas, qu'on se lance dans des réquisitoires qui sembleraient vite ridicules au regard de leur objet. Paix aux fêtes bretonnes, aux Troménies de Locronan, aux cérémonies des solstices, à la célébration du gui et aux harpes celtiques ! N'y aurait-il donc que cela ?

On peut folkloriser d'une autre façon. Dans un registre beaucoup moins aimable, je songe aux innombrables manifestations de l'occultisme et du satanisme, dans leur version adolescente et rockeuse. L'univers symbolique de ces adeptes fascinés par la symbolique des morts-vivants, des vampires et des messes noires justifie une approche quasi psychiatrique. Quantité de livres paraissent à ce sujet. Pour ne citer qu'un exemple entre mille, le mouvement *Black Metal* et son groupe *Craddle of Fields*, qui assuraient, en 1998, avoir « déclaré la guerre à la chrétienté » sont une curiosité à laquelle on ne s'intéresse que distraitement, sauf quand un crime (meurtre, profanation, etc.) est commis par l'un de ces malheureux tourneboulés. Quelques svastikas hitlériens tagués sur une tombe, une collection d'insignes nazis et deux ou trois textes évoquant une messe noire (imaginaire) : tels sont les signes que recensent alors les médias. On s'alarme bruyamment de ces influences sur la jeunesse, puis l'on passe à autre chose. Le fait divers vaut-il davantage ? Rien dans tout cela, pense-t-on, ne mérite d'être pris *durablement* au sérieux.

De la même façon, on interprète en termes de (sinistre) folklore ces innombrables chapelles, groupes, sociétés secrètes ou publications qui prolifèrent aujourd'hui sur l'Internet. De la « haine de Jésus » à l'éloge du cannibalisme, de l'ésotérisme au culte magique, de la nécrophilie à l'occultisme et à l'étrange, de la lecture – très sommaire – de l'œuvre de Nietzsche (son nom est presque toujours convoqué) à l'exaltation de l'orgie provocatrice : presque tous les recoins de cette part d'ombre de la culture européenne sont désormais accessibles sur le web. La consultation de ces sites extravagants permet d'en relativiser non point la quantité ou la violence, mais l'importance théorique. Ils ne justifient pas, il est vrai, un gros effort d'analyse et inclinent plutôt au fatalisme. Pour funèbre et pathologique qu'il soit, pour répugnantes que soient ses manifestations verbales ou musicales, ce satanisme-là n'est jamais qu'un épiphénomène. Il en est bien d'autres, après tout, dont nous nous accommodons vaille que vaille et qui sont l'inévitable rançon de la liberté. L'erreur serait de confondre la « barbarie » tout entière avec ces groupuscules qui n'en sont jamais qu'une version délirante.

Ces folklores ne doivent pas nous détourner d'une réalité moins pittoresque. La constellation des partis, groupes, revues ou maisons d'édition appartenant à l'extrême droite constitue un terrain autrement sérieux. Or les animateurs de ces chapelles accordent une place beaucoup plus importante qu'on ne l'imagine aux analyses néopaïennes et au combat contre le « totalitarisme religieux » – que certains appellent la « prévarication chrétienne ». Je pense notamment aux éditions Nouvelle École ou à celles du Labyrinthe qui, outre les revues *Éléments* ou *Krisis* et les auteurs les plus connus de cette mouvance (Alain de Benoist, Ernst Jünger, Ortega y Gasset, Carl Schmidt, René Guénon, Louis Rougier, Julius Évola), publient aussi des monographies de combat sur *Celse contre les chrétiens*, des pamphlets sur *La Question religieuse*, des essais sur *Le Renouveau païen dans la société française*, sans compter les études plus convenues sur *La Religion grecque*, *Les Indo-Européens* ou *Le Darwinisme*. Dans toutes ces publications et dans ces divers clubs ou mouvements – parmi lesquels le Groupe de recherche et d'études sur la civilisation européenne (GRECE) est le plus connu –, la lutte contre le judéo-christianisme et les valeurs qui lui sont attachées demeure « le » thème central.

De ces différents courants païens, on a coutume d'expliquer qu'il s'agit seulement d'une branche, d'ailleurs très minoritaire, de l'extrême droite. Il n'y aurait là, en définitive, qu'une secte minuscule, close sur elle-même, jalouse de sa singularité, mais n'exerçant au-dehors qu'une influence négligeable. Si l'on consent à se mobiliser contre les propagandistes de la Nouvelle Droite, c'est presque à regret et de façon sporadique. C'est le cas, par exemple, lorsque survient une péripétie nouvelle concernant le Front national, dont ce courant est, en effet, l'une des composantes. Ce fut le cas également, en 1993-1994, lorsque l'animateur de la revue *Krisis*, Alain de Benoist, en quête de légitimité intellectuelle, obtint quelques textes venus de la gauche légaliste. On fit grand cas de ce prétendu scandale, avant de l'oublier. Pour le reste, le concept même de « néopaganisme révolutionnaire » est plutôt considéré comme une bizarrerie intellectuelle, une obsession sans conséquence.

C'est à tort. L'interprétation en termes de secte ou de groupuscule revient à confondre le contenant et le contenu, à privilégier l'évaluation en termes de pouvoir organisationnel ou électoral, en négligeant d'examiner sérieusement les idées. Faire du néopaganisme une affaire groupusculaire, considérer la haine du judéo-christianisme comme la manie de quelques extrémistes farfelus, c'est commettre une double erreur. L'influence des auteurs ou des textes cités ci-dessus – par capillarité et contagion – est infiniment plus importante qu'on ne l'imagine. En choisissant, depuis le début, une stratégie de lente conquête culturelle inspirée du philosophe italien Antonio Gramsci (1891-1937), les animateurs de la Nouvelle Droite néopaïenne ont à la fois échoué et partiellement réussi. Échoué parce qu'ils n'ont pas pu conquérir une véritable « position » dans le champ intellectuel ou médiatique – sauf, fugitivement, lorsque Louis Pauwels leur ouvrit les colonnes du *Figaro Magazine*. Partiellement réussi parce qu'une bonne part des idées qu'ils défendent sont en réalité omniprésentes dans la culture ambiante. Les chapitres qui précèdent me semblent l'avoir montré.

Ces idées sont présentes sous une forme édulcorée, déguisée, partielle dans de nombreux secteurs de la pensée ou de la politique. Elles y cheminent masquées, voire à l'insu de ceux mêmes qui les propagent. Elles agissent par *infusion* lente et invisible. Il n'empêche. Le paradoxe est là : partout, en Europe, on lutte avec fracas contre l'extrême droite groupusculaire ou parlementaire, mais, dans le même temps, certains des thèmes et contre-valeurs du néopaganisme s'intègrent au paysage symbolique, sans susciter de véritable résistance.

Rien n'est plus significatif de l'étourderie ou de la confusion postmoderne que ce rapport contradictoire avec les antivaleurs « nietzschéennes » qui, en théorie, sont à l'opposé du credo dominant, mais à qui, néanmoins, ce dernier fait fête. Étourderie ? Irréflexion ? Sottise ? On a parfois l'impression qu'un peuple de ventriloques s'emploie à guerroyer contre un cynisme et une barbarie auxquels, cependant, il adhère au tréfonds de lui-même. Ainsi se manifestent « innocemment » dans le discours contemporain des critiques, refus, dénonciations ou points de vue que les théoriciens fascistes du néopaganisme ne font jamais qu'articuler dans leur vérité crue. Le goût pour la dérision, la vulgate inégalitaire, le culte des gagneurs et des gagnants réapparaissent comme le ferait une « couche » idéologique profonde, après grattage de la première couche qui, elle, procède du catéchisme droit-de-l'hommiste. Cette schizophrénie idéologique, cette étrangeté apparaissent en pleine lumière dès qu'on renonce aux considérations générales pour examiner d'un peu plus près l'une ou l'autre de ces pensées. C'est peu de dire que le combat contre la barbarie manque de sérieux.

Le « cas » Julius Évola

Choisissons un exemple et un seul. Parmi tous les penseurs païens dont l'influence souterraine est aujourd'hui indéniable, le cas de Julius Évola est sans doute le plus intéressant. Ampleur de l'œuvre, ambiguïté significative de certaines accointances, ancienneté et solidité du rayonnement : tout est réuni pour faire d'Évola un cas d'école[4]. Né en 1898 en Italie (et mort en 1974), ce philosophe italien n'apporta qu'un « soutien critique » à Mussolini et refusa d'adhérer au Parti national fasciste qu'il jugeait « petit-bourgeois ». Il écrivit néanmoins en 1940 un texte sans la moindre réserve : *La Doctrine aryenne du combat et de la victoire*. Découvert dès la fin des années 20, notamment par Mircea Éliade, l'orientaliste René Guénon et même Marguerite Yourcenar[5], Évola fut d'abord considéré comme un talentueux vulgarisateur du bouddhisme, du taoïsme et de l'ésotérisme oriental. Son maître-livre – *Révolte contre le monde moderne* – avait cependant été écrit, dans sa première version, dès le début des années 30 et publié en Italie en 1934. Revu, enrichi et réédité en 1951 (c'est-à-dire après la guerre, ce qui n'est pas anodin), ce texte fut redécouvert à la faveur du « mai rampant » italien de 1968 et régulièrement republié par la suite. En France, c'est seulement en 1991 que le livre fut édité et ardemment défendu par Alain de Benoist[6].

La lecture attentive de ce gros ouvrage est troublante à plus d'un titre. Pourquoi ? Parce que les six principes fondateurs que l'on a répertoriés dans les pages qui pré-

---

4. Une vingtaine de titres d'Évola sont disponibles en traduction française, notamment aux éditions de L'Age d'homme, à Lausanne.
5. Marguerite Yourcenar publia le 21 juillet 1972, dans *Le Monde*, un long et très élogieux article sur Évola, à l'occasion de la parution d'un ouvrage de ce dernier consacré au « Yoga tantrique ». Elle y saluait un « érudit de génie ».
6. Julius Évola, *Révolte contre le monde moderne*, trad. de l'italien, présenté par Philippe Baillet et suivi d'une minutieuse bibliographie de et sur Évola, établie par Alain de Benoist, L'Age d'homme, 1991.

cèdent s'y trouvent dénoncés, un par un, avec une constance et une netteté (involontairement) pédagogique. Quiconque adhère peu ou prou aux valeurs en question (espérance, égalité, raison, justice, etc.) pourra donc assister, en lisant Évola, à *l'élaboration progressive d'une vision du monde qui en est l'exact contretype.* Le néofasciste italien nous propose en d'autres termes une reconstruction parfaite – mais minutieusement inversée – de ce que nous appelons d'ordinaire la « civilisation ». C'est bien pourquoi j'emploie ici le terme de barbarie.

Premier exemple : invoquant tout à la fois Nietzsche, Lao-tseu mais aussi Gobineau, Évola condamne sans nuance la morale « bourgeoise » et l'humanisme moralisateur issu du judéo-christianisme. « Il faut toujours reconnaître, avec Nietzsche, écrit-il, que chaque fois qu'apparaît la préoccupation de la "morale", il y a déjà décadence – car le *mos* des "âges héroïques" [...] n'a jamais rien eu à faire avec des limitations moralistes. La tradition extrême-orientale surtout a bien mis en relief l'idée que la morale et la loi en général (au sens conformiste et social) naissent lorsque la "Vertu" et la "Voie" ne sont plus connues [7]. » A ses yeux, le judéo-christianisme qui, en démystifiant le mythe et le sacré, vint briser le fil d'une histoire « traditionnelle » constitue ce qu'il appelle (c'est le titre d'un chapitre) une *syncope de la tradition occidentale.* Belle façon de qualifier – mais vue d'en face – ce que nous appelions, quant à nous, la *subversion* biblique. Syncope ou subversion ? Seul le jugement que l'on porte sur l'événement fera la différence.

Julius Évola, non sans talent ni érudition, est en tout cas un immoraliste militant, prompt à célébrer l'hédo-

---

7. Julius Évola, *Révolte contre le monde moderne, op. cit.*

nisme dionysiaque et à invoquer cet immense réservoir d'énergie amorale que représente la nature. Les réquisitoires d'Évola contre toute forme de régulation éthique rejoignent étrangement bien des discours contemporains, qu'il s'agisse des libéraux-libertariens, des post-gauchistes ou des nietzschéens modernes. Sans doute ces derniers seraient-ils étonnés de se découvrir en si embarrassante compagnie. L'exaltation du bonheur solaire et l'éloge du *vitalisme* font partie intégrante de ce fascisme-là. La morale n'est pas toujours « à droite »… Ajoutons qu'Évola est aussi l'auteur d'un ouvrage publié en 1959, *Métaphysique du sexe* [8], qui est assez proche des plaidoyers permissifs d'un Wilhelm Reich, l'un des maîtres à penser de Mai 68 et grande figure mythique de la « révolution sexuelle ».

Le discours médiatique, en tout cas, devrait être infiniment plus circonspect lorsqu'il aborde ces questions. Au sujet de la permissivité et de l'interdit, mieux vaudrait garder en mémoire non point les prêches pudibonds de telle ou telle cléricature, mais les mises en garde d'un psychanalyste comme Pierre Legendre. Celle-ci, par exemple : « Il ne s'agit pas de faire triompher un discours du Bien contre un discours du Mal, il s'agit de préserver l'Interdit en tant que bouée de sauvetage de l'humanité. Or l'Interdit est, par hypothèse, la problématique de la limite. Nous manquons vraiment d'une réflexion cohérente là-dessus [9]. »

---

8. Id., *Métaphysique du sexe* (1re éd. en français : Payot, 1959), L'Age d'homme, 1989.
9. Pierre Legendre, « L'impardonnable », in *Le Pardon. Briser la dette de l'oubli*, Seuil, coll. « Points », 1998.

Le refus du « temps droit »

Concernant le thème décisif de l'espérance, du progrès, du « temps droit », le point de vue d'Évola est plus éclairant encore. Le prophétisme juif lui paraît bien être, en effet, à l'origine de cette valorisation de l'avenir et de l'attente, de cette vision messianique dont le « progrès » occidental ne fut que l'héritage laïcisé. Seule différence : loin d'y voir une rupture positive, il y voit *le commencement d'une décadence* : « Comme pour d'autres civilisations, écrit-il, pour le judaïsme également la période des VIIe et VIe siècles avant J.-C. fut celle où se produisit un tournant décisif. Après les revers militaires d'Israël, on se mit à interpréter la défaite comme la punition d'un "péché" et l'on attendit qu'après l'expiation Yahvé assistât de nouveau son peuple, lui donnant la puissance. C'est le thème qui s'affirme chez Jérémie et chez le deuxième Isaïe. Mais puisque rien de cela n'arriva, la foi prophétique se décomposa dans le mythe apocalyptique et messianique, dans la vision fantastique d'un Sauveur qui rachètera Israël. Ici commence un processus de désagrégation [10]. »

Contre cette conception du temps historique et linéaire, Évola se fait naturellement *l'avocat du temps cyclique* et de « l'éternel retour ». C'est au nom de cette succession de cycles qualifiée de « série d'éternités » qu'il invoque inlassablement les traditions antérieures au judéo-christianisme : la « grande année » chaldéenne et grecque, le *saeculum* étrusco-latin, l'éon iranien, les « soleils » aztèques, les *kalpa* hindous, etc. « Le temps,

---

10. Julius Évola, *Révolte contre le monde moderne*, *op. cit.*

écrit-il, ne s'écoule pas uniformément et indéfiniment, mais se fracture en cycles, en périodes, dont chaque moment a un *sens*, donc une valeur spécifique par rapport à tous les autres moments, une individualité vivante et une fonctionnalité propre [11]. »

Où trouverait-on une expression plus claire de ce rejet du « temps droit » et du progrès qui fut le thème central de la pensée contre-révolutionnaire : celle qui va de Barrès à Drumont, d'Hippolyte Taine à Nietzsche et bien d'autres ? C'est d'ailleurs autour de ce thème du retour et de celui de la décadence qu'un groupe de chercheurs, sous la direction de l'historien israélien Zeev Sternhel, avait tenté, voici quelques années, de mettre en lumière la continuité de cette tradition contre-révolutionnaire [12].

Au sujet de l'égalité, la position d'Évola est plus radicale encore. A ses yeux, l'égalitarisme d'aujourd'hui s'inscrit dans la continuité des – funestes – Lumières et du « déchaînement de la plèbe européenne, à savoir la Révolution française [13] ». Il défend, quant à lui, la permanence des hiérarchies traditionnelles et l'ordre naturel d'une société perçue comme une réalité organique. Éloge des chefs, éloge de l'obéissance, éloge des statuts pour ne pas dire des castes... Le christianisme lui paraît responsable au premier chef de cette promotion de l'égalitarisme, « qui avait déjà trouvé moyen de s'infiltrer dans le droit romain de la décadence ». Pour lui, cette égalité chrétienne – qui « témoigne des influences méridionales et non aryenne » – contredit

---

11. *Ibid.*
12. Zeev Sternhel (sous la direction de), *L'Éternel Retour. Contre la démocratie, l'idéologie de la décadence*, Presses de la Fondation des sciences politiques, 1994.
13. Julius Évola, *Révolte contre le monde moderne*, *op. cit.*

fâcheusement l'héroïsme, vertu romaine par excellence. « Elle exerce une fonction antithétique à l'idéal héroïque de la personnalité, à la valeur attribuée à tout ce qu'un être conquiert par lui-même dans un ordre hiérarchique, en se différenciant, en se donnant une forme [14]. »

Mais c'est contre certaines formes d'égalité spécifiquement modernes que la verve d'Évola se déchaîne. Ainsi en est-il de l'égalité entre l'homme et la femme, évolution catastrophique dont il rend responsables la lâcheté et le manque de virilité des hommes : « De même que la plèbe n'aurait jamais pu se répandre dans tous les domaines de la vie sociale et de la civilisation s'il y avait eu de vrais rois et de vrais aristocrates, ainsi dans une société gouvernée par des hommes vraiment virils, jamais la femme n'aurait *voulu* ni pu emprunter la voie sur laquelle elle chemine de nos jours. Les périodes où la femme a accédé à l'autonomie, où elle a exercé un rôle prédominant, ont toujours coïncidé, dans les cultures antiques, avec des époques d'incontestable décadence [15]. »

La troisième valeur fondatrice, la raison introduite par la pensée grecque, ne recueille pas davantage son indulgence, pas plus que l'universalisme. Pour Évola, les choses sont claires. L'émergence de l'humanisme et de la philosophie dans la Grèce du VIe siècle *correspond au début d'une décadence* qu'il assimile sans hésiter à « la diffusion d'un cancer dans le corps de ce que la Grèce avait encore de sain et d'antiséculier ». En cela, il s'inscrit dans la tradition nietzschéenne. En effet, « il y a un thème chez Nietzsche, qui traverse son œuvre, c'est la critique de la rationalité, de la Raison,

14. *Ibid.*
15. *Ibid.*

comme histoire de la décadence, de la chute [16] ». En nietzschéen conséquent, Évola attribue lui aussi à l'action corrosive de la pensée critique la ruine progressive de l'ordre traditionnel. « Le philosophe et le "physicien" ne sont que des produits de dégénérescence à un stade déjà avancé du dernier âge, de l'âge de fer. [...] L'émancipation de l'individu, en tant que "penseur", par rapport à la Tradition, l'affirmation de la raison comme instrument de libre critique et de connaissance profane, se produisit parallèlement à cette situation. [...] La pensée qui cherche à rendre compte de l'universel et de l'être sous la forme qui lui est propre – à savoir en mode rationnel et philosophique – [...] constitua la séduction et l'illusion les plus périlleuses, l'instrument d'un humanisme et, par conséquent, d'un irréalisme bien plus profond et néfaste, qui allait ensuite séduire l'Occident tout entier [17]. »

Contre ce triomphe dissolvant de la raison spéculative dont la Grèce fut le berceau, il oppose significativement le contre-exemple de l'Inde à la même époque. Là-bas, assure-t-il, la spéculation brahmanique représenta un danger comparable. Elle s'y heurta néanmoins à une réaction de défense de la Tradition, rendue possible par le pragmatisme et le réalisme bouddhistes. En d'autres termes, la société indienne sut, mieux que la Grèce, se protéger de la desséchante rationalité philosophique. On ne s'étonnera pas de constater une hostilité comparable à l'endroit de la Renaissance européenne. Pour Évola, il est parfaitement abusif de voir dans la Renaissance une redécouverte de la lumineuse civilisation antique, contre l'univers sombre du chris-

---

16. Jacob Taubes, *La Théologie politique de Paul. Schmitt, Benjamin, Nietzsche et Freud, op. cit.*
17. Julius Évola, *Révolte contre le monde moderne, op. cit.*

tianisme médiéval. Ce que l'Europe chrétienne redécouvre à ce moment-là, explique-t-il, c'est le pire aspect – rationnel et individualiste – de l'Antiquité, c'est-à-dire une tradition antique déjà contaminée par la philosophie : « La Renaissance n'emprunta au monde antique que des formes décadentes : non celles des origines, qui étaient pénétrées d'éléments sacrés et supra-personnels. […] En réalité, au sein de la Renaissance, la "paganité" servit essentiellement à développer la simple affirmation de l'homme, à fomenter une exaltation de l'individu, lequel s'enivra des productions d'un art, d'une érudition et d'une spéculation privés de tout facteur transcendant et métaphysique [18]. »

Au sujet de l'individu souverain, enfin, c'est par le biais d'une dénonciation virulente de l'Amérique que Julius Évola instruit son procès. Pour lui, la « civilisation » américaine est « l'exact contraire » de la tradition européenne. Privilégiant « la religion de la pratique et du rendement », elle détache l'homme du « système organique » auquel il appartenait pour en faire « un simple instrument de production et de rendement matériel au sein d'un conglomérat social conformiste » [19]. Notons cependant que, contrairement à ce qu'on pourrait imaginer, Évola est hostile au nationalisme moderne. Il n'y voit qu'une forme dégradée et plébéienne des « nationalités » traditionnelles. Le chapitre 15 de son livre traitant du nationalisme est d'ailleurs intitulé « Nationalisme et collectivisme », deux termes qui, à ses yeux, sont quasiment synonymes.

* *
*

18. *Ibid.*
19. *Ibid.*

Refus du prophétisme et désaveu du progrès, éloge de l'inégalité, critique de la raison, dénonciation de l'universalisme : on pourrait difficilement trouver un rejet plus cohérent et plus systématique de tout ce qui nous semble constitutif de l'héritage occidental. Si une adéquation aussi parfaitement inversée nous trouble, ce n'est pas seulement parce qu'elle dessine, en effet, un visage possible de la barbarie, c'est aussi parce que nous y *reconnaissons* des bribes d'idées ou de théories qui courent aujourd'hui les rues. Autrement dit, ces « énormités » nous inquiètent d'autant plus que nous les retrouvons, chaque jour et sous une forme à peine édulcorée, dans le bavardage quotidien.

Mais alors ? L'humanisme des Lumières serait-il à ce point affaibli qu'il se laisserait investir, coloniser, contaminer, sans être capable de comprendre ce qui lui arrive ? Douterait-il à ce point de lui-même qu'il se trouverait dans l'incapacité de simplement « reconnaître » son adversaire ? A quoi peut bien servir de veiller avec tant d'ostentation aux remparts si le barbare est déjà installé dans les murs ? Pierre Legendre semble faire écho à cette question lorsqu'il écrit tout de go : « Une débâcle sociale, c'est avant tout une débâcle de la pensée. Je crois que nous vivons le creux de la vague [20]. »

Tradition contre subversion

On ne peut d'ailleurs en rester là au sujet du « cas » Évola. D'autres enseignements – plus précieux encore – sont à tirer de cette lecture. Son interprétation du

---

20. Pierre Legendre, *Sur la question dogmatique en Occident*, Fayard, 1999.

christianisme sacrificiel, par exemple, nous aide à comprendre la dérive historique d'une partie du catholicisme européen et sa stupéfiante compromission – d'hier et d'aujourd'hui – avec des idéologies autoritaires dont l'inspiration « païenne » est pourtant évidente.

S'il rejette le prophétisme juif et, plus encore, la subversion évangélique, Évola adhère malgré tout à tout ce qui peut subsister de « romain » ou de « traditionnel » dans le catholicisme institué. Il se fait par exemple l'avocat de la société féodale, de la chevalerie ou de la théocratie temporelle des Carolingiens. Pourquoi ? Parce que cette chrétienté combative et organisatrice de la société lui semble précisément *en rupture avec les promesses évangéliques*. Il s'agit pour lui d'un christianisme réconcilié avec le pouvoir, l'autorité, la tradition, jusqu'à se confondre avec eux. Il se félicite de ce que la féodalité ait su réinventer la figure du héros et du chevalier batailleur (à la place du saint), restaurer l'éminente dignité du combat militaire (plutôt que l'amour de l'ennemi), sans compter la sanctification de la « guerre juste » qui lui paraît préférable à la « lâcheté » pacifiste. « Le cas de la chevalerie, écrit-il, nous montre distinctement dans quelle mesure les thèmes essentiels du christianisme évangélique avaient été dépassés, et combien l'Église fut contrainte d'approuver, ou du moins de tolérer, un ensemble de principes, valeurs et mœurs difficilement réductibles à l'esprit de l'Église primitive. [...] La chevalerie affirma pratiquement sans altération une éthique aryenne au sein d'un monde qui n'était chrétien que de nom [21]. »

Ce passage est formidablement intéressant. Il trace, en effet, de l'extérieur et mieux que ne le ferait un chré-

---

21. Julius Évola, *Révolte contre le monde moderne*, *op. cit.*

tien convaincu, les contours de ce catholicisme sacrificiel et autoritaire qui fut, tout au long des siècles, l'une des tentations de l'Église et trouva son expression la plus parfaite sous le règne de Louis XIV avec le parti dévot de Mme de Maintenon. C'est ce catholicisme assez peu chrétien, au fond, que respectait Maurras et, avec lui, les théoriciens de la contre-révolution. Évola désigne lui-même ce paradoxe – un « catholicisme non chrétien » – lorsqu'il écrit : « Ce qui, dans le catholicisme, possède un caractère vraiment traditionnel est bien peu chrétien, et ce qui, en lui, est chrétien s'avère bien peu traditionnel. » Disant cela, il tient exactement le même discours que celui des théologiens progressistes, sauf qu'il en tire une conclusion opposée.

L'indulgence très politique d'Évola à l'égard de ce catholicisme « peu chrétien » n'a d'égal que sa haine viscérale pour le ferment évangélique et la subversion biblique originelle. La réhabilitation des victimes, le refus de la réciprocité violente, la contrition et l'espérance, toutes ces hautes valeurs lui paraissent procéder de ce qu'il appelle un « type humain brisé ». Il y voit la marque d'une « influence sémite » et le signe d'une « spiritualité désespérée ». « Dans ces courants, écrit-il, une forme désespérée de spiritualité s'affirme, où le type guerrier du Messie en tant qu'émanation du "dieu des Armées" est remplacé par le "Fils de l'Homme", prédestiné à servir de victime expiatoire. Celui-ci est le persécuté, l'espérance des affligés et des parias, objet d'un élan confus et extatique. »

Quant au thème de l'espérance et au contenu prophétique de la Révélation, ils lui paraissent surgir « dans un milieu saturé par ce pathos messianique » et il les juge porteurs d'un « virus antitraditionnel, surtout face à la tradition romaine ». Si le christianisme est pour lui condamnable, c'est bien pour ce qu'à nos yeux il

introduit de meilleur : une rupture fondatrice et universelle dans le vieil ordonnancement sacré – et persécuteur – des sociétés humaines.

Dans un passage plus révélateur encore de *Révolte
contre le monde moderne*, Évola aborde d'ailleurs
la question du sacrifice proprement dit. C'est à cause
du refus de celui-ci, explique-t-il, que le christianisme
surgissant dans l'Empire romain n'a pu trouver sa place
– en tant que schisme au sein de l'hébraïsme et culte
du Sauveur – dans le panthéon religieux de l'époque.
Évola, quant à lui, justifie le culte sacrificiel rendu à
l'empereur et reproche aux chrétiens de ne point s'y
être ralliés : « Le propre de l'universalité impériale,
écrit-il, était d'exercer une fonction supérieure, unifica-
trice et ordonnatrice, au-delà de tout culte particulier,
qu'elle n'avait pas besoin de nier. Mais on exigeait un
acte attestant une *fides* supra-ordonnée, se rapportant
précisément au principe d'en haut, incarné par le représentant de l'Empire, par l'*Augustus*. Or cet acte – le rite
de l'offrande sacrificielle devant le symbole impérial –,
les chrétiens se refusèrent à l'accomplir, le déclarant
incompatible avec leur foi. »

Pour Évola, il était logique que, refusant de souscrire
à ce culte sacrificiel, les chrétiens fussent persécutés et
qu'il y eût « une épidémie de martyrs ». Aux yeux d'un
magistrat romain, ce refus du culte impérial ne pouvait
être que « folie pure et simple ». Comme était folie la
prétention chrétienne de rejeter à tout jamais la confusion entre la fonction de prêtre et celle de roi, cette
union « traditionnelle » du *sacerdotium* et du *regnum*.
Lorsqu'il écrit cela, on devine aisément que c'est du
côté du « magistrat romain » que va la préférence de
Julius Évola.

Pour lui, si le christianisme a réussi à s'imposer dans
l'Empire, jusqu'à la « victoire finale » que fut la conver-

sion de Constantin, c'est seulement parce que se trouvaient déjà épuisées « les potentialités du cycle héroïque romain », tandis que « les traditions immémoriales s'étaient perdues ». Pour décrire cette décadence, il trouve des accents qui résonnent étrangement aujourd'hui : « Au sein d'un chaos ethnique et d'un effondrement cosmopolite, le symbole impérial, contaminé, n'était plus qu'une simple survivance parmi un monde en ruine [22]. »

A ses yeux, la faute initiale – et irrémédiable – du christianisme est d avoir introduit un ferment de « désintégration » dans l'histoire romaine, puis dans celle de l'Occident. Le reproche est dans le droit fil d'une critique « païenne », aussi ancienne que le christianisme lui-même : celle de Celse, philosophe du IIe siècle, qui, nous l'avons vu, inspira Nietzsche, ou encore celle du néoplatonicien Porphyre (234-305), auteur de nombreux textes contre le christianisme. Mais peu de théoriciens modernes avaient repris et détaillé ces thèmes avec autant de netteté. « L'esprit lunaire-sacerdotal, écrit sans hésiter Évola, son dualisme spécifique, les vues d'origine hébraïque devenues une part essentielle de l'esprit chrétien constituèrent, dans le catholicisme, une espèce de barrière qui bloqua la possibilité de donner au corps de l'Europe une spiritualité conforme à son essence, une spiritualité reflétant donc ce que nous avons appelé la Lumière du Nord. »

Les développements d'Évola, bien que ce ne soit pas leur propos, mettent ainsi lumineusement en évidence la permanence de deux interprétations du christianisme – l'une constantinienne et romaine, l'autre évangélique et antisacrificielle. Revenant à plusieurs reprises sur

---

22. *Ibid.*

cette opposition théologique, Évola – en bon Italien – ne manque d'ailleurs pas d'évoquer la fameuse querelle des guelfes et des gibelins qui, dans le fond, transposaient cet antagonisme sur le terrain politique. Dressant l'une contre l'autre, au début du XIIIe siècle, deux grandes familles de la noblesse florentine, cette querelle opposa les partisans d'Otton de Brunswick (les guelfes), défenseurs de la papauté, à ceux de Frédéric II de Sicile (les gibelins), partisans résolus du centralisme impérial et avocats d'un pouvoir temporel fort. On ne sera pas étonné d'apprendre qu'Évola se déclare résolument « gibelin » contre le « cosmopolitisme » de la papauté.

En revanche, les catholiques ultramontains du XIXe siècle français, effrayés par le « modernisme » des Lumières et de la Révolution, renouèrent quant à eux avec la tradition guelfe et en appelèrent à la papauté pour défendre l'idée d'une société hiérarchique et traditionnelle, fondée sur la primauté du pontife romain. C'est tout le sens du fameux livre de Joseph de Maistre, *Le Pape*, publié en 1819.

Catholique ou chrétien ?

Mais, dira-t-on, valait-il la peine d'accorder tant d'importance à un théoricien aussi sulfureux, inconnu du grand public, et dont l'œuvre est peu commentée, en dehors des cercles étroits du néopaganisme militant [23] ?

---

23. Signalons toutefois la publication d'un important colloque sur Évola, tenu le 25 octobre 1986 à la Sorbonne, avec notamment la participation de Pierre-André Taguieff, Émile Poulat et Jean-Pierre Brach : « Métaphysique et politique. René Guénon, Julius Évola », numéro spécial de *Revue Politica Hermetica*, n° 1, L'Age d'homme, 1987.

Je crois que oui. En dehors du fait que la haine d'Évola pour le judéo-christianisme représente, à l'état « gazeux », une sensibilité plus répandue qu'on ne l'imagine, ses analyses nous sont d'un vrai secours pour démêler certaines configurations idéologiques. Par exemple, la cohabitation *a priori* absurde entre des païens résolus et des catholiques conservateurs dans la plupart des partis européens d'extrême droite, et notamment au sein du Front national en France.

On a pris l'habitude de considérer comme anecdotique cette présence durable, aux côtés des transfuges de la nouvelle droite païenne, d'un courant catholique traditionaliste, animé, en France, par des hommes comme Bernard Anthony (Romain Marie) et représenté par des journaux et revues comme *Présent* et *Itinéraires* (dirigés par Jean Madiran). On y trouve parfois le prétexte à un amalgame abusif entre extrême droite et catholicisme. Et cela d'autant plus que les dirigeants lepénistes prennent grand soin de s'approprier – de Jeanne d'Arc à Clovis, de « l'Occident chrétien » à la « geste des Francs » – toute une symbolique prétendument chrétienne. En réalité, ce paradoxe reproduit, à peu près dans les mêmes termes, celui qui persista en France à partir du XIXe siècle et domina toute l'histoire de l'Action française.

Charles Maurras, on l'a dit, bien qu'athée militant, se posait en défenseur de l'Église catholique en butte au « modernisme » de la Révolution et des Lumières. Pour Maurras, si le christianisme évangélique était une « fable » sémite, l'institution catholique, en revanche, garante de l'ordre social et ferme alliée du trône, méritait respect et soutien. Distinguo classique : il adhérait au catholicisme sacrificiel tout en rejetant la foi et l'Évangile. C'est donc en dépit de son athéisme doctrinal qu'il enrôla une large fraction du catholicisme français, effrayé par l'anticléricalisme républicain d'un Émile Combes, ancien séminariste dont on a oublié la virulence. L'Action française parvint même à obtenir le soutien de prélats comme Mgr de Cabrières, évêque de Montpellier, d'intellectuels comme René de La Tour du Pin, Humbert Clérissac, Ernest Psichari, Jacques Maritain et Georges Bernanos à leurs débuts. Maurras s'était vainement opposé au ralliement de Léon XIII à la République. C'est précisément à la suite d'une intervention d'évêques « ralliés » que le pape Pie X décida, par un décret du 29 janvier 1914, de mettre à l'Index le quotidien de Maurras et certaines de ses œuvres. Fin 1926, son successeur, Pie XI, condamnera solennellement l'Action française, condamnation doctrinale qui sera renforcée en 1927 [24]. « Adieu, Maurras, à la douce pitié de Dieu », écrira Georges Bernanos en s'éloignant de l'Action française…

Derrière cette longue querelle, on retrouve une fois encore la vieille opposition, si opportunément pointée par Évola, entre un catholicisme institutionnel, interprété et vécu comme une « tradition », et un christianisme évangélique, plus ou moins fidèle à la subversion des premiers siècles. Si Maurras fut, à la longue, condamné, c'est pour quatre raisons essentielles : son positivisme athée, l'autonomie qu'il entendait donner à la politique (« Politique d'abord ! »), son nationalisme intégral et son antisémitisme. Sur ce dernier point, on oublie parfois que Léon XIII s'était solidarisé avec le capitaine Dreyfus ou que Pie XI était allé plus loin encore en se disant « spirituellement sémite » et en affirmant avec force que « la haine contre le peuple autrefois choisi de Dieu, cette haine aujourd'hui dési-

---

24. Cette condamnation sera rapportée par Pie XII en 1939.

gnée par le vocable d'antisémitisme », blessait injustement les droits de la personne humaine [25]. Son successeur, Pie XII, n'aura pas, comme on le sait, la même netteté à l'égard de l'Allemagne hitlérienne.

La situation, au fond, n'a pas véritablement changé. Elle est dans le droit fil d'une histoire plus ancienne encore que celle de l'Action française. En tant que force politique, cette alliance contre nature entre « païens » et « catholiques traditionalistes » remonte à la Révolution française de 1789. En France, la pensée contre-révolutionnaire s'alimente, dès le départ, à deux sensibilités fort différentes, pour ne pas dire opposées. L'une est catholique, avec le comte Joseph de Maistre, philosophe savoyard, ministre plénipotentiaire, auteur des *Considérations sur la France* (1797), et le vicomte Louis de Bonald, écrivain politique originaire de Millau, auteur d'une *Théorie du pouvoir politique et religieux dans la société civile* (1796). Si tous deux condamnent la Révolution et la considèrent (déjà !) comme un retour à la barbarie, c'est d'abord parce qu'elle désacralise la tradition et met à bas l'ordre naturel. Selon une formule devenue célèbre, Maistre affirmera qu'il n'entend pas faire « une révolution contraire mais le contraire d'une révolution », en réinsérant la France dans l'ordre providentiel dont l'orgueil humain et la philosophie des Lumières l'ont sortie [26].

L'autre branche de la contre-révolution, en revanche, est résolument agnostique. Elle est dominée par la figure d'Auguste Comte (1798-1857), fondateur de la « physique sociale », c'est-à-dire la sociologie, science qui

---

25. Citation empruntée à Philippe Portier, *Église et Politique en France au XXᵉ siècle*, *op. cit.*

26. Voir Jean-Clément Martin, *Contre-Révolution, Révolution et nation en France, 1789-1799*, Seuil, coll. « Points Histoire », 1998.

n'étudie pas l'individu, pure abstraction, mais l'espèce humaine. C'est Comte, auteur fameux du *Cours de philosophie positive*, qui exercera sur Maurras une influence décisive. Or que dira-t-on bientôt de ce positivisme contre-révolutionnaire ? On en proposera une définition éclairante : *c'est le catholicisme moins le christianisme.*

Plus près de nous, le philosophe allemand Carl Schmitt, s'il se disait catholique, faisait lui aussi référence, comme Maistre ou Bonald, à un catholicisme autoritaire, en quoi il voyait le principal fondement de la souveraineté et de l'ordre social. Catholique, donc, mais pas forcément chrétien. Ce catholicisme très peu « évangélique » est exactement opposé – presque mot pour mot – à celui d'un Henri Le Saux, par exemple. Ce pionnier admirable du dialogue avec l'hindouisme vécut dans un ashram indien. Il disait vouloir préparer « à partir de l'Église mythe, l'Église non mythique ». Dans son journal, il notait : « Ce qu'il y a à construire maintenant, c'est le christianisme de l'âge post-religieux. Dépassement de tout le christianisme de vingt siècles. Accepter la révolution amenée par Jésus, tout de suite désamorcée, dès la première génération chrétienne. »

Dans le même esprit, le fameux pasteur Dietrich Bonhoeffer, qui fut assassiné par les nazis, en appelait à l'avènement d'un « christianisme irreligieux ». L'humanité, pour lui, se dirigeait vers un « affranchissement de la religion » (c'est-à-dire du sacré et du sacrifice), mais cette libération, ajoutait-il, était rendue possible par le christianisme lui-même [27].

---

27. J'emprunte ces citations à Jean Mouttapa, *Dieu et la Révolution du dialogue. L'ère des échanges entre les religions*, Albin Michel, 1996.

La tentation orientale

Après ce bref voyage dans le temps, un court voyage dans l'espace s'impose. Pourquoi ? Parce que, de même qu'elle a des accointances avec un catholicisme sacrificiel et autoritaire, la nouvelle sensibilité « barbare » en a toujours eu – aujourd'hui comme hier – avec *l'Orient*. Je ne parle pas seulement des relectures du Coran, de la Torah, de l'Évangile ou des Brahmanas par les différents fondamentalismes contemporains dont l'intolérance envahit, comme on le sait, l'actualité. Je pense surtout aux liens tout aussi anciens entre les idéologies autoritaires européennes et la « sagesse » orientale.

Il n'est pas si simple de démêler ce qu'il peut y avoir de « barbare » dans cette tentation orientale. Elle charrie en effet le meilleur comme le pire, et les deux y sont enchevêtrés. Bien entendu, il serait absurde – ridicule même – de condamner l'ouverture aux sagesses bouddhistes, taoïstes ou hindouistes, qui est le fait d'un nombre croissant d'Occidentaux. Mille exemples sont là pour attester de l'irréprochable authenticité d'une quête spirituelle qui mobilise quantité d'hommes et de femmes dépourvus d'arrière-pensées. La vogue du bouddhisme dans les pays industrialisés est révélatrice d'un besoin spirituel spécifique que ni la modernité, ni les religions traditionnelles ne semblent en mesure de satisfaire. Sagesse fondée sur le détachement et la relativisation des croyances, distance prise avec le monde et le « mouvement », le bouddhisme, qui n'est pas à proprement parler une religion, apparaît comme un contrepoison à la frénésie consumériste, à l'agitation et à la compétition ambiante, en même temps qu'une garantie contre l'intolérance.

En outre, il est symptomatique de ce qu'on pourrait

appeler la « nouvelle donne » de notre temps, qui voit, irrésistiblement, chaque croyance s'ouvrir au dialogue nécessaire avec toutes les autres. Sur ce point, le succès du bouddhisme n'est ni fortuit ni critiquable. Il est patent en Europe et aux États-Unis, et même dans la diaspora juive ou en Israël. Si un croyant comme Shmuel Trigano s'en désole, ce n'est point, négativement, par rapport au bouddhisme lui-même, mais en raison de l'affaiblissement du judaïsme qu'indirectement il révèle. « Il est pathétique, écrit-il, de voir les juifs chercher ailleurs, et fort loin, ce qu'ils ont chez eux en abondance ! C'est sans doute le signe que des forces spirituelles du judaïsme sont aujourd'hui en sommeil et refoulées par le judaïsme institutionnel et la modernité juive [28]. »

Notons en passant que ce dialogue avec l'Orient en général et le bouddhisme en particulier est beaucoup plus ancien qu'on ne l'imagine. En réalité, dès le IIe siècle avant notre ère, des missions bouddhistes s'étaient répandues en Asie occidentale et jusqu'à Alexandrie. Plus tard, à l'ère chrétienne, une variante christianisée de l'histoire du Bouddha entraîna la canonisation de ce dernier. « Sous le nom de saint Josaphat, il entra au XIIIe siècle dans le Martyrologe grec et latin, en compagnie de son maître, saint Baarlam ; il y figure encore à la date du 27 novembre [29]. »

Cet hommage étant rendu, rappelons-nous que cet « orientalisme spirituel » qui saisit périodiquement les intellectuels occidentaux a *aussi* produit le pire. Le pire, c'est-à-dire une adhésion complaisante à des pensées « barbares » qui refusent certaines valeurs comme

---

28. Shmuel Trigano, *Un exil sans retour ?*, *op. cit.*
29. Jacques Brosse, « Le voyage de Bouddha », in *L'Occident en quête de sens*, *op. cit.*

l'égalité. Sous couvert de « sagesse » et de traditions orientales, on en est souvent venu à légitimer des *idéologies* assez peu en accord avec la conception que nous avons de la société ouverte et des droits de l'homme. En vérité, c'est un *réenchantement du monde*, au sens sacrificiel du terme (thème récurrent du néopaganisme), qu'allaient parfois chercher du côté de l'Inde les milliers d'adeptes du « pèlerinage aux sources ».

Poursuivant leur quête de ce nouvel « enchantement », les adeptes occidentaux de l'hindouisme ou du bouddhisme furent assez peu regardants sur la réalité quotidienne des sociétés orientales qu'ils idéalisaient. Jean Mouttapa, bon spécialiste de ces spiritualités orientales, lui-même d'origine indienne, n'a pas tort de se montrer sévère à l'endroit de ces « nouveaux convertis » venus d'Occident. « Les intellectuels occidentaux qui se sont intéressés à l'Inde, écrit-il, firent rarement preuve d'un grand esprit critique vis-à-vis de cette structure socio-religieuse foncièrement inégalitaire. Ils se contentèrent, la plupart du temps, de reprendre les arguments de défenseurs hindous du système. Impressionnés par l'apparente perfection de cet ordre, qui semblait immuable et qui réglait la vie de centaines de millions d'hommes depuis des siècles, ils n'osèrent pas mettre en question sa légitimité [30]. »

On est souvent effaré par la naïveté avec laquelle, sous couvert de la fascination pour l'Orient, du respect des cultures ou du « dialogue des sagesses », tant d'Occidentaux ont pu souscrire à des traditions contre lesquelles s'insurgeaient les Indiens eux-mêmes – ou du moins un bonne part d'entre eux. Tel est l'effet pervers d'une inclination pour l'exotisme spirituel, induite elle-

---

30. Jean Mouttapa, *Dieu et la Révolution du dialogue. L'ère des échanges entre les religions, op. cit.*

même par la déréliction occidentale. Or, de Mircea Éliade à Lanza del Vasto, de Jean Hébert à Arnaud Desjardins, René Guénon ou Alain Daniélou, il est incontestable que la plupart des amoureux des mythologies védiques ou tantriques ne furent pas des hommes de gauche ! Tout n'est pas innocent dans cette tentation, loin s'en faut. Ce n'est pas un hasard si un Julius Évola, figure emblématique du néopaganisme, fut lui aussi un orientaliste féru de bouddhisme, bon connaisseur du yoga tantrique, du taoïsme ou des magies de « Ur » et de « Krur ». « Sous couvert d'un langage anthropologique, il existe bel et bien une extrême droite intellectuelle orientaliste [31]. »

Ceux-là, évidemment, sont assez peu intéressés de savoir que l'Inde ou le Népal sont aussi des sociétés de chair et de sang, en proie à des oppressions et à des inégalités qu'aucune « sagesse » ne saurait justifier. Des sociétés dans lesquelles des hommes et des femmes luttent pied à pied contre la persistance du système des castes (théoriquement aboli) et s'efforcent de faire triompher – au rebours de la tradition locale – des valeurs dont la généalogie est « occidentale ». « Les amoureux de la spiritualité indienne, qui se voilèrent souvent la face devant les effarantes injustices induites par le système des castes, écrit encore Jean Mouttapa, vont devoir déchanter : l'Inde "éternelle" est entrée dans l'Histoire [32]. » Des romanciers indiens comme Salman Rushdie ou Vincent Naipaul ne manquent pas d'ironiser, à juste titre, sur les dévots amoureux de l'Orient qui persistent à l'ignorer.

Mieux encore : dans l'Inde d'aujourd'hui, qui accède à la modernité et que déchirent des luttes sociales com-

31. *Ibid.*
32. *Ibid.*

parables à celles des autres pays du monde, les hommes et les femmes qu'on trouve en première ligne, aux côtés des plus pauvres, sont souvent… des chrétiens. Face aux fondamentalistes hindous qui défendent l'inégalitarisme, ce sont (notamment) eux qui agissent en faveur des basses castes et jouent un rôle décisif, par exemple, dans le mouvement des Intouchables, ces « victimes » en butte aux exclusions sacrificielles des religions locales. On a même pu écrire qu'une véritable théologie indienne de la libération avait vu le jour dans le sous-continent indien…

Exotique ou pas, il existe à l'inverse une religiosité inconséquente, versatile et superficielle. On ne voit pas sans inquiétude ce mysticisme confus, cette exaltation irrationaliste gagner du terrain chez nous, sous couvert d'ouverture à la « différence ». Hélas ! Ce n'est pas ainsi que nous, Occidentaux, devrions aller à ce rendez-vous avec le monde. C'est sans aveuglement ni « conscience malheureuse » qu'il nous faudrait dialoguer avec l'Orient. C'est sous bénéfice d'inventaire et l'œil grand ouvert que nous devrions accueillir ces richesses et ces sagesses venues du dehors. Paradoxalement, certains maîtres spirituels orientaux sont parmi les premiers à nous y inviter en nous mettant en garde. Je pense notamment à Thich Nhat Hanh, bouddhiste vietnamien très connu en France, qui, dans plusieurs de ses ouvrages de sagesse, nous adjure de nous méfier de certaines « récupérations » ou interprétations fautives de l'enseignement du Bouddha[33].

---

33. Vingt ouvrages de Thich Nhat Hanh sont disponibles en français. Voir notamment *Le Silence foudroyant*, Albin Michel, 1997.

Une imprudence théologique ?

Derrière nombre des « tentations orientales » se retrouve en vérité, mais cette fois sur le terrain théologique ou philosophique, un « dépit de soi » en tout point comparable à celui que dénonçait jadis Pascal Bruckner en instruisant, sur le plan politique, le procès du tiers-mondisme [34]. L'ouverture un peu irréfléchie aux sagesses venues d'ailleurs vient parfois compenser un doute, un deuil, une désespérance. De proche en proche, d'ouverture en ouverture, on est conduit à récuser l'universalisme lui-même, au prétexte qu'il serait chrétien et occidental. On réinvente de la sorte, pour de généreuses raisons, un nouveau « différentialisme » qui peut conduire à de funestes compromissions.

Le théologien « contestataire » allemand Eugen Drewermann, qui est aussi psychothérapeute, pour prendre un seul exemple, n'évite pas toujours cet écueil, même si son apport critique demeure intéressant. Bon nombre des analyses de Drewermann procèdent d'une volonté de « désoccidentaliser » le christianisme pour le rendre « non agressif » à l'égard des autres cultures. Il s'efforce donc d'enraciner les « mythes » chrétiens dans le terreau indifférencié des grandes traditions de l'humanité (bouddhisme ou cultes de l'Égypte ancienne), traditions que le christianisme n'aurait fait, en sorte, que prolonger ou accomplir.

« Aucune croyance chrétienne, écrit-il, ne saurait nous contraindre à la malhonnêteté historique. Il nous faut donc admettre, avec reconnaissance, que la théologie de la filiation divine n'est pas une idée spécifi-

---

34. Pascal Bruckner, *Le Sanglot de l'homme blanc*, *op. cit.*

quement chrétienne, mais que le christianisme s'est contenté de la reprendre. Le concept central de la foi chrétienne est donc redevable à la grande religion trois fois millénaire des bords du Nil. [...] La foi en la filiation divine d'un homme ne peut, par elle-même, fonder la différence entre le christianisme et la foi pharaonique égyptienne [35]. »

Cette mise en évidence des filiations lointaines, des continuités symboliques, des « proximités » ontologiques, est en soi parfaitement légitime. En outre, elle repose sur une vérité factuelle : la très ancienne sagesse égyptienne s'est effectivement prolongée, en partie, dans le judaïsme, puis dans le christianisme. « Il suffit pour s'en convaincre de rapprocher la très riche littérature sapientiale des Proverbes bibliques ou encore de la règle de saint Pacôme, au IIIe siècle : "Dieu permet d'acquérir la richesse pour faire du bien. Celui qui donne à manger aux pauvres, Dieu le reçoit dans sa miséricorde infinie", rappelle le papyrus Insinger, résumant toute l'éthique égyptienne [36]. »

L'insistance que met néanmoins Drewermann pour établir ce qu'il considère comme des *similitudes* finit malgré tout par poser problème, de même que son opiniâtreté à rejeter toute idée de « révélation » ou d'innovation propre aux religions du Livre. Invoquant les lumières du « langage mythique », voire de la psychanalyse, Drewermann considère en effet comme un « tabou de la pensée » (c'est-à-dire de la théologie officielle) le fait de présenter les affirmations de la foi chrétienne comme des « révélations » face aux repré-

---

35. Eugen Drewermann, *De la naissance des dieux à la naissance du Christ*, *op. cit.*
36. Florence Quentin, « La source égyptienne », in *L'Occident en quête de sens*, *op. cit.*

sentations païennes, qui ne seraient, elles, que des nostalgies ou des sagesses encore inaccomplies. Ce « tabou de la pensée », il entend le transgresser.

Fort bien. Ces assauts de modestie à l'égard de sa propre foi, ces distances volontairement prises à l'égard de tout *credo* peuvent se comprendre et même susciter la sympathie. Ils valent mieux, assurément, que la crispation intolérante ou l'arrogance triomphaliste. La démarche, pourtant, est tellement systématique, tellement ostentatoire, qu'elle laisse deviner une sorte de « projet » assez ambigu. Le raisonnement de Drewermann peut se décomposer en quatre étapes.

Il s'agit d'abord de soumettre à une critique radicale l'historicité du christianisme, quitte à s'attirer les foudres du Vatican en puisant malgré tout dans cette « persécution » papale une sorte de légitimité victimaire. Drewermann s'emploie ensuite à minimiser (voire à nier) la « nouveauté » du christianisme (et du judaïsme), par rapport aux grandes religions païennes, nouveauté et subversion dont nous savons pourtant qu'elles scandalisaient les philosophes grecs ou romains des premiers siècles. Il s'attache ensuite à poétiser les épisodes bibliques en les noyant dans le flou évanescent d'on ne sait quelle sagesse immémoriale. « S'il était possible, écrit-il, d'expliquer de cette façon les mystères de Dieu dans les textes de la Bible – à la façon des musiciens, des peintres, des poètes –, leur annonce toucherait le cœur de *chaque* homme sur terre, et Dieu serait audible dans les chants de la joie, dans les visions de la beauté et dans la poésie priante de la dévotion et de l'amour. » Qui ne souscrirait à tant de poésie ? Mais qui pourrait s'en contenter ? Drewermann fait intervenir enfin – et parfois de façon acrobatique – ce qu'il appelle la « psychologie des profondeurs » qu'il érige en principe explicatif.

La démarche, dans son principe, est aussi généreuse que pouvait l'être celle des tiers-mondistes de la génération précédente, soucieux d'expier les crimes de l'Occident colonial. Elle participe du même élan, mais aussi, peut-être, de la même erreur d'analyse. Drewermann refuse en effet de voir que la « modernité » qui triomphe partout dans le monde, pour le pire *mais aussi pour le meilleur* (les droits-de-l'homme, la liberté, l'individu, l'égalité, etc.), est un produit laïcisé et le plus souvent perverti du judéo-christianisme. Celui-ci, entendu comme fidélité biblique, est donc porteur – aussi – d'une critique radicale de cette occidentalisation-là. A la surface de la terre, se diffuse à la fois *un poison et son contrepoison*. Le poison, c'est l'extension indéfinie de la rationalité marchande, de la techno-science, du nihilisme, de l'avidité consumériste et de la sous-culture occidentale. Le contrepoison, nous l'avons vu, ce sont ces valeurs « modernes » dont la triple origine est essentiellement juive, grecque et chrétienne. Sans doute sont-elles « occidentales » dans leur marquage généalogique, mais elles ne sont plus, et depuis fort longtemps, la « propriété » de l'Occident.

On peut alors faire grief à Eugen Drewermann de manquer pathétiquement sa cible en récusant la spécificité – et les exigences universalistes – de l'héritage judéo-chrétien. Il raisonne comme s'il consentait à l'occidentalisation « temporelle » du monde (l'économie, la consommation, le marché, etc.), tout en refusant son occidentalisation « spirituelle », c'est-à-dire l'universalisation de certaines valeurs non négociables, comme l'égalité ou le progrès. Oui au poison, en somme, et non au contrepoison… Qui veut faire l'ange fait la bête ; qui tourne le dos à l'universel risque d'être conduit à prendre son parti de la « barbarie ».

A la démarche théologique abusivement « différentialiste » d'un Drewermann, on préférera celle, plus exigeante mais aussi plus équilibrée, que constitue la théologie dite de l'« inculturation ». Élaborée voici une trentaine d'années, elle venait rompre avec l'ancienne vulgate missionnaire dite de « l'adaptation ». (Une théologie qui, dans ses rapports avec les cultures locales, n'admettait qu'une influence à sens unique.) L'inculturation, au contraire, tâche d'élaborer une forme de dialogue interculturel nouveau, mais qui ne conduise pas à renier pour autant le message biblique proprement dit. Le général des jésuites, le père Aruppe, en donna dans les années 70 une définition assez séduisante : « L'inculturation, écrivait-il, est l'incarnation de la vie et du message chrétiens dans une aire culturelle concrète, en sorte que non seulement l'expérience chrétienne s'exprime avec les éléments propres à la culture en question (ceci ne serait encore qu'une adaptation superficielle), mais aussi que cette même expérience devienne un principe d'inspiration, à la fois norme et force d'unification, *qui transforme et recrée cette culture*[37]. »

Indépendamment de la terminologie religieuse employée, ces quelques lignes expriment, dans le fond, un point de vue que l'on peut parfaitement laïciser : l'absolu respect de l'autre n'exclut pas l'objection morale ni même le « droit d'ingérence » spirituel…

---

37. P. Aruppe, « Lettre de 1978 sur l'inculturation », in *Écrits pour évangéliser*, Desclée de Brouwer, 1985 ; cité par Geneviève Comeau, *Catholicisme et Judaïsme dans la modernité, op. cit.*

Chapitre 10

Que faire du judéo-christianisme ?

« Seul celui qui crie en faveur des juifs a le
droit de chanter du grégorien. »

Pasteur Dietrich Bonhoeffer.

Dans une nouvelle de l'écrivain américain John
Updike, publiée en 1998 dans *The New Yorker*, l'hé-
roïne, qui s'appelle Robin, bien que son véritable nom
soit Rachel Tiergaten, est qualifiée de « post-juive » par
l'écrivain. John Updike n'est pas le seul à utiliser cette
expression étrange, devenue courante aux États-Unis et
en Europe. Dans les années 60, déjà, Isaac Deutscher
parlait de « juif non juif » pour évoquer des intellectuels comme Marx, Freud ou Kafka, émancipés de leur
propre tradition. De la même façon, on parle aujour-
d'hui de « post-chrétiens » ou de « chrétiens culturels »
pour désigner des hommes et des femmes définitivement sortis du religieux mais qui conservent, à l'état de
traces ou de catégories mentales, des liens identitaires
avec leur foi d'origine. Convenons que c'est le cas d'un
nombre croissant d'hommes et de femmes. Ils ont avec
la religion de leur enfance des connivences de cette
sorte : un peu vagues mais toujours là, très distendues
mais présentes malgré tout au-dedans d'eux-mêmes.
D'une façon générale, il arrive qu'on évoque la moder-

nité occidentale dans son ensemble comme une réalité
« post-judéo-chrétienne », c'est-à-dire comme un au-delà
du judéo-christianisme, un rapport au monde affranchi
du biblique, et même de la croyance en général.

Vaut-il la peine, dans ces conditions, d'accorder
autant d'importance à ce qui peut apparaître comme
d'obscures questions théologiques ? Est-il bien nécessaire d'en revenir, inlassablement, aux différents héritages, contentieux, contradictions, influences réciproques
impliquant les trois religions du Livre, dans leurs rapports entre elles et avec le « paganisme » ou la philosophie ? Sommes-nous fondés à convoquer sans relâche
un passé biblique qui s'éloigne de nous à la vitesse de
la lumière ? Cela a-t-il un sens de garder l'œil fixé sur
les rapports nouveaux entre judaïsme, christianisme
et islam, comme si l'avenir de la planète entière en
dépendait ? Toutes ces questions sont recevables, mais
elles négligent tout de même une évidence : le judéo-
christianisme, pour l'essentiel, est à la source de notre
modernité et, en dernière analyse, de « l'occidentalisation » planétaire. Ni son contenu ni son histoire ne sont
donc sans rapport avec notre façon d'être présents au
monde. Y compris dans la plus modeste quotidienneté.
Que l'on songe au rôle qu'il continue de jouer dans
la perception du monde et la vie politique ou culturelle
de la première puissance planétaire qui est aussi la
plus religieuse : les États-Unis. La sortie du religieux,
qui est le mouvement même de la modernité, n'implique ni rupture ni amnésie. C'est tout le contraire.
« La sortie de la religion, c'est au plus profond la transmutation de l'ancien élément religieux en autre chose
que de la religion », entendu au sens traditionnel du
terme.

Au demeurant, c'est tout le contraire d'un éloigne-
ment que nous vivons en Occident. Avec ou sans le

préfixe « post », la question judéo-chrétienne nous occupe toujours, et peut-être plus aujourd'hui qu'hier. Le contraste est grand entre la perte d'influence, voire l'effondrement, des institutions ecclésiastiques – chrétiennes ou juives – et le regain de curiosité pour l'histoire religieuse, les études bibliques et les débats théologiques. Publications nombreuses, efflorescence des revues, vitalité du dialogue inter-religieux, retour en force de l'Antiquité tardive – comme objet d'études et de recherches : tout indique que la crise de la foi ou celle de la pratique ne s'accompagne d'aucune indifférence pour l'histoire et le *contenu* du message.

Le nouveau paradoxe laïque

A cela, plusieurs raisons. La première – décisive – est évidemment le poids de la mémoire immédiate. Un demi-siècle après la Shoah, la modernité occidentale demeure hantée par le souvenir du crime imprescriptible, trou noir toujours béant dans le siècle. Elle affronte encore et toujours cet « invisible remords de l'holocauste », pour reprendre les termes de Vladimir Jankélévitch. Nous n'en avons pas fini avec ce tourment. Il a fait des juifs et du judaïsme non seulement un « peuple témoin », mais l'incarnation d'une « oppression universelle [1] », à laquelle, d'une façon ou d'une autre, l'Occident se trouva mêlé et qui demeure une immense question non résolue. Aucune réflexion sur la modernité ne peut prétendre évacuer cette question, ni la contourner, ni la congédier en douceur, pour faire place à on ne sait quel « nouveau ». Elle est encore – et pour

---

1. J'emprunte cette expression à Léo Baeck, *L'Essence du judaïsme*, PUF, 1992.

longtemps – centrale. A juste titre. Pas un Occidental surtout, fût-il « post-religieux » ou très éloigné de l'Église, ne peut échapper à une interrogation obsédante : celle de la responsabilité historique du christianisme dans cette affaire.

La seconde raison, évoquée tout au long de ces pages, tient évidemment à ce pressant besoin de refondation. Le passé nous occupe et nous tourmente, *y compris lorsqu'il cesse de nous instruire.* C'est parfois le vide qui nous renvoie vers lui. L'antique confluence entre la Bible et la raison grecque, l'imbrication originelle évoquée tout au long de ces pages, n'est pas une histoire ancienne. Elle est vivante et agissante aujourd'hui, même si les termes et les références sémantiques ne sont plus tout à fait les mêmes. La sempiternelle question de la laïcité est-elle autre chose que la transposition du vieux débat des premiers siècles entre raison et croyance, philosophie et théologie ? En la réexaminant sans cesse aujourd'hui, nous parlons, au fond, *des mêmes choses.* Mais qu'est-ce à dire ? N'appartenons-nous pas à une société irréligieuse ? Ne sommes-nous pas devenus « absolument » rationalistes et laïques ?

En théorie, cela ne fait aucun doute. L'émergence de la laïcité en France fut même, comme on le sait, l'aboutissement d'un long et tumultueux combat, jalonné d'excès réciproques, de querelles inexpiables, mais aussi de retours en arrière, comme durant cette période 1925-1955 qui vit l'Église catholique tenter et réussir partiellement une reconquête du « siècle apostat ». La cause est maintenant entendue : les séminaires sont vides, les églises désertées et le cléricalisme n'est plus véritablement à l'ordre du jour. (Sauf, peut-être, à l'état de nostalgie chez quelques traditionalistes.) Mais cela ne signifie nullement que le débat soit obsolète. La question laïque se pose simplement en termes nouveaux, après l'effondrement – depuis le milieu des années 70 – du catholicisme institutionnel[2]. C'est contre lui, en effet, que la laïcité républicaine s'était construite. Privée de cet ennemi intime qui la définissait *a contrario*, celle-ci connaît une crise comparable, et avec elle l'État républicain lui-même. « A distance des intégrismes de tout bord, écrit un théologien, croyants et non-croyants se félicitent de cette "laïcité à la française" dont ils sont les héritiers. Au même titre que la foi, l'incroyance a perdu de sa superbe et renoncé à tout dogmatisme : toutes deux habitent un commun espace d'incertitude et d'interrogation[3]. »

Crise de sens, crise de contenu, crise morale, incomplétude du politique : le vocabulaire employé importe peu. Les communautés religieuses ne sont plus perçues par l'État laïc comme des puissances rivales à contenir. Elles se voient, tout au contraire, convoquées par ce dernier, consultées et reconsultées de mille façons en qualité de gardiennes du sens, de l'éthique, des valeurs ou de la morale. Que l'on songe au débat récurrent sur la bioéthique, la procréation assistée, le clonage ou le statut de l'embryon. Que l'on pense aux précautions nouvelles que prend désormais l'État pour capter le soutien des « confessions » et des autorités religieuses qu'il combattait hier avec la dernière énergie. « Ce qui ramène les religions sur le devant de la scène, si singulier que cela puisse paraître, *c'est leur recul même*. L'effacement de ce qui formait le cœur même de leurs prétentions politiques transforme la démocratie et leur redonne droit de cité[4]. »

2. Voir chap. 7.

3. Robert Scholtus, « D'une curieuse solitude des chrétiens », in *Christus*, n° 180, octobre 1998.

4. Marcel Gauchet, *La Religion dans la démocratie, op. cit.*

Détail : si ce changement de perspective est plus net en France que nulle part ailleurs, il n'y a rien d'étonnant à cela. La laïcité est une heureuse exception française, qui n'a guère d'équivalent dans les pays développés – sauf peut-être dans la Turquie kémaliste ou la Tunisie de Bourguiba. Jadis fille aînée de l'Église, la France – et elle seule – s'est bâti une identité seconde, ombrageusement laïque et complémentaire autant que rivale de la première. A telle enseigne que la mémoire française s'appuie aujourd'hui sur deux traditions fondatrices et non point sur une seule. La France est fille *aussi* de la Révolution et des Lumières. C'est cette indissoluble complémentarité, par-delà les affrontements, que soulignait l'historien Marc Bloch lorsqu'il écrivait : « Il est deux catégories de Français qui ne comprennent jamais l'histoire de France : ceux qui refusent de vibrer au souvenir du sacre de Reims ; ceux qui lisent sans émotion le récit de la fête de la fédération. » Chez nous, la nouvelle donne, qui redistribue les rôles et crée des rapports inédits entre religion et démocratie, est donc vécue plus intensément qu'en Amérique, en Allemagne, en Grande-Bretagne ou ailleurs. Rien que de très logique. Or cette intensité redonne une actualité nouvelle, chez nous, aux grands débats théologiques et, surtout, à ce qu'on peut appeler la question judéo-chrétienne.

Dialogue ou « idéologie judéo-chrétienne » ?

Mais quelle est, au juste, *la* question ? En 1997, dans la très austère *Revue de science religieuse*, un jésuite israélien de l'Institut biblique pontifical de Jérusalem, David M. Neuhaus, publiait un long article au titre provocateur : « L'idéologie judéo-chrétienne et le dialogue juifs-chrétiens ». L'idéologie ? Diable ! Le choix du mot n'était pas anodin. Dans cet article, l'auteur remet délibérément en question le sens même de l'expression « judéo-christianisme » et la réalité de son contenu. A ses yeux, ce concept constitue une sorte de reconstruction idéologique qui confond gravement le « judaïsme mythique » avec le judaïsme réel et sous-estime le fait que le judaïsme a profondément évolué depuis l'Ancien Testament.

Christianisme et judaïsme, assure-t-il, ne sont pas engendrés l'un par l'autre, mais en réalité ils apparaissent, dès l'origine, comme *les héritiers divergents d'une commune tradition*. Opposant le judaïsme du Temple au judaïsme rabbinique ultérieur « fondé sur l'étude de la Torah, une vie de *mitsvot* (les commandements) et les actes de compassions », il dénonce l'apparition, trente-cinq ans après le concile Vatican II, d'une véritable « idéologie judéo-chrétienne », à ses yeux pernicieuse. Celle-là même dont le cardinal Jean Daniélou se faisait le défenseur dans les années 60. Cette idéologie, ajoute Neuhaus, en méconnaissant l'évolution spécifique du judaïsme, fait obstacle au vrai dialogue, celui qu'elle prétend pourtant promouvoir. « Seule une reconnaissance du Talmud, écrit-il, permettrait de saisir la différence entre un judaïsme réel et celui qui existe dans l'imaginaire chrétien. »

Il est vrai que si l'on s'en tient à l'Histoire et si l'on prend l'expression dans son sens littéral, le « judéo-christianisme » n'a existé que très fugitivement, comme un rameau de l'Église ancienne qui prétendait unir la foi en Jésus Messie à une observance rigoureuse de la Loi juive. « Ses tenants sont, historiquement, les descendants de la première communauté jérusalémite, émigrée, au moins en partie, dans la ville transjordanienne de Pella lors des événements de 66-70. […] Ils mènent, sous le nom d'ébionites ou nazaréens, une existence obscure, jusque vers le début du Ve siècle. Ils disparaissent ensuite, absorbés probablement les uns par la grande Église, les autres par la Synagogue [5]. »

Il est vrai aussi que le christianisme n'est pas véritablement l'héritier du judaïsme, mais qu'ils sont *tous deux* héritiers du judaïsme originel et de ce que les chrétiens appellent l'Ancien Testament. Ils sont comme les deux rameaux distincts d'un même tronc. « Une dialectique de continuité *et* de discontinuité avec l'héritage hébraïque est à l'œuvre dans les *deux* traditions [6]. »

Tout cela est incontestable. On peut cependant objecter à Neuhaus que l'expression « judéo-christianisme », utilisée, en fait, depuis les Lumières, désigne bien autre chose qu'une réalité purement historique. Elle fait référence au *contenu* plus qu'à l'historicité, au monothéisme abrahamanique plus qu'aux divergences ou évolutions ultérieures. En réalité, derrière cette critique historique articulée par le jésuite israélien se lit un reproche plus fondamental. Neuhaus assure que cette nouvelle volonté de rapprochement entre les deux traditions – qui est surtout le fait des catholiques – conduit à minimiser ce qui sépare malgré tout juifs et chrétiens. En outre – et là gît le cœur de la critique –, ces retrouvailles entre frères séparés pourraient favoriser une nouvelle clôture, un universalisme exclusif dont les autres religions du monde feraient les frais, à commencer par l'islam. « L'idéologie judéo-chrétienne, écrit-il, cherche parfois à enferrer l'Église et la Synagogue dans un système qui peut être aussi méprisant pour "l'autre"

---

5. Marcel Simon et André Benoit, *Le Judaïsme et le Christianisme antique. D'Antiochus Épiphane à Constantin*, op. cit.
6. Geneviève Comeau, *Catholicisme et Judaïsme dans la modernité*, op. cit.

[sous-entendu : le musulman, l'athée, le bouddhiste, etc.] que l'enseignement antijudaïque d'autrefois[7]. »

Le reproche, comme on le voit, n'est pas fondamentalement différent des critiques d'un Eugen Drewermann. En cherchant à se réconcilier jusqu'à faire cause commune, juifs et chrétiens prendraient le risque de succomber, mais en commun cette fois, à un nouvel occidentalocentrisme. Celui-ci constituerait une version rajeunie du triomphalisme missionnaire et même colonial de jadis. L'analyse de Neuhaus participe ainsi, à sa manière, de la même position différentialiste. Le concept de judéo-christianisme lui semble procéder d'une arrogance universaliste qui renvoie implicitement les autres religions du monde à l'archaïsme de leurs « superstitions », à la pesanteur de leurs traditions, à l'infirmité de leurs morales. Ce point de vue est en partie fondé. Il est cependant justiciable des mêmes objections que celles adressées à Drewermann dans le chapitre précédent.

Des ennemis communs

A ces objections, il faut en ajouter une autre, qui me semble plus décisive encore : si juifs et chrétiens, tributaires d'une même modernité – celle des Lumières –, se rejoignent aujourd'hui, c'est d'abord parce qu'ils ont le sentiment de vivre la même crise et d'affronter la même adversité. Ce n'est d'ailleurs pas un hasard si le judéo-christianisme, comme concept, est revenu en force dans l'immédiat après-guerre, après la victoire sur le nazisme, puis dans la logique du concile

---

7. David M. Neuhaus, « L'idéologie judéo-chrétienne et le dialogue juifs-chrétiens », *Revue de science religieuse*, n° 85/2 (1997).

Vatican II. Ni les coupables complaisances ou silences d'une partie de la hiérarchie catholique (Pie XII en tête) pour le national-socialisme, ni les manœuvres de Hitler, soucieux de ménager provisoirement le Saint-Siège avec lequel il signa le fameux concordat de juillet 1933, ni le ralliement d'une partie de l'Église évangélique allemande après la scission de 1934[8] ne peuvent faire oublier la haine radicale manifestée par les nazis à l'endroit du judaïsme *et* du christianisme. C'est Hitler, au fond, qui a redonné vie au concept de judéo-christianisme en englobant dans le même opprobre les deux monothéismes. Or l'antisémitisme délirant du nazisme et son monstrueux résultat ont longtemps – et assez légitimement, il faut le dire – relégué au second plan la haine que Hitler vouait au christianisme lui-même.

Cette haine était pourtant une évidence. L'un des théoriciens du nazisme, Walter Darré, futur ministre de l'Agriculture du Reich, comptait parmi les principaux doctrinaires de « la terre et du sang » et préconisait un retour aux vieux cultes germaniques. Le journal nazi *Der Stürmer*, dirigé par Julius Streicher, Gauleiter de Franconie, menait des attaques violentes aussi bien contre les juifs que contre le christianisme. De la même façon, Alfred Rosenberg (né en Estonie en 1893 et directeur du journal *Völklischer Beobachter*) publia en 1930 son célèbre *Mythe du XXe siècle*, où il développait les thèmes essentiels du racisme germanique, de l'anti-christianisme et du retour à la mythologie nordique. Quant à Hitler lui-même, le moins qu'on puisse dire est qu'il fut explicite sur ce point : « A la longue, déclarait-il en juillet 1941, le national-socialisme et la religion

---

8. Une autre fraction de cette même Église évangélique, dite Église confessante, dénoncera sans ambiguïté l'idéologie national-socialiste.

Hitler et la haine

« Les religions ? Toutes se valent. Elles n'ont plus, l'une ou l'autre, aucun avenir. Pour les Allemands tout au moins. Le fascisme peut, s'il le veut, faire sa paix avec l'Église. Je ferai de même. Pourquoi pas ? Cela ne m'empêchera nullement *d'extirper le christianisme de l'Allemagne*. Les Italiens, gens naïfs, peuvent être en même temps des païens et des chrétiens. Les Italiens et les Français, ceux qu'on rencontre à la campagne, sont des païens. Leur christianisme est superficiel, reste à l'épiderme.

Mais l'Allemand est différent. Il prend les choses au sérieux : il est chrétien ou païen, mais non l'un et l'autre. [...] Tout dépend de savoir s'il restera fidèle à la religion judéo-chrétienne et à la morale servile de la pitié, ou s'il aura une foi nouvelle, forte, héroïque, en lui-même, en un Dieu indissociable de son destin et de son sang. [...] Laissez de côté les subtilités. Qu'il s'agisse de l'Ancien Testament ou du Nouveau, ou des seules paroles du Christ, comme le voudrait Houston Stewart Chamberlain, tout cela n'est qu'un seul et même bluff judaïque. Une Église allemande ! Un christianisme allemand ? Quelle blague ! On est ou bien chrétien ou bien allemand, mais on ne peut pas être les deux à la fois. Vous pourrez rejeter Paul, l'épileptique de la chrétienté. D'autres l'ont déjà fait. On peut

ne pourront plus coexister... Le coup le plus dur qui ait frappé l'humanité, c'est l'avènement du christianisme. Le bolchevisme est un enfant illégitime du christianisme. L'un et l'autre sont des inventions du juif. Par le christianisme, le mensonge conscient en matière de religion a été introduit dans le monde [9]. » Faut-il rap-

---

9. Martin Bormann, *Libres Propos sur la guerre et la paix recueillis sur l'ordre de Martin Bormann*, Flammarion, 1952.

du christianisme

faire de Jésus une noble figure et nier en même temps sa divinité. On l'a fait de tout temps. Toute cette exégèse ne sert exactement à rien. On n'arrivera pas ainsi à se délivrer de cet esprit chrétien que nous voulons détruire. Nous ne voulons plus d'hommes qui louchent vers "l'au-delà". Nous voulons des hommes libres et qui sentent que Dieu est en eux.

Le paysan doit savoir ce que l'Église lui a dérobé : l'appréhension mystérieuse et directe de la Nature, le contact instinctif, la communion avec l'Esprit de la terre. C'est ainsi qu'il doit apprendre à haïr l'Église. Il doit apprendre progressivement par quels trucs les prêtres ont volé leur âme aux Allemands. Nous gratterons le vernis chrétien et nous retrouverons la religion de notre race. C'est par la campagne que nous commencerons, et non par les grandes villes, Goebbels ! [...] Eh bien, oui, nous sommes des barbares, et nous voulons être des barbares. C'est un titre d'honneur. Nous sommes ceux qui rajeuniront le monde. Le monde actuel est près de sa fin. Notre tâche est de le saccager. »

Propos de Hitler rapportés par Hermann Rauschning,
Hitler m'a dit, op. cit.

peler que lorsque les soldats alliés libéreront le camp de Dachau, en 1945, ils trouveront huit cents prêtres parmi les prisonniers ?

Contre le pape Pie XII, ses prudences et ses silences, l'Histoire et la vérité ont donc donné tragiquement « raison », si l'on peut dire, à son prédécesseur, Pie XI, qui, dès le 14 mars 1937, avait publié l'encyclique *Mit brennender Sorge* (« Avec une tremblante inquiétude »). Préparée par le cardinal allemand Faulhaber, cette encyclique soulignait l'incompatibilité radicale entre le christianisme et l'apologie de la race, l'exaltation du sang, l'idolâtrie de la nation, toutes trois au cœur de l'idéologie nazie. Introduite clandestinement en Allemagne, elle y fut lue dans les quinze mille paroisses catholiques. En 1938, devant des pèlerins belges, Pie XI fera une déclaration plus nette encore, et qui aura un grand retentissement. « L'antisémitisme est un mouvement dans lequel nous chrétiens nous ne pouvons avoir aucune part. Spirituellement, nous sommes des sémites [10]. » Le même Pie XI, enfin, avait préparé, durant cette même année (1938), une seconde encyclique, *Humani Generis Unitas*, qui dénonçait plus violemment encore le fascisme et le nazisme. « Catholique veut dire universel, avait-il rappelé : il n'y a pas d'autre traduction possible, que ce soit en italien ou dans une autre langue possible… Il n'y a qu'une seule race humaine. » Cette « encyclique cachée » fut étouffée à la faveur du très vif conflit entre Mussolini et Pie XI, et jusqu'à la mort de ce dernier, en février 1939. Son contenu ne sera connu que beaucoup plus tard [11].

Soixante années après, resurgit assez extraordinairement, face aux nouvelles barbaries, une solidarité fondamentale entre juifs et chrétiens, qui se voient confrontés aujourd'hui à un ennemi commun. Disons plus exactement que les uns et les autres redécouvrent qu'ils sont, sur les questions essentielles, *dans le même camp*. Le paganisme militant, ou celui, plus édulcoré, qui rôde dans l'époque, visent en effet le christianisme, mais, implicitement, le judéo-christianisme lui-même. Plus

---

10. *La Croix*, 16 septembre 1938 ; cité par Jean-Claude Eslin, *Dieu et le Pouvoir. Théologie et politique en Occident*, *op. cit.*

11. Sur ce point d'histoire, voir Georges Passelecq et Bernard Suchecky, *L'Encyclique cachée de Pie XI*, La Découverte, 1995.

grave : la dérision contemporaine à l'endroit du christianisme n'est parfois qu'un antijudaïsme déguisé, pour
ne pas dire un antisémitisme honteux. Shmuel Trigano
a raison de relever ce malentendu empoisonné et de
s'en inquiéter pour l'avenir : « La critique du christianisme accusé d'avoir corrompu l'homme païen avec sa
morale de la faute et d'avoir assis la chape totalitaire du
monothéisme sur le pluralisme et la liberté inhérents
au paganisme, écrit-il, [est] une critique indirecte du
judaïsme au fondement du christianisme [12]. »

Dans la même perspective, d'autres intellectuels juifs,
comme Alain Finkielkraut, évoquent parfois leur
malaise devant l'ambiguïté doucereuse d'un (faux) phi-
losémitisme contemporain, qui sert parfois de paravent,
soit à une haine silencieuse, soit à des postures mani-
pulatrices [13]. Depuis la Shoah – et sauf à être fou ou
négationniste, ce qui revient au même –, c'est un fait
que nul ne peut assumer ouvertement le moindre propos antisémite. L'antisémitisme est devenu, à juste
titre, un absolu négatif, un étalon de mesure du mal.
Il est un « mot magique », ou le « repoussoir suprême »
qui permet de conjurer le racisme et la haine. Cette
situation nouvelle est légitime et même encourageante
à plus d'un titre. Mais cette « théâtralisation de l'antisé-

---

12. Shmuel Trigano, *Un exil sans retour ?, op. cit.*
13. Je pense, notamment, à ces lignes courageuses d'Alain Finkielkraut, écrites à l'occasion des réactions haineuses suscitées par
la béatification du cardinal Stepinac de Croatie : « Ah, qu'il est doux
d'être juif en cette fin de XXᵉ siècle ! Nous ne sommes plus les accu-
sés de l'Histoire, nous en sommes les chouchous. […] Suis-je un
mauvais coucheur ? Malgré l'émotion que ne peuvent manquer de
provoquer certains actes de contrition authentiques et courageux, je
n'éprouve pas une joie sans mélange à être aussi universellement
courtisé. Je souhaiterais, par exemple, que ces nouveaux amis si
démonstratifs soient tous également des amis scrupuleux de la
vérité. » *Le Monde*, 7 octobre 1998.

mitisme » est aussi plus ambiguë et donc plus précaire qu'on ne l'imagine. Il est des cas, en effet, où cette « manipulation du signe juif », cette confiscation de la légitimité victimaire permettent de « surfer sur la lutte contre l'antisémitisme pour "marquer des points" idéo-logico-symboliques ». Elle est posture plus que conviction, tactique mondaine plus qu'engagement véritable. Le risque existe donc de voir la lutte contre l'antisémi-tisme insensiblement « vidée de son contenu et de sa dignité », au point de se révéler inopérante « lorsqu'une véritable urgence se présentera »[14].

Ce nouvel antisémitisme apprend en tout cas à user de détours symboliques, de ruses et de prudences lan-gagières qui lui permettent de subsister obscurément. Or l'antichristianisme spontané fait incontestablement partie de ces stratégies dissimulatrices. On pourfend le chrétien en visant secrètement le juif ; on rejette le Nou-veau Testament en songeant à l'Ancien ; on dénonce l'Église pour atteindre, par ricochet, la Synagogue. La lutte médiatique et gratifiante contre « l'obscuran-tisme religieux » devient ainsi l'habillage d'une hosti-lité inavouée à l'endroit de l'héritage biblique dans son ensemble.

La remarque que je fais ici n'est d'ailleurs pas nouvelle. C'était déjà celle qu'énonçait un Anatole Leroy-Beaulieu, professeur à l'École libre des sciences politiques, auteur d'un vibrant réquisitoire contre l'anti-sémitisme, *Israël chez les nations* (1893), dans lequel il notait que l'antichristianisme et l'antisémitisme « ne sont que la contrepartie et le pendant l'un de l'autre ».

---

14. J'emprunte ces analyses et les passages entre guillemets à Shmuel Trigano, *Un exil sans retour ?*, *op. cit.*

La culture du mépris

Rappeler ces vérités, dénoncer cette « ruse » n'est toutefois légitime qu'à une condition : que l'on regarde d'abord en face, sans ruse ni faux-semblant, la question de l'antijudaïsme chrétien et celle des responsabilités historiques du catholicisme dans l'apparition de l'antisémitisme moderne. Toute tentative pour éluder ou minimiser cet aspect des choses serait une dérobade. Encore convient-il, lorsqu'on évoque cette question cruciale, d'éviter l'amalgame et la confusion.

La responsabilité historique du catholicisme est, sans conteste, écrasante. Publié au milieu des années 50, le vibrant réquisitoire de Jules Isaac sur ce point, *Genèse de l'antisémitisme*, reste un texte de référence aujourd'hui, au même titre que les *Réflexions sur la question juive* de Jean-Paul Sartre (1948), *Sur l'antisémitisme* de Hannah Arendt (1951) ou le *Verus Israël* de Marcel Simon (1948). On notera d'ailleurs la quasi-concomitance de ces publications. Intervenant toutes vers la fin des années 40, elles témoignent, chacune à sa façon, du véritable cataclysme spirituel que furent dans l'après-guerre la découverte des camps, la prise de conscience de l'énormité du crime nazi et – surtout – du rôle joué par le christianisme dans cette émergence du mal. Cette stupeur théologique et ce vertige rétrospectif saisissant les chrétiens déboucheront sur une rupture radicale avec le passé et sur une relecture progressive de toute l'histoire occidentale. Relecture qui se poursuit et s'approfondit sans cesse.

« Diffusé pendant des centaines et des centaines d'années par des milliers et des milliers de voix, écrivait Jules Isaac, l'antisémitisme chrétien est la souche puissante, millénaire, aux multiples et fortes racines, sur laquelle (dans le monde chrétien) sont venues se greffer toutes les autres variétés d'antisémitisme – même les plus opposées de nature, même antichrétiennes[15]. » Jules Isaac popularisera, au sujet de l'antijudaïsme chrétien, deux expressions accusatrices, qui seront constamment reprises par la suite : l'« enseignement du mépris » et le « système d'avilissement ». Elles vont de pair avec l'antique accusation de déicide portée contre les juifs par les pères de l'Église.

Cet antijudaïsme chrétien, de nature théologique, tirait sa force séculaire du refus juif de la conversion, refus qui semblait incompréhensible aux premiers chrétiens. En outre, puisque les juifs refusaient de rallier *Verus Israël* (le nouvel Israël), c'est-à-dire le christianisme, il devenait « nécessaire » qu'ils fussent déclarés foncièrement mauvais, ingrats, chargés de crimes et d'opprobres. Il s'agissait de les appeler sans relâche à la conversion, voire de les y contraindre. Notons que cet antijudaïsme se construit dans une époque troublée (les IIIe et IVe siècles), marquée par le fourmillement des sectes, et notamment l'arianisme, l'intensité des querelles christologiques, l'agonie du paganisme et l'assaut des barbares aux frontières fortifiées à la hâte (le *limes*) de l'Empire romain.

L'Église primitive éprouve alors toutes les peines du monde à s'affranchir de la Synagogue, et les liens se reconstituent sans cesse à la faveur de cette tendance des chrétiens à « judaïser à tout propos, à toute heure » (Isaac). Ladite Église considère volontiers les juifs comme complices des hérésies, voire coresponsables des persécutions romaines. (Ce sera, par exemple, la thèse de Tertullien, un des pères de l'Église.) « Ainsi

---

15. Jules Isaac, *Genèse de l'antisémitisme*, *op. cit.*

s'explique l'acharnement qu'a mis l'Église à combattre ce qu'elle appelait le *mal juif*, un mal dont elle s'estimait devoir à tout prix guérir le monde chrétien, fût-ce par la plus rigoureuse thérapeutique : réaction de légitime défense à ses yeux, puisque à ses yeux l'enjeu final n'était rien de moins que le salut des âmes, leur salut éternel [16]. »

Aussitôt après la conversion de Constantin et la victoire du christianisme, des lois antijuives seront promulguées. La première d'entre elles, datée de l'an 315, punit de mort les juifs qui auraient osé lapider leurs coreligionnaires convertis au christianisme, mais elle sanctionne également les simples actes de prosélytisme juif. En 409, une autre loi assimilera la propagande juive au crime de lèse-majesté. En 438, un texte prévoira la peine capitale pour tout juif qui aurait converti un chrétien, esclave ou homme libre. Le sentiment d'être menacé par le judaïsme persistera chez les chrétiens plus longtemps qu'on ne le pense, et servira de fondement à des mesures dirigées non seulement contre les juifs, mais contre les chrétiens qui seraient tentés de « judaïser ». « En 691 encore, un Concile reprend contre les judaïsants quelques-unes des interdictions les plus caractéristiques : manger des azymes avec les juifs, les fréquenter, recourir à eux dans les maladies, accepter leurs remèdes, se soumettre dans leurs piscines aux ablutions rituelles [17]. »

Quantité d'autres lois et textes suivront, tandis que se multiplieront, tout au long des siècles, les livres dénonçant l'« insolence » des juifs, leur « perfidie » ou leurs « superstitions ». Ces termes seront incorporés

---

16. *Ibid.*
17. Marcel Simon, *Verus Israël, op. cit.*

au canon et aux célébrations chrétiennes, et le plus souvent traduits en termes de mépris. Il en ira ainsi de la fameuse prière *Oremus pro perfidis Judaeis*, que des générations de chrétiens réciteront. Ce n'est qu'après la Seconde Guerre mondiale que des auteurs catholiques comme Erik Peterson ou l'abbé Oesterreicher s'appliqueront à démontrer que, dans le latin d'église, *perfidius* ne signifie ni « perfide » ni « déloyal », mais « incroyant » ou « infidèle ». Cette nouvelle traduction, moins infamante, sera prudemment approuvée par la Sacrée Congrégation des rites en 1948. Ce n'est pourtant qu'avec le concile Vatican II (1962-1965) et l'encyclique *Nostra aetate* (1965) que furent définitivement abolies toutes références aux « juifs perfides » et au « peuple déicide ». Pendant plus de mille ans aura donc prévalu la « culture du mépris » évoquée par Jules Isaac. « Cette tradition reçue, enseignée depuis des centaines d'années par des milliers et des milliers de voix, dira encore Isaac, était dans le monde chrétien comme la source première et permanente de l'antisémitisme, comme la souche puissante, séculaire, sur laquelle toutes les variétés de l'antisémitisme étaient venues en quelque sorte se greffer [18]. »

Le « peuple archiviste »

Certes, cet antijudaïsme théologique est fort différent de ce que sera l'antisémitisme moderne, fondé sur l'idée (absurde) de « race ». L'appel inlassable à la conversion postule que l'on cesse d'être juif en se convertissant, ce

---

18. Déclaration ultérieure faite par Jules Isaac dans une émission radiophonique de *La Tribune de Paris*, le 10 juin 1948, et reprise en fin de volume de sa *Genèse de l'antisémitisme*, *op. cit.*

qui va à l'encontre des haines racialistes de l'antisémite moderne, obsédé par l'hypothèse du juif caché et du « sang » impur. « Pour les antisémites hitlériens, un juif devenu chrétien reste juif, parce que le juif se définit par sa race, et qu'il n'est ni souhaitable ni possible de changer ses caractères ethniques : l'extermination totale est la seule solution [19]. » Ce n'était évidemment pas le cas avec l'antijudaïsme. C'était même le contraire. Loin de réclamer ou d'envisager l'élimination des juifs rétifs à la conversion, la théologie catholique ne cessera de réclamer, paradoxalement, leur protection. Pourquoi ? Parce que, même non convertis, ils demeurent les témoins essentiels, attestant de la vérité du message vétéro-testamentaire.

C'est ce qu'affirmait saint Augustin lorsqu'il écrivait : « Et s'il arrive que quelque païen élève des doutes, quand nous lui aurons dit ces prophéties et s'il est tenté de les mettre à notre compte, les livres des juifs sont là pour fournir la preuve de l'antique prédication. Ainsi nos ennemis nous servent à confondre d'autres ennemis » (Commentaire du psaume XVIII, 22). Le même Augustin inventera une formule qui sera constamment reprise, assurant que le juif est « une espèce d'archiviste des chrétiens » (*Contre Faustus*, livre XII, chap. 23). Il usera dans un autre texte d'une image tout aussi parlante : « Semblables aux bornes en pierre placées sur la route, [les juifs] renseignent le voyageur, mais eux demeurent cloués et immobiles (Sermon 199, N 2). Commentant cette position d'Augustin, Marcel Simon écrit : « Si les juifs continuent à s'attacher à leur loi, partiellement et de façon toute charnelle, cela aussi a valeur de signe et de témoignage. Ainsi, non seulement

---

19. Marcel Simon, *Verus Israël*, *op. cit.*

l'apologétique chrétienne s'accommode de leur persistance, mais elle l'exige [20]. »

Des siècles plus tard, un Pascal, pour ne citer que lui, reprendra à son compte cette théologie paradoxale, qui condamne les juifs tout en réclamant, en même temps, leur protection. « Étant nécessaire pour la preuve de Jésus-Christ, que [le peuple juif] subsiste pour le prouver et qu'il soit misérable puisqu'il l'a crucifié. »

Cet antijudaïsme chrétien fut d'ailleurs moins monolithique et systématique qu'on ne le croit d'ordinaire. Jules Isaac est le premier à noter qu'il « n'y a pas *une* tradition dans la politique de la papauté à l'égard des juifs mais bien *deux* [21] ». Certains papes et certains rois catholiques s'érigèrent en protecteurs des juifs. Les exemples les plus couramment cités sont celui du roi Théodoric (493-526), qui assurait que « personne ne devait être forcé à croire malgré lui » ; celui du pape Grégoire le Grand (590-604), qui condamna les baptêmes forcés ; celui de Rémy d'Auxerre, maître de l'École épiscopale de Reims et proche de Clovis, qui – rejetant déjà la thèse du « peuple déicide » – insistait sur la responsabilité de « tous les pécheurs » dans la crucifixion. De la même façon, certaines longues périodes de l'Histoire furent à peu près indemnes de toute persécution à l'égard des juifs. Il en alla ainsi du règne carolingien, des VIIIe et IXe siècles. Ces périodes de relative bienveillance à l'égard des juifs étaient d'ailleurs en accord, faut-il le rappeler, avec certains textes évangéliques comme la fameuse *Épître de saint Paul aux Romains* dont trois chapitres sont consacrés aux juifs [22],

---

20. *Ibid.*
21. Jules Isaac, *Genèse de l'antisémitisme*, *op. cit.*
22. Voir le plaidoyer passionné de Jacques Ellul en faveur de cette épître de saint Paul, *Ce Dieu injuste ? Théologie chrétienne pour le peuple d'Israël*, Arléa, 1991.

ou la fameuse phrase de saint Jean : « Le salut vient des juifs. » Deux textes fondamentaux qui furent trop souvent oubliés par l'Église.

Comme on le sait, en effet, il arrivera, à plusieurs reprises dans l'histoire chrétienne, que la « condamnation » des juifs l'emporte dramatiquement sur la « protection ». Et cela jusqu'au crime. Les pogroms ayant accompagné la Première Croisade, en 1096, et dont les communautés juives de la vallée du Rhin firent les frais [23], l'expulsion des juifs de Castille par Isabelle la Catholique (1451-1504) en constituent deux exemples funestes. Mais, plus fondamentalement, cette « culture du mépris » installera aux tréfonds de la conscience catholique une hostilité originelle à l'égard des juifs, matrice des haines et des rejets ultérieurs, qui justifie amplement les repentances d'aujourd'hui.

L'antisémitisme païen

La pleine reconnaissance du rôle joué par l'antijudaïsme chrétien, la quasi-refondation du christianisme à partir de cette repentance ne suffisent pourtant pas à prémunir nos sociétés contre un retour éventuel de l'antisémitisme. Il faut, à ce stade, dissiper un immense et durable malentendu. Quand on insiste, avec les meilleures intentions du monde, sur ces repentances catholiques, l'erreur la plus courante consiste à *minimiser dangereusement la présence et la très ancienne virulence d'un autre antisémitisme, résolument païen celui-là*. Certains vont même jusqu'à ignorer ou à nier l'existence de cet antisémitisme préchrétien, ce qui est

---

23. Voir Jean-Claude Guillebaud, *La Route des croisades*, Arléa, 1993 ; Seuil, coll. « Points », 1995.

absurde. L'origine de celui-ci est bien antérieure à la naissance du christianisme ; son rôle historique et son influence contemporaine n'en furent pas moins désastreux puisqu'il inspira – directement cette fois – l'antisémitisme racial exterminateur du XIXe siècle, et particulièrement celui de l'Allemagne hitlérienne. S'en tenir à une dénonciation mécanique de l'antijudaïsme chrétien, méconnaître l'enracinement païen de l'antisémitisme originel, c'est s'interdire de comprendre quoi que ce soit à la situation contemporaine. Pire encore, c'est courir le risque d'être littéralement désarmé face aux nouvelles barbaries.

Cet antisémitisme païen, toute la question est de savoir comment évaluer son importance. Un désaccord opposait à ce sujet (courtoisement, car les deux hommes s'estimaient beaucoup) Jules Isaac et Marcel Simon. Ce dernier reprochait au premier de minimiser le poids de cet antisémitisme païen dans sa volonté de dénoncer principalement la « culture du mépris » propagée par l'Église catholique. Jules Isaac, il est vrai, craignait que l'insistance mise à évoquer cette haine païenne ne conduisît à excuser ou à minimiser l'antijudaïsme chrétien. Une chose est sûre : le mépris des juifs, leur persécution violente, les rhétoriques articulant contre eux des accusations ignominieuses sont attestés bien avant notre ère.

L'exemple le plus souvent cité est celui du grammairien gréco-égyptien du Ier siècle de notre ère, Apion, dont l'antisémitisme nous est surtout connu par la réfutation qu'en fit l'historien juif Flavius Josèphe dans son fameux traité *Contre Apion*. Vaniteux, irascible, haineux à l'égard des juifs, Apion est l'auteur d'une compilation d'essais historiques sur l'Égypte ancienne – les *Ægyptiaca* – dans laquelle il énumère complaisamment toutes les prétendues tares affectant les « judéens ».

Dans le IIIe livre de cette compilation, Apion « a rassemblé minutieusement, laborieusement, toutes sortes d'accusations déjà lancées contre Israël, y ajoutant quelques nouveautés de son cru. Peut-être aussi avait-il composé un pamphlet spécialement dirigé contre les juifs d'Alexandrie [24] ». Ces calomnies serviront de base à tous les discours antisémites ultérieurs. Pour Apion, les Hébreux seraient, à l'origine, des Égyptiens misérables, affligés de toutes les tares physiques et mentales ; des lépreux, des aveugles et des boiteux qui auraient été expulsés d'Égypte la première année de la VIIe Olympiade. Il s'agirait d'une espèce de cour des miracles dont le Pharaon se serait débarrassé, à la manière des despotes modernes expulsant les miséreux du centre des villes.

Il assure que l'origine du Sabbat, qui est au cœur de leur religion, est directement rattachée à cet Exode forcé : « Après six jours de marche, écrit-il, ils furent atteints de tumeurs à l'aine ; pour cette raison ils se reposèrent le septième jour, une fois arrivés dans leur pays auquel on donne aujourd'hui le nom de Judée, et ils appelèrent ce jour *sabbat*, conservant le terme égyptien : car, chez les Égyptiens, le mal d'aine se dit "sabbô" [25]. »

A ces descriptions extravagantes, Apion ajoute des reproches et accusations qui nourriront, tout au long de l'Histoire, les fantasmes antisémites les plus ordinaires. Les juifs sont ainsi présentés comme des misanthropes qui « jurent de ne vouloir de bien à aucun étranger, et surtout pas aux Grecs ». Apion les accuse de pratiquer un culte barbare en adorant une tête d'âne. Plus significativement encore, il assure que les juifs pratiquent le

---

24. Jules Isaac, *Genèse de l'antisémitisme*, *op. cit.*
25. Flavius Josèphe, *Contre Apion* (II,2,21) ; cité par Jules Isaac, *Genèse de l'antisémitisme*, *op. cit.*

meurtre rituel, en choisissant toujours pour victime un étranger, grec de préférence. Or, comme on le sait, cette accusation fantasmatique sera reprise tout au long de l'Histoire, y compris dans le fameux *Protocole des Sages de Sion*, faux antisémite fabriqué par la police tsariste du XIXe siècle. A ce titre, Jules Isaac a raison de présenter le païen Apion comme l'un des premiers théoriciens de l'antisémitisme.

Mais Apion ne fut pas le seul. Tacite, le grand historien romain, proconsul d'Asie (55-120), reprit à son compte et reformula la plupart des calomnies antisémites païennes. Qu'il s'agisse de l'origine infamante, de l'abomination religieuse, de la misanthropie, de « l'hostilité et la haine qu'ils témoignent au reste des hommes », toutes ces descriptions injurieuses figurent au livre V des *Histoires* de Tacite. Pour désigner les juifs en général, ce dernier n'hésite pas à parler de « cette infecte population ». Tacite prétend expliquer leurs interdits alimentaires concernant la viande de porc « par le souvenir de la lèpre qui les souilla jadis et à laquelle cet animal est sujet ». Il développe les accusations de lubricité et de débauche qui, elles aussi, feront partie de l'imaginaire antisémite moderne. « Très portés à la débauche, écrit-il, ils [les juifs] s'abstiennent de toutes relations avec des étrangères, entre eux tout est permis. »

Analysant cet antisémitisme païen, Marcel Simon croit déceler son origine dans la croyance monothéiste elle-même et dans la « vertu isolante » de la Loi. « Enserrant la vie quotidienne des juifs dans le réseau des observances, la Loi les place en marge de la société, hors de la règle commune, comme un groupement solidaire dans tous ses membres dispersés, totalement irréductible, exclusif, ennemi du genre humain. De ce grief fondamental, d'autres sont nés. Du fait qu'ils vivent à l'écart [...] ils prêtent le flanc à toutes les accusations que la malignité des foules formule à l'égard des sociétés fermées [26]. »

Tous les futurs discours antijuifs, en tout cas, sont contenus dans cette haine originelle. Or non seulement elle est (par définition) sans aucun rapport avec le christianisme, mais les antisémites païens, à partir du Ier siècle, feront peser ce même opprobre sur les juifs *et* les chrétiens. En cela, ils préfigurent plus exactement encore l'hostilité contemporaine à l'endroit du judéo-christianisme. Dans ses *Annales*, Tacite évoque les premiers chrétiens dans des termes à peu près identiques à ceux qu'il utilise pour parler des juifs : « Des hommes détestés pour leurs infamies, que le vulgaire appelait chrétiens. [...] L'exécrable superstition faisait irruption non seulement en Judée où cette peste avait pris naissance, mais dans Rome où tout ce que l'univers produit d'atrocités et d'abominations afflue et trouve des adeptes. »

On aurait tort de penser que cet antisémitisme païen fut seulement théorique. Il coïncida avec des violences dont l'ampleur est parfois gravement sous-estimée. La plus ancienne persécution antijuive que l'on connaisse date de l'année 168 avant notre ère. Elle fut le fait d'un roi grec de la dynastie séleucide, Antiochos IV Épiphane, qui, au retour d'une campagne d'Égypte, entra en Judée comme en pays conquis et s'attaqua au temple de Jérusalem, qu'il rasa, ainsi que les murailles de la ville. Proscrivant la religion d'Israël, il obligea les juifs à se prosterner devant les idoles grecques et fit élever, au lieu et place du temple, un autel sacrificiel consacré à Zeus. Cet épisode, qui déclencha la pre-

---

26. Marcel Simon, *Verus Israël, op. cit.*

mière révolte juive, est appelé « l'abomination de la désolation » par l'auteur, contemporain, du *Livre de Daniel*.

Par la suite, plusieurs guerres antijuives furent menées par les empereurs romains Vespasien (70), Trajan (117) et Hadrien (135). Certes, le contenu spécifiquement antijuif de ces campagnes de pacification menées contre un petit peuple rebelle prête à discussion. Il ne fait pourtant guère de doute. Ces guerres dites de pacification s'accompagnent d'ailleurs d'une répression incroyablement meurtrière. Au sujet de la campagne de 70, Flavius Josèphe cite le chiffre ahurissant d'un million cent dix mille morts et quatre-vingt-dix-sept mille prisonniers (*Guerre de Judée*, VI, 9). Pour ce qui concerne la campagne de 135, l'historien grec Dion Cassius (155-235), auteur d'une *Histoire romaine*, parle de cinq cent mille tués. Ces chiffres – qui doivent être cependant considérés avec circonspection – sont énormes si on les rapporte à la population juive, évaluée à cinq ou sept millions de personnes, soit sept pour cent de la population totale de l'Empire romain.

Les victimes de ces pogroms avant la lettre ne sont d'ailleurs pas toutes à Jérusalem. Évoquant la guerre juive de 117, Marcel Simon, à qui j'emprunte ces évaluations, note que la diaspora est touchée elle aussi : « La guerre d'extermination menée par Trajan, écrit-il, a fait des ravages terribles dans les juiveries d'Égypte, de Chypre, de Cyrène [27]. » Quant à Jules Isaac, il écrit : « Jamais peut-être, avant les atrocités sans nom du IIIᵉ Reich, qui sont d'hier, le peuple juif n'a subi de telles saignées que durant les trente années qui se sont écoulées de la mort de Tibère à celle d'Hadrien [28]. »

---

27. *Ibid.*
28. Jules Isaac, *Genèse de l'antisémitisme*, *op. cit.*

D'étranges libres-penseurs

Que voulons-nous montrer avec ces différents rappels ? Une chose capitale : l'antisémitisme surgi en Occident au XIXᵉ siècle fut, sans aucun doute, largement favorisé par l'existence d'un terreau spécifique, cette « culture du mépris » développée pendant des siècles par la théologie catholique. Mais il plonge ses racines et sa thématique ailleurs. Il s'abreuve à des sources beaucoup plus anciennes et qui, aujourd'hui, ne sont pas taries. On ne peut prétendre l'éradiquer en se bornant à condamner les « errements catholiques ». « Il faut bien se garder de confondre, avertissait déjà Hannah Arendt après la Seconde Guerre mondiale, l'antisémitisme, idéologie laïque du XIXᵉ siècle, mais qui n'apparaît sous ce nom qu'après 1870, et la haine du juif, d'origine religieuse, inspirée par l'hostilité réciproque de deux fois antagonistes. » Elle qualifiait de « fallacieuse » l'idée communément répandue selon laquelle l'antisémitisme moderne ne serait qu'une version laïcisée de superstitions médiévales [29].

En réalité, c'est bien avec un très ancien discours païen que renoue cet antisémitisme laïc, parfois de gauche, du XIXᵉ et du début du XXᵉ siècle. Celui de Karl Marx est le plus révélateur, mais il n'est pas le seul. « Quel est le fond profane du judaïsme ? demande ce dernier. L'argent […]. Les juifs se sont émancipés dans la mesure même où les chrétiens sont devenus juifs […]. Le Dieu des juifs s'est sécularisé et est devenu le dieu mondial. Le change, voilà le vrai dieu du juif [30]. » A côté de cet

---

29. Hannah Arendt, *Les Origines du totalitarisme. Sur l'antisémitisme*, Seuil, coll. « Points Essais », 1984.
30. Karl Marx, *La Question juive*, trad. Jean-Michel Palmier, UGE, coll. « 10/18 », 1975.

antisémitisme, qui voit dans le juif émancipé depuis le concordat napoléonien de 1801 le symbole de l'exploitation capitaliste et bourgeoise, se développe toute une culture antisémite athée, de gauche et d'extrême gauche, que des historiens comme Zeev Sternhel [31], Léon Poliakov ou Pascal Ory ont analysée. *Non seulement elle ne doit rien au christianisme mais, le plus souvent, elle est autant antichrétienne qu'antijuive.* L'œuvre antichrétienne d'un Holbach et celle d'un Voltaire, rappelons-le, ne sont pas indemnes de notations antisémites.

Dès le milieu du XIXe siècle, en tout cas, des textes paraissent qui invoquent explicitement la tradition païenne pour l'opposer au judéo-christianisme. Ils reprochent essentiellement au judaïsme – comme le fera Hitler – *d'avoir enfanté le christianisme.* A la rédaction de *La Libre Pensée,* on trouve des athées résolus et militants. Qu'écrivent donc certains d'entre eux ? « Jésus est un juif, un Sémite ; les Sémites sont une race inférieure, un ensemble de peuples superstitieux qui ont imaginé des religions barbares, sanguinaires, oppressives, tandis que les Aryens, race vraiment apte à la civilisation, nous ont donné les belles et souriantes créations du génie grec [32]. » Un publiciste athée comme Eugène Gellion-Danglar, grand admirateur de Gambetta – et de Voltaire –, publie une longue enquête écrite sur le même ton et intitulée *Du sémitisme.* Un autre laïc militant, lui aussi gambettiste, Albert Regnard, se refuse à « accoupler la horde juive et la Grèce antique » et à consentir à cette « inoculation du monothéisme [33] ».

---

31. Zeev Sternhell, *La Droite révolutionnaire*, Gallimard, 1997 (1re éd. : Seuil, 1978).

32. Article de *La Libre Pensée*, daté de 1866 ; cité par Marc Crapez, *La Gauche réactionnaire. Mythe de la plèbe et de la race*, préface de Pierre-André Taguieff, Berg International, 1996.

33. *Ibid.*

En septembre 1889, au premier Congrès international de la Libre Pensée, le même Albert Regnard soulèvera les applaudissements des participants en exposant que la « race sémitique aboutit au monothéisme et la race aryenne au polythéisme ». Invoquant sans cesse Voltaire, dont il est un fervent admirateur, il n'hésitera pas à écrire : « [Voltaire] qui a démoli la Bible et sapé l'Évangile [est] le premier des antisémites conséquents. »

Le même antisémitisme, allié à un athéisme de combat, est repérable chez un Jules Soury, qui fut l'une des figures les plus en vue des cercles laïcs du XIXᵉ siècle. « A Rome, écrivait-il, la horde fantastique des juifs grouillait », avant d'ajouter : « Le vieux livre hébreu est l'ennemi le plus implacable de notre race et de notre civilisation. » Quant à Lucien Pemjean, auteur de *La Revanche de la raison* (1880), il passera du blanquisme ultra-révolutionnaire et athée à l'antisémitisme obsessionnel. Avant de terminer sa carrière dans la presse vichyste, Pemjean publiera, en 1934, un pamphlet à l'intitulé explicite : *Vers l'invasion, la mafia judéo-maçonnique.*

On pourrait citer quantité d'autres exemples illustrant la virulence, au XIXᵉ siècle, d'un antisémitisme athée qui, enjambant dix-neuf siècles de christianisme, s'efforce de rapatrier dans la culture contemporaine les vieux fantasmes et les calomnies du paganisme antisémite de l'Antiquité. Cet enracinement est quelquefois revendiqué explicitement. Hommage rétrospectif à l'empereur Julien l'Apostat, qui tenta de « restaurer dans son ancienne splendeur la religion païenne », éloge de l'hellénisme inégalitaire dont « la chute a entraîné celle de la civilisation tout entière », etc. « Il aurait été très heureux, écrira Eugène Gellion-Danglar, que les nations aryennes, qu'on appelle vulgairement les barbares du Vᵉ siècle, échappassent au sémitisme nazaréen et régénérassent l'Occident par la seule et haute vertu de leur sang[34]. »

Point besoin d'une grande sagacité pour reconnaître ici le vocabulaire, les obsessions, les nostalgies et les thèmes païens que les théoriciens nazis porteront jusqu'à l'incandescence exterminatrice et avec lesquels un Julius Évola se compromet sans cesse[35]. Les responsables catholiques d'aujourd'hui, qu'il s'agisse de l'épiscopat ou du pape lui-même, sont donc dans la vérité lorsque, tout en réclamant le pardon pour les responsabilités historiques de l'antijudaïsme chrétien, ils ajoutent que l'antisémitisme hitlérien *procédait d'une vision du monde résolument étrangère au christianisme*. C'est ce que rappelait la longue déclaration du Vatican sur la Shoah faite en mars 1998 : « La Shoah, y est-il écrit, était le fruit d'un régime moderne tout à fait néopaganiste. Son antisémitisme a ses racines en dehors du christianisme, et en poursuivant ses objectifs il n'hésita pas à s'opposer à l'Église et à persécuter également ses membres[36]. »

Les réticences ou les déceptions qui se manifestèrent ici et là du côté juif au sujet de cette déclaration tiennent à deux raisons essentielles. D'une part, on a jugé trop modérés les termes utilisés par le Vatican pour condamner l'antijudaïsme chrétien comme « terreau » de l'antisémitisme ; d'autre part, les juifs auraient voulu voir stigmatiser plus nettement les silences de Pie XII face au nazisme. Notons que, sur cette question précise,

---

34. Eugène Gellion-Danglar, *Les Sémites* ; cité par Marc Crapez, *La Gauche réactionnaire, op. cit.*

35. Voir, plus haut, chap. 9.

36. Document de la Commission romaine pour les relations avec les juifs. Traduction non officielle par le secrétariat de l'épiscopat français pour les relations avec le judaïsme. Trad. publiée dans *Le Monde*, 18 mars 1998.

un historien comme Émile Poulat, professeur à l'École des hautes études en sciences sociales, fait preuve d'une grande prudence. « C'est un débat biaisé de tous les côtés à cause de son caractère passionnel. Pie XII a fait beaucoup plus qu'on ne le croit malgré son silence public. Il faudrait que le débat s'ouvre mais sans aucune hypocrisie, en se rappelant le terrible silence de l'Occident, chrétien ou non, face à l'extermination des juifs d'Europe [37]. » Ce débat aura forcément lieu lorsque toutes les archives seront accessibles.

Reste que, au-delà de ces critiques ponctuelles, et pour ce qui concerne le fond même de l'interprétation de l'antisémitisme par le Vatican, il est difficile de contester le sens et l'importance de la déclaration de 1998. Un an auparavant, Jean-Marie Lustiger, archevêque de Paris, avait d'ailleurs prononcé de fortes paroles qui méritent d'être rapportées ici : « La Shoah, déclarait-il en 1997, vise singulièrement dans le peuple juif le porteur de la Parole divine, de la Loi, des Commandements dans ce qu'ils ont d'irrécusable pour les cultures juives et chrétiennes, qui tiennent l'obligation de les observer. Sur ce fond culturel, le nazisme se présente comme un reniement, comme une négation des Commandements. [...] La révélation du Sinaï éclaire le trésor éthique commun à toute l'humanité. C'est pourquoi l'extermination du témoin de l'Unique est, à ce titre aussi, un crime contre l'humanité [38]. »

Ajoutons que les responsables juifs sont les premiers à reconnaître que, en cette matière, l'épiscopat français est déjà allé plus loin que le Vatican. « L'épiscopat

---

37. Interview publiée par *Libération*, 18 mars 1998.
38. Jean-Marie Lustiger : éloge de Saul Friedländer, reçu comme docteur *honoris causa* à l'université allemande de Witten, le 8 juillet 1997. Texte repris dans *Études*, janvier 1998.

français, auquel je tiens à rendre hommage, notait le rabbin Josy Eisenberg, a été et est encore aujourd'hui tout à fait en pointe, entre autres pour certaines déclarations concernant les juifs. [...] Sur tous ces points, les évêques français donnent l'exemple au monde [39]. »

Face à la crise

Repentance ? Réconciliation ? Retrouvailles ? Le dialogue est incontestablement renoué, et certains voudraient aller plus loin en suggérant de fusionner quasiment les deux religions ! D'autres voudraient au moins que l'Église retrouve son identité juive et la langue hébraïque. Ce fut le cas d'une des grandes figures du dialogue judéo-chrétien, disparu le 30 juillet 1998 à Haïfa : le père Daniel Oswald Rufeisen, juif polonais converti au christianisme, devenu religieux carme, puis installé en Israël (non sans difficulté) à partir de 1959. « L'émergence d'un judaïsme chrétien ou d'un christianisme juif, déclarait-il, reste une espérance. » Si le concept de judéo-christianisme retrouve aujourd'hui un tel sens, s'il tend à s'ouvrir à la troisième religion abrahamanique, l'islam, ce n'est pas seulement parce que juifs et chrétiens affrontent les mêmes « ennemis », c'est aussi parce qu'ils vivent intensément la même crise et sont confrontés aux turbulences de la modernité. Pour être moins souvent évoquée que celle du catholicisme, la crise du judaïsme n'en est pas moins aussi profonde. Le philosophe Stéphane Mosès, traducteur et commentateur de Franz Rosenzweig, note que le judaïsme de cette fin de siècle est miné par trois frac-

---

39. Josy Eisenberg, *Bulletin de l'association Fraternité d'Abraham*, n° 98, avril 1998.

tures qui menacent dangereusement son identité : « La première est celle qui sépare la minorité des juifs croyants et pratiquants de la majorité laïque, agnostique ou indifférente. La deuxième oppose un noyau dur désireux de préserver l'identité juive sous une forme ou sous une autre (pas nécessairement religieuse) à la grande masse des juifs entraînés, consciemment ou non, dans le vaste mouvement d'assimilation au monde ambiant. La troisième est celle qui différencie l'État d'Israël de la diaspora [40]. »

Hormis la dernière – le problème de l'État d'Israël est en effet spécifique –, ces fractures sont assez comparables à celles qui minent le christianisme. Elles placent l'une et l'autre religions devant un même défi : comment accompagner la modernité sans s'y dissoudre ? Comment continuer à « fonder » celle-ci, mais sans complaisance ni nostalgie ? Comment changer sans se renier ? Le judaïsme, lui aussi, se voit conduit à « reprendre à nouveaux frais toute l'histoire de sa tradition [41] » en acceptant de confronter celle-ci à un monde transformé. Pauline Bèbe, première femme rabbin en France, et qui appartient au mouvement juif libéral, définit bien ce défi lorsqu'elle écrit : « Le judaïsme doit se soumettre à une morale universelle, quitte à être modifié. Tout système religieux qui ne met pas en pratique des notions de tolérance ou de morale universelle doit être transformé [42]. »

La relecture de sa propre tradition afin de la réinventer s'impose donc de la même façon aux juifs et aux

40. Stéphane Mosès, « Le judaïsme est-il menacé ? », in *L'Occident en quête de sens*, *op. cit.*

41. J'emprunte cette formulation à Jean Mouttapa, *Dieu et la Révolution du dialogue*, *op. cit.*

42. Pauline Bèbe, « Sous la coupole des cieux », in *La Tolérance. Pour un humanisme hérétique*, *op. cit.*

chrétiens. A l'appui de son point de vue, Pauline Bèbe cite certains aménagements du rituel juif qui lui paraissent indispensables. Les passages où Dieu demande aux juifs de détruire Amalec et tous les siens (I Samuel 15) sont à ses yeux « injustifiables ». De la même façon, un verset cité chaque année à la Pâque a été supprimé du rituel libéral : « Verse ta colère sur les peuples qui t'ont offensé » (Jérémie 18,20). Mais, pour les juifs comme pour les chrétiens, cette « relecture » n'est pas aussi aisée que le croient parfois les réformateurs. Réalisée sans discernement, elle fait courir au judaïsme le risque de perdre « ses atouts les plus essentiels, son historicité, son lien social, la puissance de la révélation, du fait de la relativisation moderniste des vérités [43] ».

Cette revisitation attentive et critique du judaïsme ne date d'ailleurs pas d'hier. Après la dernière guerre mondiale et l'horreur de la Shoah, la perte de confiance dans la modernité avait conduit certains intellectuels juifs à une tentative de ressourcement dans la tradition talmudique ou biblique. Ce fut tout le mérite de ce qu'on a appelé « l'école d'Orsay », fondée pendant la Résistance dans la mouvance des Éclaireurs israélites de France, et qui compta dans ses rangs des personnalités comme Emmanuel Levinas, André Néher, Léon Askenazi, Éliane Amado... Il s'agissait pour eux de soumettre la modernité à un examen critique, tout en réévaluant dans une même perspective l'héritage juif. La démarche fut féconde. « Une pensée juive renaissait ; fidèle au judaïsme et au fait des enjeux modernes, elle faisait entendre sa voix dans la modernité [44]... » Ce n'est pas par hasard que ces réflexions d'après guerre – tout comme celles de Hannah Arendt – exercèrent

43. Shmuel Trigano, *Un exil sans retour ?*, *op. cit.*
44. *Ibid.*

et exercent toujours aujourd'hui une influence qui dépasse largement le cadre du judaïsme.

Du côté chrétien, les réinterprétations/réappropriations de la tradition sont aussi actives que nécessaires, comme en témoignent les querelles récurrentes sur les nouvelles traductions de la Bible. Il est de fait que nul ne lit plus la Bible comme on pouvait le faire il y a seulement un demi-siècle. Citons, par exemple, la réévaluation des paroles de Jésus (Mt 5,17) selon laquelle il n'est pas venu abolir la Torah, mais l'accomplir. Citons aussi le réexamen du passage de l'Évangile concernant « l'amour des ennemis » (Mt 5,43), passage qui fut longtemps opposé au caractère prétendument sectaire de la loi juive. D'une façon générale, la redécouverte par les chrétiens de la part juive – ou « source juive » – de leur foi leur ouvre de nouvelles perspectives de dialogue. Elle leur donne accès à une richesse d'interprétations qu'ils ne soupçonnaient pas. D'où l'extraordinaire mouvement d'intérêt pour le judaïsme animant certains cercles catholiques. « Reprendre à nouveaux frais toute l'histoire de leur tradition, tel sera pour les chrétiens, à terme, le fruit de leur dialogue avec le judaïsme. Et c'est bien, inconsciemment, pour éviter un tel vertige qu'ils se sont si longtemps refusés à cette confrontation[45]. »

Ces ressourcements, ces relectures critiques, ces retrouvailles sont en tout cas à l'opposé de la religiosité bavarde, confuse ou ésotérique qui occupe bruyamment l'espace public, tournebsoule les médias et abuse les foules. Ils sont le contraire de cette effervescence brouillonne qui mélange les spiritualités à la mode, s'enivre de n'importe quel exotisme spirituel et, sans le savoir, refabrique du « sacré » au sens archaïque du

---

45. Jean Mouttapa, *Dieu et la Révolution du dialogue, op. cit.*

terme. Dénonçant ce barnum sacrificiel, un théologien exprimait magnifiquement ce que pouvait être la solitude paradoxale et les exigences du chrétien confronté à ce prétendu « retour du religieux » : « Curieuse solitude, en effet, que celle du chrétien de ce siècle finissant, qui, parce qu'il est l'adepte d'une religion qui est principalement Évangile et porte en elle la critique de toute religion, se découvre irréligieux parmi les siens [46]. » Bien des intellectuels juifs ou musulmans pourraient signer les mêmes lignes.

De nouvelles Lumières ?

Un nouveau dialogue judéo-chrétien, critique, exigeant, est aujourd'hui réamorcé, loin des tapages. Il s'ouvre chaque jour davantage à l'islam. Ses rapports avec la modernité ne participent ni du rejet obscurantiste, ni, surtout, du parti d'évasion mystique ou ésotérique. C'est de *refondation* qu'il s'agit. A ce titre, de telles retrouvailles constituent la meilleure des garanties contre un « retour du sacré », phénomène émotif et réactif, qui est toujours porteur – pour les chrétiens, comme pour les juifs ou les musulmans – d'intolérance. Mais il n'est pas interdit d'attendre plus encore de ce dialogue patiemment renoué.

Après tout, la précédente rencontre entre juifs et chrétiens avait eu lieu entre le XVIIIe et le XIXe siècle, dans le prolongement des Lumières européennes. La philosophie des Lumières permettant l'émancipation et l'assimilation des juifs avait alors rendu possible une relecture de la Bible qui, gommant les différences, rap-

---

46. Robert Scholtus, « D'une curieuse solitude des chrétiens », in *Christus*, *op. cit.*

prochait juifs et chrétiens. Paradoxalement, cette prise de distance à l'égard de la « tradition » au sens clos du terme, cette relative désacralisation du texte biblique amorcée, du côté juif, par Spinoza permettaient qu'il redevînt *commun*. « Entre le XVIIIᵉ et le XXᵉ siècle, on a eu l'impression que les juifs et les chrétiens européens en Europe occidentale créaient ensemble une culture commune – une culture "judéo-chrétienne"[47]. » Dans la postérité de Spinoza, certains noms incarnent assez bien, du côté juif, cette première tentative « moderniste » : Moses Mendelssohn, Zachariah Frankel, Solomon Schechter, Hermann Cohen et, plus près de nous, Martin Buber, Franz Rosenzweig, Gershom Scholem et quelques autres.

Ce judéo-christianisme « dialogique », issu des Lumières, s'était montré capable d'intégrer les apports de la modernité. Cela n'alla pas sans mal ni résistance, aussi bien du côté chrétien que du côté juif. On a déjà évoqué dans ce livre la tradition contre-révolutionnaire catholique sur laquelle il n'est pas nécessaire de revenir. Rappelons que le judaïsme connut, en son sein, une « réaction » comparable. Certains juifs pratiquants récusèrent, en effet, l'émancipation individuelle et l'entrée dans le monde moderne. Cette évolution leur semblait dangereuse pour leur identité, et, sur certains points, ils n'avaient pas tort. En effet, ce n'était point la communauté juive qui se voyait émancipée par le concordat napoléonien, mais des individus isolés pour qui l'assimilation pouvait être vécue comme un déracinement. Nombreux furent d'ailleurs les juifs assimilés qui, à ce moment-là, s'éloignèrent de leur foi, jusqu'à faire alliance avec les tenants du rationalisme le plus

---

47. David M. Neuhaus, « L'idéologie judéo-chrétienne et le dialogue juifs-chrétiens », *op. cit.*

combatif, en faisant passer au premier plan leur volonté de s'intégrer définitivement à la nation [48].

La réaction des autres – ceux qui étaient plus attachés à leur tradition – fut analogue à celle des catholiques confrontés au principe de laïcité. Beaucoup refusèrent d'entériner les transformations introduites par les réformateurs dans les synagogues ou furent troublés par l'abandon de certaines prescriptions de la *Halakha*. Un homme, le rabbin Samson Raphaël Hirsch (1808-1888), incarna, en Allemagne, cette résistance traditionaliste. Dans ses *Dix-Neuf Épîtres sur le judaïsme* [49] (1836), il se déclarait « désolé de voir Israël se méconnaître et croire avoir acheté l'émancipation au prix d'un préjudice fait à la Torah et de l'abandon de l'âme de nos vies ». Or son influence redevient aujourd'hui assez forte dans les milieux juifs orthodoxes, et cela n'a rien d'étonnant. En réalité, le judaïsme moderniste, créatif et fécond des Lumières, butait néanmoins sur les mêmes difficultés que le protestantisme libéral ou le catholicisme républicain avec lesquels il dialoguait. De réforme en réforme, il risquait de réduire une religion vivante à un judaïsme abstrait, appauvri et sans racines. C'est donc avec un surcroît d'exigence et de prudence que les uns et les autres réapprennent à dialoguer tout en s'ouvrant sur le monde.

* *
*

Par bien des aspects, la situation du judéo-christianisme est aujourd'hui étrangement comparable à ce

---

48. J'emprunte cette notation à Philippe Portier, *Église et Politique en France au xxe siècle, op. cit.*
49. S. R. Hirsch, *Dix-Neuf Épîtres sur le judaïsme*, Cerf, 1987.

qu'elle était au moment des Lumières, alors que se dessinent peu à peu les contours d'une « modernité » différente, inouïe, engageant non plus seulement « l'Occident » mais la planète tout entière. Entre les risques
d'une régression barbare et les chances d'un nouvel âge
des Lumières, rien n'est joué. Cette indécision historique, cette possibilité toujours ouverte d'une refondation du monde dans son *humanité* renvoient le judéo-
christianisme à lui-même et à son histoire. Pourrait-
il se sentir indifférent à ce que, au bout du compte, il a
produit ?

Épilogue

La prochaine planète

> « L'ineptie est de vouloir conclure. »
>
> Gustave Flaubert [1].

On disait jadis : tel sera *sans doute* le prochain siècle ! Qui aujourd'hui oserait formuler une si audacieuse conjecture ? Le siècle ? Diable ! L'année prochaine, à la rigueur, ou le semestre à venir… La marche du monde s'est accélérée. Son cours s'accélère et, parfois même, s'affole. Le futur le plus immédiat fait dorénavant figure de mystère annoncé. Chaque lendemain est imprévisible. Nous avançons à marche forcée, mais la vue brouillée et la poitrine battante. Sous l'effet de changements aussi rapides, notre rapport au temps a été transformé de fond en comble et, pourrait-on dire, à ses deux extrémités. Si l'avenir n'est plus lisible au-delà du très court terme, la représentation du passé, elle aussi, a été raccourcie dans des proportions comparables. Six mois en arrière, c'est déjà « jadis ». Un an de distance, c'est « autrefois »…

Ce ne sont pas là des impressions éparses. En 1991, le magazine culturel new-yorkais *Spy* avait publié une

---

1. Lettre à Louis Bouillet du 4 septembre 1850.

longue étude consacrée à notre perception du passé. Il s'agissait de savoir quelle idée nous nous faisions du « bon vieux temps » et surtout à quelle époque nous choisissions de situer nos regrets. Après maintes analyses, agrémentées de courbes et graphiques, le journal en arrivait à une conclusion singulière. Notre disposition à la nostalgie devient sans cesse plus intense mais, statistiquement, le « bon vieux temps » n'en finit pas de se rapprocher. A mesure que l'avenir devient incertain, nous devenons davantage nostalgiques du passé, mais c'est un passé de plus en plus récent. A l'époque des Lumières, on idéalisait volontiers l'Antiquité gréco-romaine. Au XIXe siècle, c'était plutôt le Moyen Age féodal et courtois qu'on regrettait, mais on comptait encore en siècles. Entre les deux dernières guerres, on idéalisa les « années folles » du début du même siècle, à quelques dizaines d'années de distance. Hier encore, les années 60 incarnaient le bonheur enfui des enfants du *babyboom* qui se souvenaient des scooters, des robes en Vichy et des chansons des Beatles. Aujourd'hui, la décennie précédente – mettons les années 80 – est déjà perçue avec une tendresse mélancolique. A ce rythme, on invoquera bientôt l'avant-dernier semestre en y voyant un âge d'or disparu...

Ce prodigieux raccourcissement du passé replie le temps sur lui-même et le segmente en intervalles minuscules. Il n'a d'égal que l'imprévisibilité de l'avenir le plus proche. Ainsi nos vies, nos sociétés, nos représentations symboliques sont-elles installées sur des plaques tectoniques en mouvement perpétuel. La dévalorisation du futur et la crise du progrès ne sont pas seules en cause[2]. Le réel change si vite qu'il nous

---

2. Voir, plus haut, chap. 3.

paraît maintenant insaisissable. Le présent nous glisse entre les doigts comme une poignée d'eau, avant même que nous ayons pu l'explorer et le comprendre. Le savoir, parcellisé et complexifié, fluctue sans cesse. Notre connaissance des choses et du monde n'est plus qu'une suite de configurations circonstancielles, une succession de concrétions éphémères, un flux ininterrompu d'hypothèses vite balayées. Nos idées vieillissent en six mois. Nos ordinateurs sont périmés en un trimestre. Nos prévisions « politiques » survivent rarement à la session parlementaire en cours. Nous n'avons plus le temps de sentir sous nos pas « cet accord de la terre et du pied » dont parlait jadis Albert Camus. La terre tremble et le temps file. Seules les variations boursières expriment, à leur manière, cet angoissant sautillement temporel. Le CAC 40 évalue l'état du marché de minute en minute et prétend sonder les consciences au rythme des « opérations ». L'indice Dow Jones ne peut-il pas changer les perspectives mondiales en une demi-matinée ? Quant aux nouveaux rythmes de l'informatisation du monde, ils nous aident à saisir métaphoriquement la vraie nature du vertige.

Le rire des dieux

La fameuse « loi de Gordon-Moore », constamment vérifiée depuis un quart de siècle, montre par exemple que les progrès de cette technologie informatique permettent de doubler tous les dix-huit mois la densité des microprocesseurs, c'est-à-dire leur vitesse et leur puissance de calcul. « De 1956 à 1996, les disques durs des ordinateurs ont vu multipliées *par six cents leur capacité de stockage et par sept cent vingt mille la densité de l'information enregistrée*. En revanche, le coût du méga-octet passait pendant la même période de cinquante mille à deux francs[3]. » Si l'on en croit les experts, ce taux de croissance phénoménal des capacités informatiques, qui va de pair avec une réduction des coûts, se poursuivra sans doute bien au-delà de 2010 ou 2050. Il s'accompagne d'un progrès correspondant des « outils » de transmission, ces colporteurs de la cyber-révolution planétaire. Communication et stockage progressent ainsi à la même vitesse. Et ce n'est pas fini. La « fibre noire », à l'étude dans les laboratoires de recherches, est un canal optique aussi fin qu'un cheveu mais qui remplacera bientôt la fibre optique. Une seule d'entre elles pourra transmettre tous les messages téléphoniques d'une journée aux États-Unis, fût-elle la plus chargée. Un équipement minimal avec cette fibre *multiplierait par mille nos capacités de communication* à l'échelle du monde !

La croissance exponentielle de ces deux instruments induit des bouleversements considérables, dans presque tous les domaines de la vie : conservation des données et accès aux informations, manipulation des sons et des images, gestion de l'économie ou de la finance, usage de la mémoire, complexification des réseaux de toutes sortes, progrès de l'intelligence artificielle, rapport à la culture, au savoir, à la connaissance… « Quand le numérique fait communiquer et met en boucle rétroactive des processus physiques, biologiques, psychiques, économiques ou industriels auparavant étanches, chaque fois ses implications culturelles et sociales doivent être réévaluées[4]. » Nous n'en avons jamais fini avec ces « réévaluations » La rapidité du changement échappe

---

3. Pierre Lévy, *La Cyberculture*, Odile Jacob-Éd. du Conseil de l'Europe, 1997.
4. *Ibid*.

ainsi, non seulement à notre contrôle, mais à la simple capacité que nous avions d'en évaluer – même approximativement – la portée. Les « choses » cavalent maintenant très loin devant nous et devant nos idées. Nous courons derrière elles, penauds et abasourdis. Le réel échappe au pouvoir que nous avions de le *penser*. « Toute thèse, disait Sören Kierkegaard, s'offre au rire des dieux. » Nous sommes déjà bien au-delà de ce « rire » divin. Nous avons parfois l'impression que notre intelligence s'essouffle à vouloir capter une réalité sauvage qui se dérobe à mesure. Quant aux capacités de prévision et d'action du politique…

Cet emballement des machines et ce tourbillon des choses remplacent insensiblement toute intelligibilité des sociétés humaines et du monde par une nouvelle féerie, un « merveilleux » quotidiennement offert à notre imagination. A défaut de pouvoir penser le futur immédiat, nous le rêvons. Rêve ou cauchemar, c'est selon. De ce flou émergent des fantasmagories. Le syndrome de Jules Verne réapparaît en force, mais cette fois à la puissance mille ou dix mille. On nous annonce l'avènement prochain de l'« homme symbiotique », de la réalité virtuelle, du débarquement sur Mars ou du génome humain. On nous convie à nous ébattre sans plus attendre dans le cyberespace [5] ou à goûter aux bienfaits de la cyberculture. Certaines de ces promesses nous enflamment. D'autres nous remplissent d'effroi. « Des prothèses de plus en plus performantes remplacent les organes des sens ; des technographes envahis-

_____

5. Le mot « cyberespace » a été inventé en 1984 par le romancier William Gibson, auteur d'un récit de science-fiction, *Neuromancien* (trad. fr. « J'ai lu », 1988). Il désigne l'espace de communication ouvert par l'interconnexion planétaire des mémoires informatiques et des ordinateurs permettant d'y accéder.

sent, colonisent le corps lui-même, le motorisent. Des simulations électroniques sont substituées aux stimuli du monde tangible, procurent au corps des jouissances plus intenses que les facultés perceptives devenues non pertinentes [6]. »

Un discours futuriste, plus échevelé, plus lyrique que jamais, prolifère autour de nous. Il ruisselle de folles perspectives, de terreurs obscures et d'hypothèses extravagantes. Il hésite sans cesse entre l'annonce du paradis et celle de l'apocalypse. La technologie est son principal imaginaire. Il réinvente sans toujours en être conscient le prophétisme scientiste du XIXe siècle. Le salut viendra par l'Internet ! Le numérique sauvera le monde, ou l'engloutira. Pour qualifier ce déferlement ahurissant de messages, d'informations et de « signes », qui nous submerge chaque jour, un essayiste américain, Roy Ascott, parle de *deuxième déluge*. A la différence du premier, celui-là ne connaîtra ni répit ni décrue. Le choix de la métaphore est éclairant. Nous cherchons des yeux une arche de Noé.

Autre exemple : le *cyborg*, l'homme cybernétique, symbolise l'humanité de demain et remplace, au chapitre des représentations futuristes, l'« homme nouveau » des anciennes idéologies. Contraction des mots « cybernétique » et « organisme », le *cyborg* fut d'abord le titre d'un roman de Martin Caidin, publié en 1972, qui servit de base à une série télévisée américaine, *L'Homme qui valait trois milliards* [7]. Doté d'oreillettes et de microphones miniaturisés, équipé de lunettes avec écran à cristaux liquides et micro-caméras, relié au web en permanence et pouvant accéder, en temps quasi réel, à toute la connaissance et la mémoire humaines, le

---

6. André Gorz, *Misère du présent. Richesse du possible*, *op. cit.*
7. Martin Caidin, *Cyborg*, Denoël, 1975.

cyborg se meut tout à la fois dans le virtuel et le réel. Son corps a incorporé des « extensions » qui décuplent ses capacités physiques et mentales. Il est homme et machine. Il est pourvu à la fois du don d'ubiquité, de la science absolue, de la puissance cérébrale. Il pousse jusqu'à ses extrémités le mythe de la nouvelle frontière technologique, en mariant l'humanité et l'électronique à l'intérieur d'une créature hybride, munie de pouvoirs nouveaux. Il réactive la volonté de puissance en l'accomplissant *in concreto*. L'homme symbiotique, indéfiniment réparable et améliorable, avec ses microprocesseurs et ses gènes manipulés, devient cet enfant prodige, ce surhomme dont Zarathoustra lui-même n'osait rêver.

Cette émergence du cybermonde, ces complexités fractales et ces réalités en réseaux font naître un discours public et journalistique assez exalté, dont l'impatience se fait volontiers comminatoire. L'informatisation de la planète, la numérisation du social entraînent quantité d'injonctions culpabilisantes. On nous presse de nous « brancher ». On stigmatise tel ou tel « retard » de la France éternelle. La lenteur et la prudence sont assimilées à l'incivisme, pour ne pas dire au mal. Le « plouc » du prochain siècle sera celui qui n'aura pas encore transporté ses pénates sur le web. Malheur à qui refuse de se hâter ! Malheur au « ringard » ou au rêveur dépourvu de giga-octets !

La cyberculture au bout des doigts…

Prenons un exemple, celui du web. Les fantasmes et les délires dont l'Internet fait l'objet illustrent assez bien ce nouveau « progressisme scientiste » qui confond un instrument avec une culture, une information avec un savoir, une logorrhée avec une parole et un outil technologique avec un destin. Ces injonctions et ces fantasmes se montrent d'autant plus révélateurs qu'ils sont régulièrement repris par quantités de décideurs, ministres ou gouvernants prompts à nous faire prendre l'Internet pour l'avenir radieux. Depuis des années, sans retenue ni distance, on présente le cybermonde comme un eldorado de substitution, un territoire fabuleux que se disputent déjà les conquistadores du prochain siècle.

On compte accessoirement sur les produits dérivés de ces technologies (micro-informatique, téléphones portables, *Digital Video Disc*, etc.) pour réveiller la boulimie consumériste des sociétés occidentales, relancer la croissance et résorber le chômage européen. D'ores et déjà, le miroitement de ces nouveaux « marchés » a affolé la Bourse et fait naître une nouvelle génération de *golden boys* du *Net*, milliardaires instantanés et virtuoses du *software*. Un étrange délire s'est emparé des décideurs, pressés d'expliquer aux masses que la cybernétique tombe à point nommé pour les arracher aux pesanteurs du vieux monde. Courez, citoyens, le réel est derrière vous, avec ses lourdes matérialités et ses incarnations démodées ! Mythologie de remplacement, étourdissement de circonstance : tout cela produit depuis quelques années une immense clameur médiatique et politique. Elle n'est pas entièrement retombée.

On voudrait nous convaincre que l'irruption du cyberespace, du virtuel et du numérique périme d'un seul coup toutes nos représentations du monde, démonétise nos croyances et disqualifie nos certitudes. On annonce que l'humanité tout entière aborde à des rivages jamais connus auparavant, et prépare son atterrissage sur la prochaine planète. Du vieux réel et du passé faisons table rase. Partout s'affiche une forme d'ingénuité moderniste dont la candeur n'a pas d'équivalent.

Les véritables chercheurs ne sont pas les derniers à

ironiser sur ce qu'ils appellent la *cyberbéatitude*. Ils dénoncent cette fantasmagorie et cette prévalence, dans les médias, d'une sorte de religion ou de gnose technoscientifique. Ils s'inquiètent de ce mysticisme cybernétique presque aussi redoutable pour ce qui concerne le conditionnement des esprits que n'importe quelle démagogie sectaire. Ils en appellent au calme. « L'explosion des réseaux ouvre de nouvelles perspectives, concédait l'un d'eux en 1999, mais il est de plus en plus difficile de faire le tri entre le bluff, les concessions convenues à la modernité et ce qui va s'avérer décisif, fondateur. [...] Il faudrait que nous soyons capables de renouer avec une vision de la communauté, physique ou virtuelle, composée d'individus ayant conscience de partager un destin commun[8]. » Un autre énonce une évidence dont on s'étonne qu'elle ait pu être oubliée si longtemps : « Le bonheur individuel n'est pas plus au bout du clavier que la société de demain n'est au bout des réseaux[9]. » En d'autres termes, la « connexion » ne crée pas, magiquement, du lien social ou du sens. La belle affaire ! ...

Mieux vaut le savoir dès à présent : le prochain siècle sera sans aucun doute cybernétique, connecté et numérisé, mais il n'en affrontera pas moins les mêmes contradictions, les mêmes débats, les mêmes incomplétudes que celui qui s'achève. Non seulement nos débats et nos soucis ne sont pas « périmés », mais, à mesure que se dissipe le brouillard des bavardages, on voit réapparaître une à une toutes les questions fondatrices. Elles semblent resurgir de la brume et du bavardage qui

---

8. Pierre Bongiovani, codirecteur du CICV Pierre Shaeffer, *Libération*, 22 avril 1999.
9. Dominique Wolton, directeur du laboratoire « Communication » au CNRS, *Libération*, 2 avril 1999.

les enveloppaient, comme des personnages familiers qu'on avait perdus de vue. Elles sont sans doute reformulées dans des termes différents ; elles s'inscrivent quelquefois dans une perspective un peu changée, mais ce sont bien les mêmes.

La cyberculture, par exemple, avec ses pouvoirs d'extensions et d'échanges infinis, repose en termes nouveaux *la question de l'universel*. En apparence, tout est bouleversé par le triomphe du « réseau ». « Chaque connexion supplémentaire ajoute encore de l'hétérogène, de nouvelles sources d'information, de nouvelles lignes de fuite, si bien que le sens global est de moins en moins lisible, de plus en plus difficile à circonscrire, à clore, à maîtriser. Cet universel donne accès à une jouissance du mondial. Il nous fait participer plus intensément à l'humanité vivante, mais sans que cela soit contradictoire, au contraire, avec la multiplication des singularités et la montée du désordre [10]. » En réalité, le contenu de la question demeure en tout point le même. Certes, la *dimension* est virtuellement élargie à la planète entière ; certes, la multiplicité des points de vue accessibles ou exprimables est devenue extensible à l'infini. Il n'empêche que la problématique n'est pas fondamentalement différente : comment articuler le singulier et le général ? Comment inscrire la différence dans une totalité ? Comment faire du semblable – c'est-à-dire de l'humanité – avec du singulier ? On ne résout pas un problème de destination en changeant de véhicule. Aucun outil, fût-il cybernétique, ne fournit le sens et l'usage. Ni le « réseau » ni le numérique n'ont modifié les données de l'équation humaine. La prochaine planète ressemble à l'ancienne…

---

10. Pierre Lévy, *La Cyberculture*, *op. cit.*

De la même façon, la difficile conjugaison du « moi » et du « nous » se trouve possiblement enrichie par ce principe de connexion universelle. Elle n'est ni tranchée ni résolue pour autant. Elle est enrichie dans la mesure où la cyberculture rend plus praticable ce que ses défenseurs les plus acharnés appellent l'« intelligence collective », c'est-à-dire la possibilité de mettre *immédiatement* en synergie une infinité de talents, de savoirs, de perspicacités ou de créativités différentes. Et cela sans limitation de lieu, de langue, ni de distance ; sans même l'épaisseur encombrante de la matérialité. Idéalement, en effet, d'innombrables cybernautes peuvent concourir à la création d'une œuvre sans auteur dénommé – comme le fut la Bible ou les cathédrales –, mais dont la réalisation dépasse de beaucoup les capacités d'un seul. Ils disposent – ou disposeront à court terme – d'un accès possible *à la totalité des données humaines*, grâce à ce qu'on appelle la « déterritorialisation » du concept de bibliothèque. Celle-ci ouvrirait la voie à un type nouveau de relation à la connaissance, une forme inédite d'encyclopédisme, portées non plus par des « savants » au sens ancien du terme mais par des « collectivités humaines vivantes ».

Pour évoquer ces agglomérats de savoirs spontanés et évolutifs, les cybernautes les plus militants parlent d'*arbres de la connaissance* qui réunissent des intelligences multiples sous la forme d'une arborescence en évolution continuelle. Des arbres qui, en d'autres termes, poussent, grandissent et se ramifient. Ils citent également le cas de certaines villes, comme Amsterdam, qui ont créé sur le web une cité digitale complète, capable d'offrir – gratuitement – tous les services d'une ville normale.

Cette possibilité nouvelle enflamme un utopiste de l'Internet comme Pierre Lévy, à qui j'emprunte ces exemples : « Je suis profondément convaincu, écrit-il, que permettre aux êtres humains de conjuguer leurs imaginations et leurs intelligences au service du développement et de l'émancipation des personnes est le meilleur usage possible des technologies numériques. Le projet de l'intelligence collective est, en gros, celui des premiers concepteurs et défenseurs du cyberespace. En un sens, le projet prolonge, tout en le dépassant, celui de la philosophie des Lumières[11]. » Cette intelligence collective serait d'ailleurs rendue non seulement souhaitable, mais nécessaire par les impératifs nouveaux, propres à l'époque : maîtrise d'un savoir complexifié, problèmes technologiques inédits, etc. Il est de fait que la plupart des grands projets technoscientifiques contemporains ne sont plus maîtrisables sans le secours des nouveaux outils cybernétiques. Qu'il s'agisse de la physique des particules, de l'astrophysique, du génome humain, de l'exploration de l'espace, des nanotechnologies, de la surveillance des écologies et des climats : tous sont tributaires du cyberespace et des puissantes intelligences collectives que ce dernier est capable de mobiliser.

A en croire les militants enthousiastes de l'« intelligence collective », l'individualisme intégral, horizon de la modernité occidentale, n'aurait finalement été qu'une phase transitoire, en attendant la recomposition du « nous », du collectif, du social, par le biais de la cyberculture. Un tel optimisme est estimable et même sympathique. On peut du reste ajouter qu'il est partiellement fondé. La cyberculture élargit, c'est vrai, le champ du possible. Grâce à elle, nous voilà dotés de capacités d'analyse et de pouvoirs conceptuels accrus.

---

11. *Ibid.*

On doit pourtant reconnaître que cela ne change stricte-ment rien au contenu des questions fondamentales, y compris celles qui touchent au « collectif ». Des ques-tions assez simples à formuler. Comment reconstruire ce « nous » solidaire mais non disciplinaire ? Comment retrouver l'autre et « les » autres sans en revenir aux rigueurs mutilantes du holisme ?

Sortant peu à peu d'un songe éveillé, on redécouvre aujourd'hui que l'addition des talents ne produit pas mécaniquement un surcroît d'intelligence collective, pas plus que le « déluge » informationnel ne tient lieu de connaissance ni de culture. L'Internet, en d'autres termes, n'abolit ni les questions ni le rôle de ceux qui savent encore les poser. « La clarté et l'intelligibilité du monde ne viennent pas du flux continu des informa-tions ni de leur accessibilité supposée. L'information est trop dense, trop bruyante, trop fluide, trop rapide, trop frivole pour être éclairante et opératoire[12]. »

Pour pêcher un peu de sens dans ce déluge, il faut encore des pêcheurs...

Du mouvement social au marché virtuel

On peut faire la même remarque au sujet des aspects proprement sociaux et politiques de l'utopie cybercul-turelle. A l'origine, c'est vrai, l'Internet est apparu non pas comme un « projet » étatique ou technocratique, mais comme une pure prolifération technologique, couplée à un vrai mouvement social. Le web est donc génétiquement – et joliment – anarchiste. Certes, d'un point de vue technique, l'Internet est né d'une décision

---

12. Pierre Bongiovani, *op. cit.*

de l'armée américaine, soucieuse de mettre en communication ses différents calculateurs géants et ses laboratoires dispersés sur le territoire des États-Unis. La structure éparpillée de ce réseau devait permettre une résistance maximale à d'éventuelles attaques nucléaires venues de l'URSS. Très vite, cependant, le projet fut détourné de sa vocation initiale.

Les chercheurs américains travaillant pour le Pentagone ont pris l'habitude de communiquer par l'entremise de ce réseau. Puis, au tout début des années 90, une petite équipe imaginative du Conseil européen pour la recherche nucléaire (CERN), à Genève, a généralisé cet usage convivial de la connexion informatique, posant du même coup les bases du *World Wide Web*. Le tissage de cette « toile » immatérielle et sa vertigineuse extension à la planète entière fut un mouvement auto-organisé, sans règles ni contraintes. N'étant pas localisé, il n'était pas contrôlable. Le cyberespace était partout et nulle part. Il se riait des frontières et des bureaucraties. Il ouvrait sur un territoire virtuel aussi vaste que l'imagination humaine et aussi riche de promesses qu'un deuxième « nouveau monde ».

La cyberculture, improvisée et bientôt complexifiée, fut fortement marquée par ce spontanéisme et cette charge onirique des origines. Elle fut perçue, à juste titre, comme l'œuvre d'un mouvement social multicentré et internationaliste, une « prise de parole » venant bousculer toutes les institutions et les réglementations étatiques. La force extraordinaire de l'utopie cybernétique trouve là son origine. L'apparition du web, cette nouveauté festive et sauvage, était vécue comme un Mai 68 planétaire dont les millions de « sites », parlant toutes les langues, tenaient lieu de graffitis. Il n'y était pas seulement « interdit d'interdire », il devenait techniquement impossible d'y songer. Par sa structure même, le web se riait des contraintes et des réglementations. Ajoutons que, à peu de chose près, le web remettait en vigueur la plus incroyable de toutes les subversions : la gratuité, disons une quasi-gratuité des échanges et des services rendus.

En théorie, le web promettait plus encore. Il allait permettre de révolutionner la communication en mettant fin à l'hégémonie du « médiatique ». Ce dernier, comme on le sait, va de l'« un » vers le « tous », d'un centre souverain (la station de radio ou de télé, le journal) vers une périphérie docile et consommatrice, celle des « usagers ». A cet échange pyramidal et élitiste, l'Internet substituait une incroyable communication de tous vers tous, c'est-à-dire une forme de démocratie informationnelle directe sans limites spatiales ni temporelles. En théorie, cette nouvelle logique déconstruisait toutes les formes de contrôle centralisé dont les médias traditionnels sont aujourd'hui les vecteurs. Le règne arrogant du scribe dispensant un savoir à destination du menu peuple se voyait remplacé par ce qu'un chercheur québécois, Jean Cloutier, appelle le « self média ». Les forums permanents et autorégulés, ces fameux BBS (*Bulletin Board Systems*), qu'on appelle en français les « babillards », allaient libérer la communication, qui serait désormais gouvernée par un principe interactif, collectif, autogéré et farouchement contestataire. Le web, pensait-on, allait permettre « la diffusion d'un langage et d'une culture mondiale qui soit une création collective et non pas celle d'une caste [13] ».

Pour toutes ces raisons, la cyberculture du début des

---

13. Patrick Thomas, maître de conférences en sciences de l'information à l'université Paul-Valéry de Montpellier, *Libération*, 2 avril 1999.

années 90 était grosse d'une utopie sociale mobilisatrice. Elle portait en son sein une révolution radicale et annonçait une rupture historique immense. Pour la première fois, une révolution investissait non point une région, un pays, un périmètre géographique donné, un maquis ou une *sierra maestra*, mais un non-espace, sans limites ni contours, un cyberespace plus magiquement libéré que ne le fut jamais aucun territoire de l'ancien monde réel. Cette grossesse n'était, hélas, qu'une grossesse nerveuse. Un usage tristement réaliste vint rapidement remettre les choses au point. La révolution tourna court.

On vit peu à peu réapparaître sur toute l'étendue de cette planète virtuelle toutes les anciennes fatalités, contraintes, périls, méchancetés, volontés de puissance, cupidités, rapports de force ou dérélictions qui furent et sont ceux du monde réel. La délinquance cybernétique fit son entrée sur le web. Elle n'était nouvelle que dans la forme ou les moyens. Le commerce, lui non plus, n'était pas plus « doux » sur le web qu'ailleurs. Les luttes et les stratégies de conquêtes s'y déployaient même avec un surcroît de brutalité. L'abus de confiance, la cupidité, la tricherie reprenaient leurs droits et, avec eux, la nécessité de règles, de « cyber-patrouilles » et de police. L'obsédante et infinissable compétition entre les « virus » et les « antivirus » réintroduisait symboliquement dans le paysage l'affrontement du Bien et du Mal. Les possibilités – désormais infinies – de flicages et de filatures virtuelles reposaient en termes à peu près identiques la vieille question de l'ordre et de la liberté. Les « traces » enregistrées tout le long de la filière informatique instauraient d'ailleurs une terrifiante transparence, capable d'anéantir l'idée même de liberté privée. Les institutions existantes, qu'il s'agisse de la police judiciaire ou des commissions de défense des droits de l'homme apprenaient à intégrer – contradictoirement – le web dans leur champ de compétence. Le monde avait changé d'échelle mais pas de nature. Les vieilles contraintes éducatives – mise en forme d'un savoir, médiation nécessaire entre le « déluge informationnel » et ses destinataires – redevenaient incontournables [14]. Quant aux ignominies pédophiles, négationnistes ou virtuellement meurtrières, qui colonisaient ce nouvel espace, elles contribuaient à faire *aussi* du web un nouveau vide-ordures planétaire que nul ne pouvait plus laisser sans régulation [15].

Le cyberespace redevenait ce qu'il était : un prodigieux outil, mais *seulement un outil*, capable du meilleur comme du pire. L'usage, la signification et la portée de celui-ci étaient « en débat », indécidables *a priori*, tributaires d'un rapport de forces aléatoire, renvoyant tout bêtement vers le politique ou la morale. Comme tous les outils technologiques, celui-ci était porteur de promesses inouïes mais aussi de menaces nouvelles, d'inégalités inédites, de dominations d'un autre type, etc. Il ne *remplaçait* pas le monde réel par un territoire enchanté, mais *prolongeait* simplement ce dernier en s'ajoutant à lui.

Chacun projette aujourd'hui dans cet espace élargi ses propres conceptions du monde, ses projets et ses préjugés. Les plus puissants ou les plus malins imposent leur vision des choses. Les conceptions du web qui sont celles d'un Bill Gates, PDG multimilliardaire de Microsoft [16], donnent une idée de cet impérialisme d'un

---

14. Sur cette question du « médiatique », voir le petit livre de Dominique Wolton, *L'Internet et après ?*, Flammarion, 1999.

15. J'emprunte cette expression, assurément polémique, à Alain Finkielkraut.

16. Voir Bill Gates, *La Route du futur*, Robert Laffont, 1995.

nouveau type. Pour ce dernier, le web est d'abord – et *doit* être – un marché mondial, illimité, permettant d'offrir, sans intermédiaires ni contraintes, la totalité des biens et des services disponibles sur la planète. Échappant à toute réglementation étatique et à tout protectionnisme, il permet de réaliser ce « marché ultime » de l'ultralibéralisme, tel qu'aucun économiste n'avait osé l'imaginer. Il accomplit ainsi les rêves les plus fous de la pensée libérale. Le reste, à ses yeux, participe du folklore ou du romantisme.

Il n'est pas difficile de mesurer la distance qui sépare ce web-super-marché, imaginé par Bill Gates, du « mouvement social » libertaire et désintéressé, de l'espace de gratuité et d'échanges que voulaient créer les pionniers du CERN. L'un veut bâtir le plus gigantesque *shopping center* de tous les temps, les autres imaginaient le cyberespace « comme pratique de la communication interactive, réciproque, communautaire et inter-communautaire, comme horizon de monde virtuel vivant, hétérogène et intotalisable auquel chaque être humain peut participer et contribuer [17] ». En réalité, deux interprétations assez classiquement contradictoires s'opposent ; deux projets et deux idéologies reconnaissables s'affrontent sur ce terrain virtuel, tout comme ils s'affrontaient hier sur le terrain « matériel ». Cet affrontement est de nature politique, au sens le plus ordinaire du terme. Il débouche d'ores et déjà sur quantité de batailles juridiques, médiatiques, technologiques, financières, dont la nature n'est pas sensiblement différente des luttes de pouvoir traditionnelles.

Pour le moment, tout porte à croire que le web marchandisé façon Bill Gates l'emporte sur le web libertaire des cybernautes. Sur le long terme pourtant, rien n'est

---

17. Pierre Lévy, *La Cyberculture*, *op. cit.*

joué. Tout sera affaire de priorité, de valeurs communes, de choix collectifs. L'avenir reste ouvert...

Morale universelle et droit mondial

Un mot pour finir, à défaut de « conclure ». Entre la connexion planétaire des ordinateurs et l'élaboration d'un « droit mondial », le lien n'est pas évident. Je crois cependant qu'il existe et qu'il est même fondamental. Dans l'un et l'autre cas, ce qui est en question c'est d'abord une déterritorialisation à la fois irréversible et problématique des activités humaines. En ce qu'il échappe au « lieu », à tout ancrage territorial, c'est-à-dire à tout contrôle, le cyberespace met en échec à la fois le droit et la politique. Plus encore que la « globalisation financière » ou la « mondialisation », dont il est d'ailleurs l'un des instruments, il annonce la fin irrémédiable d'une certaine idée de la souveraineté « locale » (qu'elle soit nationale, régionale ou continentale) par laquelle passaient jusqu'à présent presque toutes les disciplines et les choix collectifs. Pour autant, le cyberespace n'unifie pas d'un coup la planète en la transformant en un « village total », qui rassemblerait des citoyens soucieux de vivre ensemble et prêts à souscrire à un « contrat social » mondialisé.

Il laisse subsister au contraire les différences, les rivalités, les conflits, les inégalités ou les exploitations de l'homme par l'homme. En revanche, il place hors d'atteinte et hors contrôle un champ d'activités toujours plus vaste. De la même façon que le libre-échange et la mondialisation avaient permis au « génie » du marché de sortir de la bouteille nationale dans laquelle, jusqu'alors, on était parvenu à le discipliner, le cyberspace dilue dans un non-lieu immaîtrisable tout projet, même modeste, de régulation. Le non-espace qu'il promeut est aussi celui du non-droit et, possiblement, de la non-civilisation.

Il condamne le politique et le droit à un choix impossible : abdiquer purement et simplement (c'est l'hypothèse de la jungle) ou s'universaliser en catastrophe. Il repose donc, mais cette fois en termes opérationnels, la question difficile entre toutes de l'universel. Il est en fait non plus seulement un « projet » civilisateur concevable sur le très long terme, mais une *urgence démocratique absolue*. La plupart des querelles du moment, celles qui sont censées opposer les « souverainistes » aux « mondialistes », ne font jamais qu'illustrer, sur le mode du pugilat et – souvent – du malentendu volontaire, cette nouvelle quadrature du cercle. Pas de droit, en effet, sans souveraineté. Or les souverainetés deviennent infirmes ou purement théoriques dès qu'elles cessent d'être territorialisées. La future « souveraineté européenne » elle-même – si elle voit le jour – n'échappera pas à cette contradiction qui mine déjà les souverainetés nationales. Dans un monde devenu « sans souveraineté » parce que sans clôture possible et sans territoires, on ne peut résoudre une contradiction de ce type en changeant simplement d'échelle.

Il devient donc impossible d'échapper à l'urgence d'une universalité minimale qu'un droit mondial viendrait, cette fois, consacrer et sanctionner. Le projet est bien plus complexe qu'on l'imagine. Il n'existe pas encore de véritables institutions internationales capables de mettre en œuvre un tel droit, au besoin sous la contrainte. « Face à la mondialisation des réseaux de recherche, les pouvoirs des institutions internationales restent encore dérisoires [18]. » Ni les Nations unies, ni le

---

18. Mireille Delmas-Marty, *Trois Défis pour un droit mondial*, *op. cit.*

Fonds monétaire international, ni les cours de justice de La Haye ou du Luxembourg, ni l'Organisation mondiale du commerce, ni le Bureau international du travail ne constituent des institutions assez légitimes et assez puissantes pour exercer une véritable souveraineté planétaire. Le droit mondial ne peut donc être autre chose qu'un compromis pragmatique, une conceptualisation modeste et aléatoire. Sa nécessité et ses limites sont assez bien définies par Mireille Delmas-Marty, juriste et spécialiste de ces questions.

« Pour conjurer l'intolérance et l'injustice, écrit-elle, le droit n'est pas un sorcier tout-puissant, mais il n'est pas impuissant pour autant, à condition de ne pas se tromper d'objectif. L'objectif d'un droit mondial n'est certainement pas la disparition des États et du droit national. Les institutions étatiques restent indispensables pour contenir l'extension des réseaux d'intérêts privés et organiser les droits individuels et collectifs, comme le démontre la tragédie des peuples sans État pour les représenter [19]. »

Il s'agit d'instaurer une *transaction* permanente et constamment renégociable entre ce qu'il reste de souveraineté aux États et ce qui s'échafaude à l'échelle planétaire. Et tout cela, à mesure que s'impose – difficilement, lentement, contradictoirement – une sorte de conscience universelle. La question du droit d'ingérence, l'inculpation des dictateurs coupables de « crimes contre l'humanité » ne sont jamais que l'extension – encore balbutiante –, au terrain pénal, d'une démarche beaucoup plus générale. Dans l'urgence, face aux barbaries annoncées et sans le secours du moindre « sanctuaire » territorial, un droit universel devient à la fois nécessaire et « impossible ». Nous voyons revenir en force les problèmes posés jadis par les théories du droit naturel, théories et

---

19. *Ibid.*

utopies que les guerres idéologiques inexpiables du XXᵉ siècle avaient reléguées au second plan.

On a tort de croire que ces problèmes se limitent à des questions de procédure, de souveraineté et, le cas échéant, de contrainte. *C'est d'abord une affaire de contenu.* Certes, l'effondrement du communisme – qui dénonçait depuis trois quarts de siècle « l'hypocrisie du droit bourgeois » – a permis de consolider un semblant de consensus planétaire, dont témoignent les diverses Déclarations des droits de l'homme, celle de 1948 surtout. Ce consensus, solennellement proclamé, est pourtant loin d'être général et effectif. Autrement dit, les peuples du monde ne sont pas encore parvenus à un accord, même minimal, sur les valeurs fondatrices examinées dans les chapitres qui précèdent. L'universalité des valeurs fondatrices, on l'a vu, est plus une conjecture qu'une réalité – sauf, peut-être, à l'intérieur des frontières européennes. Comment, dans ces conditions, imaginer la définition d'un « droit naturel » qui soit autre chose que le droit du plus fort, le droit du vainqueur, le droit du plus riche ?

Les tyrannies ou les totalitarismes résiduels ne sont pas seuls en cause. Le problème n'est pas non plus circonscrit aux seules sociétés traditionnelles de l'hémisphère Sud, encore attachées à des coutumes ou pratiques (excision ou infibulation des femmes, infanticide des petites filles, oppression des femmes, survivance de l'esclavage, etc.) que nous jugeons barbares. Les juristes sont les premiers à mettre en évidence un paradoxe autrement embarrassant pour la communauté démocratique. Celui-ci : la principale et même unique superpuissance de la planète, l'Amérique, est aussi celle qui refuse de contresigner des textes ou conventions de portée prétendument universelle. Je songe aux conventions internationales sur l'interdiction des mines antipersonnel auxquelles les États-Unis ne veulent pas souscrire. Je songe surtout à la question – emblématique entre toutes – de la peine de mort. En ratifiant, en 1992, le Pacte international sur les droits civils et politiques (PICDP), les États-Unis ont formulé des réserves précises et circonstanciées, des réserves qu'on aurait critiquées plus vigoureusement si elles avaient été le fait d'un gouvernement non démocratique. En réalité, les États-Unis « entendent conserver le droit d'imposer la peine de mort à "toute personne", ce qui inclut non seulement les mineurs – y compris de très jeunes enfants – mais encore, par exemple, des aliénés ou des handicapés mentaux, la seule exception admise par eux étant celle formulée à propos des femmes enceintes [20] ».

Plus embarrassant encore, l'administration n'a accepté que du bout des lèvres, et sous certaines conditions très restrictives, l'interdiction de la torture et des « peines ou traitements inhumains ou dégradants ». Quant aux diverses déclarations « sociales » citées plus haut [21], qui concernent le « droit à un niveau de vie suffisant » ou l'interdiction de considérer le travail « comme une marchandise ou un objet de commerce », il n'est pas sûr qu'elles soient compatibles avec le modèle anglo-saxon de capitalisme et le libéralisme pur et dur, tels que les définit Michel Albert [22].

Cyberculture, droit mondial : ce ne sont là que deux exemples. Ils ont le mérite d'illustrer une vérité que, dorénavant, nous n'avons plus le droit d'oublier. La prochaine planète ne sera pas notre héritage mais notre création. Le monde qui nous attend n'est pas à conquérir mais à fonder.

---

20. *Ibid.*
21. Voir chap. 4.
22. Michel Albert, *Capitalisme contre capitalisme*, Seuil, 1991.

Table

PREMIÈRE PARTIE

Un adieu au siècle

TROISIÈME PARTIE

Le rendez-vous avec le monde

Les Jours terribles d'Israël
Seuil, « L'histoire immédiate », 1974

Les Confettis de l'Empire
Seuil, « L'histoire immédiate », 1976

Les Années orphelines
Seuil, « Intervention », 1978

Un voyage vers l'Asie
Seuil, 1979
et « Points Actuels », n° 37

Un voyage en Océanie
Seuil, 1980
et « Points Actuels », n° 49

L'Ancienne Comédie
roman, Seuil, 1984
et « Points roman », n° R479

Le Voyage à Kéren
prix Roger-Nimier
roman, Arléa, 1988
et « Arléa-poche », 1996

L'Accent du pays
Seuil, 1990

Cabu en Amérique
(avec Cabu et Laurent Joffrin)
Seuil, « L'histoire immédiate », 1990

Sauve qui peut à l'Est
(avec Cabu)
Seuil, « L'histoire immédiate », 1991

Le Rendez-vous d'Irkoutsk
Arléa, 1991

La Colline des Anges
Retour au Vietnam
(avec Raymond Depardon)
prix de l'Astrolabe
Seuil, 1993

La Route des Croisades
Arléa, 1993
Seuil, « Points », n° P84

La Trahison des Lumières
Enquête sur le désarroi contemporain
prix Jean-Jacques Rousseau
Seuil, 1995
et « Points », n° P257

Écoutez voir !
Arléa, 1996

La Porte des Larmes
(avec Raymond Depardon)
Seuil, 1996

La Traversée du monde
Arléa, 1998

Printemps vietnamien
Paris audiovisuel éd., 1998

La Tyrannie du plaisir
prix Renaudot Essai
Seuil, 1998
et « Points », n° P668

L'Esprit du lieu
Arléa, 2000

RÉALISATION : PAO ÉDITIONS DU SEUIL
IMPRESSION : **BUSSIÈRE CAMEDAN IMPRIMERIES** À SAINT-AMAND
DÉPÔT LÉGAL : OCTOBRE 2000. Nº 41947 (004177/1)

Collection Points